L'art du théâtre

L'art du théâtre

MÉLANGES EN HOMMAGE
A
ROBERT GARAPON

TEXTES RÉUNIS ET PUBLIÉS PAR
YVONNE BELLENGER, GABRIEL CONESA,
JEAN GARAPON, CHARLES MAZOUER
ET JEAN SERROY

Presses Universitaires de France

ISBN 2 13 043289 1

Dépôt légal — 1re édition : 1992, février
© Presses Universitaires de France, 1992
108, boulevard Saint-Germain, 75006 Paris

COMITÉ D'HONNEUR

Liste des auteurs

MADELEINE AMBRIÈRE
Professeur émérite à l'Université de Paris-Sorbonne

ROBERT AULOTTE
Professeur émérite à l'Université de Paris-Sorbonne

JACQUES BAILBÉ
Professeur à l'Université de Paris-Sorbonne

ENEA BALMAS
Professeur à l'Université de Milan

YVONNE BELLENGER
Professeur à l'Université de Reims

ANDRÉ BLANC
Professeur à l'Université de Paris-Nanterre

CLAUDE BLUM
Professeur à l'Université de Bâle

PIERRE BRUNEL
Professeur à l'Université de Paris-Sorbonne

HUBERT CARRIER
Professeur à l'Université de Tours

NICOLE CAZAURAN
Professeur à l'Université de Paris-Sorbonne

YVES COIRAULT
Professeur émérite à l'Université de Paris-Sorbonne

JEAN-PIERRE COLLINET
Professeur à l'Université de Dijon

GABRIEL CONESA
Maître de conférences à l'Université de Paris-Sorbonne

GEORGES COUTON
Professeur émérite à l'Université de Lyon

HUGH M. DAVIDSON
Professeur à l'Université de Virginie, États-Unis

ANNE-MARIE DESFOUGÈRES
Maître de conférences à l'Université de Paris-Sorbonne

ÉVELYNE DUTERTRE
Professeur à l'Université du Val-de-Marne

MARC FUMAROLI
Professeur au Collège de France

JEAN GARAPON
Maître de conférences à l'Université de Bretagne Occidentale

MIREILLE GÉRARD
Maître de conférences à l'Université de Paris-Sorbonne

HUGUETTE GILBERT
Maître de conférences à l'Université de Paris-Sorbonne

ROGER GUICHEMERRE
Professeur à l'Université de Paris-Sorbonne

MARIUS-FRANÇOIS GUYARD
Professeur émérite à l'Université de Paris-Sorbonne

IROSHI ITO
Professeur à l'Université Waseda de Tokyo

ALAIN LANAVÈRE
Maître de conférences à l'Université de Paris-Sorbonne

LOUIS LOBBES
Professeur de Français aux Pays-Bas

CHARLES MAZOUER
Professeur à l'Université de Bordeaux III

SYLVAIN MENANT
Professeur à l'Université de Paris-Sorbonne

JEAN MESNARD
Professeur émérite à l'Université de Paris-Sorbonne

ARLETTE MICHEL
Professeur à l'Université de Paris-Sorbonne

ROLAND MORTIER
Professeur à l'Université libre de Bruxelles

FRANÇOIS MOUREAU
Professeur à l'Université de Bourgogne

ALAIN NIDERST
Professeur à l'Université de Rouen

JACQUES SCHERER
Professeur émérite à l'Université de la Sorbonne-Nouvelle

JEAN SERROY
Professeur à l'Université de Grenoble III

JACQUES TRUCHET
Professeur émérite à l'Université de Paris-Sorbonne

ROGER ZUBER
Professeur à l'Université de Paris-Sorbonne

Sommaire

XVIIIᵉ ET XIXᵉ SIÈCLES

Bibliographie des travaux
de Robert Garapon

ABRÉVIATIONS

R.H.L.F.   Revue d'Histoire Littéraire de la France.
I.L.   L'Information Littéraire.
Ann. N.   Annales de Normandie, Caen.
C.A.I.E.F. Cahiers de l'Association Internationale des Etudes Françaises.
S.L.F.   Studi di Letteratura Francese, Firenze, L.S. Olschki.
T.L.L.S.   Travaux de Linguistique et de Littérature publiés par le Centre de
            Philologie et de Littératures romanes de l'Université de Strasbourg.

«Rotrou et Corneille», R.H.L.F., oct.-déc. 1950, p. 385-394.

«La couleur romantique dans les contes de Maupassant», Ann. N., mai 1953,
    p. 186-192.

«Du baroque au classicisme : le théâtre comique», XVIIe siècle, 1953, n° 20,
    p. 259-265.

GRENTE, Dictionnaire des Lettres françaises : XVIIe siècle, Fayard, 1954 (articles :
    «Barbon», «Baron», «Les Béjart», «Bellerose», «La Bellerose», «La Champ-
    meslé», «La Des Œillets», «La Du Parc», «Fanfaron», «Floridor»,
    «A. Hardy», «Héroï-comique», «Jodelet», «La Grange», «Montdory»,
    «Montfleury», «Pédant», «Conditions concrètes de la vie du Théâtre»,
    «Valleran le Conte»).

«Les Plaideurs, comédie burlesque», I.L., mai-juin 1954, p. 85-88.

CR, L. BREITHOLTZ, «Le Théâtre historique en France jusqu'à la Révolution»,
    Erasmus, 25 août 1954, col. 467-470.

«Résumé des thèses», Annales de l'Université de Paris, juil.-sept. 1955, p. 417-419.

«Malherbe et son temps», Catalogue de l'exposition du IVe Centenaire de la naissance
    de Malherbe, Caen, 1955, 24 p.

CR, «Corneille, la Veuve», I.L., éd. Mario Roques et Marion Lièvre, mars-avril
    1955, p. 73.

CR, R. LEBÈGUE, «La tragédie française de la Renaissance», R.H.L.F., juil.-sept.
    1955, 2e éd., p. 357-358.

CR, P. GUIRAUD, «Index des mots de Cinna, index des mots de Phèdre», I.L.,
    sept.-oct. 1955, p. 151-152.

CR, LA VARENDE, «M. le Duc de Saint-Simon et sa comédie humaine», I.L.,
    sept.-oct. 1955, p. 152.

CR, René FROMILHAGUE, «La vie de Malherbe : Malherbe. Technique et
    création poétique», Revue des sciences humaines, oct.-déc. 1955, p. 511-514.

«Vauquelin de La Fresnaye et Malherbe», Ann. N., janv. 1956, p. 5-10.

CR, M. Daniélou, «Fénelon et le duc de Bourgogne», *I.L.,* janv.-fév. 1956, p. 19.

CR, J. Castelnau, «Retz et son temps», *I.L.,* mars-avril 1956, p. 70-71.

CR, R. Picard, «La Carrière de Jean Racine», *I.L.,* nov.-déc. 1956, p. 200.

CR, J. Hampton, «Nicolas-Antoine Boulanger et la science de son temps», *ibid.,* p. 200-201.

La Fantaisie verbale et le comique dans le théâtre français du Moyen Age à la fin du XVIIe siècle, Paris, A. Colin, 1957, 368 p.

«Littérature dramatique et traditions de métier», *I.L.,* janv.-fév. 1957, p. 9-11.

«La Permanence de la farce dans les divertissements de cour au XVIIe siècle», *C.A.I.E.F.,* juin 1957, p. 117-127.

«Bibliographie sommaire sur Molière après 1670», *I.L.,* sept.-oct. 1957, p. 181-182.

Pierre Corneille, *L'Illusion comique, comédie, publiée d'après la première édition (1639) avec les variantes,* Paris, Didier, 1957, LXXIX-126 p. (Société des Textes Français Modernes).

CR, Grimarest, «La vie de M. de Molière, éd. critique par G. Mongrédien, *I.L.* janv.-fév. 1957, p. 25.

CR, J. Mantoy, «Des Pensées de Pascal à l'Apologie», *I.L.,* mars-avril 1957, p. 77-78.

CR, J. Jerphagnon, «Pascal et la souffrance», *ibid.,* p. 78.

CR, F. Alquié, «Descartes, l'homme et l'œuvre», *I.L.,* mai-juin 1957, p. 125.

CR, S. S. de Sacy, «Descartes par lui-même», *ibid.,* p. 125-126.

CR, G. Védier, «Origine et évolution de la dramaturgie néo-classique», *ibid.,* p. 126.

CR, R. Lebègue, «Malherbe et Du Périer, harangue pour le prince de Joinville», *I.L.,* sept.-oct. 1957, p. 168.

CR, Rotrou, *Venceslas,* éd. W. Leiner, *ibid.,* p. 168-169.

CR, G. Couton, «La Poétique de La Fontaine», *I.L.,* nov.-déc. 1957, p. 216.

CR, Ch. Dédéyan, «Madame de Lafayette», *ibid.,* p. 216-217.

CR, P. Meister, «Charles Duclos», *ibid.,* p. 217.

«Sur les dernières comédies de Molière», *I.L.,* janv.-fév. 1958, p. 1-7.

«La langue et le style des différents personnages du *Bourgeois gentilhomme*», *Le Français Moderne,* avril 1958, p. 103-112.

«Bibliographie sommaire sur Scarron et Mme de La Fayette», *I.L.,* sept.-oct. 1958, p. 180-181.

CR, «Les Ramoneurs», éd. A. Gill, *I.L.,* janv.-fév. 1958, p. 30.

CR, G. Le Roy, «Pascal savant et croyant», *ibid.,* p. 30.

CR, M.-F. Guyard, «Alphonse de Lamartine», *ibid.,* p. 31.

«Valéry ou la tentation de l'intelligence», *Vie enseignante,* fév. 1959, p. 18-20; juin 1959, p. 19-20.

«Note bibliographique concernant l'histoire littéraire et l'histoire des idées», *Ann. N.,* janv. 1959, p. 34.

«Sensibilité et sensiblerie dans les comédies de la seconde moitié du XVIIe siècle», *C.A.I.E.F.,* mai 1959, p. 67-76.

«Introduction à la lecture d'Alain Chartier», *Ann. N.,* mai 1959, p. 91-108.

«L'Intelligence, objet essentiel de la poésie de Paul Valéry», *Vie enseignante,* sept.-oct. 1959, p. 18.

«Paul Claudel, ou l'abondance du cœur», *ibid.*, p. 19-20.

«Le sens d'une reconstruction», *Théâtre*, Caen, oct. 1959.

«A propos de *Phèdre*», *Théâtre*, Caen, oct. 1960.

CR, H. RODDIER, «L'Abbé Prévost, l'homme et l'œuvre», *I.L.*, sept.-oct. 1960, p. 171.

«Note bibliographique concernant l'histoire littéraire et l'histoire des idées», *Ann. N.*, juin 1961, p. 34.

«L'Université de Caen au seizième siècle», *Le Mois à Caen*, janv. 1962, p. 3-8.

LA BRUYÈRE, *Les Caractères ou les mœurs de ce siècle*, texte établi avec introd., notes, relevé de variantes, glossaire et index, (Classiques Garnier), rééd., Paris, Garnier, 1962, XLV-622 p.

«La Bruyère, *Les Caractères*», in : *La Vie des lettres chez Garnier*, mars 1962.

«Note bibliographique concernant l'histoire littéraire et l'histoire des idées», *Ann. N.*, mars 1962, p. 31.

«Hommage d'un élève», in : Roger PONS, *Un Chrétien au service de l'enseignement public*, Paris, éd. du Cerf, 1963, p. 233-244.

«La vie littéraire en Normandie au seizième siècle», *Le Mois à Caen*, nov. 1963, p. 4-14.

«Note bibliographique concernant l'histoire littéraire et l'histoire des idées», *Ann. N.*, mars 1963, p. 41.

«Le personnage du soldat fanfaron dans le théâtre français au XVIᵉ et au XVIIᵉ siècle», in : *Actes du VIIᵉ Congrès de l'Association Guillaume Budé*, Aix-en-Provence, avril 1963 ; Paris, les Belles Lettres, 1964, p. 113-115.

«Note bibliographique concernant l'histoire littéraire et l'histoire des idées», *Ann. N.*, mars 1964, p. 42.

«Le Dialogue moliéresque», *C.A.I.E.F.*, mars 1964, p. 203-217.

GRENTE, *Dictionnaire des Lettres Françaises : Moyen Age*, Paris, Fayard, 1964, articles : «Alain Chartier», «Le Théâtre profane au XVᵉ siècle et dans la première moitié du XVIᵉ siècle».

«Bibliographie sur La Bruyère», *I.L.*, sept.-oct. 1964, p. 176.

«Pour une géographie littéraire de la Basse-Normandie», *Le Mois à Caen*, mars 1965, p. 6-8.

«Perspectives d'étude sur La Bruyère», *I.L.*, mars-avril 1965, p. 47-53.

«Note bibliographique concernant l'histoire littéraire et l'histoire des idées», *Ann. N.*, juin 1965, p. 183.

CR, A. CALAME, «Regnard, sa vie et son œuvre», *R.H.L.F.*, janv.-mars 1965, p. 117-118.

CR, M. M. Mac GOWAN, «L'Art du ballet de cour en France, 1581-1643», *R.H.L.F.*, juil.-sept. 1965, p. 505-506.

CR, B. C. BOWEN, «Les caractéristiques essentielles de la farce française et leur survivance dans les années 1550-1620», *R.H.L.F.*, oct.-déc. 1965, p. 696-697.

«Le souvenir de M. le recteur Daure», *Le Mois à Caen*, mai 1966, p. 6-7.

«Un de nos contemporains du XVIᵉ siècle : le Dieppois Jean Parmentier», *Le Mois à Caen*, nov. 1966, p. 8-16.

«Classical and Contemporary French Literature», *University of Toronto Quarterly*, january 1967, p. 101-112.

«Rapport du secrétaire général», *C.A.I.E.F.*, mars 1967, p. 309-312.

Paul SCARRON, *Don Japhet d'Arménie*, comédie, texte établi, présenté et annoté, Paris, Didier, 1967, XL-124 p. (Société des Textes Français Modernes).

«Statistique et littérature. A propos d'un ouvrage récent», *T.L.L.S.*, 1967, *V*, 2, p. 17-22.

CR, «Le lieu théâtral à la Renaissance», publié par J. Jacquot, *R.H.L.F.*, oct.-déc. 1967, p. 806-808.

CR, H. LEMAIRE, «Les images chez saint François de Sales. François de Sales, docteur de la confiance et de la paix», *ibid.*, p. 809-810.

«Rapport du secrétaire général», *C.A.I.E.F.*, mai 1968, p. 357-360.

«Défense des "mandarins"», *Le Journal du Parlement*, 18 sept. 1968.

«L'influence de l'*Astrée* sur le théâtre français de la première moitié du XVIIᵉ siècle», *T.L.L.S.*, 1968, *VI*, 2, p. 81-85.

«Les monologues, les acteurs et le public en France au XVIIᵉ siècle», in : *Dramaturgie et société*, Paris, C.N.R.S., 1968, t. I, p. 253-258.

«La civilisation française au XVIIᵉ siècle», in : *Civilisations, Peuples et Mondes*, t. VI. *Le dix-septième et le dix-huitième siècle*, Paris, éd. Lidis, 1968, p. 119-161.

«Le Théâtre du Moyen Age», *Encyclopédie Clartés*, 1968, n° 9, fasc. 14132, 6 p.

«Le Théâtre de la Renaissance», *Encyclopédie Clartés*, 1968, n° 9, fasc. 14155, 6 p.

«Licences et facéties dans la versification comique du XVIIᵉ siècle», *C.A.I.E.F.*, mai 1969, p. 9-19.

«Rapport du secrétaire général», *C.A.I.E.F.*, mai 1969, p. 315-317.

«Molière et la comédie», in : *Histoire de la littérature française*, J. Roger et J.-Ch Payen, A. Colin, 1969, coll. U, t. I, p. 390-401.

«Une source espagnole de *Polyeucte*», in : *Mélanges Lebègue*, Paris, Nizet, 1969, p. 201-210.

«Indulgent La Bruyère», in : *Littérature classique française*, Paris, Casterman, 1969, p. 129-136.

«Bibliographie sur Molière : *Le Misanthrope, Amphitryon*», *I.L.*, sept.-oct. 1969, p. 188.

«Rapport du secrétaire général», *C.A.I.E.F.*, mai 1970, p. 313-316.

«Quand Montaigne a-t-il écrit les Essais du livre III?», in : *Mélanges Frappier*, Genève, Droz, 1970, t. I, p. 321-327.

«Honoré d'Urfé et saint François de Sales», *Bulletin de la Diana*, Colloque commémoratif du 4ᵉ Centenaire de la naissance d'Honoré d'Urfé, 1970, numéro spécial, p. 127-139.

«L'Astrée et le jeune Corneille», *ibid.*, p. 141-147.

CR, J. MAURENS, «La Tragédie sans tragique. Le néo-stoïcisme dans l'œuvre de Pierre Corneille», *R.H.L.F.*, juil.-août 1970, p. 701-702.

«Rapport du secrétaire général», *C.A.I.E.F.*, mai 1971, p. 385-388.

Blaise de Monluc, in : *Encyclopaedia Universalis*, 1972, p. 556-557.

«Rapport du secrétaire général», *C.A.I.E.F.*, mai 1972, p. 329-332.

«Le néo-stoïcisme dans la littérature française contemporaine, particulièrement chez Albert Camus», in : *French Studies in Southern Africa*, n° 1 (1971).

«Les Dramaturges français, les acteurs et le public au XVIIᵉ siècle», *French Studies*, January 1973, p. 1-8.

«Sur l'occupation de la scène dans les comédies de Molière», in : *Molière, Stage and Study*, Oxford, Clarendon Press, 1973, p. 13-20.

«La Littérature française de la Renaissance : le renouvellement de la poésie (Marot, Du Bellay, Ronsard, Agrippa d'Aubigné)», «Rabelais, les conteurs», «Montaigne, les moralistes», «Traducteurs, mémorialistes», «Ecrivains politiques et religieux», *Encyclopédie Clartés,* Paris, 1973, 40 p.

«Rapport du secrétaire général», *C.A.I.E.F.,* 1973, p. 387-390.

«Le tempérament littéraire des auteurs normands», in : *Mélanges Georges Mongrédien,* Paris, 1974, p. 73-85.

«Le Réalisme de la farce», *C.A.I.E.F.,* mai 1974, p. 9-20.

«Rapport du secrétaire général», *ibid.,* p. 357-359.

«Les Préparations dans le *Roman comique* de Scarron», in : *Actes du Colloque Renaissance-Classicisme du Maine,* 1974, p. 11-18.

«Recherches sur le dialogue de Molière», *Revue d'histoire du théâtre,* 1974, p. 63-71.

«La Proximité des grands hommes de l'Antiquité dans les *Essais* de Montaigne», *Actes du IXe Congrès de l'Association Guillaume Budé,* Paris, les Belles Lettres, 1975, p. 640-644.

«La Bruyère et saint François de Sales», *Mélanges Pintard,* T.L.L.S., 1975, XIII, 2, p. 401-407.

(Nécrologie) «M. Raymond Picard», *Sceaux, Bulletin municipal d'information,* sept.-oct. 1975, p. 34.

«Rapport du secrétaire général», *C.A.I.E.F.,* mai 1975, p. 467-470.

«In memoriam Raymond Picard», R.H.L.F., janv.-fév. 1976, p. 160-163.

«Rapport du secrétaire général», *C.A.I.E.F.,* mai 1976, p. 389-392.

Le Dernier Molière, Paris, S.E.D.E.S., 1977, 249 p.

«Franco Simone, portrait d'un humaniste», *C.A.I.E.F.,* mai 1977, p. 369-370 (en collaboration avec Raymond Lebègue).

«Saint Jean de Brébeuf écrivain», in : «La Basse-Normandie et ses poètes à l'époque classique», *Cahier des Annales de Normandie,* Caen, 1977, p. 195-201.

Les Caractères *de La Bruyère. La Bruyère au travail,* Paris, S.E.D.E.S., 1978, 216 p.

«Marie de l'Incarnation, ursuline de Québec, d'après sa correspondance», in : *Onze études de la femme dans la littérature française du XVIIe siècle réunies par Wolfgang Leiner,* Tübingen, Gunter Narr Verlag, 1978, p. 51-66.

«Eloge du doyen Bernard Gagnebin», *Séance solennelle du 4 février 1978,* Université de Paris IV, p. 17-19.

«Jean Parmentier, poète de l'immensité», in : *Mélanges Jeanne Lods,* Paris, 1978, p. 671-678.

«Le fonctionnement des universités», in : *Université et démocratie,* Cercles universitaires, 1979, p. 29-39.

«Molière pour ou contre Dom Juan?», S.L.F., 1980, p. 58-66.

SCARRON, *Le Roman comique,* Imprimerie nationale, coll. Lettres Françaises, Paris, 1980, 359 p.

«Le Roman comique», *Impression, Bulletin de l'Imprimerie nationale,* déc. 1980, p. 21-24.

«Le Comique verbal chez Pierre Gringore», in : *Le Comique verbal en France au XVIe siècle,* éd. de l'Université de Varsovie, 1981, p. 39-52.

Ronsard chantre de Marie et d'Hélène, S.E.D.E.S., Paris, 1981, 174 p.

Le Premier Corneille, S.E.D.E.S., Paris, 1982, 175 p.

«La Place de la *Comédie néphélococugie* de Pierre Le Loyer dans notre histoire dramatique du XVIe siècle», in : *La Poésie angevine du XVIe siècle au début du XVIIe siècle*, Presses de l'Université d'Angers, 1987, p. 60-64.

«Saint François de Sales, peintre de l'amour-propre», in : *Mélanges à la mémoire de V.-L. Saulnier*, Genève, Droz, 1984, p. 319-330.

«La Recherche de la surprise dans le théâtre de Corneille», *Cahiers de littérature du XVIIe siècle*, Toulouse, 1984, p. 191-196.

«Sur la modernité du théâtre de Pierre Corneille», *Papers on French Seventeenth Century Literature*, 1984, vol. XI, p. 611-620.

«Un héritage du XVIIe siècle : la clarté dans la présentation des personnages», in : *Destins et enjeux du XVIIe siècle*, Paris, Presses Universitaires de France, 1985, p. 163-172.

«Sur deux phrases des *Essais*, in : *Mélanges Pierre Michel*, Paris, H. Champion, 1984, p. 111-115.

«Proust and Molière», in : *The Dialectic of Discovery, Essays on the Teaching and Interpretation of Literature presented to Lawrence E. Harvey*, Lexington (Kentucky), French Forum, 1984.

«Les mécènes de théâtre et leurs conseillers (1630-1660)», in : *L'Age d'or du Mécénat (1598-1661)*, Paris, éd. du C.N.R.S., Paris, 1985, p. 315-318.

«Hommage à M. Raymond Lebègue», *XVIIe siècle*, janvier-mars 1985, p. 3-5.

«In memoriam, Raymond Lebègue», *R.H.L.F.*, juillet-août 1985, p. 713-715.

«Amour et liberté chez Corneille», *C.A.I.E.F.*, mai 1985, p. 151-162.

Corneille et Honoré d'Urfé, in : *Pierre Corneille, actes du Colloque tenu à Rouen du 2 au 6 oct. 1984*, Paris, Presses Universitaires de France, 1985, p. 205-210.

«Le portrait de Ronsard par lui-même dans les "Sonnets pour Hélène"», *R.H.L.F.*, 1986, n° 4, p. 643-649.

«Proust et La Bruyère», in : *Mélanges Robichez*, Paris, S.E.D.E.S., 1987, p. 323-328.

«L'Empreinte de l'*Astrée* dans "La Nouvelle Héloïse"», *Œuvres et Critiques*, 1987, XII, 1, p. 93-98.

«Nécrologie, René Bady», *XVIIe siècle*, p. 69.

«Florian et l'Astrée», *Cahiers Roucher-André Chénier*, 1988, n° 8, p. 55-60.

«La phrase courte chez Montaigne», in : *Mélanges Aulotte*, Paris, S.E.D.E.S., 1988, p. 215-220.

«La Bruyère et Fontenelle», in : *Fontenelle, actes du colloque tenu à Rouen du 6 au 10 octobre 1987*, Paris, Presses Universitaires de France, 1989, p. 297-305.

«L'Antigone de Robert Garnier et la légende d'Œdipe», *S.L.F.*, 1989, p. 33-39.

«Corneille et le sens du sacré», in : *Bulletin de l'Association Guillaume Budé, Actes du XXe Congrès*, Paris, les Belles Lettres, 1989, p. 347-348.

«Corneille et le sens du sacré», *Bulletin de l'Association Guillaume Budé*, juin 1989, p. 172-179.

«Sur le sens du mot «raison» au XVIIe siècle», in : *Convergences (Mélanges H. Davidson)*, Ohio State University Press, 1989, p. 34-44.

«Apologie pour La Grange et Vivot, ou défense de l'édition des Œuvres de Molière de 1682», in : *Mélanges Deloffre*, Paris, S.E.D.E.S., 1990, p. 163-170.

SEDAINE, *Le philosophe sans le savoir*, comédie publiée avec introd., notes et variantes, Paris, Aux Amateurs de livres, 1990, XLVI-137 p. (Société des Textes Français Modernes).

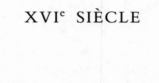

XVIᵉ SIÈCLE

Sur une version française manuscrite de l'Iphigénie à Aulis d'Euripide

ROBERT AULOTTE

A Claude Longeon
et Roger Lathuillère,
in memoriam.

S'il est un domaine où le terme *Renaissance* trouve sa toute particulière justification, c'est bien celui du théâtre attique, dont le répertoire renaît véritablement aux XVe et XVIe siècles. Des trois tragiques grecs ainsi redécouverts, ce fut, semble-t-il, Euripide (480-406) qui, bien plus qu'Eschyle (525-456)[1] et davantage même que Sophocle (495-405)[2], attira l'attention des humanistes italiens, français, bâlois, allemands. Son *Hécube,* déjà fort appréciée à la fin de la période byzantine, continue, dans la version latine d'Erasme, à connaître la plus grande vogue durant le XVIe siècle. Et, avec l'*Hécube,* l'*Iphigénie à Aulis,* pièce assez négligée jusqu'alors, que Sebillet allait traduire en français en 1549 et qui devait par la suite exercer l'influence que l'on sait sur les littératures occidentales[3] : il n'est qu'à songer à Racine. De cette tragédie, l'une des dernières d'Euripide, qui ne fut représentée qu'après sa mort et qui passe à juste titre pour son chef-d'œuvre, la Bibliothèque nationale de

---

1. Il paraît aujourd'hui excessif de répéter, après G. Méautis, que le XVIe siècle n'a pas connu Eschyle, mais le poète d'Eleusis eut, alors, moins de succès, assurément, que Sophocle et Euripide. Comme le note Monique MUND-DOPCHIE, *La Survie d'Eschyle à la Renaissance,* Louvain, Peeters, 1984, p. 315, pour vingt et un ouvrages imprimés à la Renaissance et relatifs à Eschyle, on relève quarante-huit éditions et traductions pour Sophocle – dont l'œuvre conservée est de dimensions sensiblement égales – et soixante-quinze pour Euripide. De même, alors qu'Eschyle n'est pas traduit dans les langues vernaculaires, Sophocle l'est onze fois et Euripide seize fois. Cependant, aux travaux consacrés à Eschyle – dont le corpus fut imprimé pour la première fois dans l'officine de feu Alde Manuce en 1518, mais ne bénéficia d'une édition correcte qu'en 1557 – des humanistes célèbres devaient attacher leurs noms : outre les Aldes, Robortello, Vettori, Portus, en Italie; Dorat, Turnèbe, Henri Estienne II, Casaubon, Scaliger, le président de Thou, en France; sans oublier Guillaume Canter, Jacopo Corbinelli, Jean Chessel et Florent Chrestien (*ibid.,* p. 316).

2. L'édition *princeps* de Sophocle date de 1502 (Alde). Le texte fut publié encore en 1522 (Junte) et en 1528 (Colines).

3. Sur la fortune d'Euripide au XVIe siècle, voir la thèse de l'Ecole des Chartes (1988) de François ROLE, *Euripide au XVIe siècle. La Renaissance d'un tragique,* déposée aux Archives nationales.

Paris conserve (ms. franç. 25505)[4] une traduction française anonyme et non datée. Sur cette traduction, René Sturel a écrit des
pages éclairantes[5], voici plus de trois quarts de siècle, juste un an
avant de tomber glorieusement pour la France, le 22 août 1914, à la
bataille de Charleroi. Il n'entre pas dans notre propos – ce serait
outrecuidance – de revenir, pour la critiquer, sur la savante et
sagace étude de René Sturel, qui date cette version d'*Iphigénie* des
années 1547-1549, la croit transcrite «sans aucun doute» par le
copiste parisien Charles Adam[6] et l'attribue à Jacques Amyot, dont
nous savons qu'il avait effectivement, pendant son séjour à Bourges
(1534-1546), traduit en vers quelques tragédies grecques[7]. Tout au
plus voudrions-nous élire, pour les mettre commodément à la
disposition des lecteurs, quelques passages de cette traduction,
révélateurs, pensons-nous, de la manière de l'interprète, sur l'identité duquel il n'est pas interdit de s'interroger encore, avec
prudence.

L'*Iphigénie à Aulis* manuscrite n'est précédée d'aucun «proesme»,
d'aucune préface ou épître dédicatoire[8] qui puisse nous renseigner
sur les intentions du translateur, sur son identité, sur sa conception
de l'activité traductrice. La pièce est résumée en prose dans un
Argument, dont nous citons, à titre d'échantillon, le début :

> Ceste Tragoedie est intitulée Iphigénie en Aulis pour la différence d'une
> aultre Tragoedie du mesme poete, qui s'intitule et s'appelle Iphigenie en
> Tauri. Or estoit Aulis une petite ville[9] de Graece en la contrée de Boeoce
> assise sur le golphe anciennement appelé Euripus Euboicus, entre la coste
> de Boeoce, et l'isle d'Eubée : au port de laquelle petite ville d'Aulis
> s'assemblerent iadis tous les roys, et princes de la Graece avec grand
> nombre de combatans, et de vaisseaux, aians tous ensemble coniuré
> d'aller destruire la cité de Troie, pour la vengeance du ravissement

4. Le Catalogue des manuscrits le décrit ainsi : «Lettres ornées. XVIIᵉ siècle (lire XVIᵉ siècle). Parchemin 95 feuillets, 230 × 160 millimètres. D relié (Oratoire 188).

Ce manuscrit, qui porte l'estampille révolutionnaire, est entré à la Bibliothèque pendant la période 1795-1802.

5. «Essai sur les traductions du théâtre grec en français avant 1550», *R.H.L.F.*, avril-septembre 1913, p. 269-271 et 617-666. Par erreur, dans l'article consacré à l'*Iphigénie,* le manuscrit est désigné sous la cote 22505.

6. C'est cet Adam Charles qui avait copié les premières traductions des *Vies* de Plutarque faites par Amyot avant 1547. Voir R. STUREL, *Jacques Amyot, traducteur des Vies parallèles de Plutarque,* Paris, Champion, 1908, réimp. Genève, Slatkine, 1974, p. 5-6.

7. Parmi les biographies anciennes d'Amyot, écrites au début du XVIIᵉ siècle, la *Vie latine* et la *Vie française* de l'évêque érudit font allusion à ces traductions de tragédies grecques. S. ROUILLARD, *Histoire de Melun,* P. Loyson, 1628, p. 612, parle de «beaucoup de tragédies de Sophocle et d'Euripide traduites par Amyot». On ne connaît aujourd'hui aucune tragédie de Sophocle mise en français par Amyot.

8. A la différence de ce qui se passe pour beaucoup de versions manuscrites, par ex. celle de huit *Vies* de Plutarque par George de Selve ou celle du traité *De la loquacité* (1542) par Amyot.

9. Le traducteur sait donc qu'Aulis était une ville, un port de Béotie, et non une contrée, comme, après Rotrou, le croira Racine qui, en 1674, intitule sa pièce *Iphigénie en Aulide.*

1

L'ARGVMENT DE LA TRA-
GOEDIE DE IPHIGENIE
EN AVLIS.

PAR EVRIPI.

Este Tragœdie est intitulé Iphigenie
en Aulis pour la difference d'une aul-
tre Tragœdie du mesme poete qui
s'intitule, & s'appelle Iphigenie en Tauri. Or estoit Aulis vne petite ville de Grace en la contree
de Bœoce assise sus le golphe anciennement appel-
lé Euripus Eubois, entre la coste de Bœoce,
et l'isle d'Eubee: au port de laquelle petite ville d'Aulis s'assemblerent iadis tous les roys, et princes de
la Grace auec grand nombre de combatans, et
de vaisseaux, aians tous ensemble coniuré d'aller destruire la cité de Troie, pour la vengeance
du rauissement d'Helene, faict par Paris filz de
Priam le roy de Troie: quant ilz furent tous
assemblez, et leur equipage prest en sorte quil ne
restoit plus qu'a mettre voiles au vent pour

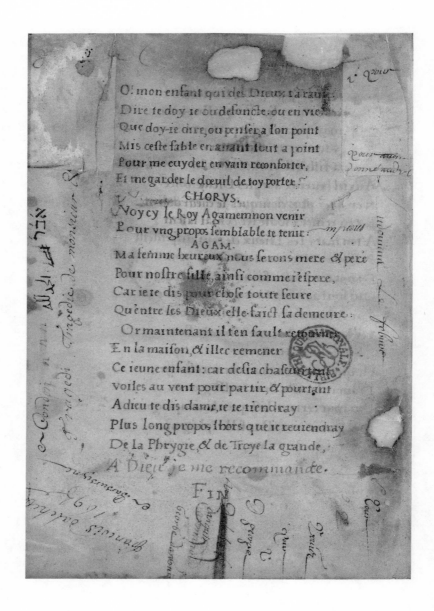

O! mon enfant qui des Dieux t'a raui.
Dire te doy ie ou defuncte, ou en vie.
Que doy-ie dire, ou penfer a fon point
Mis cefte fable en auant tout a point
Pour me cuyder en vain reconfoter,
Et me garder le dœuil de toy porter.
          CHORVS.
Voycy le Roy Agamemnon venir
Pour vng propos femblable te tenir.
          AGAM.
Ma femme heureux nous ferons mere & pere
Pour noftre fille, ainfi comme i'efpere,
Car ie te dis pour chofe toute feure
Qu'entre les Dieux elle faict fa demeure.

Or maintenant il t'en fault retourner
En la maifon, & illec remener
Ce ieune enfant : car defia chafcun tent
voiles au vent pour partir, & pourtant
Adieu te dis dame, ie te tiendray
Plus long propos fhors que ie reuiendray
De la Phrygie, & de Troye la grande,
A Dieu ie me recommande.

          FIN

d'Helene, faict par Paris filz de Priam le roi de Troie : quant ilz furent tous assemblez, et leur equipage prest en sorte qu'il ne restoit plus qu'a mettre voiles au vent pour [1 v°] partir, le temps fut si calme [10] qu'il n'y avoit ordre de faire voile : parquoy les capitaines ennuyez d'attendre si longuement, et de perdre la saison enquirent du devin Calchas quelle estoit la cause qui retardoit, et empeschoit ainsi leur partement, lequel, apres avoir bien reculé en fin feit responce qu'il n'y avoit moien de partir, ny de prendre, et ruiner la ville de Troie que prealablement le roy Agamemnon ne sacrifiast a Diane deesse tutelaire, et patronne de la ville d'Aulis, sa fille aisnée Iphigenie, et que s'il le faisoit ilz auroient temps a gré pour partir et executeroient heureusement leur entreprise, aultrement non : ce qu'entendu Agamemnon qui du commencement ne s'y estoit point voulu accorder, finablement par l'importunité de son frère Menelaus, ou aultrement s'y accorda et escrivit a sa femme Clytemnestra qui estoit en la ville d'Argos unes lettres, par lesquelles il luy manda qu'elle luy envoyast sa fille Iphigenie, faignant l'avoir promise en mariage [2 r°] a Achilles qui la vouloit espouser avant partir, ce qu'ilz avoient supposé a celle fin que plus vouluntiers elle l'envoiast, et n'y avoit personne qui sceust rien de ceste menée que luy mesme, Menelaus son frere, Calchas et Ulysses.

A cet endroit de l'action, Agamemnon prend conscience de l'exécrable cruauté qui marquait sa résolution première de sacrifier une fille qu'il chérit. Au vieillard qui lui sert de messager, il confie un contrordre écrit, à porter promptement à Clytemnestre :

AG. – Va mon amy va tost sans [11] [13 r°]
 Que vieillesse pesant te rende.
VI. – Syre i'iray de grand courage.
AG. – Garde bien de te poser
 Pres des fonteines a l'umbrage
 Des bois ramez pour reposer
 Ne que sommeil ne te retarde.
VI. – Ne m'admonestes de cela.
AG. – Pren bien au fray [12] des roues garde
 Et iette tes yeux ça et la
 Quant seras en quelque carroy
 Ou le chemin fourchu varie,
 Si d'aventure le charroy
 Qui ma fille amene et charrye
 Vers ceste armée auroit point pris
 Son adresse a diverse main.
VI. – Si ferai-ie. [13 v°]

10. C'est ce qu'indiquent, en effet, les vers 7 et 8 de la pièce (14 et 15 de la traduction), en évoquant le lever de Sirius, «l'estoile caniculaire». La flotte est restée bloquée à Aulis au plein de la saison d'été. «Les silences des vents tiennent l'onde immobile», comme traduit Ampère ou, pour reprendre Racine : «Mais tout dort, et l'armée et les vents et Neptune.»

11. Le manuscrit porte «sens».

12. Le *fray,* c'est la trace que laisse sur le sol le passage des roues, ou d'un corps quelconque. Le mot se retrouve chez Amyot, *Antonius,* 657 C : «ne trouva l'on iamais dedans le sepulchre ce serpent, seulement dit on que l'on en vit quelque fray et quelque trace sur le bord de la mer.»

Malheureusement, Ménélas, qui guette l'arrivée d'Iphigénie, intercepte ce second message. Il le reprend au « vieil raddoté », tout juste bon, dit-il, à être battu ; soucieux toutefois de bien accomplir sa mission :

> VI. – Il ne te loist ouvrir en telle sorte [19 v°]
>   Violemment, les lettres que je porte,
> M. – Aussi n'est-il a toy mesme loysible
>   De porter choses a tous les Grecz[13] nuysible,
> VI. – Tu pers ta paine a me vouloir oster
>   Ces Lettres cy, Lesse les moy porter,
> M. – Je t'advertis que point ne le feray.
> VI. – Et ie te dis que ne les lesseray, [20 r°]
> M. – Tu auras donc de ce sceptre une attainte,
>   Si que de sang ta teste en sera tainte,
> VI. – Ce me sera gloire, mais que ie puisse
>   Mourir, pour faire a mon maistre service.
> M. – Lasche soudain car tu as trop de plait[14]
>   Encontre moy, pour un serf et valet.

Survient Agamemnon qui s'en prend à son frère : pour la plus grande tristesse du Chœur :

> CH. – C'est grand pitié quant il sourt querelle entre [24 r°]
>   Frères germains, yssus d'un mesme ventre.

A la dispute met fin la brusque arrivée d'un messager, qui annonce à Agamemnon que Clytemnestre, Iphigénie et le petit Oreste sont déjà dans son palais et qui invite les deux frères à accomplir les rites du mariage :

> ME. – Or sus donc Syre, encommance la feste, [27 v°]
>   Metz un chappeau de ces fleurs sus ta teste,
>   Et chante, toy prince Menelaus[15],
>   Le nuptial motet Hymeneus,
>   Que ce logis resonne tout d'aulbades,
>   Et le plancher de saultz et de gambades,
>   Puisque venue est ores la iournée
>   Pour la pucelle au Roy bien fortunée[16] :

---

13. Thème du panhellénisme qui parcourt la pièce du pro-athénien Euripide.

14. *Plait,* caquet querelleur. Peut-être y a-t-il ici une connotation juridique, *plait* désignant un droit féodal, dont ne peut évidemment se prévaloir un « serf et valet » (le grec dit δοῦλος). Autre terme du droit féodal : *saisine :* « de tout le mal dont tu es en saisine » (24 v°), c'est-à-dire du malheur qui te tient.

15. Oncle de la future mariée, Ménélas est appelé à jouer le rôle de *paranymphe.* On comprend ce que cette invitation du messager a – bien involontairement – de sinistre et de déplacé.

16. On comparera avec la traduction donnée par François JOUAN, Paris, Belles Lettres, 1983 : « Allons, prépare à cet effet les corbeilles, posez des couronnes sur vos têtes, et toi, seigneur Ménélas,

Rhésis délibératrice d'Agamemnon :

> AG. – Helas mon dieu, malheureux que je suis [28 r°]
>   Qu'est ce que dire a cest heure je puis,
>   En quelz liens, en quelle perplexité
>   Suis ie tumbé de la necessité?
>   Or ont fortune, et male destinée
>   Maintenant bien ma finesse affinée : [17]
>   Las! ie cognois a ma male adventure [28 v°]
>   Quelque avantage y avoir en roture,
>   Car il leur est loisible de plorer,
>   Faire regretz, se plaindre et souspirer,
>   Et cela est reprochable tenu
>   A quiconque est de noble sang venu,
>   Ainsi qu'il plaist au peuple nous vivons
>   Et a la turbe ignorante servons [18],
>   [...]
>   Mais que diray ie a ma femme? Comment [28 v°]
>   La recevray ie a cest advenement?

Et, soudain, revirement de Ménélas, qu'a peut-être ému la compassion du Chœur pour la «tribulation» d'Agamemnon. Le mari bafoué ne veut plus :

> [...] ruiner *son* propre frere unique [30 r°]
> Pour recouvrer Helene, c'est a dire
> Abandonner le meilleur pour le pire.

Il encourage le père d'Iphigénie à renoncer au sacrifice de sa fille. Agamemnon ne paraît pas douter de la sincérité de son frère, mais il redoute «le devineur Calchas» et surtout le fourbe Ulysse :

> [...] couvert de nature et muable [32 v°]
> A ce qu'il voit estre au peuple aggreable.

Partagé entre ses devoirs de roi glorieux de son commandement et ses sentiments de père affectueux, Agamemnon finit par reprendre le projet d'immoler Iphigénie. Il prie Ménélas de veiller à ce que

---

apprête-toi au chant d'hyménée. Qu'à travers la demeure retentisse la flûte et que les pieds martèlent le sol, car voici que luit le jour du bonheur pour la jeune vierge.»

17. Traduction F. JOUAN : «Hélas, que dire, infortuné! Par où commencer? Sous quel joug fatal suis-je donc tombé? Un dieu m'a pris au piège, et ses habiletés l'ont emporté de beaucoup sur les miennes.»

18. Comme le fait remarquer F. JOUAN, de nombreuses corrections ont été proposées pour ce passage. Le traducteur lit manifestement δῆμον qui est la leçon des manuscrits L (*Laurentianus* 32, 2, début XIVᵉ siècle) et P (*Palatinus Vaticanus gr.* 287, de la même époque que P) reprise dans les éditions grecques du XVIᵉ siècle. Sur la tradition du texte d'Euripide, voir André TUILIER, *Recherches critiques sur la tradition du texte d'Euripide*, P. Klincksieck, 1968 et *Etude comparée du texte et des scholies d'Euripide*, P. Klincksieck, 1972.

Clytemnestre n'en soit pas informée et il ordonne aux «femmes estrangeres» du Chœur[19] de ne pas être

                [...] si legeres [33 r°]
        Que d'en rien dire,

Le Chœur chante sur les thèmes généraux de l'amour et de la sagesse et c'est dans un climat de joie confiante qu'entrent, portées sur un char, Iphigénie et Clytemnestre qui tient dans les bras le petit Oreste. Les suivent des servantes «au doire destinées d'Iphygenie»[20]. Nous avons alors une scène de réunion familiale, au cours de laquelle Agamemnon ne répond que par des propos ambigus aux manifestations de tendresse de sa fille, désireuse de chasser par sa gaieté les sombres pensées de son père :

        IP. – J'ayme donc mieulx dire quelque folie [38 v°]
              Si cela sert a ta melancholie :

Agamemnon cherche en vain à faire retourner chez elle Clytemnestre, à qui Achille révèle qu'il n'a jamais été question de mariage entre Iphigénie et lui et qu'il invite à ne pas tenir compte de la possible tromperie dont elle et lui ont été les victimes :

        AC. – Mais toutesfois oublye ceste trousse [50 r°]
              Et pour cela ne te fasche ou courrouce.

Le vieillard serviteur découvre alors à Clytemnestre et à Achille la fourberie et la «forcenerie» d'Agamemnon décidé à laisser mourir Iphigénie. Se sentant outragé, humilié, Achille exprime son ressentiment devant Clytemnestre :

        AC. – Tres maulvais gré i'en scay a ton mary [53 v°]
              Et n'en suis pas legerement marry :

Dans ce «triste accessoire» (54 v°)[21], Achille promet à Clytemnestre son secourable appui, qu'il lui doit par souci de son propre honneur :

        AC. – Je serois bien de generation [56 v°]
              Lasche, et le plus recreant de la Grece,

___

19. Le Chœur est composé de femmes de Chalcis.

20. En réalité, Clytemnestre ordonne à des serviteurs masculins de transporter (εὐλαϐούμενοι) à l'intérieur les présents nuptiaux.

21. *Accessoire*, situation dangereuse. Le mot, fréquent chez Estienne Pasquier, est employé par Amyot dans sa traduction de Diodore, XIV, 18.

Homme n'ayant ne cueur ne hardiesse.
Lhors devroit on mettre Menelaus
Entre les preux, et du roy Peleus
Je ne pourrois me venter estre né,
Ainçois d'un diable, ou d'un esprit damné,
Si ie souffrois a ton Agamemnon
Ainsi ta fille occire soubz mon nom.
Par celuy Dieu Nereus qui reside [56 v°]
Soubz la grand mer en son palais humide
Le geniteur de Thetis, ie te iure
Qu'Agamemnon par oultrage et iniure
Ne touchera ta fille nullement,
Non pas du bout du doigt tant seulement
A sa vesture.

Et cela, quoi que fasse «ce beau devin Calchas, plein de malice» :

AC. – [...] Quel homme est ce apres tout qu'un devin : [57 r°]
C'est un causeur qui dit beaucoup de vain,
Et peu de vray, encore est ce rencontre
Si la fortune a son dire rencontre.
Sinon tousiours il eschappe pourtant [22].

Que Clytemnestre, toutefois, essaie de «retraire a meilleur sens» le forcené Agamemnon. Ce à quoi s'emploie la mère éplorée. En vain. Pressé par les questions de sa femme qui «sans point d'allegorie» lui montre «pourquoi tant *elle est* marrye» (67 v°), Agamemnon, se retranchant derrière la raison d'Etat et les exigences du panhellénisme, persiste dans son sinistre dessein :

AG. – Bien dur m'est il ung acte tel ozer, [73 v°]
Mais plus dur m'est encor le refuzer,
Car veuille on non, il fault que ie le face.

Achille, que ses Myrmidons ont voulu lapider, parce qu'il prenait la défense d'Iphigénie, confirme à Clytemnestre l'imminence du sacrifice, qu'il espère, malgré tout, empêcher. Intervient Iphigénie. La jeune fille, qui, précédemment, avait, dans une prière – dont Péguy a bien vu ce qu'elle recelait d'amertume et de mépris contenu – crié à son père son amour de la vie, se déclare désormais totalement décidée à mourir «honorablement». Sans faire courir de

---

22. Cette attaque contre les devins a paru surprenante dans la bouche d'Achille qui, au premier chant de l'*Iliade*, protège Calchas contre Agamemnon. Le traducteur a bien rendu le texte, sauf dans son dernier vers où il ne sembla pas avoir exactement compris διοίχεται : la chose sombre dans l'indifférence (trad. H. BERGUIN, Paris, Garnier, 1954).

risques inutiles à Achille, ce «seigneur» dont il faut que sa mère et
elle sachent :

> IP. —   [...] grandement collauder [81 r°]
>   le bon vouloir et prompte affection
>   De *les* tirer de ceste affliction.

Il ne serait pas juste, dit-elle :

> IP. —   [...] que ce prince[23] s'expose [82 v°]
>   A soustenir tous les Grecz en bataille
>   Ne que son corps on detrenche et detaille
>   Pour une femme, ung seul homme est plus digne
>   De vivre et veoir ceste clarté divine
>   Qu'un million[24] de femmes [...]

Aussi, «de voulenté bonne», accepte-t-elle de se sacrifier :

> IP. — Immolez-moi! Grecz chevalereux,
>   Mettez a sac Ilium malheureux[25],
>   Cela sera mon noble monument [83 r°]
>   Qui durera sempiternellement.
>   Mes chers enfans seront vostre victoire
>   Mon mariage et mon nom et ma gloire[26].
>   C'est la raison que la Grece domine
>   Sur ceulx qui sont de barbare origine
>   Mere, et non pas que barbares s'attendent
>   Qu'aux hommes Grecz a iamais ilz commendent,
>   Les ungs sont serfs de nature et naissance,
>   Les autres francz de toute ioyssance[27].

Après avoir demandé à sa mère de ne pas porter son deuil et de n'en
pas vouloir à Agamemnon, elle se tourne vers le Chœur qu'elle
invite à entonner un péan en l'honneur d'Artémis :

> IP. — Chantez un chant de triumphe, pucelles, [87 v°]
>   Sur ceste miene adventure funebre,
>   En honorant la[28] deesse celebre
>   Diane, fille au souverain tonnant[29].
>   Chascun se mette a prier maintenant

---

23. En grec τόνδε. Le traducteur insiste sur l'admiration d'Iphigénie pour Achille, qu'Euripide ne
désigne dans ce passage que par un démonstratif ou par la qualification d'«étranger».

24. Amplification : le grec porte μυρίων, mille. La métrique a dû jouer aussi.

25. *Malheureux,* cause de notre malheur.

26. Il faut comprendre : votre victoire sur Troie, voilà mes enfants, mon mariage, ma renommée,
ma gloire.

27. *Joyssance,* dépendance, soumission à d'autres.

28. Ms : *les.*

29. En grec Διός. Le traducteur caractérise, tout en remplissant son vers.

> Pour la salut de la Gregeoise armee[30],
> Ja soit la flame ardente et alumée,
> Que la pannier soit entamé, auquel
> Sont les espiz d'orge aspargez de sel[31],
> Pour en semer l'hostie, et apres tout
> Que le mien pere, en tenant par un bout
> L'autel, commance il en est ia saison
> De faire aux Dieux sa devote oraison.

Puis, elle part en faisant ses adieux à Mycènes, sa patrie, et, comme il est de tradition, à la clarté chérie du soleil :

> IP. – O! iour clair et beau, [89 v°]
> O! divin flambeau
> Du ciel desormais
> Vie aultre seconde
> Je vivray en monde
> Aultre que ce lieu,
> Et pourtant lumiere
> Du soleil premiere [90 r°]
> Je te dis adieu.

En vers de huit et de quatre syllabes, le Chœur célèbre le courage de la jeune fille :

> CH. – Voiez la noble iouvencelle [90 r°]
> Allant au sacrifice, celle
> Qui defera
> La gent Phrygiene traistresse
> Qui d'Ilium la forteresse
> Razer fera.
> Voiez son chef doré couvert
> De fleurs, et de maint bouquet verd,
> Comme une hostie
> De qui tantost la teste blonde
> D'avec le beau corps pur et monde
> Sera partie[32].

Arrive un messager qui annonce à Clytemnestre «sortie de sa closture» une «estrange merveille». Tout était prêt pour le sacrifice. Pour que l'on ne vît pas son «grand flux de pleurs», Agamemnon

---

30. Le traducteur, christianisant, comme il le fait volontiers, s'écarte du texte grec ἴτω δὲ Δαναΐδαις εὐφημία et des versions latines de son temps : *bene ominantes* (Erasme) ; *veniat autem Graecis bonum omen* (Dorotheus Camillus). H. BERGUIN traduit par : «Que ce chant augural s'élève pour les Grecs» et F. JOUAN par : «Que les Danaens gardent un pieux silence».

31. *Aspargez de sel* est une addition du traducteur qui omet, en revanche, aux vers suivants, la précision apportée par le verbe ἐνδεξιούσθω «que mon père fasse *par la droite* le tour de l'autel» et plus ou moins bien rendue par les versions latines contemporaines.

32. Les «cheveux blonds», le «bouquet vert» sont des gracieusetés du traducteur.

avait couvert son visage d'un linge (voir le tableau de Timanthe);
devant «l'ost des Grecz bien tristes et faschez», le prêtre avait saisi le
«glaive agu et long» déposé par Calchas «sur un pannier de fin or»,
quand s'est produit «ung accident fort merveilleux a veoir». De
fait, le prêtre et «toute la Grecque gendarmerie» :

> ME. – *Voient* a clair au devant de leurs yeux [94 r°]
> Le merveilleux fantasme qu'ung des Dieux
> A subrogé contre leur esperance
> A la pucelle,

A la place de la jeune fille :

> ME. – [...] une biche, a l'œil belle et plaisante [94 r°]
> Grande de mesme, a terre estoit gisante
> De qui le corps encore se batoit
> Et de son sang ia respandu estoit
> Trempé partout l'autel de la deesse :

Le messager assure à Clytemnestre :

> Que *sa* fille est vive et inviolée [95 r°]
> Au ciel heureux avec les Dieux volée,

ce dont se réjouit le Choryphée. La pièce se termine alors, assez
brusquement, avec les rapides adieux à sa femme d'Agamemnon,
pressé de faire enfin voile vers Troie.

> AG. – Adieu te dis dame; je te tiendray
> Plus longs propos lhors que ie reviendray
> De la Phrygie et de Troie la grande.

Dans le texte grec et dans les versions latines du XVIe siècle (comme
dans les éditions modernes), suivaient trois vers du Chœur. Le
manuscrit n'en reproduit pas la traduction et s'achève sur un vers
boiteux de remplacement :

> A Dieu ie me recommande.

Pour interpréter l'*Iphigénie,* de quels documents le traducteur
a-t-il pu se servir, s'aider ? Si, comme Sturel le pensait, cette version
date de la fin de la première moitié du XVIe siècle, le traducteur
pouvait alors avoir à sa disposition la première édition grecque des

œuvres «complètes[33]» du poète parue chez les Aldes, à Venise, en 1503 et l'édition, très fautive, que J. Hervagius avait procurée à Bâle, en 1537[34], puis reprise en 1544[35]. Peut-être, aussi, l'édition grecque partielle *(Iphigénie à Aulis; Hécube)* imprimée *apud Theod. Martinum,* à Louvain, en 1520[36]. S'agissant des versions latines, il ne pouvait ignorer la version en vers latins (avec *Argumentum)* qu'Erasme avait donnée chez Josse Bade, à Paris, en 1506[37] et qui fut reproduite, en divers lieux, en 1507, 1511, 1518, 1519, 1524, 1530, 1544. Et il n'est pas exclu que son attention ait été retenue par la version en prose de Dorotheus Camillus[38], parue à Bâle en 1541[39]. Sturel a montré (nous n'y reviendrons pas ici) quel recours notre traducteur avait pu faire à ces deux versions latines – déjà évoquées dans nos notes – si appréciées qu'en 1567 Henri Estienne les imprimera, l'une et l'autre, dans son édition gréco-latine des tragédies choisies d'Eschyle, de Sophocle et d'Euripide[40]. Quoi qu'il en soit, c'est bien d'un texte grec (le fait est notable) que part notre traducteur. Un texte grec qu'il corrige au besoin. Ainsi, dans la seconde partie de la *parodos* qui énumère les principaux contingents grecs réunis sur la plage d'Aulis, les Athéniens sont, chez Euripide (v. 248) conduits par Acamas, fils de Thésée. Le traducteur, qui se souvient de l'*Iliade,* B. 552, met, lui, à la tête des vaisseaux athéniens, le «coronnal Menestheus[41]». Ce texte, il le développe aussi. Sans excès d'ailleurs : aux 1 630 vers du grec en correspondent

---

33. En fait, cette édition de Marcus Musurus (B. N. Rés. Yb 804) ne comporte que dix-sept tragédies (l'*Electre* ne sera redécouverte que plus tard, à Florence, et sera éditée scrupuleusement par Pier Vettori en 1545). L'avait précédée, parue à Florence vers 1496 et due à Jean Lascaris, une édition in-4° de quatre pièces seulement : *Médée, Hippolyte, Alceste, Andromaque.* Cette édition incunable (Bibl. Sainte-Geneviève à Paris, OE. XV. 345, Rés.) fut rapidement délaissée au profit de l'aldine de 1503, fondée pourtant sur des manuscrits peu corrects. Voir Monique MUND-DOPCHIE, «Les éditions plantiniennes des tragiques grecs par Canterus», *De Guldeus Passer,* Anvers, 1988-1989, p. 499.

34. B. N., Rés. Yb. 808-809.

35. *Euripidis Tragoediae octodecim, graece* (B. N., Rés. Yb 1906 et 1994). Jean Herwagen donnera encore, en 1551, une édition qui reprend l'*Electre* publiée par Vettori et des corrections apportées par Jean Oporin.

36. British Museum, 999 d.I (1); b. 8595.

37. B. N., Rés. Yb. 57. Epître et vers du traducteur à William Warham, archevêque de Cantorbery. Dans une lettre à Alde Manuce du 28 octobre 1507, Erasme se plaint des fautes qui défigurent cette traduction.

38. Pseudonyme de Rodolphus Collinus, professeur «Scholae Tigurinae» (Thoune, en Suisse), dont Fabricius, *Bibliotheca graeca,* II, p. 273, dit qu'il fut le premier traducteur d'Euripide.

39. *Euripidis... tragoediae XVIII, nunc primum diligentia ac fide per Do. Camillum Latio (sic) donatae et in lucem editae,* Bâle, Rob. Winter, 1541 [British Museum 237. i. 23]. Reprod. Berne, Jo. Oporinus, 1550; Francfort, 1562. Traduction mot à mot, destinée aux débutants en grec.

40. *Aureae Tragoediae selectae Aschyli, Sophoclis, Euripidis, cum duplici interpretatione latina, una ad verbum, altera carmine. Ennianae interpretationes* (Bibl. de la Sorbonne, R. nains 319). Pour Euripide : *Trag. Hecubae et Iphig. in Aul. interpretatio carmine Erasmi est; interpr. ad verbum partim ex Phil. Mel. praelectionibus, partim ex Dorotheo Camillo collecta est, sed multis in locis recognita.* Le texte grec intègre, en effet, la lecture de Mélanchton.

41. Cette observation avait déjà été faite par Sturel.

3 109 dans la version manuscrite. Rapport qui ne justifie pas qu'on
se récrie trop vivement : nous sommes dans la moyenne des
traductions en vers de l'époque [42] et il faut tenir compte que le vers
le plus long [43] qu'utilise notre interprète est le plutôt bref décasyllabe [44]. D'autre part, si les contraintes de la rime l'obligent ici et là à
un délayage multiforme, si les exigences du nombre requis de
syllabes le conduisent à des additions parfois peu justifiées [45] (ainsi
qu'à des artifices de constructions, au demeurant habituels en
poésie [46]), c'est souvent pour expliquer que le traducteur allonge [47],
ou pour mieux marquer la liaison logique des idées [48]. En fait, la
traduction par deux vers français d'un vers grec n'est vraiment
regrettable que dans les stichomythies, rendues par des successions
de distiques. De ce texte, enfin, l'interprète veut manifestement
donner une traduction qui, sans souci de la couleur historique, puisse
encore parler à l'esprit de ses contemporains. Nous rencontrons le
«duc Adraste», le «duc Eurytus menant la seigneurie d'Elide», le
«prince» Menelaus invité à chanter «le nuptial motet hymeneus».
Ailleurs, Ménélas trouve que le vieil esclave a le verbe trop haut
pour un «serf et valet» et il réplique à Agamemnon qu'il n'est pas son
«vassal» (δοῦλος). Le même Agamemnon découvre dans son malheur qu'il y a «quelque avantage... en roture». Il est question ici de
«lignage», de «baronnie», de «grands seigneurs», de «perle de
noblesse»; là, de «preux», de «prouesse», de guerriers «chevalereux»
ou de héros menacé de passer pour «recreant». L'Iphigénie de notre
traducteur vit dans des temps qui sont encore médiévaux ! Il serait

42. La traduction de Sebillet compte plus de trois mille trois cents vers.

43. Aucun alexandrin, ce qui paraît bien confirmer une datation d'avant les années 1550.

44. Deux mille deux cent trente-neuf décasyllabes selon le décompte de Sturel. Le décasyllabe
correspond aux trimètres iambiques (vers qui forment les quatre cinquièmes des pièces, en dehors des
chœurs) et aux tétramètres catalectiques trochaïques. Les cent cinquante-huit octosyllabes (p. ex. en
35 v° : O! dieux, tousiours les grands seigneurs) rendent souvent les systèmes anapestiques (v. 590 et
suivants). Dans les chœurs se trouvent tantôt des vers de sept syllabes (379) ou de cinq syllabes (78),
tantôt des strophes de huit et quatre syllabes (ainsi, dans le troisième stasimon sur les noces de Thétis
et de Pélée, 61 v° et suivants). La longue monodie d'Iphigénie (vers 1283 et suivants) se compose,
elle, de strophes de sept et trois syllabes (74 v° et suivants). C'est Canter qui fut, plus tard, le premier
à identifier explicitement les mètres utilisés par les tragiques grecs.

45. En 12 r°, Achille se trouve qualifié de «si brave et si rustre», adjectifs qui n'ont pas d'équivalent
dans le texte grec, mais *rustre* offre une rime à *frustre* qui traduit ἀπλακών (vers 124). Encore n'est-ce
pas là l'exemple le plus significatif des détails ajoutés et des chevilles. Iphigénie est toujours qualifiée
de «fille aisnée», mais était-elle née avant Chrysothémis et Electre ?

46. C'est pour des raisons métriques que le traducteur écrit «fille a *Tyndareus*» en 14 r°, mais cette
construction du complément du nom restera fréquente pendant tout le XVIe siècle. De même, «fille a
Laeda» (11 v°) et «fille a Jupiter» (46 v°).

47. Aux vers 203–204, Euripide parle du «fils de Laerte venu de ses îles montagneuses». Le
traducteur précise : «d'*Itace*, isle montueuse» (16 r°). En 28 r°, Ἅιδης est rendu par la périphrase
«Dieu des enfers malheureux». Voir aussi la note 29.

48. D'où des transitions comme «Escoute donc» (8 r°) ou des interventions vivantes dans le
dialogue : «Tu me diras» (24 v°); «Mais on dira» (30 v°).

facile – et injuste, car on ne peut demander à un traducteur du XVIe siècle l'exactitude sévère que réclame aujourd'hui une connaissance plus sûre des œuvres et des civilisations antiques – d'insister sur les passages où l'interprète paraît ne pas avoir très bien compris son texte, un texte difficile, d'ailleurs, hypothétique, mal établi, qui a, depuis, été largement corrigé, sans cesser, pour autant, de poser des problèmes aux traducteurs modernes. Les fautes existent. Certaines sont dues à l'inattention du copiste qui, par exemple, en 12 r° écrit : «sur *moy* et sur ta femme ensemble» alors que le texte grec et les versions latines impliquent : «sur *toy* et sur ta femme ensemble[49]». D'autres procèdent d'une formulation maladroite. Quelques-unes, enfin, faussent le sens. Ainsi, quand le traducteur (7 v°) rend πεύκην (v. 39) par «bougie», alors qu'il s'agit d'une tablette enduite de cire (Erasme et Camillus : *piceam*) sur laquelle on écrivait avec un poinçon. Ainsi encore, lorsqu'il interprète εὔφηκα θρόει (v. 143), «ne parle pas de malheur», par «ne m'admoneste de cela» (13 r°). Reste que cette traduction n'est pas une trahison : elle donne, pour l'époque, une bonne intelligence d'une tragédie grecque qui touche les cœurs[50] et qui offre à l'esprit un solide système moral attentif à ce que peut être l'attitude des humains face aux dures et douloureuses pesées du destin. Et cela, en dépit de réelles maladresses phoniques et syntaxiques[51] et parfois de curieuses inconséquences[52].

Sturel, nous l'avons dit, attribuait cette version à Jacques Amyot. Le grand prosateur n'excellait pas – on le sait – dans la traduction des passages poétiques. Or, la poésie ne trouve pas toujours son compte dans notre texte. Si le lecteur ne reste pas insensible à la variété des combinaisons rythmiques et à une certaine variété dans la disposition des rimes, ces rimes sont, le plus souvent, d'une pauvreté affligeante[53]. Amyot pourrait donc bien être notre

---

49. En grec σοὶ σῇ τ'ἀλόχῳ. Erasme : «in te, atque tuam simul uxorem». Camillus : «adversus te et tuam conjugem». Est-ce, de même, une étourderie du copiste qui lui fait écrire (10 r°) «grant pere» là où l'on attendait «beau-père» (Erasme : *soceri*, en grec Τυνδάρεω)? En revanche, c'est par une addition exacte que Pelops est qualifié de «grant pere» d'Agamemnon (72 r°)

50. Le traducteur n'est pas insensible à la charge émotionnelle des mots. Le τέκνον par lequel Clytemnestre s'adresse à son «mignon» petit Oreste (v. 623) devient «ma tres chere doulceur» (36 v°).

51. Par exemple, l'inversion plutôt pénible :

     Toute la trouppe

     Vent en pouppe

     Pour partir devoit avoir. (76 v°)

52. Ainsi, au début de la *rhésis* d'Agamemnon (28 r°)

     C'est tres bien dict, mais entre la dedans

     Tout ira bien, les haultz Dieux aidans,

     Helas, mon dieu, malheureux que je suis.

«Mon dieu» n'a pas de correspondant en grec et c'est ἰούσης τῆς τύχης (v. 44) que traduit l'expression «les haultz Dieux aidans».

53. Rimes du simple et du composé; rimes sur deux adverbes en *-ment*; rimes de substantifs et de verbes de même forme (greve/greve; point/point); rimes de rhétoriqueurs : pour ce/source (10 r°), il face/a ce (23 r°), en ce/continence (48 v°).

interprète. A sa démonstration, Sturel a ajouté un argument de poids et qui pourrait être décisif. Alors que dans l'édition des *Œuvres morales* parues du vivant d'Amyot, aucune des traductions des citations de l'*Iphigénie à Aulis* ne reprend celles du manuscrit 25505, c'est, en revanche, un passage de cette traduction que Fédéric Morel, ami d'Amyot et dépositaire de ses manuscrits à sa mort, a cru pouvoir insérer presque littéralement dans l'édition posthume de 1618, pour corriger le texte des éditions précédentes[54]. Aurait-il agi de la sorte s'il n'avait pas su qu'Amyot était l'auteur de la version du manuscrit 25505?

L'examen du manuscrit aux rayons ultraviolets et au scanner[55] ne nous a fourni aucune révélation sur l'identité du traducteur. Quelques sondages effectués sur le vocabulaire n'interdisent pas d'y trouver des ressemblances avec le vocabulaire des premières versions d'Amyot : le vocabulaire du manuscrit porte la marque de son temps, avec ses latinismes[56], ses termes vieillissants[57] appelés à devenir bientôt désuets, ses singularités appelées par la rime[58]. Seules, la publication intégrale de cette version et la confrontation avec les données d'une souhaitable *concordance* des traductions d'Amyot pourraient permettre d'avancer un avis autorisé[59]. Pour le moment, sauf à s'en tenir à une totale suspension du jugement, le plus sage, semble-t-il, est de ne rien ôter de sa grande probabilité à la séduisante attribution faite par l'impeccable chercheur que fut René Sturel.

54. Neuf vers du folio 7 v° remplacent en 1618, avec trois modifications mineures, une citation du folio 243 v° de l'édition originale.

55. Nous remercions Mme Marie-Pierre Laffitte et M. Pierre Janin, conservateurs au département des manuscrits de la Bibliothèque nationale, de l'aide si bienveillante qu'ils nous ont accordée. Se lisent, ici et là, dans les marges, des noms désignant sans doute les possesseurs de ce manuscrit. Mme Laffitte pense, comme Sturel, que le manuscrit est de la main d'Adam Charles.

56. Entre autres : affinité, rappeler, bellique, benivolence, caterve, cautele, collauder, exercite, grave (pesant), impropere, innumerable, nave, occision, progenie, sagette, senestre, sequelle, suader, tenser, turbe, vicinité.
Catervam est dans la version d'Erasme, mais non dans le passage où notre traducteur emploie *caterve*.

57. Achoison, affier, agu, ainçois, arroy, attemprance, campeger (camper), convenance (convention), doire, droicturier, enafairé, felon (farouche), forain (étranger) hurque, illec, maillé (moucheté), ost, ramentevoir, ru, soulasser, tref (tente). La plupart de ces mots sont courants à l'époque et se retrouvent donc dans le vocabulaire habituel des versions d'Amyot. Sans que l'on puisse en tirer de conclusion assurée pour une attribution du manuscrit.

58. Ainsi *vires* (flèches) en 19 r°, «aussi legeres que vires» et le latinisme *soles* (sandales) qui remonte à la fin du XIIe siècle, en 62 r° : «avecq leurs dorées soles / Les neuf deesses». A la rime aussi, le latinisme *estainte* (15 r°) : «ou a Diane est estainte / Mainte hostie». *Exstincta,* à qui l'on ôte la vie.

59. Notons déjà des mots comme *indifferentement* (9 r°), *pourpris* (13 v°) au sens d'enceinte d'une ville, *navigage* (17 v°) = flotte, comme l'interjection monosyllabique *Dea (passim)* ou des formes verbales telles *il te loïst* (19 v°), *s'en voise* (52 v°), qui, sans être caractéristiques, «sentent» leur Amyot.

Un théâtre simulé :
«Les Propos des bien yvres»
de Gargantua

CLAUDE BLUM

L'histoire des liens entre les romans de Rabelais et l'écriture dramatique a un long passé critique dont les premiers témoignages datent de la fin du siècle dernier. Mais c'est l'article que Gustave Cohen écrivit en 1911 sur *Rabelais et le théâtre* qui inaugure le temps d'une recherche tout spécialement attentive à cet aspect de l'œuvre rabelaisienne[1]. Cet intérêt chaleureux, depuis jamais démenti, est sous-tendu par cette idée plus ou moins affirmée : la théâtralité du texte rabelaisien trouverait son plein accomplissement dans sa théâtralisation.

Il appartenait naturellement aux hommes de théâtre de porter jusqu'à la preuve cette lecture du roman en entreprenant de la mettre en scène : «Ce qui me tentait, écrit Jean-Louis Barrault, c'était de servir la théâtralité de ce grand auteur qui compose ses situations et ses dialogues pour ainsi dire à l'état brut[2].» La tentation s'est muée en aveu : la preuve que la théâtralité du texte pouvait devenir théâtralisation a dû passer par la réécriture de l'œuvre. Autrement dit, un grand nombre de séquences du roman de Rabelais, qui donnent à l'ensemble de l'œuvre sa dynamique, sont du théâtre «brut» auquel il ne manque plus qu'une mise en forme théâtrale, auquel il suffit d'un rajout, d'un supplément d'écriture, pour être du «vrai» théâtre. C'est cet écart, justement,

1. G. COHEN, «Rabelais et le théâtre», in *Revue des Etudes rabelaisiennes*, 1911, IX, p. 11. Voir R. GARAPON, *La Fantaisie verbale et le comique dans le théâtre français*, Paris, 1957, p. 343 sq. Pour un travail d'ensemble, on se reportera à M.-J. CAREW, *Le Sens du théâtre dans l'œuvre de Rabelais*, thèse de 3e cycle, Université de Lyon II, 1971.

2. F. RABELAIS, *«Jeu dramatique» en deux parties tiré des cinq livres de François Rabelais*, Paris, 1968. Sur les adaptations antérieures, voir en particulier H.-E. CLOUZOT, «Ballets tirés de Rabelais au XVIIe siècle», in *Revue des Etudes rabelaisiennes*, 1907, V, p. 90, 92-93 et 95, et M.-F. CHEVALIER, *A dramatic adaptation of Rabelais in the seventeenth Century : «Les aventures et le mariage de Panurge»*, (1674) by Jacques Pousset de Mantauban, with a study of his life and other plays, Baltimore, 1933.

entre la théâtralité de l'œuvre et sa théâtralisation dont nous prendrons ici la mesure. En renversant la perspective habituelle, en montrant que la théâtralité de l'œuvre rabelaisienne élabore son sens, au contraire, dans un refus constant de toute possibilité de théâtralisation. Plus encore : c'est autour de ce refus que s'écrivent la plupart des séquences «théâtrales» du roman de Rabelais qui n'ont du théâtre que la théâtralité. Le chapitre 5 de *Gargantua,* intitulé «Les Propos des bien yvres», particulièrement allégué pour preuve du «caractère théâtral» de l'œuvre rabelaisienne, nous servira d'exemple.

Ce chapitre, en effet, qui s'insère dans le récit de la naissance de Gargantua, se présente comme une sorte de séquence autonome dont la relation avec le tissu narratif du roman n'est assurée que par deux brèves liaisons : les deux premières phrases du chapitre (les invités de Grandgousier et de Gargamelle décident de pique-niquer sur le pré où ils viennent de danser ou de «se rigouller» célestement) et la transition sur laquelle s'ouvre le chapitre 6 («eux tenens ces menus propos de beuverie»). Liaisons intentionnellement réduites à leur plus simple expression, légères, faites pour encadrer l'indépendance d'un texte dont la plupart des caractérisations soulignent la nature théâtrale. Ce chapitre serait donc une scène de théâtre, une sorte d'emblème appuyé de la tentation constante qui guide l'écriture rabelaisienne.

De ces caractères théâtraux on retiendra d'abord celui qui se manifeste à la première perception : la forme typographique du texte. Elle a pour fonction manifeste de parler au regard en présentant immédiatement la totalité du chapitre comme dialogue. Mais ce dialogue est d'un genre particulier puisqu'il ne comporte aucune référence aux interlocuteurs engagés dans l'échange verbal. Un tel silence, associé à la dynamique de l'écriture, a naturellement pour effet immédiat de renvoyer l'identification des personnages au jeu théâtral, à la «scène» elle-même, celle-là précisément dont le chapitre a charge de donner la «représentation». Et c'est s'inclure dans la stratégie de l'écrivain que de chercher à identifier les acteurs à partir de cette simulation théâtrale que sont «Les Propos des bien yvres[3]». Car il est dans la nature même de la théâtralité réussie de solliciter une telle quête; avec cette condition rigoureuse : que celle-ci n'aboutisse pas. Pour provoquer cet effet, les indices disséminés dans tout le texte sont nombreux, sur lesquels se sont appuyés bien des critiques. L'homme de Loi se désignerait par son

---

3. Sur «l'espace du théâtre» comme «espace du texte», voir H. BONNET, «Théâtre-Voyage ou Gérard de Nerval au Liban», in : «Théâtralité hors du théâtre», *Revue des Sciences humaines,* 1977, CLXVII, 3, p. 341-345.

vocabulaire spécialisé : «Produis-moi du clairet», «je ne bois que par procuration», mes «schedules», mes «crediteurs». Telle plaisanterie trahirait le prêtre : «Je ne bois qu'en mon bréviaire». Les citations latines ou les clausules scolastiques dénonceraient le clerc : «Qui fut premier, soif ou beuverie?», «ce m'est eternité de beuverie, et beuverie de eternité...». Certaines métaphores paraissent délivrer des informations par le registre auquel elles se rattachent, par exemple la chasse («pipée à flacons») ou la boucherie («laver les tripes»). Quelques expressions peuvent sembler là pour renseigner sur la nationalité ou le caractère du locuteur qui les emploie (basque : *lagona edatera;* allemand : *Laus, tringue*). Mais en même temps que ces indices sollicitent, en effet, l'identification, ils la rendent impossible par leur caractère éminemment parcellaire, éparpillé, confus. Ils ne forment nul système entre eux, ils sont distribués dans un désordre efficace qui ne saurait ni nous renseigner sur le nombre exact des interlocuteurs ni garantir vraiment l'identité de celui auquel paraît renvoyer telle ou telle réplique.

Et pas plus qu'il n'est possible de référer de façon précise et cohérente les propos à des locuteurs supposés, pas plus il n'est possible d'enchaîner ces propos dans la continuité logique d'une conversation. Le romancier utilise toujours la même technique. Des ensembles, des séquences sont isolables qui peuvent passer pour des ébauches de conversation ou d'échange dialogiques : la dispute scolastique sur soif et beuverie se poursuit sur cinq répliques et telle question est bien suivie de sa réponse[4]. Mais ces bribes de conversation ne forment pas un dialogue; elles sont incohérentes entre elles, interfèrent, se superposent, se croisent, en un jeu de fuite et de cache-cache perpétuel.

Penser l'écriture rabelaisienne, en de telles séquences, comme une écriture théâtrale revient à remplir les silences volontaires du texte, à reconstituer une cohérence, à établir nécessairement des identifications, à le recomposer, en effet, pour le théâtre; en renonçant à ce qui, en fait, en constituait la nature : une dérobade sans fin à la théâtralisation. On postule alors que l'assemblage (échange et succession) des répliques qui forme la totalité de ce texte ne puisse obéir à d'autres lois que l'échange dialogué, comme au théâtre. Or, si l'ordre de la fuite et de l'esquive est bien l'un des modes d'organisation de ce texte exemplaire, c'est avant tout comme revendication d'une autonomie tournée vers soi où le texte puise les lois de son propre agencement.

---

4. Par exemple : «— Quelle différence entre bouteille et flacon? — Grande, car bouteille est fermée à bouchon, et flacon à viz»; «— Un synonyme de jambon? — C'est une compulsoire de beuvettes; c'est un poulain...», etc.

En effet, généralement, la progression et la cohérence de ce chapitre sont assurées par la dynamique sémantique interne au texte lui-même ou à l'ensemble du roman. Dans la séquence : «Je ne bois qu'à mes heures, comme la mule du pape. Je ne bois qu'en mon bréviaire comme un beau père guardian», le jeu que la seconde réplique impose à la première [5], ainsi que la référence à une figure constante du texte rabelaisien (le livre-bouteille) ont une pression sémantique assurément plus forte que la logique du dialogue. De même dans l'échange : «Un motet entonnons – Où est mon entonnoir?», la légitimation du calembour est trop forte par elle-même pour qu'il soit nécessaire de l'attribuer à l'esprit d'un convive. Cette dynamique interne, de nature essentiellement verbale, atteint son point extrême de manifestation lorsque la succession des répliques qu'impose la typographie du dialogue apparaît soudain comme une forme pure, détournée de sa fonction à des fins prosodiques :

> Ainsi se fit Jacques Cœur riche
> Ainsi profitent bois en friche
> Ainsi conquesta Bacchus l'Inde
> Ainsi philosophie Melinde.

Le dialogue se fait stance rimée.

Mais, inversement, des relations dialogiques se trouvent instaurées entre des séquences volontairement dispersées, ce qui amène le lecteur à reconstituer une continuité dans l'échange des propos au prix d'un bouleversement de leur ordre immédiat. La réponse à la question : «Mouillez-vous pour sécher, ou vous séchez pour mouiller?» peut être lue aussi bien dans la réplique qui suit : «Je n'entends point la théorique» que, trois pages plus loin, dans les propos : «Mouillons, hay, il fait beau sécher». Par là, le texte impose de constantes redistributions de ses divers niveaux d'expression et invite à fuir un ordre de perception stable. On pourrait évidemment songer, à propos d'une telle pratique, on l'a fait, au jeu des rhétoriqueurs en y voyant aussi, au prix d'un certain anachronisme, une modernité avant la lettre qui s'installera définitivement dans l'œuvre d'un Pound. Mais c'est autre chose qui se manifeste ici : une affirmation du texte romanesque comme texte à lire où se trouve démentie, ruinée par avance, toute possibilité de l'objectiver, de le «représenter», ce qui supposerait quelques indices permettant d'en stabiliser le sens, au minimum une identification des locuteurs et de la situation de parole. Ce chapitre expose d'une

---

5. En particulier, l'équivoque entre «je ne bois qu'à mes heures» (je ne bois que quand il me plaît) et «je ne bois qu'en mon bréviaire» (je ne bois que dans mon livre d'heures).

façon presque agressive son impossibilité d'être «joué», son caractère irréductible à toute «représentation». Il exige pour rester lui-même une lecture «dans tous les sens», quasi infinie.

La signification de ce mode d'écriture, qui transforme finalement les «Propos» en «emblème» de l'art du roman, Rabelais l'avait inscrite dans la dernière phrase du récit précédant immédiatement le dialogue, comme frontispice du chapitre :

«Lors flacons d'aller, jambons de troter, gobelets de voler, breusses de tinter.»

Cette phrase préfigure le sens et la forme des propos des bien ivres. Elle met en mouvement une circulation effrénée d'objets, doués d'une vitalité propre, éludant toute référence explicite aux agents qui sont supposés se lancer et se transmettre ces verres, jambons et brocs. Elle sépare la circulation des objets des agents qui en sont l'origine ou le destinataire, lui retirant de cette façon toute justification immédiate pour n'en garder que la forme et le vertige. Ainsi en sera-t-il de la succession et de l'échange des «propos» des bien ivres. Ivresse des propos, que l'on peut assurément rattacher à la situation narrative (ce ne sont, après tout, que propos de «bien ivres»), mais aussi considérer comme emblématique de l'écriture rabelaisienne qui procède de ces jeux mêmes, «tourniquets» et permutations sans fin. Une autre figure, au cœur des propos, en définit bien la nature : celle qu'impose la question scolastique de l'antériorité de la soif ou de la beuverie, sur le modèle de la fameuse *disputatio* à propos de l'œuf et de la poule (la soif appelle la beuverie qui appelle la soif). Cette indéfinie «mise en abîme», qui n'aura décidément pas plus de fin qu'elle n'a eu de commencement, c'est tout le jeu du signe et du sens chez Rabelais; elle définit ce qu'il faut bien appeler la littéralité absolue du texte. Cette littéralité qui s'épanouit dans la théâtralité mais s'arrête là où commencerait le théâtre.

Marguerite de Navarre
entre mystique et «mystères» :
La Vierge au repos
dans la Nativité et le Désert

NICOLE CAZAURAN

Robert Garapon ne m'en voudra pas d'écrire, pour le lui dédier, un second article sur les comédies bibliques de Marguerite de Navarre. Elles restent méconnues, alors même que son œuvre poétique suscite aujourd'hui éditions et commentaires. Ce sont, il est vrai, des «comédies» où les médiévistes ne retrouvent ni l'ampleur ni la saveur des anciens mystères, mais où les seiziémistes ne découvrent rien non plus qui annonce le renouveau de l'art dramatique, et c'est aussi, vu de loin, un théâtre bien peu théâtral.

J'ai montré ailleurs comment la reine était pourtant dramaturge à sa manière et savait innover en représentant l'arrivée à Bethléem, les «bergeries» ou le voyage des trois Rois de façon que des épisodes si familiers à tous puissent exactement figurer les leçons que sa propre méditation y lisait[1]. Je voudrais examiner ici comment elle a trouvé moyen, dans la *Nativité* et le *Désert,* d'associer une dramaturgie et un merveilleux tout droit venus d'anciennes traditions à un lyrisme qui leur était quasi étranger mais qui était essentiel à sa spiritualité; celui même qu'elle a librement déployé dans son *Oraison de l'âme fidèle* ou dans tant de ses *Chansons.*

Quels spectacles, quelles lectures avait-elle précisément en mémoire? Rien n'est sûr, mais, à défaut de sources que l'érudition prétendrait préciser, «l'intertexte», comme on dit aujourd'hui, a son importance. Marguerite de Navarre y trouve — et y prend — l'usage de placer la scène au ciel aussi bien que sur terre. Ses «petits mystères[2]» excluent seulement l'Enfer, qui était le lieu de diableries, volontiers bouffonnes, mais Dieu et le chant des anges

---

1. «Marguerite de Navarre et son théâtre : dramaturgie traditionnelle et inspiration sacrée», *Nouvelle revue du XVIᵉ siècle*, 1989, p. 37-52.

2. Formule de R. LEBÈGUE dans *La Tragédie religieuse en France, 1514-1573*, Paris, Champion, 1929, L. I, ch. V, p. 98.

viennent y clore l'action et peuvent aussi l'ouvrir ou s'y mêler souvent. Elle n'a pas ignoré non plus quel rôle avait la Vierge dans les «nativités» ni peut-être les très anciennes fables liées à la fuite en Egypte : mieux vaut y songer, si nous voulons donner leur prix et leur juste relief à ces longues pauses lyriques, plutôt insolites dans un dialogue dramatique, fût-il réservé au théâtre étroit d'une petite cour.

Dans l'étable de Bethléem, les Vierges du théâtre médiéval priaient, et déjà longuement. Sur le point d'enfanter, il convenait qu'elles s'avouent élues «entre toutes les femmes» et qu'elles célèbrent le double mystère de l'incarnation et de la rédemption pour que le spectacle de la naissance merveilleuse prît tout son sens et fût aussi leçon : d'où tous ces monologues d'attente, pendant que Joseph est parti en quête du nécessaire et, parfois, de sages-femmes qui seront témoins de la virginité miraculeusement préservée[3]. Après l'enfantement au milieu des anges et des cierges qu'ils apportent, venaient les prières d'adoration où Joseph et Marie pouvaient mêler leurs voix. Mais la Vierge, en ses discours, parlait aussi un langage plus humain : elle demandait à Dieu d'enfanter sans douleur, et elle lui rendait grâces de n'avoir pas souffert. Ainsi, dans une *Nativité* du XVe siècle :

> Veuillez souffrir par vostre amour
> Que sanz douleur, que sans clamour
> A l'enfanter délivre soie
> A sauveté et à grant joie.

Et dans la *Passion d'Arras* :

> Créateur de firmament,
>   Roy prudent [...]
> De moy a pris ta naissance
> Sans ce qu'aucune pesance
>   Ne grevance
> Aye senti nullement [...]
> Je t'en remercie humblement[4].

A ces textes restés manuscrits jusqu'au XIXe siècle, on peut

---

3. Voir par exemple, *Le Miracle de la Nativité,* dans les *Miracles de Nostre Dame par personnages,* Paris, Didot Firmin, 1876, t. I, et la *Passion* de Mercadé (ou *Passion d'Arras*), Arras, éd. J.-M. Richard , 1891.

4. *La Nativité de Notre Seigneur Jésus-Christ,* dans *Mystères inédits du XVe siècle,* Paris, éd. A. Jubinal, 1837, t. II, p. 62; Ruth WHITTREDGE a réédité ce texte, avec le *Jeu des Trois Roys,* Pennsylvania, Mawr Bryn, 1944; *Passion d'Arras,* v. 1992-2004, p. 23.

joindre des imprimés du XVe et du XVIe. Dans un mystère joué à Rouen en 1474, Marie, après la naissance, récite une ballade d'action de grâces et remercie d'abord pour un «noble don» qu'elle n'a pas mérité, celui d'avoir enfanté «sans douleur et sans paine[5]». Dans un autre, qui reprenait avec succès, semble-t-il, la première journée de la *Passion* de Gréban, la Vierge célébrait cette même «merveille». Elle disait à Joseph :

> Pour crainte j'ay asseurement [...]
>   Car l'enfantement se fera
> Qui en rien ne me grevera.
> Pour pesanteur j'ay legereté [...]
>   Et ne sens qui me greve...

Puis, une fois seule, au moment même de la naissance :

> Bien doy en exaltation
> En vertu de devotion
> Honorer ce mistere en moy
> Quant sans quelque vexation
> Sans fracture ou corruption
> Le fruyt de mon ventre reçoy[6].

Certes, c'est encore là théologie. Seule entre les femmes, la Vierge est préservée de la malédiction d'enfanter dans la douleur qui s'est abattue sur Eve coupable et pèse sur toute sa descendance. Mais ces prières qui parlent si concrètement de «pesanteur» ou de «grevance» s'accordent bien aux scènes d'action où Marie et Joseph prennent soin du nouveau-né, lui faisant bouillir du lait, le lavant et l'emmaillotant dans les «drapeaux» trouvés à grand-peine[7]. Le mystère se joue sur terre et s'enracine à tous moments, très familièrement, dans l'expérience quotidienne : c'est un lieu commun de le dire.

Dans la *Nativité* de Marguerite de Navarre, la mise en scène est la même. Une fois à l'étable Joseph s'en va :

> En ceste ville iray, pour nous pourvoir
> De ce qu'avons nécessité d'avoir.

---

5. *Mystère de l'Incarnation et Nativité...*, B.N., Rés. Yf 12, s.l.n.d., f° CXLV r° : Paris ou Rouen, B. Bourguet, circ. 1495, d'après *Catalogue des Incunables,* Paris, Bibliothèque nationale, 1982; Rouen, éd. P. Le Verdier, 1886, p. 174.

6. *Mistere de la Conception... de la glorieuse Vierge Marie,* plusieurs fois imprimé, joué à Paris en 1507 d'après la plus ancienne édition connue (B.N., Rés. Yf 16) ; je cite d'après une édition foliotée, Paris, Lotrian, 1540 (B.N., Rés. Yf 1603), f° LIV v° et LV r°.

7. Le détail du lait bouilli vient de la *Passion* de GRÉBAN et se trouve repris dans *La Conception,* f° LV (*sic* pour LVI) v°. Le lait doit servir à laver l'enfant : cf. la *Vie de Notre Seigneur Jésus-Christ,* Lyon, 1480 (B.N., Rés. H 155), ch. 5, p. 20 : «et le lava du lait» (exemplaire paginé et chapitres numérotés à la main).

La Vierge, restée seule, va prier avant et après la naissance. Dieu et ses anges protègent l'enfantement, et, au retour de Joseph, après l'adoration traditionnelle, s'esquisse encore une de ces scènes familières propres au mystère où la mère s'inquiète d'envelopper «cest Enfant tendre/Car la nuict est un peu trop fresche», tandis que Joseph s'active pour allumer une «mesche» et «estoupper» une «bresche». Et les prières sont aussi leçon, répétant, selon la tradition, l'action de grâces pour l'élection divine et l'adoration devant l'Enfant, le «Dieu en chair» venu racheter l'homme[8].

Rien n'est neuf dans ce schéma, sinon l'excessive longueur des prières, et nous voici loin pourtant des Vierges des mystères qui n'oubliaient pas, malgré leur élection, les craintes des femmes ordinaires sur le point d'enfanter. Celle que nous entendons ici ne se soucie que de se vouer «cueur, esprit et corps» à Celui qui l'a élue. Au départ de Joseph, déjà, elle a formulé ce qui est au principe de la prière qu'elle va dire :

> Allez, amy, seule ne me laissez;
> Car où Dieu est, j'ay compaignie assez.

La présence, invisible, de Dieu suffit à l'âme en état d'oraison pour qui la prière est parole et parole qui se sait écoutée. Marie se connaît «Rien» face à un Dieu qui est sa «vie» et son «estre», et elle n'implore que sa présence :

> Regarde moy, Seigneur; car voicy l'heure.

Ses derniers mots sont pour célébrer le «plaisir de l'union parfaite» :

> D'amour je viz : car rien ne sens en moy
> Que toy, Seigneur, qui es mon ame et vie
> Mon ame perd le sentement de soy,
> Car par amour en toy elle est ravie.

Sa prière s'achève ainsi en une extase, dans l'absolu détachement de soi-même − dans le silence aussi et il faut, pour reprendre le dialogue, Dieu et ses anges. Dieu la regarde en effet, comme elle l'a demandé, et c'est pour glorifier celle qui «dort» en sa «contemplation» :

> Du vray repos d'amour est endormie[9].

---

8. Mes références renvoient à l'édition des *Marguerites* de Lyon, 1547, Jean de Tournes, fac-similé donné par Ruth THOMAS. Classiques de la Renaissance en France, Mouton, S.R. Publishers Ltd., 1970. *Nativité,* p. 155 et 169, p. 163.

9. *Ibid.,* p. 155-157.

Vierge en prière encore, quand l'Enfant-Dieu est né : la «comédie», comme les anciens mystères, s'arrête sur cette vision. Devant le nouveau-né, c'est toute une méditation qui se développe, dans le goût des rhétoriqueurs, sur la présence incarnée d'un «Créateur d'incongnue nature», sur ce Dieu «en corps mortel» que «Foy la dessoubz» montre «immortel». La théologie, jadis plutôt réservée à Joseph, a la première part dans cette adoration de Marie, mais le lyrisme est toujours là, dans le langage de celle qui s'émerveille d'être sans parole pour dire sa joie, tout entière «suspense» en «charité» :

> Car sy grand est de toy la congnoissance
> Que plus ne sents
> Que c'est de moy [10] [...]

La seconde prière fait alors écho à la première dans une même extase et par un même lyrisme essentiels au renouvellement du rôle.

Immobile dans ses longues oraisons, Marie a déjà les mots qui seront ceux de la bergère «ravie de l'Amour de Dieu» dans la très tardive *Comédie de Mont-de-Marsan* — on a pu le montrer très précisément [11]. Mais c'est que l'histoire de la Nativité, telle qu'elle avait été portée au théâtre, n'avait jamais omis de faire place à ces prières qui suspendaient l'action pour que la Vierge puisse, comme elle dit une fois à Joseph, rester seule «en contemplation dévote [12]» : il suffisait en somme de prendre le personnage au mot pour en faire une toute parfaite contemplative.

La *Comédie du désert* commence presque sur l'image d'une Vierge solitaire dormant sous le regard de Dieu. Joseph est parti chercher ce qu'il faut pour «soif et appétit», la mère et l'Enfant reposent, et Dieu célèbre son «amye toute belle» :

> En ce desert dormant je la regarde,
> Et Mere et Filz par ce regard je garde [13].

Mais ici le lyrisme religieux ne vient pas s'inscrire dans un schéma théâtral déjà fixé et qu'il fallait reprendre au moment même où le

---

10. *Ibid.*, p. 162.
11. Voir Anne ARMAND, *Le Texte du conflit dans le théâtre de Marguerite de Navarre*, thèse dactylographiée (Paris X), 3ᵉ partie, ch. IV, p. 417-418.
12. *Mystère de l'Incarnation...*, (voir note 5), éd. Le Verdier, 2ᵉ journée, p. 140 et f° CXXXV v°.
13. *Désert*, p. 321.

discours innovait. Marguerite de Navarre a pu librement composer toute une mise en scène entre ciel et terre, à la gloire de cette Vierge mystique qui était pour elle comme le paradigme de «l'âme fidèle».

La fuite en Egypte était un épisode obligé de l'enfance du Christ, mais non pas cette halte au désert dont Matthieu l'évangéliste n'avait rien dit. De l'Evangile, les mystères ont évidemment retenu le départ et le retour sur l'ordre de l'ange; des traditions apocryphes, parfois la rencontre du semeur et le miracle du blé si vite poussé, toujours la chute des idoles à l'entrée en Egypte; mais aucun, sauf erreur, n'a montré le repos sur la route que tant de peintres ont pris pour sujet. Marguerite de Navarre, elle, ignore le semeur et les poursuivants et ces idoles qui s'écroulent; même, au lieu du séjour dans une ville égyptienne, elle a voulu que Joseph et Marie restent «au désert» : dans la *Comédie des innocents,* elle montre leur départ, puis leur venue en un lieu «désert et sauvage» et, jusqu'à leur retour, à la fin du *Désert,* elle les fait vivre «En ce Désert où ilz seront longtemps [14]», comme Dieu le prédit à leur arrivée. C'est là sa première invention.

Plus surprenante encore, plus éloignée du théâtre médiéval – du moins à ce point de la vie du Christ – est la manière dont elle meuble cette durée où la Sainte Famille reste séparée des hommes, comme perdue entre ciel et terre. Tout s'y répète, de discours en discours – au ciel, dans les trois dialogues entre Dieu et les trois allégories, Contemplation, Mémoire et Consolation, sur terre, dans les leçons finales de Marie à Joseph, et au centre même d'une action qui n'en est pas une, dans les annonces des messagères divines – et tout s'organise très abstraitement pour composer une somme de théologie mystique où l'âme est invitée à contempler l'ordre du monde au livre de Nature, à méditer l'histoire de la chute et de la rédemption, à entendre la «vive parole» d'un «testament nouveau [15]». De propos en propos, entre lyrisme et doctrine, c'est tout le *credo* de Marguerite de Navarre qui se reconnaît, tel qu'elle n'a cessé de le redire, et non point le récit évangélique de la fuite en Egypte ni ses mises en scène médiévales. Pierre Jourda en a conclu que toute la *Comédie du désert* était «née de sa propre imagination», sans rien qu'elle ait pu utiliser [16].

Mais, dans cet exil où Marie et Joseph vont être miraculeusement gardés de tout mal, les allégories ne sont pas seules à surgir. Dieu envoie aussi ses anges pour que le désert, autour de Marie, devienne un lieu de délices : les «arbres secs» se feront «fertiles», le «désert

---

14. *Innocents,* p. 276-279 et *Désert,* p. 321.
15. *Désert,* p. 323.
16. P. JOURDA, *Marguerite d'Angoulême...,* Paris, Champion, 1930, ch. III, p. 483 et 485.

sans umbre» foisonnera en fleurs et, comme au temps de Moïse, «l'eau vive» va jaillir de la pierre. Ce désert tourné en «paradis», ces anges porteurs de terrestres nourritures s'accordent, à leur manière, à de très anciennes traditions et aucun mystère pourtant, aucune légende même ne les avaient encore représentés[17].

Entre le départ et l'arrivée en Egypte, le récit du voyage avait en effet ses merveilles que l'Evangile apocryphe du pseudo-Matthieu n'avait pas manqué de rapporter. Comme le blé semé aussitôt bon à moissonner, comme la chute des idoles, c'était de ces miracles «lesquelz ne sont point en l'Evangille», comme disait joliment une ancienne *Vie de Jésus-Christ,* mais «mis en escrit par quelque personne dévote» et «proffitables à un chacun[18]». Marguerite de Navarre devait bien en avoir lu quelque version, que ce soit dans cette *Vie,* ou dans le *Miroir hystorial* de Vincent de Beauvais[19].

On y voyait comment des dragons sortirent d'une grotte pour adorer l'enfant divin, comment les fugitifs furent guidés par des lions et quel étrange cortège les suivait, mêlant bêtes sauvages et animaux domestiques, au point que «les loupz et les bœufz et les asnes et les lions alloient ensemble en pasture», pour accomplir exactement la prophétie d'Isaïe. On y trouvait raconté, plus longuement encore, le «miracle du palmier» qui devint prétexte, dès le XVe siècle, à des tableaux champêtres autour de la Vierge assise avec l'Enfant sur ses genoux[20]. Marie, lassée par le soleil, se repose à l'ombre d'un palmier et souhaite goûter ses fruits, des dattes trop hautes pour être cueillies dit la *Vie de Jésus-Christ;* Joseph, lui, voudrait de l'eau pour abreuver ses bêtes; à la voix de l'Enfant, l'arbre s'incline pour donner ses fruits, puis se redresse et

17. *Désert,* p. 329-330, 360. R. LEBÈGUE voit dans la scène un «sujet emprunté à une légende qui eut beaucoup de succès» (*op. cit.,* p. 93), mais ne donne pas de référence. Rien de tel dans les textes cités *infra,* ni dans les exemples notés par Georges DURIEZ, *La Théologie dans le drame religieux en Allemagne au Moyen Age,* p. 263-267 (Mémoires et travaux publiés par des professeurs des Facultés catholiques de Lille, 1914, fasc. XI).

18. *Vie de Notre-Seigneur Jésus-Christ...,* ch. 11, p. 45 (voir note 7). Une édition moderne a été donnée par M. Meiss et E. Beatson, New York University Press, 1977, d'après une copie manuscrite (B.N., ms. fr. 992). L'incipit qui précise «translatee à Paris de latin en français, à la requeste de... Jehan duc de Berry» en 1380, est rétabli d'après d'autres copies et les incunables. Sur les problèmes de source, de date, d'attribution, voir l'introduction de E. Beatson.

19. Le *Miroir historial* figurait dans la bibliothèque de son père, en latin (voir «l'inventaire des biens meubles du comté d'Angoulême», édité par LE ROUX DE LINCY, *Heptaméron,* Paris, Soc. des Bibl., 1852-1854, t. III, p. 221) et aussi, en plusieurs exemplaires, dans la bibliothèque de François Ier, notamment à Blois, en 1518, en français (voir H. OMONT, *Anciens inventaires,* Paris, Leroux, 1908, t. I, p. 26).

20. Pour l'iconographie, voir L. RÉAU, *Iconographie de l'art chrétien,* Paris, P.U.F., 1957, t. II, p. 279-280; W. BRAUNFELS, *Lexicon der christlichen Ikonographie,* Herder, 1976, t. II, p. 45-47 et Gertrud SCHILLER, *Ikonographie der christlichen Kunst,* Gütersloher Verlagshaus, 1966, I, p. 129 : il arrive que le miracle du palmier soit précisément illustré.

fait enfin jaillir une source d'entre ses racines; un ange emporte alors en paradis un rameau de cet arbre à jamais béni[21].

Dans la *Comédie du désert* aussi, à la voix des anges, les ruisseaux vont courir «près de la vierge mère», «serpents, dragons» se feront gracieux, et les bêtes sauvages, soumises :

> Tygres, Lyons et furieuses bestes
> Baissez icy voz forces et voz testes [...]

Et le premier don des anges, ce sont des dattes :

> Voicy des fruitz que les plus haultz dattiers
> Nous ont donnez pour toy, frais et entiers[22].

Rêves qui se rencontrent ou souvenir de lectures, le désert où la reine arrête ses personnages est lui aussi peuplé d'anges et lieu de divines merveilles.

C'est pourtant un autre monde. Plus de miracles successifs et transitoires comme ceux du pseudo-Matthieu : Marguerite de Navarre porte un regard trop intérieur sur cet «exil» pour le traiter par épisodes et elle ne garde rien de leur charme anecdotique. Il lui suffit de décrire une métamorphose parfaite et intemporelle : le désert tout entier devient «paradis terrestre» et il le reste jusqu'au moment où Dieu «convertit» l'exil «en retour très heureux». Pas davantage d'Enfant Jésus pour commander à une nature hostile : ce n'est pas sa toute-puissance qui est mise en scène, plus admirable d'être celle d'un si petit enfant, c'est Dieu le père soi-même qui, du haut de son Ciel, veillant sur la Mère et le Fils, va mettre pour eux «la douceur en l'amer». Enfin, au centre de cette métamorphose que Dieu règle et décrit par avance, c'est la Vierge qui figure, cette Vierge dormant au désert, comme elle dormait au moment d'enfanter, «parfaite Amye» d'un Dieu qui est «l'Amour[23]». Quand la scène revient du ciel sur terre, c'est elle qui parle pour dire son adoration et, comme dans la *Nativité,* son extase :

> En repos tel
> Qu'il ne se peult gouster de cœur mortel
> O Dieu qui es immuable, immortel,

---

21. Vincent DE BEAUVAIS, *Miroir hystorial*, Galliot Du Pré, 1531, t. I, 7ᵉ livre, ch. 94; Vincent de Beauvais suit d'assez près le pseudo-Matthieu, mais en se référant à «Jacques fils de Joseph au livre des Enfances» : en fait le pseudo-Matthieu est seul à rapporter les miracles du voyage et du séjour en Égypte, mais certaines copies manuscrites attribuaient le texte à Jacques (cf. Evangiles apocryphes, Paris, Picard, 1911, t. I, note 1, p. XIX et pour les miracles du voyage, ch. XVIII à XXIII, et voir aussi, la *Vie* citée note 18, notamment p. 47-48 «Du miracle de la palme».)

22. *Désert*, p. 330-331, 359.

23. *Ibid.*, p. 365 et 373; p. 319-320.

En toy je vys,
En toy je dors, car en toy sont ravys
Tous mes esprits[24] [...]

Autour d'elle, tout se fait symbole, et tandis que Contemplation, Mémoire et Consolation apportent leurs «livres» pour nourrir et réjouir son âme, les anges ont soin de faire servir à sa glorification leurs terrestres offrandes : le fruit de «bon chrestien» à celle qui en est le «parfait exemplaire» et la «pomme d'amour» à la «femme forte / où croît tousjours l'amour juste et divine», le miel, semblable à sa parole et la datte du palmier, arbre image de sa «fermeté», la rose prise à l'épine et la fleur de lis pour celle qui est «le lis blanc et cler... / Vivant parmi les espines du monde», l'eau vive aussi pour celle toute pleine de l'eau de grâce «qui fait saillir en la vie éternelle[25]». Tant de profusion à celle qui n'avait demandé que le «nécessaire», c'est signe comme va dire Marie, de la «bénédiction» du Père, donnée à celle qui reste tournée vers la présence divine, «pain vif», «céleste fontaine» et «le beau» dans «la beauté des fleurs». Joseph à son retour va s'émerveiller devant la gratuité des dons divins :

O que celuy follement erre,
Pensant par peine avoir de soy
Ce que Dieu donne sans requerre
A ceux qui vivent de sa Foy!

Mais c'est Marie encore qui énonce la doctrine du repos en Dieu qui suffit à tout :

Qui a jetté son soing au Dieu tres hault
En s'oubliant, pour sans cesser le voir,
Sachez, amy, que rien ne lui default [...]

24. *Ibid.*, p. 325.
25. *Ibid.*, p. 359-361. Fruits et fleurs sont évidemment choisis pour favoriser les jeux de mots symboliques. Mais ce sont des noms réels. Tous les botanistes du XVIe siècle donnent le «bon chrestien» pour une poire, la plus appréciée en France. (Voir J. RUEL, *De natura stirpium*, Paris, 1536, I, p. 307; et Ch. ESTIENNE, *Seminarium...*, Paris, 1536, p. 68) et c'est celle dont le nom se référerait à saint François de Paule qui en aurait apporté un plant pour Louis XI malade; quant à la *pomme d'amour*, au XVIe siècle, au moins deux plantes ont porté ce nom en France : l'une doit être l'aubergine (voir L. FUCHS, *De historia stirpium*, trad. fr., Paris, 1549, p. 301, et J. DALECHAMP, *Histoire générale des plantes...* faite française par Jean Des Moulins, Lyon, 1653, t. I, l. V,), l'autre, la tomate, aux fruits moins gros qu'aujourd'hui (en italien *pomo d'oro* dit Dalechamp : *ibid.*, ch. 32). Ce doit être celle dont il s'agit, mais c'était une espèce nouvelle en France que ne mentionnent ni Ruel, ni Estienne, ni Fuchs. Olivier de Serre range ces «pommes d'amour» parmi les plantes grimpantes pour cabinets et tonnelles et précise : «leurs fruits ne sont bons à manger; seulement sont-ils utiles en la médecine et plaisants à manier et flairer» (*Théâtre d'agriculture*, Paris, Du jardin bouquetier, 1805, t. II, 6e livre, ch. X, p. 278).

Et elle l'invite à contempler, à comprendre la grâce qui leur est faite :

> En ce Desert voyez l'arbre de Vie
> Ressuscitant Adam et tous les morts[26].

Pour elle et par elle, le désert est devenu lieu de l'extase et le miracle du désert changé «en paradis» est la figure exacte de la rédemption par la grâce.

A Bethléem et au désert égyptien, cette Vierge en repos qui parle d'abondance à son Dieu, mais pour dire l'impuissance de la parole, qui s'endort en sa contemplation quand on attendrait qu'elle veille, formule ainsi, comme en marge des vieux textes, la mystique propre à Marguerite de Navarre et dont Briçonnet lui avait très tôt indiqué les voies − celles d'une extase qui est «sommeil» de l'âme «hors soi dormant» et d'un renoncement à soi, d'un vide intérieur que vient combler la présence de Dieu[27]. Nul personnage mieux que la Vierge des nativités, nul moment mieux que l'exil en terre étrangère ne pouvaient s'accorder plus justement à cette part contemplative des comédies bibliques. Marie, quand rien encore ne la sépare de son Enfant-Dieu, peut rejoindre, sans l'effort de l'ascèse et sans l'attente d'une vie à venir, «l'amy qui est lumière donnant repos[28]».

---

26. *Ibid.*, p. 329, 362-363, 364-365.

27. Guillaume BRIÇONNET et Marguerite D'ANGOULÊME, *Correspondance*, Genève, Droz, 1975, t. I et 1979, t. II. «L'âme fidèle», écrit Briçonnet le 20 juillet 1524, est «hors soy dormant» (II, p. 221), et dans sa lettre du 13 juin : «Madame, bienheureuse est l'âme à qui Dieu tousjours est présent. Elle dort incessamment sans resveil» (II, p. 164).

28. Autre formule de Briçonnet, II, p. 163.

Le personnage de Satan
dans les tragédies protestantes du XVIᵉ siècle

JACQUES BAILBÉ

> D'où viens-tu ? Et Satan répondit
> à l'Eternel : De parcourir la terre
> et de m'y promener. *Job II, 2.*

«Avant de devenir un personnage littéraire, le diable a été un personnage réel. Du moins l'a-t-on cru tel, à peu près universellement. Jusqu'à la fin du XVIIᵉ siècle, son existence, son pouvoir, la possibilité de ses manifestations n'ont été mis en doute que par quelques rares esprits forts[1].» Ces lignes de Max Milner nous invitent à nous demander quelle conception le XVIᵉ siècle se faisait de Satan et de son pouvoir sur le monde. Loin d'être une figure légendaire, illustrée par d'abondantes représentations médiévales, il est considéré comme une réalité religieuse, commandant les réactions de crainte et de respect propres au sacré. Dans un siècle qui sur toutes choses cherchait un «reflet du divin[2]», la communication demeure incessante entre le naturel et le surnaturel. Le théâtre biblique protestant de langue française en apporte un authentique témoignage.

On sait que le milieu du XVIᵉ siècle marque une rupture dans l'histoire du théâtre ; les Mystères, sans être oubliés, perdent leur faveur, et si l'on considère le théâtre comme un divertissement dangereux, on en use largement comme moyen de propagande et d'édification. Les Protestants, en ces périodes de troubles, cherchent dans la Bible tout ce qui peut se rapporter à leur situation. Un petit groupe de leurs dramaturges a essayé de montrer la puissance redoutable de Satan, qui devient un protagoniste essentiel. Il prouve que l'individu vit une aventure éminemment personnelle dont il n'est plus le créateur. De Bèze, Des Masures et La Taille

---

1. *Le Diable dans la littérature française, de Cazotte à Baudelaire, 1772-1861*, Paris, Corti, 1960, t. I, p. 19.
2. L. FEBVRE, *Le Problème de l'incroyance au XVIᵉ siècle*, Paris, Albin Michel, 1942, p. 500. Voir J. DELUMEAU, *La Peur en Occident*, Paris, Fayard, 1978, p. 232-345, et *Diable, diables et diableries au temps de la Renaissance*, Centre de recherches sur la Renaissance de l'Université de Paris-Sorbonne, Paris, Touzot, 1988.

utilisent cette réalité théologique où la dualité de Satan et de Dieu représente celle des réprouvés et des élus.

L'Abraham sacrifiant (1550) est le chef-d'œuvre de ce théâtre protestant. Il s'agit d'une «œuvre de propagande, car Bèze, converti, veut affermir la foi de bien des spectateurs lausannois qui furent eux aussi des exilés[3]». Dans la doctrine calvinienne, la vie d'Abraham et de Sara est un modèle pour le vrai fidèle. Satan est, après Abraham, le personnage principal de la tragédie, alors qu'il n'est pas mentionné dans le récit biblique. La pièce n'est pas une simple reprise des Mystères, mais elle offre, au contraire, une invention originale d'un nouveau genre.

Dans un long monologue, Satan, en habit de moine, comme pour donner le change, invisible aux acteurs sans l'être à l'assistance, vante sa puissance, pénétré d'orgueil. Il se présente d'emblée comme l'adversaire de Dieu :

> Regne le Dieu en son hault firmament,
> Mais pour le moins le terre est toute à moy,
> Et n'en desplaise à Dieu ny à sa Loy.
> Dieu est aux cieux par les siens honoré :
> Des miens je suis en la terre adoré (198-202)[4].

Il ne faudrait pas l'enfermer dans un simple rôle polémique. Assurément l'auteur se sert de lui pour attaquer ses adversaires catholiques, les monastères ou ces prélats

> Portans sapphirs, et rubis des plus fins (215).

Mais sa principale fonction est «de figurer de façon saisissante la présence permanente de la tentation, du danger, du mal chez le fidèle[5]», de le pousser à la révolte. Même si, comme l'a montré R. Lebègue, certains éléments du rôle de Satan existaient déjà dans la littérature dramatique antérieure[6], on constate que le Malin épie les réactions du Patriarche qui se trouve au cœur d'un conflit dans lequel l'obéissance est l'enjeu de l'opposition entre les exigences de

---

3. THÉODORE DE BÈZE, *Abraham sacrifiant*, éd. K. Cameron, K.-M. Hail, F. Higman, T.L.F., 1967, p. 17.

4. On pense à la tirade de Nabuchodonosor dans *Les Juives* de R. GARNIER (acte II, 1, v. 181-204).

5. *Abraham sacrifiant*, éd. cit., p. 28.

6. *La Tragédie religieuse en France*, Paris, Champion, 1929, p. 300, et «Le Diable dans l'ancien théâtre religieux», *Cahiers de l'Assoc. intern. des études françaises*, juillet 1953, n° 3-4-5. Voir aussi R. LEBÈGUE, *Etudes sur le théâtre français*, I, *Moyen Age, Renaissance, Baroque*, Paris, Nizet, I, 1977.

l'amour paternel et la nécessité de se soumettre à la volonté de Dieu. En somme, une lutte entre la chair et l'esprit :

> Brief, vous verrez estranges passions,
> La chair, le monde, et ses affections
> Non seulement au vif représentées,
> Mais qui plus est, par la foy surmontées (*Prol.*, 35-38)[7].

Satan commente les hésitations d'Abraham, il inspire les objections de Sara au sujet du voyage, il suggère au Patriarche des idées déconcertantes, et il espère le voir enfin tomber dans le désespoir :

> Le voila bas, si Dieu ne le releve (796).

L'intervention diabolique s'insère, de la sorte, dans une vision continue de l'intrigue : à trois moments de révolte succèdent, chez Abraham, trois retours à la résignation. Satan souhaite «assaillir»

> Un Abraham, lequel seul sur la terre
> Avec les siens, m'ose faire la guerre (247-248),

mais il ne peut altérer la constance de ce «faulx vieillard obstiné[8]». Au cours d'une scène pathétique, quand Abraham interpelle son fils pour lui annoncer le sacrifice, Satan éprouve presque un sentiment de compassion :

> Ennemy suis de Dieu et de nature,
> Mais pour certain ceste chose est si dure,
> Qu'en regardant ceste unique amitié
> Bien peu s'en fault que n'en aye pitié (841-844).

Et quand Isaac, à genoux et en larmes, se résigne à obéir au Seigneur, Satan sait que son rôle est achevé, et, en signe de déception, il prend la fuite :

> Jamais, jamais enfant mieux ne parla.
> Je suis confus, et fault que je m'en fuie (906-907).

L'Ange ne manque pas de rappeler le rôle de Satan et sa défaite :

> Maugré Satan et toute son envie
> Bénir te veux avec toute ta race (958-959).

---

7. Voir J.-R. ELLIOTT, Jr. *The Sacrifice of Isaac as comedy and tragedy* «Studies in Philology», janvier 1969, LXVI, p. 56-59.
8. V. 503 et 821.

Le langage des héros s'élève naturellement au sublime, qui exprime les transports de l'âme. Bèze se soucie peu de rhétorique, il se soumet aux préceptes que Calvin formule dans l'*Institution de la religion chrétienne* : «Puisque telle simplicité rude, et quasi agreste, nous émeut en plus grande révérence que tout le beau langage des Rhétoriciens du monde, que pouvons-nous estimer, sinon que l'Ecriture contienne en soi telle vertu de vérité qu'elle n'a aucun besoin d'artifices de paroles[9]?» C'est la simplicité puissante de la voix d'Abraham :

> Que dy-je? où suis-je? ô Dieu mon createur,
> Ne suis-je pas ton loyal serviteur? [...]
> Arriere chair, arriere affections :
> Retirez vous humaines passions,
> Rien ne m'est bon, rien ne m'est raisonnable,
> Que ce qui est au Seigneur aggreable (797-798, 815-818),

dont l'auteur saura retrouver le ton dans ses *Chrestiennes Méditations*[10].

A cette spontanéité d'expression répond, en contraste, le langage bas et souvent grossier[11], et l'aspect raisonneur du personnage de Satan, très habile dans la procédure et la chicane, et dont la subtilité dialectique est capable de séduire l'honnête chrétien :

> S'il change de cueur, je puis dire
> Que j'ay tout ce que je desire :
> Et voila le poinct ou je tasche.
> Car si une fois il se fasche
> D'obeir au Dieu tout puissant,
> Le voila desobeissant,
> Banny de Dieu et de sa grace (515-521).

La succession de ses attaques peut sembler monotone, mais, tout en usant la patience de l'adversaire, Satan renaît perpétuellement de sa propre défaite, bien que le chrétien garde toujours intacte sa confiance dans le salut. La lutte qu'il engage contre l'élu du Seigneur est au-dessus de ses forces :

> Car quant à moy je croy et scay tresbien
> Qu'il est un Dieu, et que je ne vaux rien (221-222),

---

9. Cité par Mario RICHTER, "La poetica di Theodore de Bèze et les «Chrestiennes méditations»", *Aevum*, 1964, XXXVIII, p. 494.

10. Voir Théodore DE BÈZE, *Chrestiennes Méditations*, éd. Richter Mario, T.L.F., 1964, p. 33.

11. *Abraham sacrifiant*, v. 197, 200, 211-214. A ce sujet, voir *La Tragédie à l'époque d'Henri II et de Charles IX*, première série, vol. 1, Florence, Olschki et Paris, P.U.F., 1986, (1550-1561), p. 12.

et il est un témoignage exceptionnel sur une mentalité. Comme l'écrit G. Gros à propos du diable médiaval : «Le prince de ce monde est devenu le prince de l'échec [12].»

A l'imitation de Théodore de Bèze, Louis Des Masures, son meilleur disciple, exploite le thème de l'élu soumis aux épreuves dans sa «trilogie» de David : *David combattant, David triomphant, David fugitif* (1563). Exposé à la haine de Saül, David, lui aussi, a reçu le don gratuit de la Grâce. Mais Satan essaie de l'induire au péché. Le rôle du diable est beaucoup plus développé que chez de Bèze, et il le reconnaît lui-même :

> Ci faut-il donc jouer mon personnage (D.C. 512) [13].

Il ourdit, en effet, un immense complot : il excite l'envieux Doeg, insuffle sa colère à Goliath, provoque la jalousie de Saül et trouble à trois reprises David. Après chacune de ses tentatives, infatigable, il recommence.

Le monologue dans lequel il se présente au public ressemble à celui de l'*Abraham,* mais il est plus grave. On voit l'activité incessante de Satan et l'acharnement qu'il met à harceler ses créatures :

> Je veille sans sejour : tousjours je suis en queste.
> Je fay sur les mortels mainte heureuse conqueste.
> J'ay sur le monde entier merveilleuse puissance,
> Qui tout et pres et loin me rend obeissance.
> Prince suis de ce monde, et du Roy supernel
> Je suis, regnant en bas, ennemi eternel...
> Je fay, dont je me ri, mainte metamorphose,
> Si qu'obscur, imitant ma dignité premiere,
> Souvent je me transforme en Ange de lumiere,
> Dont je fay mille maux... (D.C. 221-239, 835-868).

Il désigne aussitôt son adversaire : après Abraham, c'est

> Un petit bergerot, dont je suis esbahi,
> Le plus jeune garçon des enfans d'Isai,

---

12. «Le Diable et son adversaire dans l'advocacie Nostre Dame», *Senefiance*, Paris, Champion, 1979, n° 6, p. 255. Voir R. COUFFIGNAL, *L'Epreuve d'Abraham. Le récit de la Genèse et sa fortune littéraire*, Assoc. public. univ. de Toulouse - Le Mirail, 1976, et Y. LE HIR, *Les Drames bibliques de 1541 à 1600*, P.U. de Grenoble, 1974. Sur Satan habile raisonneur voir aussi *Abraham sacrifiant*, v. 260-270.
13. Louis DES MASURES, *Tragédies saintes. David combattant (D.C.), David triomphant (D.T.), David fugitif (D.F.),* éd. Charles Comte, S.T.F.M., 1932, D.C. 512.

> De mes filez eschappe, à mes assauts resiste,
> Et d'un cœur obstiné à craindre Dieu persiste (275-278).

Et il manifeste sa démesure qui lui fait trouver en Dieu un rival. C'est «le cuyder», la marque de Satan, qui empêche l'homme de s'unir à Dieu dans la vérité, et dont Montaigne dira : «Abattons ce cuider, premier fondement de la tirannie (du diable sur nous) *du maling esprit*[14]».

Subordonnée à une intention édifiante, la «trilogie» illustre le dogme de la Prédestination. Satan s'attaque directement à David et il s'efforce de réveiller en lui les mauvais penchants issus du péché originel. Mais Dieu protège le jeune héros, et son intervention se révèle notamment par le sommeil surnaturel dans lequel il plonge l'armée de Saül et qui permet à David d'accomplir son exploit. Au point de vue dramatique, on constate une ressemblance avec les Mystères par la simultanéité des actions et la juxtaposition des lieux, mais la psychologie garde une importance primordiale. Les causes des actions humaines sont exposées avec soin. Aux trois crises de conscience de David[15], quand Satan parvient presque à lui inspirer l'orgueil et le désespoir, répondent les péripéties qui mettent fin à l'action : la mort de Goliath, la fuite de David, son incursion triomphante dans le camp de Saül.

Passant de la confiance au doute, le Malin ne se tient jamais pour battu, et il renouvelle sans cesse ses embûches :

> Non, je ne say, tant je soy'caut et fin,
> Moyen ne tour, pour le mener à fin.
> Si ne lairray-je, en jour qu'il puisse vivre,
> De le tenter, tourmenter, et poursuivre (D.F. 2255-2258).

Dans cette «trilogie» on remarque encore une absence totale de rhétorique. Les personnages s'expriment simplement, sans redouter l'expression populaire ou triviale. Quand David, par exemple, repousse les propositions de Satan, la sobriété du style s'accorde toujours à la gravité tragique de la situation.

L'originalité de ces «Tragédies sainctes» se révèle, en outre, dans la place qu'occupent les auxiliaires de Satan, de ce

> [...] prince Satan,
> Sous qui le monde entier se rend serf à sa honte (D.T. *Prol.* 44-45)

Victimes ou réprouvés, ils font ressortir l'éclatant mérite de l'élu et

---

14. Cité par R. LEBÈGUE, «Le Cuyder avant Montaigne et dans les Essais», *Cahiers de l'Assoc. intern. des études françaises,* mars 1962, n° 14, p. 278, n. 6.
15. D.C. 533-535, D.T. 1062-1063, D.F. 1838.

donnent aux spectateurs l'affligeant témoignage de la misère de l'homme sans la Grâce. Au premier rang nous trouvons Goliath, dont le Diable fait l'éloge :

> Entre tous mes suppos, dont je reçoy hommage,
> Goliath represente et porte mon image (D.C. 267-268).

Dans un monologue qui fait suite à celui de Satan, Goliath donne la mesure de sa vantardise :

> O peuple d'Israel! ô gent accouardie!
> Est-il nul entre vous d'emprise si hardie,
> Qui m'ose regarder? (D.C. 285-287).

Plus loin, il partage la «fureur» de son maître :

> Je sen de plus en plus mon ame encouragee.
> Je fremi dedans moy de fureur enragee.
> Je sen je ne say quoy qui me pousse et anime
> A plus fort enrager d'une horreur magnanime (D.C. 953-956).

Comme lui, il brûle sans jamais se consumer. Désireux de faire

> [...] de sang Hebrieu un lac, une mer rouge (D.C. 1232),

il est encouragé par Satan à devenir, à son tour, rival de Dieu :

> Je n'ay point d'homme tel. Voici l'homme à l'elite
> Par qui faut ruiner la race Israelite (D.C. 1239-1240).

Mais, avant le combat, Satan redoute que ses exhortations ne soient inutiles, qu'il ne puisse plus terroriser les élus et que David ne soit encore soutenu par Dieu :

> [...] j'ay grand'peur qu'à ceste charge
> Dieu encores lui soit sauveur,
> Et l'asseure de sa faveur (D.C. 1630-1632).

La jalousie et la fureur de Saül contrastent avec la modestie de David. Contre celui-ci l'envie et la haine se développent progressivement,

> Car trop à croire un faux langage d'Ange
> Il est facile, et leger, et subjet (D.F. 2330-2331).

D'un bout à l'autre du *David*, Saül fait preuve de lâcheté. La présence du Démon agit en lui, et il est habité par l'orgueil satanique. A la fin de la tragédie, touché par la générosité de son adversaire, il lui accorde le pardon, mais on ne nous dit rien de sa fin lamentable, sinon qu'abandonné de Dieu,

> L'esprit malin le tient, l'agite, et le tormente,
> Et le met à tous coups en fureur vehemente (D.F. 203-204).

Parmi ces auxiliaires, Des Masures accorde une place notable aux «Ministres faux du cauteleux Satan» (D.F. 1491). Le personnage qui incarne le courtisan flatteur et perfide est Doeg, dont le rôle prend du relief dans les deux dernières pièces. Satan l'appelle «mon Doeg», et il le considère effectivement comme sien :

> Saul, Doeg, et autres que j'ay pris,
> Tous gens en l'art de mon escole appris (D.F. 973-974)[16].

Des Masures applique à Doeg plusieurs qualificatifs méprisants :

> Et Doeg, homme de Satan [...]
> Voila le bon Doeg, instrument de Satan...
> Animer Doeg et sa bande [...]
> Le faux Doeg [...]
> O malheureux Doeg[17] [...]

Celui-ci explique ses manœuvres coupables dans une longue tirade :

> J'ay tant fait par finesse et dol,
> Par ma langue, duite à tout vol,
> Vaine et legere comme vent,
> Par flatter et mentir souvent,
> Dont j'ay une science exquise (D.F. 515-519)[18].

Saül le croit aveuglément, et Doeg sait enflammer sa jalousie, en attribuant à autrui des paroles offensantes :

> Si vous saviez comme ceste canaille
> Parle de vous! Si vous saviez comment
> Ces malheureux devisent bravement
> Et de vous, Sire, et des vostres avec! (D.F. 1082-1085)

Nous touchons ici à l'aspect politique des tragédies de Des Masures, qui met en garde les princes contre les flatteurs :

16. Voir aussi *D.T.* 1165, *D.F.* 510, 952.
17. *D.F.* 2004, 2152, 1898, 492, 78, 948, 81.
18. Voir aussi *D.F.* 603-618.

> Rien n'est seur ne durable au monde.
> Des Princes la faveur souvent
> Passe legere comme vent :
> Et l'oreille au mentir encline
> Du costé du flatteur decline (D.T. 172-176).

D'Aubigné, dans *Les Tragiques,* fera porter son attaque initiale contre les flatteurs, les mauvais conseillers (Les Guise, la reine mère), qui se montrent tyranniques envers les Protestants :

> Flatteurs, je vous en veux, je commence par vous
> A desployer les traicts de mon juste courroux,
>   Et contre ces «prescheurs mercenaires»
> De qui Satan avoit le savoir acheté[19].

Des Masures s'interroge, avant lui, sur le pouvoir divin des rois et sur l'obéissance que l'on doit à un tyran, surtout dans le *Prologue* de *David fugitif,* qui exhorte à la patience les serviteurs de Dieu :

> David ici verrez du haut ciel defendu :
> Et ce qui est à tort contre lui pretendu
> Ne valoir à Saul [...] (9-11)[20].

Et c'est précisément à cause des flatteurs que le roi Saül se rend coupable de tyrannie :

> O combien grand du Prince est le malheur,
> Qui rejettant de l'homme de valeur
> Le conseil meur, que prudent il lui donne,
> En Dieu, en foy, en conscience bonne,
> Reçoit plustost pour opinion saine,
> La menterie et detraction vaine,
> Que fait valoir le malin controuveur (D.F. 87-93).

Reprenant les théories littéraires de l'auteur d'*Abraham* et se conformant à la vérité simple du récit biblique, la «trilogie» ne se prive pas de quelques attaques contre la papauté, et contre ceux qui portent «le manteau de religion saincte[21]». Satan voudrait même faire prohiber les «beaux Pseaumes» que chante David[22]. Mais ces tragédies, tout en gardant l'écho de l'exil et des aventures personnelles de Des Masures, sont avant tout subordonnées, comme l'*Abraham sacrifiant,* à une intention édifiante, notamment soulignée par le rôle décisif joué par Satan.

---

19. *Princes,* 103, 136.
20. Voir E. FORSYTH, *La Tragédie française de Jodelle à Corneille,* Paris, Nizet, 1962, p. 169-171.
21. D.T. 583, 883-888, D.C. 230.
22. D.F. 1613.

Même quand le diable n'apparaît pas en personne, il ne cesse d'agir à l'arrière-plan, et sa présence donne à la pièce un pathétique particulier. On le voit dans l'*Aman* (1565) de Rivaudeau, tragédie en cinq actes. L'auteur partage les aspirations de Bèze et de Des Masures, même s'il garde le culte de l'Antiquité païenne et de Sénèque quand il décrit les scènes d'hallucination et les visions d'Aman. L'orgueil du personnage est d'inspiration satanique :

> Aman est grand Seigneur, pere du Roy, grand prince
> Mais un pauvre banni, un estranger le pince,
> Et luy roigne son aile, Aman est grand Seigneur,
> Mais un Juif toutesfois empoigne son honneur[23].

On reconnaît l'autoportrait du Satan de Des Masures :

> Car tous les Princes grans des Indes m'obeïssent,
> Et cent mille genoux devant moy se fleschissent (1181-1182).

Plus encore que la «trilogie», *Saül le Furieux* (1572) de Jean de La Taille est faite pour un personnage principal. Saül occupe dans cette tragédie le devant de la scène. En proie au désespoir et à la folie, il est coupable et réprouvé, si bien que David dit de lui, à la fin de la pièce :

> [...] C'estoit l'Esprit maling
> Qui l'affligeoit, car il n'estoit enclin
> De sa nature à telle chose faire,
> Et ne fut oncques un Roy plus debonnaire[24].

L'on attribue ses fautes à l'inspiration du Malin, en souvenir du rôle joué par Satan auprès du Saül de Des Masures. Le chapitre XVI du premier *Livre des Rois* indique «qu'un mauvais esprit envoyé par l'Eternel troublait Saül». Abandonné par Dieu, Saül est entraîné vers sa perte avec une force irrésistible. Satan est également présent en la personne de la Pythonisse d'Endor, qui proclame les liens qu'elle a contractés avec l'Enfer :

> Vous, gloire des Enfers, Sathan et Belzebus,
> Qui faictes aux humains commettre tant d'abus,
> Et toy Leviathan, Belial, Belfegore,
> Tous, tous je vous appelle [...] (639-642).

En 1822 encore, le *Saül* de Soumet mettra en scène un homme

---

23. André DE RIVAUDEAU, *Aman, Tragédie sainte*, éd. K. Cameron, T.L.F., 1969, v. 381-384.
24. Jean DE LA TAILLE, *Saül le Furieux, La Famine*, éd. E. Forsyth, S.T.F.M., 1968, v. 1229-1232.

possédé par les puissances du mal et finalement écrasé par la justice divine. Là aussi la Pythonisse dévoile l'emprise qu'elle s'est assurée sur le malheureux roi, elle l'entraîne vers le tombeau de Samuel en invoquant les puissances infernales. Quant à Saül, il est terrassé par «l'esprit des enfers» que Dieu lui envoie pour le punir :

> Le monstre est sous mes pieds, le monstre est sur ma tête,
> Il me presse, il attache avec des cris affreux
> Sa morsure infernale à mes flancs douloureux,
> Ses pieds, ses mains de fer sur moi s'appesantissent;
> Je ne puis arracher les nœuds qui m'investissent.
> Ah! mon fils! je succombe, et le monstre est vainqueur;
> A la flamme éternelle il a livré mon cœur [25].

Il s'agit encore une fois du conflit dramatique entre Jéhovah et l'Esprit des Ténèbres, mais, comme l'observe justement Max Milner, «Saül n'est pas un révolté byronien. Il n'a pas raison contre Dieu. Soumet réussit le tour de force de conserver au mal son essence et à la révolte sa grandeur [26]».

Bien qu'il ne s'agisse pas d'une tragédie au sens strict du mot, il est intéressant de noter que la place de Satan se retrouve dans la perspective tragique du poème d'Agrippa d'Aubigné. La lutte entre Dieu et Satan crée, en effet, le conflit dramatique des *Tragiques* et justifie la progression des grands intérêts de l'œuvre. Le dialogue qui ouvre le livre des *Fers* (défi de Satan, permission à lui donnée par Dieu de jouer sa chance) n'est pas un simple ornement, mais une idée fondamentale inspirée au poète par les certitudes de la foi. Calvin écrit : «Il appert donc que Satan est sous la puissance de Dieu, et qu'il est tellement gouverné par son congé qu'il est contraint de lui rendre obéissance [27]». Satan arrive d'autant plus facilement à son but qu'il est «caut et fin [28]» et qu'il se déguise en de multiples métamorphoses. Il est le premier spectateur de la Saint-Barthélemy [29], il s'insinue dans l'âme des flatteurs. Catherine de Médicis «idolâtre Satan et sa théologie [30]». Ces fils de Satan, «serfs de Satan le serf [31]» s'opposent aux figures des martyrs, figures de la vie. Ainsi le rôle du Diable tentateur, déjà développé dans

25. Actes II, sc. 3.
26. *Le Diable dans la littérature...*, *op. cit.*, t. I, p. 364.
27. *Institution de la religion chrestienne*, Paris, éd. J.-D. Benoît, Vrin, 1957, t. I, p. 199 (XIV, 17). Voir J. BAILBÉ, *Agrippa d'Aubigné poète des Tragiques*, Public. de la Faculté des Lettres de l'Univ. de Caen, 1968.
28. *Les Tragiques*, «Préface»,en vers, 295 : «Satan, ennemi caut et fin»; voir *D.T.* 1164 : «Je suis rusé, subtil et faux», *D.F.* 1606 : «caut et fin» et 1541 : «son penser caut et fin».
29. *Fers* 787. Voir aussi v. 38 : «Quand Satan, haletant d'avoir tourné le monde...»
30. *Misères*, 913.
31. *Feux*, 815. Voir C. BLUM, *La Représentation de la mort dans la littérature française de la Renaissance*, Paris, Champion, 1989, t. II, p. 583-586.

l'*Abraham sacrifiant* et dans *Les Tragédies sainctes* de Des Masures, prend toute son ampleur dans *Les Tragiques,* qui sont une authentique tragédie du salut. Le Diable y commente l'action, il souhaite voir les héros succomber aux épreuves, il se désole de leur triomphe. Chez d'Aubigné, l'originalité vient du fait que le rôle de Satan ne se réduit pas à une série de monologues. Comme l'indique Henri Weber, «d'Aubigné transforme ces monologues en dialogue avec Dieu, et d'autre part il ne saurait se contenter de la simplicité et de la sécheresse du dialogue biblique[32]». Les dramaturges protestants et le poète des *Tragiques* sont donc d'accord avec le théologien : les figures terrestres du Diable, depuis Caïn, sont des réprouvés, elles s'opposent au peuple triomphant des élus dans le grand dessein de la prédestination divine.

Dans son *Art de la Tragédie,* Jean de La Taille déclare, en visant Théodore de Bèze et Louis Des Masures, qu'une véritable tragédie ne doit pas prendre l'aspect d'un discours théologique : «Voila pourquoy tous subjects n'estants tels seront tousjours froids et indignes du nom de Tragedie, comme celuy du sacrifice d'Abraham, où ceste fainte de faire sacrifier Isaac, par laquelle Dieu esprouve Abraham, n'apporte rien de malheur à la fin; et d'un autre où Goliath, ennemy d'Israël et de nostre religion, est tué par David son hayneux, laquelle chose tant s'en faut qu'elle nous cause quelque compassion, que ce sera plustost un aise et contentement qu'elle nous baillera[33]». On peut nuancer ce point de vue en soulignant encore, pour conclure, l'importance dramatique du personnage de Satan dans les tragédies bibliques protestantes. Pour éprouver la constance des élus, les tentations successives du Diable présentent des moments de pathétique intense, renforcés encore par la fermeté des dialogues, et les jeux de la versification. L'opposition entre Satan et Abraham, et entre Satan et David permet de s'en convaincre. Avec quelle véhémence Satan interrompt la supplication que David adresse à Dieu :

> Nous as-tu delaissez à la mort en ce pas?
> N'entens-tu ma priere?
> SATAN. – Il ne t'escoute pas.
> DAVID. – Est-ce en vain qu'en toy seul je m'asseure et espere?
> SATAN. – Ton esperance est vaine.
> DAVID. – O Dieu, mon Roy, mon Pere.
> SATAN. – C'est en vain tout ceci.
> DAVID. – En vain, làs?

---

32. *La Création poétique au XVIᵉ siècle en France*, Paris, Nizet, 1956, t. II, p. 628.
33. Jean DE LA TAILLE, *Saül le Furieux, éd. cit.,* p. 4-5.

SATAN. – C'est en vain.
DAVID. – Faut-il tomber au glaive, ou à la dure faim?
SATAN. – Il faut ou la faim dure, ou le glaive encourir.
DAVID. – O Dieu, mon Dieu, mon Dieu, vueille-nous secourir
(D.F. 1837-44).

Calvin enseigne que Satan «par ses mensonges assaut la vérité de Dieu, obscurcit la lumière par ses ténèbres, séduit en erreur les esprits des hommes[34]». Ce n'est pas un personnage grotesque : par sa ruse, par sa subtilité, il illustre les notions de péché, de grâce et de prédestination, il permet d'exalter le triomphe de la justice divine. C'est aussi un grand art chez ces dramaturges d'avoir montré que le Prince du mal, dans son acharnement à détruire et à anéantir la gloire de Dieu, peut éprouver des sentiments de pitié et un certain remords :

Malheureux que je suis! Moy, qui fay tout le monde
Renger à mon vouloir, et dessous mon empire [...]
Ne puis pourtant venir à bout de ce berger.
Il garde son trouppeau seulet en la campagne,
Où de Dieu seulement la grace l'accompagne (D.C. 778-784)[35].

L'époque des guerres de religion rend encore plus sensibles ces manifestations des forces du mal, et, dans ce monde à l'envers, le personnage de Satan, le prince du paraître et de l'illusion, prend un étonnant relief. Est-ce le souvenir des tragédies protestantes qui inspire à Crespin, dans son *Histoire des martyrs* (1619), cette curieuse métaphore : «Tandis que Satan jouait ses tragédies à Paris, Dieu besognait quasi par tout le Royaume[36]»?

---

34. *Institution de la religion chrestienne*, éd. cit., t. I, p. 198 (XIV, 15).
35. Voir *D.F.* 962, et *Epître de Jacques*, II, 19 : «Tu crois qu'il y a un seul Dieu, tu fais bien; les démons le croient aussi, et ils tremblent.»
36. Cité par R. LEBÈGUE, *La Tragédie religieuse en France*, op. cit., p. 300, n. 1.

La Tragedie françoise *de Jean Bretog*

ENEA BALMAS

Inconnue ou méconnue?

La *Tragedie françoise à huict personnages* [...] de Jean Bretog est sans doute un texte peu connu. Imprimée une seule fois au XVIᵉ siècle, à Lyon, en 1571, par un éditeur, Noël Grandon, qui n'a pas laissé par ailleurs (à notre connaissance) d'autres traces de son activité, elle a pratiquement disparu du circuit des ouvrages qui ont droit à l'attention de la critique et, par conséquent, des lecteurs. Pas de mention dans Beauchamps ni chez les Frères Parfaict; silence également du côté de l'Abbé Goujet et de Niceron. Seule, la *Bibliothèque* d'Antoine Du Verdier, en 1585, consacre une mention à l'œuvre et à son auteur, mention sur laquelle il y aura lieu de revenir, par ailleurs[1]. Plus près de nous, Faguet ne fait que la mentionner dans son histoire de la tragédie du XVIᵉ siècle[2], et si elle n'a pas échappé aux recherches de Raymond Lebègue, elle n'a droit finalement qu'à quelques lignes dans son essai sur la tragédie de la Renaissance[3], et surtout n'est pas reprise dans le précieux *Tableau chronologique* qui accompagne cette publication, ni sous la rubrique des représentations, ni, ce qui est curieux, sous celle de l'impression. On constate la même absence dans la *Liste bibliographique des tragédies françaises composées avant 1640,* qui rend aux chercheurs de si éminents services, et dont Elliott Forsyth a enrichi son étude sur le thème de la vengeance dans la tragédie française de la Renaissance[4].

---

1. Cf. l'édition par RIGOLEY DE JUVIGNY de la *Bibliothèque* de Du Verdier, 1773, IV, p. 336.
2. Cf. E. FAGUET, *La Tragédie française au XVIᵉ siècle (1550-1600),* Paris, Hachette, 1883, p. 397-398.
3. Cf. R. LEBÈGUE, *La Tragédie française de la Renaissance,* Bruxelles, Office de publicité, 1954, p. 91.
4. Cf. E. FORSYTH, *La Tragédie française de Jodelle à Corneille (1553-1640). Le Thème de la vengeance,* Paris, Nizet, 1962.

On ne peut enregistrer qu'une réédition (Chartres, Garnier, 1831), tirée à 60 exemplaires et réalisée par un érudit local, Grattet-Duplessis (qui n'a pas non plus laissé de traces de son activité ultérieure), et qui déclare, dans une courte présentation, n'avoir «pu trouver nulle part des renseignements» sur la pièce et sur son auteur. A l'appui de notre affirmation quant à la rareté de ce texte, on peut citer le fait que (à notre connaissance) il n'en existe qu'un seul exemplaire dans les bibliothèques publiques parisiennes, à la Réserve de la Bibliothèque nationale[5]. Naturellement, cela ne nous permet pas d'affirmer que cet exemplaire soit un *unicum,* il est au contraire plus que probable pour ne pas dire sûr qu'il en existe d'autres, dans des bibliothèques privées : si Picot, en effet, n'a jamais rencontré notre *Tragedie françoise,* Brunet est en mesure de signaler le passage de l'ouvrage dans au moins trois ventes, et même d'une «copie figurée sur velin mar. r.», cotée 30 francs à la vente Méon[6].

Un silence à peu près complet pour ce qui concerne l'auteur représente l'autre versant de cette curieuse page de l'histoire du théâtre de la Renaissance. Car il est évident que Du Verdier, le seul qui le mentionne, ne sait rien sur lui, et se borne à fournir les indications qu'on peut reprendre du frontispice de l'œuvre (le titre de l'ouvrage et le lieu de naissance de l'auteur); de surcroît, s'il introduit des éléments nouveaux, il se trompe, car il change le lieu de naissance (de Saint-Sauveur-de-Dyve, comme c'est marqué sur le frontispice, en Saint-Sauveur-de-*Dyne*) et la date de publication (1561, au lieu de 1571). Sur ce dernier point, on peut être formel (et exclure l'existence d'une édition antérieure de dix ans par rapport à celle qui est parvenue jusqu'à nous), grâce à une circonstance fortuite, la présence d'un *imprimatur* à la fin de notre tragédie, daté du mercredi 14 juin (sans indication du millésime). Un contrôle facile permet d'établir que le 14 juin 1561 était un samedi : pour trouver un mercredi 14 juin il faut remonter soit à l'année 1564, soit à l'année 1570, qui paraît de loin la date la plus probable. L'*imprimatur* aurait donc été délivré en 1570, et l'ouvrage imprimé (ou achevé d'imprimer) l'année suivante : une édition de 1561 ne peut pas avoir existé.

Cette intervention de Du Verdier dans notre affaire, toute limitée qu'elle est, ne sera pas d'ailleurs sans conséquences : c'est sans doute en s'autorisant de ses dires que Robert Barroux, dans la courte notice qu'il consacre à Jean Bretog dans le *Dictionnaire des*

---

5. Sous la cote Yf 3988. Plusieurs exemplaires, par contre, de la réimpression de 1831 : un à la Bibliothèque nationale, trois à la Bibliothèque de l'Arsenal.
6. Cf. *Manuel du libraire* [...], I, 1860, col. 1225.

Lettres françaises[7], signale l'existence de *deux* éditions de la *Tragedie françoise* (Lyon, 1561 in-8°; et Lyon, 1571, in-12°). C'est apparemment à son industrie que l'on doit, par contre, une autre «variante» : Bretog serait né à *Saint-Laurent-en-Dyne,* et aurait été *sieur* de Saint-Sauveur. Il est vrai que, dans ce domaine, cet érudit pouvait aussi se prévaloir de l'exemple de Grattet-Duplessis, l'éditeur de 1831 de notre tragédie, qui avait fait naître Bretog à *Saint-Pierre-de-Dyve,* «un bourg de l'ancienne province de Normandie (aujourd'hui département du Calvados)[8]».

Seul, le texte de Bretog peut ainsi nous fournir quelques données sûres. L'auteur s'y qualifie comme natif de Saint-Sauveur-de-Dyve; il vit en province, car il n'a fait qu'un séjour, nous ne savons pas de quelle durée, à Paris, trois ans auparavant (dans sa tragédie il met en scène «une histoire advenue / Dedans Paris : je le dy d'asseurance / Pour y avoir lors fait ma demeurance»), et il publie son livre à Lyon. C'est un écrivain à ses débuts, sans qu'on puisse dire qu'il s'agisse d'un jeune écrivain (il sollicite un accueil favorable de la bienveillance des lecteurs : «En ce faisant [s'il plaist au Seigneur Dieu] / De ma boutique autre chose verrés / Là où plaisir peult estre vous prendrés»), mais sa carrière littéraire n'a pas eu de suite, pour autant qu'on en sache (on ne possède aucun autre ouvrage signé de son nom). On ne sait rien non plus de l'éditeur Noël Grandon (dont le nom est modifié par Brunet en celui de Granson), qui n'apparaît pas (non plus que son homologue Granson) dans les treize volumes de la *Bibliographie lyonnaise* du Président Baudrier.

Pas d'allusions à des événements contemporains, qui nous aideraient, d'une façon ou de l'autre, à «situer» la pièce : avec une seule exception. Lorsqu'il veut mettre à l'épreuve la fidélité de sa femme, le mari fait savoir à toute la maison qu'il passera la nuit sur les remparts (avec le dessein secret de revenir «sus la minuit»), et revêt ostensiblement son appareil guerrier :

> Hay-là, ma femme, et aussi mon varlet,
> Aportez moy ma dague et mon espee :
> Car il me faut toute ceste nuictee
> Coucher au guet, avec le capitaine.

Publiée en 1571, la pièce s'inspirerait d'un fait divers qui se serait produit trois ans auparavant, ce qui nous ramène en 1567 ou 1568. Les guerres de religion battent leur plein, la vraie tragédie se joue

---

7. *Seizième siècle,* Paris, Fayard, 1961, p. 133.

8. Cf. l'édition de 1831 de la *Tragédie françoise* de J. BRETOG, Chartres, Garnier, p. 41. Est-ce en s'appuyant sur cette affirmation que R. LEBÈGUE fait de Bretog un écrivain normand (*Tragédie française, op. cit.,* p. 91)?

sur les champs de bataille (Saint-Denis, novembre 1567; Jarnac et
Moncontour, un peu plus tard). Le mari fait donc partie de la
milice bourgeoise, instituée par Charles IX, qui collabore avec
l'armée régulière dans un service de garde nocturne sur les
fortifications, contre les surprises des huguenots, toujours à craindre
(surprise de Meaux, septembre 1567). Mais cette sombre toile de
fond est à peine évoquée, l'intérêt de l'auteur est ailleurs.

Un homme cultivé, naturellement, mais sans pédantisme, qui ne
farcit pas son texte d'allusions mythologiques difficiles et qui cite la
Bible presque aussi souvent que les légendes des dieux payens
d'autrefois; assez au courant du débat contemporain quant au
renouvellement du théâtre pour écrire une tragédie sans divisions
en actes, sur le modèle grec (suivi, par exemple, par Théodore de
Bèze dans son *Abraham sacrifiant*) au lieu de reprendre le modèle
sénéquien, privilégié par la Pléiade. Quant à son lieu de naissance,
qui est probablement aussi celui de la province dans laquelle il a
vécu, en laissant de côté Saint-Laurent (Barroux) et Saint-Pierre
(Grattet-Duplessis), et en tenant compte que ni la Dyve ni
la Dyne ne figurent dans les dictionnaires des noms géographiques
français, nous serions d'avis de ne pas tenir compte de Saint-
Sauveur-sur-Douve, signalé par le *Dictionnaire général* [...] de
Duclos[9], pour nous orienter de préférence vers Saint-Sauveur-
de-Die (aujourd'hui Saint-Sauveur-en-Diois), dans la Drôme[10].
Une telle localisation géographique aiderait à expliquer le choix de
Lyon comme localité pour la publication de sa tragédie (qu'on
comprendrait moins aisément dans le cas d'un écrivain normand,
vivant en Normandie), et le caractère incontestablement marginal
d'une œuvre, et d'une carrière littéraire qu'on ne parvient pas à
faire sortir de l'ombre.

Une œuvre décidément peu connue, donc, et pour cause : reste à
savoir maintenant si c'est à bon escient qu'elle a été jusqu'ici
négligée, et si on peut la dire méconnue.

Le texte...

La *Tragedie françoise à huict personnages traictant de l'amour d'un
Serviteur envers sa Maistresse, et de tout ce qui en advint* est une pièce
de huit cent vingt-six vers, sans division en actes, comme on l'a déjà

---

9. Cf. DUCLOS, *Dictionnaire général des villes, bourgs, villages, hameaux et fermes de la France*, Paris, Bureau central du Dictionnaire, 1843.
10. Cf. J. BRUN-DURAND, *Dictionnaire topographique... de la Drôme* [...], Paris, Imprimerie nationale, 1891, p. 361 : longue notice sur cette localité, d'une importance historique certaine.

rappelé[11]. Elle est précédée d'un *Prologue de l'auteur,* de vingt-deux vers, qui n'est pas vraiment consacré à l'exposition du contenu de la tragédie (pour cela, le titre de la pièce, excessivement long, suffit amplement), mais à une «déclaration d'intentions» de l'auteur, qui se propose de «un chascun inciter / Suivre le bien, et le mal eviter», et qui sollicite, comme nous l'avons déjà signalé, l'indulgence des spectateurs :

> Qu'ayés esgard au desir de mon cœur
> Plus qu'à reprendre avecques grand rigueur
> Lors congnoissant la bonne intention
> Dont je l'ay faict [...].

La tragédie est suivie d'un huitain, qui souligne ultérieurement les intentions moralisantes de l'auteur, et d'une pièce de cinquante-six vers qui, de façon inattendue, change complètement de registre, et tire une leçon toute humaine et «laïque», si ce n'est cynique, de l'histoire racontée *(Recit d'aucuns propos tenus lors de l'execution dudict Serviteur).*

Un ensemble de neuf cent douze vers, tous décasyllabes : sauf pour le huitain, qui utilise la rime croisée, le système rythmique auquel l'auteur a eu recours est celui des rimes plates. Cette circonstance nous permet de découvrir deux lacunes dans le texte de la pièce proprement dite : deux rimes, en effet, restent en suspens, à la suite de la chute du vers «répondant». C'est le cas du vers 786 :

> Parmy mon col en potence tres orde

qui est suivi du distique :

> Honteusement en grande compagnie
> A grand regret avec melancolie

où la rime «tres orde» reste sans réponse; et du vers 819 :

> En me purgeant, qui suis tant vicieux

suivi du distique :

> Et colloquant mon ame ce jourd'hui
> En Paradis à la dextre de luy,

---

11. Un vol. in-8° (et non in-12°, comme l'écrit R. BARROUX) de 24 f°⁵. non numérotés (signatures : a⁸-c⁸).

où la rime «tant vicieux» reste également sans correspondance.

La présence de deux *pauses* (après le vers 479 et le vers 611) divise pratiquement la pièce en trois parties, de longueurs inégales (479, 132 et 215 vers respectivement). Les pauses correspondent à des césures logiques : dans la première partie, l'intrigue entre le Serviteur et sa Maîtresse se noue, avec la complicité de Vénus; dans la deuxième, les deux amants sont surpris par le Mari; dans la troisième, nous avons le dénouement tragique.

La principale caractéristique de cette pièce, qui raconte une histoire vraie (ou prétendue telle : «Mais y lirez [...] / Depuis trois ans une histoire advenue / Dedans Paris», comme il est dit dans le *Prologue*) [12], dont l'auteur aurait eu connaissance directe pour s'être trouvé, à l'époque, sur les lieux, est la présence, sur la scène, de figures allégoriques, Vénus, qui symbolise la Luxure, Chasteté, Jalousie, qui se mêlent aux autres personnages «normaux», le Serviteur et le Mari, la Maîtresse de maison, l'Archer et le Prévôt : le surnaturel se matérialise, en quelque sorte, l'impossible devient réel, le mystère parle et agit devant nous, grâce au sortilège de la création théâtrale. Par ce recours à un expédient élémentaire, mais d'une efficacité certaine, le double plan dans lequel s'inscrit l'existence est proposé aux spectateurs comme la donnée fondamentale qui marque l'expérience existentielle, l'assistance est invitée à considérer la *réalité* du surnaturel, et la circonstance bouleversante que le ciel et l'enfer exercent une perpétuelle interférence dans les vicissitudes des hommes. Si l'on accepte de telles prémisses, que le quotidien se prolonge *naturellement* dans une dimension seconde, le sujet de la pièce devient extrêmement simple, et peut se résumer en peu de mots.

Le Serviteur est en proie à une agitation étrange : il n'a pas de soucis réels, sa vie se déroule dans des conditions agréables, et toutefois son cœur est inquiet («Et toutefois content je ne suis point», v. 10), une insatisfaction subtile le ronge, des aspirations auxquelles il ne saurait donner un nom le harcèlent. Il décide donc d'écouter la voix de ce malaise qui l'habite, de s'abandonner au démon qui le tourmente : «Dorenavant veux vivre à ma plaisance».

Vénus fait subitement son apparition, qui se dit marrie de voir le

---

12. On ne rappellera que pour mémoire une nouvelle de Matteo Bandello (la sixième de la *Troisième Partie*) qui développe un sujet analogue à celui de notre *Tragedie françoise* (un serviteur, en l'absence du mari, profite de la maîtresse de maison et est mis à mort pour son forfait). Bandello aussi prétend raconter une histoire vraie, mais dans une intention tout autre que celle de Bretog. Dans son récit, la femme n'est nullement consentante et, lorsqu'elle se rend compte d'avoir été surprise par le serviteur, ameute la maison par ses cris, sans se soucier de rendre public le tort qui lui a été fait, et à son mari. Bandello condamne cette *pazza femmina* de ne pas avoir été plus discrète... La nouvelle de Bandello, qui paraît pour la première fois à Lucques en 1554, ne figure pas au nombre des nouvelles du conteur italien traduites par François de Belleforest, à partir de l'année 1559.

Serviteur «nourrir melancolie». Il n'a qu'à se tourner vers l'amour, il cessera d'être «langoureux», car l'amour rend corps et âme «plus reluisants en vertu et savoir» (v. 73), est une école de vertu :

> Bref, celuy-là qui en amours se met
> Subitement de vice se demet.

Chasteté se montre alors, qui invite le Serviteur à suivre les maximes de la continence, car les allèchements de Vénus n'apportent «qu'ordure au corps et conscience» (v. 108). Le Serviteur a un moment d'hésitation, et Vénus revient à la charge, en exaltant sa prestance physique, qui lui assurera facilement les faveurs de «plusieurs femmes honnestes». Le Serviteur «décide» alors «d'estre amoureux de [sa] dame et maistresse», du moment qu'il peut hanter la maison «à toute heure et en toute saison»; devant les nouvelles récriminations de Chasteté, qui lui propose le conseil évangélique de *Melius est enim nubere quam uri* [13] et lui rappelle la punition qui l'attend («Car l'aiant fait en souffriras tourment»), il passe outre : «J'en aurai le plaisir / Quand j'en devrois avoir le desplaisir».

Vénus met à exécution ses promesses, et parle à la Dame en faveur de son «jeune servant / Car il est beau, et adroit, et savant» : celle-ci accepte sans aucune hésitation («S'il esconvient qu'en amours me submette / C'est celuy là lequel plus je souhaicte»), quitte à se montrer réservée et à faire des difficultés devant les avances concrètes du Serviteur. Encouragé par Vénus, qui l'éclaire sur les détours de la psychologie féminine («Car lorsque femme à un amant conteste / Son contester signe d'amour atteste»), celui-ci insiste, et la Dame décide aussitôt de ne «plus faire la facheuse».

Mais voici que Jalousie apparaît à son tour, qui met la puce à l'oreille du Mari : après quelques hésitations, ce dernier se laisse convaincre et organise la ruse classique du faux départ pour surprendre les amants, et ainsi se termine la première partie de la pièce.

Dans le deuxième «acte», beaucoup plus court (cent trente-deux vers, comme on l'a déjà signalé), le Mari surprend les amants dans son lit; après avoir songé à se faire justice lui-même, il appelle les archers et fait arrêter le Serviteur. La Femme, qui déclare avoir été «trompée et deceue» par un «pendart, traistre meschant garçon» qui se serait glissé dans son lit «tout doucement et sans dire rien», reçoit beaucoup de menaces mais point de coups du Mari, qui se borne à la renvoyer chez son père; interrogé par le Prévôt, le Serviteur avoue et est incarcéré, mais non encore condamné (v. 479-610).

---

13. Première Epître aux Corinthiens, VII, 9.

Une nouvelle pause prépare le dénouement tragique. Le Mari déplore longuement son sort, invoque la mort, voudrait se tuer et finit par mourir subitement sur scène; du fait de la mort de l'homme qu'il a offensé, la position du Serviteur s'est considérablement aggravée, son procès, qui a lieu aussitôt, se conclut par une condamnation à mort. Avant d'être pendu, il donne des signes manifestes de repentir, et tire lui-même l'enseignement que suggère son aventure, en mettant en garde les jeunes gens «de croire aucunement / Dame Venus, qui tente doucement». A ces paroles de résignation et de confiance en Dieu font écho les propos de l'Archer, qui prie «le Createur» pour qu'il ait pitié de ce pauvre pécheur et «qu'il le vueille en Paradis reduire» (v. 616-826).

Le huitain n'ajoute aucun élément nouveau, se bornant à réaffirmer les intentions moralisantes («Suivre vertu et s'eloigner du vice»), tandis que le *Recit* fait enregistrer un changement complet de registre. Devant le corps du pendu, le sens du tragique s'estompe, le quotidien reprend ses droits et la comédie humaine recommence. Sous le corps du pauvre Serviteur, ostensiblement placé devant la porte de la maison où le crime a été commis, chacun y va de son commentaire: les uns trouvent qu'on a été bien sévère à l'égard du jeune homme

> Pour avoir fait une chose commune
> A un chacun, tout ainsi que la Lune;

les autres, qu'il aurait fallu punir aussi la femme, tenue de garder avec soin ce «qu'il estoit permis à demander». A ceux qui croient la version de la «surprise», d'autres s'opposent, dont «une plus affetee» et sans doute «en tel deduict [...] fort bien apprise», qui se demande, à propos de la Dame de qui le Serviteur aurait profité à trois reprises: «Que faisoit elle? estoit elle endormie?» Mysoginie et cynisme se mêlent à la compassion et aussi à l'amertume (le Serviteur, maille faible de la chaîne sur le plan social, a payé seul pour une faute qu'il n'avait pas été seul à commettre). L'intention moralisante, affichée à plusieurs reprises, paraît du coup compromise, la «leçon» qu'on peut tirer d'un fait divers est, tout au plus, celle du relativisme sur le plan moral et, en somme, de l'indifférence.

... et son statut

La *Tragedie françoise* de Jean Bretog, en dépit du titre qu'elle arbore, participe à peine du statut d'une pièce tragique. La mention «à huict personnages» renvoie (volontairement?) à des titres de

farces ou de soties, voire de moralités; l'adjectif «françoise» a une
portée précise, il faut entendre «de sujet français», et non certes – ou
non seulement – «écrite en français». Une option pour la réalité
nationale et moderne; un déni tacite des grands sujets mythologiques de l'antiquité.

On cherchera donc la «matière» tragique, plutôt que dans les
histoires des princes de jadis, dans un fait divers contemporain, une
histoire quelque peu terne d'adultère, qui comporte aussi une
mésalliance de nature sociale (une dame avec son valet), dont on
rachètera en partie le caractère sordide en la traitant de façon légère,
sans incommoder les grands sentiments, les discours nobles, l'exal-
tation et la fureur. Tant pis si les personnages manquent de
noblesse, peu importe s'ils n'ont ni la trempe ni la taille des vrais
héros tragiques. La Dame, en effet, se soustrait lâchement à ses
responsabilités, par le mensonge; le Serviteur reconnaît tout de
suite, plutôt que sa faute, sa culpabilité, et se plie docilement à la
justice humaine, tout comme il se soumet à la punition divine. Par
cette repentance, il acquiert le droit à une manière de réconciliation, on priera pour lui, sa montée sur l'échelle fatale prend une
signification spirituelle, du haut de la potence il parlera à l'assistance, avec le droit que lui donnent son repentir et sa mort
imminente. Quant au mari, c'est un homme de bien, et rien que
cela : ses propos de vengeance sanguinaire s'évanouissent aussitôt, il
n'est qu'effleuré par l'idée de se faire justice de ses propres mains, et
aussitôt il appelle les archers, pour que tout se fasse dans le respect
de l'ordre établi, et que tout rentre dans l'ordre; la femme sera
menacée mais non battue, et l'homme se choisira la condition sans
éclat et sans gloire de l'autocommisération, du pathétique, jusqu'à
mourir de crève-cœur. Même le Prévôt, qui symbolise le bras de la
justice vengeresse, au lieu d'un visage sévère arbore des sentiments
compatissants, s'adresse avec bonhomie au pauvre Serviteur, qu'il
appelle à plus d'une reprise «mon ami», à qui il fait grâce du
tourment de la roue pour sa «tendre jeunesse», et qui accompagne
sa condamnation de recommandations pleines de bons sentiments.

Il est difficile de construire une histoire tragique là où il n'y a pas
de conflit entre l'homme et le destin, et l'homme est plus
simplement en butte aux embûches du malin (même s'il est
déguisé, pour les besoins de la cause, sous les semblants de Vénus),
alors que ce qui le menace est la faute qu'il peut commettre (en
l'occurrence, le péché de luxure) et non pas la fatalité qui l'écrase.
Bretog en effet – dans sa *Tragedie,* à tout le moins – ne connaît pas
l'*ananke,* mais la liberté du chrétien (qui comporte aussi la
possibilité de commettre le péché, et de se perdre) et donc sa
responsabilité, et ne prévoit d'autre «catarsis» que dans le repentir,
prélude à la réconciliation.

Le statut *narratif* de la *Tragedie françoise,* qui s'inspire d'un événement réel et récent et en fait le récit, la ramène dans une mouvance déterminée, sur le plan littéraire, en même temps que dans le domaine spirituel. Le terme de référence le plus pertinent paraît être celui de l'*exemplum :* relation ou actualisation d'un fait divers, commentaire, «moralisation»; mais sans exclure tout à fait un autre terme de relation, qui est bien le fabliau, ce qui explique une certaine verdeur de propos, pour ne pas parler de traits gaillards, qui ne manquent pas dans le texte de Bretog. Ceci comporte, sur le plan littéraire toujours, l'emploi d'un certain langage; il est frappant de constater que l'auteur est conscient d'un décalage entre la langue dont il se sert, qui ne chausse pas le cothurne et n'utilise pas le registre tragique, et celle qui conviendrait, plus qu'au sujet qu'il traite, à la dignité de la tragédie. Il s'en excuse, pour ainsi dire, auprès du lecteur :

> Vous suppliant si ma veine est trop tendre
> Pour telle chose escrire et faire entendre
> Qu'ayés esgard au desir de mon cœur,

comme il est dit dans le *Prologue.*

Même si ce n'est qu'une manifestation de mimétisme culturel, l'utilisation du terme «tragédie» pour désigner une pièce qui n'est en fait que le récit d'une *histoire tragique* présente toutefois un certain intérêt; de même, l'insertion de Vénus au nombre des figurations allégoriques (Chasteté, Jalousie), qui viennent directement du Moyen Age. Le «nouveau» théâtre est désormais une question de mode, on ne peut manquer de tenir compte des nouveaux préceptes qui ont cours, même si c'est en partie seulement (le nom, et non la chose tout à fait). D'ailleurs, l'intention de donner naissance à une tragédie «française», autochtone dans ses sujets comme dans ses personnages, à un théâtre national, en somme, parcourt l'histoire non seulement de la tragédie, mais de tout le théâtre français de la Renaissance, car elle se manifeste déjà dans le prologue de *L'Eugène,* qui inaugure la nouvelle production théâtrale en formes classiques.

Un dosage habile, ou, si l'on veut, un compromis : un souci évident d'atteindre le public, de retenir l'attention et, pourquoi pas, d'arracher un sourire. Dans cette pièce, qui affiche des intentions «morales», la conclusion paraît goguenarde, et d'autre part l'histoire d'un adultère bourgeois devient fatalement une histoire grivoise, alors que le récit de celui de Clytemnestre ne l'est point.

Un peu plus d'attention pour une pièce comme la *Tragedie françoise* de Jean Bretog ne serait pas mal placée. Les questions d'érudition, bien entendu, qu'il faudrait se décider à résoudre, mais aussi les problèmes plus proprement littéraires, à commencer par ceux de langue et de style, que nous avons délibérément laissés de côté dans ces notes. On peut dès maintenant faire quelques remarques qui concernent plus directement l'histoire littéraire.

Pour un écrivain qui vit en province, dans la «France profonde», vers les années 1570, la «révolution littéraire» des années cinquante a eu des conséquences qui sont en large mesure résorbées. Une terminologie nouvelle, des acquêts de nature culturelle (les mythes de l'antiquité, à commencer par l'histoire de Pâris que trois déesses se disputent, qui revient discrètement ici, dans une adaptation adroite) se sont disposés sur un fond de données traditionnelles, qui reste vivant et vivace (le mélange du sérieux et du bouffon est un élément constitutif de l'ancien théâtre, le caractère dramatique de l'histoire racontée n'exclut pas tout à fait une lecture ironique, le surnaturel qui se mêle aux quotidiens n'a pas été utilisé que par les Grecs). Les princes et les héros anciens sont loin d'avoir détrôné les personnages communs ou bas, qui gardent leur droit de monter sur les tréteaux et de mettre en scène leurs histoires, fussent-elles des histoires de tous les jours. L'observation de la vie n'a pas été confisquée par une admiration exaltée d'un monde merveilleux et grandiose, celui des légendes fabuleuses de l'antiquité, mais qui se situe dans un passé irréparablement disparu. On descend donc sur terre, et l'on ne méprise point un «tragique» qui s'incorpore des éléments comiques, voire gaillards; le ton élevé et les sentiments nobles cèdent le pas à des réalités plus affables. De la même manière, la Fatalité, divinité aveugle et méchante, est loin d'avoir chassé de l'horizon culturel d'un écrivain comme Bretog la réalité beaucoup plus rassurante de la notion chrétienne de Providence.

Un «tragique» qui accueille des éléments comiques et qui s'estompe dans le pathétique (la mort du Serviteur est jouée aux bords du larmoyant), des pseudo-héros bourgeois qui prennent la place des héros authentiques... : il ne suffit pas, à ce point, de dire que la tragi-comédie du début du XVIIe siècle est aux portes, il faut bien reconnaître que des traits caractéristiques d'un théâtre que l'on définira «moderne» dans un avenir plus ou moins éloigné se manifestent de façon évidente dans cette pièce par trop oubliée.

Du Bartas et Matthieu :
genèse d'une vocation de dramaturge

LOUIS LOBBES

En 1585, Pierre Matthieu (1563-1621), futur historiographe d'Henri IV et auteur de *Tablettes* ironiquement mentionnées par Molière[1], publia son *Esther,* tragédie qu'il avait composée trois ou quatre ans plus tôt. Rien ne permettait de deviner que pour une bonne part, l'éclosion de cette vocation littéraire précoce était à inscrire à l'actif de Du Bartas. Car dans une annexe où il parle longuement de sa jeunesse studieuse, le dramaturge cite bien le nom de Ronsard[2]; mais il a totalement passé sous silence celui du poète de *La Sepmaine.* Pourtant c'est bien lui, nous espérons le prouver, qui devait exercer sur le néophyte l'influence la plus déterminante : dans une mesure que nous tenterons de circonscrire au plus près, son œuvre allait être à l'origine de ce premier, mais, avec ses 5 570 vers, ô combien audacieux essai que constitua *Esther.*

Notre découverte initiale, il est vrai, provint d'un pur hasard. Ainsi, c'est au détour d'un appendice et, qui plus est, dans une étude non point littéraire mais historique[3], que nous sommes tombé sur la crise de conscience de Judith, dans le poème du même nom. Le rapprochement s'imposa aussitôt avec deux passages qui, dans *Esther-Aman*[4] puis dans *La Guisiade*[5], présentent des analogies

---

1. *Sganarelle ou le Cocu imaginaire,* v. 33-36.
2. «Quelque poëtereau qui de frimas s'enrume
   Ne sachant des enfans de RONSARD la coustume»
   Se mocquera de moy [...]» (*Pastorale,* v. 195-197; *Esther,* p. 226).
   Pour bien souligner le patronage, le nom du Vendômois a été imprimé en majuscules.
3. Roland MOUSNIER, *L'Assassinat d'Henri IV,* Paris, Gallimard, 1964, p. 275-276.
4. Respectivement v. 3482-3507 et 2042-2067. En fait, *Aman* est une palinodie d'*Esther,* de même d'ailleurs que *Vasthi,* publiée conjointement; voir à ce sujet le ch. I de notre introduction de la *Guisiade,* Genève, Droz, TLF 377.
5. V. 1949-1994. Sur les rapports entre la crise de conscience de Judith et celle d'Henri III dans la *Guisiade,* cf. *ibid.,* ch. V, p. 46-50.

indiscutables, tant pour la forme – des retours irréguliers à la ligne qui trahissent le désarroi du personnage –, que pour le fond – le dilemme étant de savoir si oui ou non, et en vertu de quels impératifs, un meurtre est licite. Rappelons qu'inexistant dans la version d'origine de *La Judit,* publiée en 1574, le passage en question constitue l'apport le plus spectaculaire de la seconde mouture, parue en 1579[6]. A peine trois ans plus tard, dans une bourgade de cette Franche-Comté qui ne devait devenir française qu'au traité de Nimègue (1678), Pierre Matthieu se mit à rédiger une *Esther* que ses élèves allaient porter à la scène en 1583.

Le filon Du Bartas ainsi découvert, il ne restait plus qu'à l'étayer puis à l'exploiter grâce à *La Sepmaine,* éditée pour la première fois en 1578. Cet ouvrage nous fournit la signification de quatre mots ou tournures vainement cherchés chez Ronsard[7]. En réalité, utilisés par Matthieu dans les mêmes acception et contexte que par Du Bartas, ils devaient être ignorés du grand public, tellement Goulart a pris soin de les expliquer. Ses commentaires ayant paru à Genève, à partir de 1581[8], l'année où, selon toute probabilité, fut entamée la rédaction d'*Esther,* il est fort possible que Matthieu se soit servi d'un exemplaire de cette édition. En tout cas, il ne fait aucun doute qu'il ait disposé d'une réédition très récente, puisque dans une addition de cette même année 1581, nous découvrons le vers suivant, repris presque textuellement :

Car, Nuict, tu couvres tout de ton obscur manteau (*Premier jour,* v. 518).
La nuit qui couvre tout souz son obscur manteau (*Esther,* v. 1953).

Au demeurant, ce n'est pas uniquement dans ces deux vers que nous relevons des ressemblances pour le moins troublantes : plus d'une fois, nous constatons des rimes identiques dans des contextes pratiquement similaires. Tel est le cas, par exemple, de l'éloge que Du Bartas fait de la mémoire et Matthieu de l'histoire, deux notions en réalité très proches l'une de l'autre :

> La Memoire est des yeux la fidelle greffiere
> Le livre des paysans, la riche thresoriere
> Qui tient, comme en depost, tout ce que les humains,
> Poussez de vens divers, ont tenté de leurs mains
>   (*Sixième jour,* v. 775-778).

---

6. *La Judit,* éd. Baïche André (publ. de la Fac. des Lettres et Sciences humaines de Toulouse, 1970, série A, t. 12), p. XLV.

7. Il s'agit de trois lieux géographiques, «Calpe» et «Imave» (*Esther,* v. 145; *Sixième jour,* v. 792), ainsi que «Cassagale» (*Prologue,* v. 33; *Quatrième jour,* v. 734), du somnifère appelé «jonc de Chus» (*Esther,* v. 336; *Troisième jour,* v. 928) et d'oiseaux dits «mammucques» (v. 2258; *Cinquième jour,* v. 774).

8. Du Bartas, *La Sepmaine,* éd. Yvonne Bellenger (Paris, Nizet, 1981, 2 vol.), t. I, p. XXIX.

> L'histoire est des trophés la chere thresoriere
> Des hommes le miroir,
> Des faits plus merveilleux la fidelle greffiere
> Pour les faire apparoir (*Esther,* Prologue, v. 85-88).

Bref, la piste Du Bartas s'avérait une voie royale.

Car c'est bien à partir de sa *Sepmaine* que s'explique le style d'*Esther* : il n'est aucun ornement de l'une, dont ne s'affuble l'autre, et généralement pis! Que par manque de maturité, en effet, intervienne un défaut de discernement, et nous tombons dans le galimatias le plus quintessencié, qui nous vaudra en particulier le vers suivant :

Le pere Bromien Menadisant trepigne (*Esther,* v. 1292)[9].

Autant dire que plus d'une fois, on devra s'armer de courage pour se frayer un chemin à travers *Esther* puis *Vasthi-Aman,* qui sont de la même trempe. Il faudra finalement l'indignation provoquée par l'exécution des Guise pour qu'en composant son ultime tragédie, Matthieu opère des coupes sévères dans ses fleurs de rhétorique, et en revienne à des modes d'expression plus compréhensibles au commun des mortels.

Quant à l'autre grande œuvre de Du Bartas, *La Judit,* parue dans *La Muse chrestiene,* nous sommes en droit de nous demander si elle n'aurait pas inspiré à Matthieu le sujet même de son *Esther.* En effet, ces deux livres contigus dans la version des Septante de la Bible développent un thème identique : comment une femme providentielle parvint à sauver son peuple opprimé. Du coup, le dramaturge ne risquait pas d'encourir le reproche de plagiat. Et puis, *Esther* lui offrait encore un autre avantage. Car si le poème ne comportait que deux protagonistes indispensables à l'intrigue, l'héroïne et Holoferne, la tragédie allait en compter cinq, Esther, Mardochée, Assuérus, Aman et Vasthi; pour l'enseignant qui recherche le grand spectacle de collège en faisant participer le plus d'élèves possible, le choix était tout indiqué. Cela dit, l'essentiel pour nous demeure que Matthieu a retenu précisément le passage le plus original de *La Judit,* cette fameuse crise de conscience dont R. Lebègue a déploré qu'elle n'ait inspiré aucun dramaturge de l'époque[10] : elle contient, en effet, l'essence même du tragique. Si la filiation n'est pas d'emblée évidente, c'est parce qu'en première instance, Matthieu a

---

9. Et Raymond Lebègue d'ironiser à juste titre : «Traduction en prose : Bacchus s'agite comme une Ménade. On excuse le prote d'avoir estropié ce vers!» Bruxelles, (*La Tragédie française,* 1954, p. 75). Le propos avait déjà dû sembler incongru au typographe, puisqu'il en avait fait : «Le pere Bromien me va disant tropigne». Les coquilles allaient être ôtées dans *Vasthi* (v. 2348).

10. *La Poésie française de 1560 à 1630* (Paris, SEDES, 1951, 2 vol.), t. I, p. 85.

eu le triple tort d'attribuer le débat intérieur à un Aman de toute
façon pervers, de le faire intervenir alors que la décision d'exterminer les Juifs est déjà prise, de le situer enfin non pas dans
l'acte IV, celui de la crise, mais dès l'acte III, celui du nœud selon la
dramaturgie du XVIᵉ siècle. L'ultime avatar d'*Esther, la Guisiade,*
allait éviter ces trois défauts, engendrant ainsi une tragédie techni-
quement achevée, le seule peut-être de toute la Renaissance.

Et puis les deux écrivains devaient garder de leurs débuts un
souvenir identique. Voici, en effet, comment s'est exprimé Du
Bartas dans son *Uranie,* autre poème de *La Muse :*

> Je n'etoi point encor en l'avril de mon age
> Qu'un desir d'afranchir mon renom du trepas
> Chagrin me faisait perdre repos et repas
> Par le brave projet de meint sçavant ouvrage (v. 1-4).

Ces vers, – comme d'ailleurs la crise de conscience de Judith, ils ont
été ajoutés en 1579 –, ne sont pas sans annoncer ceux de Matthieu se
remémorant son arrivée, en 1581, à Vercel (Doubs), où il allait
écrire son *Esther* peu après :

> Si tost n'y fus pas, qu'un esguillon de veoir
> D'apprendre, et retenir, de parler, de sçavoir
> M'ostoit contentement, [...]
> Et d'un zele bruslant je ne me donnoy pas
> Le loisir d'achever ny repos ny repas (*Pastorale,* v. 55-57, 59-60).

Les mots diffèrent, certes; mais l'idée est la même. Car à l'instar de
son modèle, le dramaturge a ressenti sa vocation littéraire comme
une sorte de frénésie sacrée. De cette manière, l'œuvre de Du Bartas
n'a pas seulement fait fonction de catalyseur en fournissant un sujet
et un style : cautionnant le sérieux de l'entreprise, elle était aussi
censée servir de gage de succès.

Alors que nous parvenons à déterminer si précisément les
conditions dans lesquelles, l'œuvre de Du Bartas aidant, la plume
de Matthieu s'est mise en mouvement, qu'en est-il de l'influence de
Ronsard ? Tout compte fait, elle ne se manifeste vraiment qu'à
travers les grandes triades pindariques sur lesquelles s'achèvent les
quatre premiers actes d'*Esther :* sous bénéfice d'inventaire, leurs
modèles ont été fournis par le premier livre des *Odes.* A la rigueur,
nous pourrions encore ajouter que comme le Vendômois, le
dramaturge a été un antimachiavélique convaincu; mais en ce
domaine, il faudrait tenir compte aussi de Garnier, dont le nom
figure dans un autre appendice d'*Esther*[11]. Voilà qui, finalement,

---

11. *Tragoedia Dialogismus, Esther,* p. 232.

grandit d'autant le rôle spécifique de Du Bartas : au silence dont il a fait l'objet, il nous faut bien trouver au moins un début d'explication.

En l'absence de preuves formelles, celle que nous avançons ici aura la valeur d'une simple hypothèse. Elle part de l'idée qu'à l'origine, la mention de Ronsard n'était qu'une remarque amusée. Ainsi, se remémorant dans la *Pastorale* ses idylliques années francomtoises, Matthieu voulut proclamer non sans fierté que petit provincial, il n'ignorait rien de la haute littérature contemporaine, au point d'aspirer à prendre place à son tour parmi les disciples du Vendômois; en réalité, sa prétention ne tirait nullement à conséquence puisqu'en quittant Vercel, il se destina à une carrière de juriste, les lettres se bornant pour l'instant à rester son violon d'Ingres. Il n'empêche qu'il a dû éprouver une forte déconvenue lorsque certaines gens − au demeurant, il ne spécifie pas qui −, ne réservèrent pas à son *Esther* l'accueil qu'il avait escompté. Car le thème de l'envie revient un peu trop souvent dans les annexes pour être purement littéraire. La hargne devient même évidente dans ces lignes assez sibyllines : « [...] incontinent que la part de l'esprit est veu, la gravité des censeurs y accourt, et avec son austere sourcy d'un front refrogné [...] degouste ceux qui ne peuvent comprendre l'immense profondité *(sic)* de leurs œuvres »[12]. En clair, disons que l'écrivain venait à ses dépens de s'apercevoir de la rivalité qui, depuis une dizaine d'années, déchirait les héritiers de Ronsard, Desportes et Du Bartas. Aussi, plutôt que de jeter de l'huile sur le feu en s'en référant expressément à ce dernier, a-t-il tout bonnement allégué pour sa défense le patronage du maître commun, prenant toutefois la précaution de faire ressortir son nom au moyen de majuscules[13].

A tout seigneur tout honneur, c'est pourtant bien sur Du Bartas que nous achèverons la présente étude. De fait, en guise de conclusion, nous aurions pu mettre ces vers du *Quatrième jour,* où Matthieu se serait reconnu sans difficulté :

> Mes vers conceus en peine, en liesse enfantez,
> Ne desirent se voir par nos neveux vantez.
> Ils seront satisfaits, moyennant que la France
> Produise à l'advenir quelque docte semance,
> Qui suyvant pas à pas mon louable projet
> Plus dextrement que moy manie ce sujet (v. 35-40).

---

12. «Au lecteur benevole», *Esther,* p. 244-245.
13. Ainsi se confirme, si besoin en était, l'assertion de Marcel Raymond, selon qui l'influence du poète des *Odes* et de celui de *La Sepmaine* se prolonge plus qu'elle ne se contredit (*L'influence de Ronsard,* Paris, Champion, 1927, 2 vol., t. II, p. 303).

Mais il y a mieux. La dernière fois que Matthieu a cité le poète de
La Sepmaine, il l'a appelé docte[14]; or, lui-même s'était déjà vu
gratifier du même qualificatif dans le quatrain dont, en 1589, un
certain A. du Perez agrémenta son portrait, en tête de la première
édition de *Vasthi*[15]. C'est pourquoi, tout en le mentionnant
ironiquement dans *Sganarelle,* Molière n'aurait pu lui rendre plus
bel hommage : celui-ci, aux yeux de l'intéressé, revient tout
simplement à dire que l'émule a égalé son maître. Un artiste
pourrait-il rêver un meilleur compliment?

---

14. *L'entrée de Marie de Médicis à Lyon,* 1600, p. 72 v°.
15. «A qui est ce crayon (= portrait)? à ce docte Matthieu,
    L'Euripide François, qui n'ayant que trois lustres
    Enfla la tragedie; entre les plus illustres
    Il a fait flamboyer son nom, son art, son lieu.»

Le théâtre dans les Essais

YVONNE BELLENGER

Plusieurs allusions au théâtre se trouvent dans les *Essais*★ et le lecteur se souvient sans doute de ce qu'écrit Montaigne des pièces latines où on lui confiait de grands rôles lorsqu'il était élève au collège de Guyenne[1], de son goût pour Térence[2], de son admiration pour les anciens spectacles des Romains[3]. Mais aussi des mots méprisants qu'il lance çà et là contre tout ce qui est farce, momerie et batelage, contre les masques et les déguisements. Faut-il rappeler les railleries qui tombent de sa plume à propos de l'art menteur des avocats ou pour ironiser sur ceux qui trompent leur monde en «s'enfarinant[4]» le visage ou en se costumant : médecins, magistrats, prêtres et rois mis pour la circonstance dans le même sac et souvent dénoncés en termes de théâtre ?

Si bien qu'en lisant certaines de ces pages, ce n'est pas seulement l'écho de sentences horatiennes que nous entendons résonner – comme nous y invite Montaigne lui-même en citant le poète de Tibur : *Mundus universus exercet histrioniam* (III, 10 ; 1011) –, mais aussi l'accord avec quelques-uns des thèmes contemporains les plus obsédants. On pense par exemple à Shakespeare :

> *All the world's a stage [...]*
>
> Le monde entier est une scène,
> Hommes et femmes, tous n'y sont que des acteurs[5].

★. Nous citons Montaigne d'après l'édition Villey-Saulnier des *Essais*. Dans nos références, le nombre en chiffres romains indique le livre, le premier nombre en chiffres arabes le numéro du chapitre et le deuxième nombre en chiffres arabes, après le point-virgule, le numéro de la page. Les italiques dans les citations de Montaigne sont de nous.
1. Voir I, 26 ; 176.
2. Voir II, 10 ; 411.
3. Voir III, 6 ; 905-907.
4. III, 10 ; 1011.
5. *Comme il vous plaira*, II, 7, traduct. J. Supervielle.

C'est ce thème et ces allusions que nous nous proposons d'examiner dans les pages qui suivent.

On ne trouve guère dans les *Essais* de descriptions de théâtre. Rien pour les bâtiments contemporains (mais le *Journal de voyage* nous a appris que ce genre de précision n'intéressait guère Montaigne). Quelques mentions de lieux théâtraux, toujours antiques, ici et là [6] : le théâtre d'Arles et celui de Marcellus à Rome. A Arles, le théâtre n'est cité qu'en passant, à propos d'un incident survenu pendant la guerre que mena Charles Quint en Provence contre les Français une quarantaine d'années plus tôt : le marquis de Guast avait failli se faire tuer par la faute du seigneur de Bonneval et du sénéchal d'Artois «qui se promenoient sur le theatre aux arenes» (I, 12 ; 46). Nulle part, il n'est question de représentation théâtrale. A Rome, au théâtre de Marcellus, l'anecdote est toute différente. Nous en sommes à l'*Apologie de Raimond Sebon* et Montaigne évoque l'intelligence des animaux : l'allusion au théâtre de Marcellus se rapporte à la performance d'un chien-acteur «qui estonnoit tous les assistans» (II, 12 ; 464). Mais cette admirable représentation, citée d'après Plutarque, se passe (on l'a compris) dans l'ancien temps et ne correspond pas à un souvenir vécu.

Rares sont les descriptions des lieux, même à propos de théâtres antiques. C'est plus aux contenus des spectacles dans leurs diversités, aux machines et aux mises en scène qu'à l'architecture et à la décoration du lieu théâtral que Montaigne s'intéresse, même s'il arrive qu'il ne les ignore pas complètement – et à condition, peut-être, de recopier quelqu'un d'autre, comme dans cette description empruntée au *De amphitheatro* de Juste Lipse [7] dans le chapitre *Des coches* :

> C'estoit pourtant une belle chose, d'aller faire apporter et planter en la place aus arenes une grande quantité de gros arbres, tous branchus et tous verts, representans une grande forest ombrageuse, despartie en belle symmetrie et, le premier jour, jetter là dedans mille austruches, mille cerfs, mille sangliers et mille dains, les abandonnant à piller au peuple ; le lendemain, faire assomer en sa presence cent gros lions, cent leopards, et trois cens ours, et pour le troisieme jour, faire combatre à outrance trois cens paires de gladiateurs, comme fit l'Empereur Probus. *C'estoit aussi belle chose à voir ces grands amphitheatres ancroustez de marbre au dehors, labourés d'ouvrages et statues, le dedans reluisant de plusieurs rares enrichissemens...* (II, 6 ; 905).

---

6. Nous ne retenons ici que les *Essais*, à l'exclusion du *Journal de voyage* malgré l'allusion qui précède.

7. Voir *Essais*, éd. cit., p. 1320, note de Villey sur la p. 905, l. 34.

Comme on voit, ce qui intéresse Montaigne au théâtre n'est pas seulement la représentation de pièces : «Theatres, jeuz et spectacles publiques» (I, 56; 323), tout lui est bon, et les prouesses des animaux savants le passionnent parfois autant et plus que les représentations données par des comédiens. Montaigne ne s'étonne pas seulement du chien-acteur de l'*Apologie* cité plus haut, mais il raconte avec gourmandise qu'«aux spectacles de Rome, il se voyoit ordinairement des Elephans dressez à se mouvoir et dancer, au son de la voix, des dances à plusieurs entralasseures, coupeures et diverses cadances tres-difficiles à aprendre» (II, 12; 465).

Théâtre-spectacle, donc. Montaigne ne cherche-t-il que le simple divertissement? On est tenté de le penser quand on voit son admiration pour la splendeur et le faste des spectacles romains. C'est que tout le retient : ce que nous appellerions le cirque, aussi bien que le théâtre proprement dit, le plus littéraire aussi bien que l'autre. Voyez comme il approuve, à la fin des *Essais,* la manière dont le grand homme qu'était Scipion savait se distraire simplement, les jours de mauvais temps, «à representer par escript en comedies les plus populaires et basses actions des hommes» (III, 13; 1109).

Toutefois, une remarque : c'est que de tout ce que nous avons cité jusqu'à présent, jamais il n'est question sous la plume de Montaigne d'expérience personnelle du théâtre. Ce qu'il en dit, il le dit à travers les témoignages d'autrui, que ce soit pour les chiens ou les éléphants dressés, pour les représentations que se donnait Scipion dans son exil ou pour les grands jeux du cirque dans les amphithéâtres de l'*Urbs.*

Cette expérience personnelle, si elle est réduite, existe pourtant. Montaigne a peut-être vu des représentations, au moins des comédies, dans son enfance, si l'on comprend bien le début du chapitre *Du pedantisme :* «Je me suis souvent despité, en mon enfance, *de voir és comedies Italiennes* tousjours un pedante pour badin...» (I, 25; 133). Mais, outre que ce souvenir semble lui avoir laissé plus de perplexité que d'admiration, on peut se demander à la rigueur s'il s'agit de souvenirs lus ou vus. Plus sûres, les confidences qu'il fait sur ses rôles d'acteur lorsqu'il jouait des pièces latines au collège de Guyenne : «Car, avant l'aage, [...] j'ay soustenu les premiers personnages és tragedies latines de Bucanan, de Guerente et de Muret, qui se representerent en nostre college de Guienne avec dignité» (I, 26; 176).

Toutefois, cela ne mène pas très loin et il faut aller chercher ici ou là une notation isolée sur l'effet produit par le théâtre pour conclure que, sûrement, Montaigne a assisté à des représentations de pièces : «Nous voyons aux festes et aux theatres que, opposant à la lumiere des flambeaux une vitre teinte de quelque couleur, tout

ce qui est en ce lieu nous appert ou vert, ou jaune, ou violet»
(II, 12; 598). Voilà pour l'illusion physique au théâtre. Il y a aussi
l'illusion mentale : «Le masque des grandeurs qu'on represente aus
comedies nous touche aucunement et nous pipe» (III, 8; 935). Ou
bien ce sont les effets inattendus de cette puissance de suggestion
que signale Montaigne, dans la représentation d'une fiction capable
d'émouvoir à l'extrême acteurs et public : «Et il se void plus
clairement aux theatres, que l'inspiration sacrée des muses, ayant
premierement agité le poëte à la cholere, au deuil, à la haine, et hors
de soy où elles veulent, frappe encore par le poëte l'acteur, et par
l'acteur consecutivement tout un peuple» (I, 37; 232). Ou même en
révélant la faiblesse d'âme de cruels tyrans (ce que savait Hamlet!).
Ainsi «Alexandre, tyran de Pheres, ne pouvoit souffrir d'ouyr au
theatre le jeu des tragedies, de peur que ses citoyens ne le vissent
gemir aus malheurs de Hecuba et d'Andromache, luy qui, sans
pitié, faisoit cruellement meurtrir tant de gens tous les jours»
(II, 27; 693).

L'aura-t-on remarqué? Ce que Montaigne retient du théâtre
comme souvenir peut-être direct, c'est surtout ce qui se rapporte à
l'illusion, à la confusion de l'être et de l'apparence, à la fragilité de
nos sens, à notre incapacité à saisir la vérité. C'est-à-dire à
quelques-uns des thèmes fondamentaux des *Essais*. Rien d'étonnant
par conséquent à ce que le théâtre trouve sa place dans sa réflexion.

Le théâtre, ou l'imagination du théâtre : car l'expérience de
Montaigne dans ce domaine est surtout, malgré ce que nous venons
de dire, une expérience de lecteur, et l'auteur des *Essais* a sûrement
lu plus de pièces et de récits de représentations qu'il n'en a vu
lui-même.

Nous savons que dans sa jeunesse, il aimait lire du théâtre et
qu'au collège de Guyenne «il enfila[it] tout d'un train Virgile en
l'Ænéide, *et puis Terence, et puis Plaute, et des comedies Italiennes,*
lurré tousjours par la douceur du sujet» (I, 26; 175). Ce n'est pas le
seul endroit où il dit sa préférence pour Térence : «Quant au bon
Terence, la mignardise et les graces du langage Latin, je le trouve
admirable à representer au vif les mouvements de l'ame et la
condition de nos meurs; à toute heure nos actions me rejettent à
luy. Je ne le puis lire si souvent, que je n'y trouve quelque beauté et
grace nouvelle» (II, 10; 411) [8]. Il apprécie aussi Sophocle [9], il cite
Euripide [10], mais il ne nourrit pas la même admiration pour le
théâtre moderne, même italien. Ne parlons pas du français, qui
n'apparaît jamais dans les *Essais*. Il reconnaît des qualités à la

8. Toute cette page 411 est consacrée à l'éloge de Térence.
9. II, 1; 337.
10. I, 56; 322. II, 12; 526.

comédie italienne, mais l'enthousiasme reste modéré : «Il m'est souvent tombé en fantasie comme en nostre temps, ceux qui se meslent de faire des comedies (ainsi que les Italiens, qui y sont assez heureux) employent trois ou quatre argumens de celles de Terence ou de Plaute pour en faire une des leurs. Ils entassent en une seule Comedie cinq ou six contes de Bocacce. Ce qui les faict ainsi se charger de matiere, c'est la deffiance qu'ils ont de se pouvoir soustenir de leurs propres graces : il faut qu'ils trouvent un corps où s'appuyer; et, n'ayant pas du leur assez dequoy nous arrester, ils veulent que le conte nous amuse» (II, 10; 411).

Le passage est intéressant parce que Montaigne y précise son goût pour un théâtre plus littéraire que proprement dramatique, et il va jusqu'à dire que la grâce de Térence est telle qu'on en oublie l'intrigue de ses pièces au profit de leur style et de leur manière : «Il en va de mon autheur tout au contraire de ces Italiens : les perfections et beautez de sa façon de dire nous font perdre l'appetit de son subject; sa gentillesse et sa mignardise nous retiennent par tout; il est par tout si plaisant [...] et nous remplit tant l'ame de ses graces que nous en oublions celles de sa fable» *(ibid.)*.

Quoi qu'il en soit, la cause est entendue : joué ou lu, le théâtre intéresse Montaigne. Mais inégalement. D'où ses appréciations diverses selon qu'il s'agit de théâtre ancien ou moderne, de théâtre savant ou populaire. Ou encore de théâtre considéré pour lui-même, comme un art qui a ses mérites, ou de théâtre pris au figuré, dans ce cas presque toujours péjorativement : «C'est assez de s'enfariner le visage, sans s'enfariner la poictrine» (III, 10, 1011)... Mais jamais on ne trouve dans les *Essais* la moindre opposition entre théâtre comique et théâtre tragique. En somme, il y a d'un côté le bon théâtre (toujours ancien, ou du moins à l'ancienne et en latin ou en grec) et l'autre. De même, les bons comédiens et les autres.

Les bons comédiens, Montaigne le dit clairement, ce sont ceux qui n'ont pas besoin du secours des fards, des accessoires, des masques et des grimaces, et dont il oppose le jeu aux singeries des médiocres ou pis, aux simagrées de ceux qui dans la vie se comportent comme des histrions : «Comme j'ay veu aussi les badins excellens, vestus à leur ordinaire et d'une contenance commune, nous donner tout le plaisir qui se peut tirer de leur art; les apprentifs et qui ne sont de si haute leçon, avoir besoin de s'enfariner le visage, de se travestir et se contrefaire en mouvemens et grimaces sauvages pour nous aprester à rire» (II, 10; 412).

C'est que le théâtre – et c'est sa principale vertu – projette en pleine lumière les faits et gestes de la comédie humaine. Ce que nous y cherchons «avidement», dit Montaigne, c'est de «recognoistre en ombre mesme et en la fable des Theatres la montre des jeux tragiques de l'humaine fortune» (III, 12; 1046). Tant il est vrai que le théâtre — le bon — est sans égal pour révéler la vérité des hommes : «Car, comme les joueurs de comédie, vous les voyez sur l'eschaffaut faire une mine de Duc et d'Empereur; mais, tantost apres, les voylà devenuz valets et crocheteurs miserables, qui est leur nayfve et originelle condition : aussi l'Empereur, duquel la pompe vous esblouit en public, [...] voyez le derriere le rideau, ce n'est rien qu'un homme commun et, à l'adventure, plus vil que le moindre de ses subjects» (I, 42; 261).

On reconnaît à nouveau dans ce passage l'un des thèmes chers à Montaigne dans les *Essais* et l'on n'est pas étonné, dès lors, de le voir attacher tant d'importance et de prix à un mode de connaissance si précieux, au point d'en prendre la défense parce qu'il en considère la pratique comme salutaire pour la vie de la cité :

> J'ay tousjours accusé d'impertinence ceux qui condemnent ces esbattemens, et d'injustice ceux qui refusent l'entrée de nos bonnes villes aux comediens qui le valent, et envient au peuple ces plaisirs publiques. Les bonnes polices prennent soing d'assembler les citoyens et les r'allier, comme aux offices serieux de la devotion, aussi aux exercices et jeux : la société et amitié s'en augmente. [...] Et trouverois raisonnable [...] qu'aux villes populeuses il y eust des lieux destinez et disposez pour ces spectacles : quelque divertissement de pires actions et occultes (I, 26; 177).

Mais si la valeur du théâtre est de faire comprendre à chacun que les grandeurs, même réelles, ne sont que l'apparence et l'extérieur des hommes, et que la vérité des plus éminents est en eux, cela ne doit pas inciter à des mélanges de genre fâcheux. Dans leurs cérémonies, les rois peuvent sans doute faire penser à des comédiens jouant leur rôle. Cela n'autorise pas les empereurs à se transformer en pitres. Honte à Néron «basteleur» (I, 3; 16) : dans le contexte, ce terme se trouve associé à quelques autres qui donnent le ton, «parricide, boutefeu» et «cochier». C'est qu'il y a une hiérachie au sommet de laquelle Montaigne ne place pas les comédiens, même les bons — tant s'en faut! On se rappelle peut-être l'émoi suscité par un ajout de l'exemplaire de Bordeaux publié au début du XIXe siècle seulement[11] dans le chapitre *De l'institution des enfans* où Montaigne, évoquant la possibilité que l'élève soit indigne de son rang de gentilhomme au point de préférer au métier des armes des divertissements de vilains, entre autres le «le jeu des batteleurs»

---

11. Donald FRAME, *Montaigne in France, 1802-1852*, New York, Columbia U.P., 1940, p. 207-208.

(I, 26; 162), déclare froidement – et humoristiquement, n'en doutons pas – : «Je n'y trouve autre remède, sinon *que de bonne heure son gouverneur l'estrangle, s'il est sans tesmoins...*» *(ibid.)*[12].

La distribution entre bon théâtre et mauvais théâtre chez Montaigne n'est pas seulement fondée, en effet, sur des critères de style ou de ton, mais de genre. D'où, d'ailleurs, la versatilité apparente de ses opinions à ce sujet. Montaigne aime et n'aime pas le théâtre : c'est-à-dire qu'il apprécie les tragédies latines et les comédies de Térence, mais qu'il méprise cordialement tout ce qui se rapporte au théâtre de rue et à ses histrions, bateleurs ou farceurs. Les témoignages en sont multiples dans les *Essais.* Ainsi, nulle réprobation dans l'évocation de telle loi somptuaire associant bateleurs et courtisanes[13]. On sait d'autre part ce que Montaigne pense de Néron «basteleur».

Ces mots, *bateleur, batelage, bateler* ne sont jamais pris en bonne part dans les *Essais,* soit que l'on nous cite Chrysippus raillant le goût des «finesses dialectiques» qu'on lui proposait en ces termes : «Joue toi de ces *battelages* avec les enfants, et ne destourne à cela les pensées serieuses d'un homme d'aage» (I, 26; 171). Soit que Montaigne oppose les masques de l'apparence aux vérités cachées dans les cœurs : «Chacun peut avoir part au *battelage* et representer un honneste personnage en l'eschaffaut; mais au dedans et en sa poictrine, où tout nous est loisible, où tout est caché, d'y être reglé, c'est le poinct» (III, 12; 808). Soit qu'il raille l'enflure des discours qui risquent toujours d'aboutir à la supercherie et au mensonge[14]. Ou qu'il ironise sur la fragilité des propos tenus la plupart du temps sans souci de vérification ni de sérieux : «Et me faut ordinairement *bateler* par compaignie à traicter des subjects et comptes frivoles, que je mescrois entierement» (III ,11; 1027). Soit qu'il s'en prenne à la duplicité des avocats, dont, ancien magistrat, il parle rarement en bien et qui, à l'en croire, ne cherchent jamais qu'à tromper leur monde : «L'Orateur, dit la rethorique, en cette *farce* de son plaidoier, s'esmouvera par le son de sa voix et par ses agitations feintes, et se lairra piper à la passion qu'il represente. Il s'imprimera un vray deuil et essentiel, par le moyen de ce *battelage* qu'il joüe,

---

12. Le passage souligné correspond à celui qui ne se trouve pas dans l'édition de 1595.

13. Il s'agit d'un passage où Montaigne s'en prend au luxe excessif des parures : «La Loy devroit dire, au rebours, que le cramoisy et l'orfeverie : est defenduë à toute espece de gens, sauf aux basteleurs et aux courtisanes» (I, 43; 269).

14. Voir le récit d'une supercherie survenue dans le voisinage de Montaigne, où «un jeune homme du lieu s'estoit joué à contrefaire une nuict en sa maison la voix d'un esprit, sans penser à autre finesse qu'à jouyr d'un badinage present» (III, 11; 1029). Mais la crédulité publique l'encourage à «estendre sa farce» et à donner à l'imposture une dimension imprévisible au départ : «Si toutesfois la fortune y eust voulu prester un peu de faveur, qui sçait jusqu'où se fust accreu ce battelage?», commente Montaigne, qui ajoute : «Ces pauvres diables sont à cette heure en prison...» *(ibid.,* 1029-1030).

pour le transmettre aux juges...» (III, 4; 838). Montaigne est parfois plus sévère encore pour les professionnels de ce qu'il appelle «la parlerie» : «Voit-on plus de barbouillage au caquet des harengeres qu'aux disputes des hommes de cette profession?» Tout leur avantage tient à leur «chapperon», leur «robbe» et leur latin : «Hors ce *bastelage,* ils ne font rien qui ne soit commun et vile» (III, 8; 927). Dur, comme on voit.

Il n'est pas rare qu'à ces mots, *bateler* et ses dérivés, Montaigne associe ceux de *farce* ou *farceur,* qu'il englobe dans la même réprobation. Tantôt, il s'agit d'évoquer une supercherie qui finira par tourner mal[15]. Tantôt, une comédie qui n'avilit que ceux qui en sont l'occasion et les destinataires : comme ces vaniteux qui se vantaient mensongèrement de l'ancienneté de leur famille devant un vrai seigneur et que celui-ci salua avec une emphase ironique, en protestant «qu'il ne lui appartenoit pas de se soir parmi tant de Princes». Mais ce n'était qu'en hors-d'œuvre, car «apres sa *farce,* il leur dit mille injures...» (I, 56; 278). Et Montaigne d'approuver.

Le vocabulaire des *masques, fards, déguisements* et travestissements[16] ne vaut pas mieux, qui revient toujours à désigner le mensonge, la dissimulation, le faux-semblant ou la dénaturation. Dans le chapitre intitulé, significativement, *Nous ne goustons rien de pur,* Montaigne regrette que nous faussions l'image des meilleures choses en en parlant puisque même la volupté, par exemple, nous la «*fardons* d'epithetes» paradoxales et douloureuses[17].

C'est par ces mêmes termes qu'il s'en prend quelquefois à des comportements moins évidemment répréhensibles ou discutables aux yeux de ses contemporains parce qu'ils correspondent à des faits trop familiers pour être remarqués. *Farce,* par exemple, que cette lamentable comédie du monde qui empêche l'amour des pères aux enfants de se déclarer : «Car c'est une *farce* tres-inutile qui rend les peres ennuieux aux enfans, et, qui pis est, ridicules» (II, 8; 393). *Batelage* que cette autorité aussi ostentatoire qu'illusoire qu'on accorde aux vieillards, chefs de famille en titre : «Tout cela n'est qu'un *bastelage* auquel la famille mesme conspire» *(ibid.).* En réalité, ce qui compte vraiment échappe au tyran passé d'âge et privé de

---

15. Voir ci-dessus.

16. On ne trouve en fait dans les *Essais* que le verbe *travestir,* conjugué à des temps différents, mais jamais de substantif dérivé.

17. Dans un passage qui souligne l'extrême différence entre la réalité et l'apparence : «Nostre extreme volupté à quelque air de gemissement et de plainte. Diriez-vous pas qu'elle se meurt d'angoisse? Voire quand nous en forgeons l'image en son excellence, nous la fardons d'epithetes et qualitez maladifves et douloureuses : langueur, mollesse, foiblesse, deffaillance, MORBIDEZZA» (II, 20; 673). Et ayant dit, Montaigne progresse dans le raisonnement, révélant en somme la parenté et la similitude profonde entre ce qui semblait tellement contraire : «Grand tesmoignage de leur consaguinité et consubstantialité».

puissance qui conserve jalousement les clefs de sa bourse «en sa gibessiere» cependant que «d'autres en ont la meilleure part de l'usage» *(ibid.)*. *Batelage* autrement sinistre enfin que les moyens par lesquels les conquistadors se sont imposés aux peuples d'Amérique : «Car, pour ceux qui les ont subjuguez, qu'ils ostent les ruses et *batelages* dequoy ils se sont servis à les piper, [...] vous leur ostez toute l'occasion de tant de victoires» (III, 6 ; 909-910).

Mais la plus ou moins grande admiration ne suffit pas toujours à rendre compte de la fascination. C'est une chose subtile, en effet, que la manière dont Montaigne réagit tant à ce qu'il trouve beau qu'au reste en matière de théâtre. Dans la mesure où celui-ci est essentiellement illusion, en effet, il est non moins essentiellement associé à l'idée de mensonges et de fausseté. Si bien que même pour parler de représentations qu'il admire (et d'autant plus qu'il ne les a pas vues mais les imagine, comme celles de la Grèce et de la Rome antique), Montaigne emploie le mot de vanité : «En ces *vanitez* mesme nous descouvrons combien ces siecles estoyent fertiles d'autres espris que ne sont les nostres» (III, 6 ; 907).

D'autre part, et en somme d'une manière comparable, tout en blâmant sous le nom de farce et de batelage la simagrée et la singerie qu'il y a en toute représentation, Montaigne demeure séduit par ce jeu du paraître qui démonte les rouages de la vie du monde. Car à quoi bon prôner un comportement constamment sincère et conforme à la vérité des cœurs, puisqu'on sait bien que c'est impraticable et qu'il est souvent nécessaire, et peut-être préférable, de mettre un masque hors du théâtre pour jouer le rôle qui nous revient ? Même si c'est peu glorieux, même si cela ne peut «satisf[aire] une belle ame», c'est le jeu social. Paradoxalement, c'est alors par son mensonge et sa fausseté que le théâtre se révèle comme un fidèle miroir de la réalité. Ou mieux encore, c'est en étant tout illusion qu'il fait surgir au jour les choses habituellement cachées. De sorte que Montaigne, lorsqu'il veut asséner la vérité à son lecteur (son semblable et son frère), recourt tout naturellement à l'image du théâtre dans la chute célèbre du chapitre *De la vanité* : «Il n'en est une seule [chose] si vuide et necessiteuse que toy, qui embrasses l'univers ; tu es le scrutateur sans connoissance, le magistrat sans jurisdiction et apres tout *le badin de la farce*» (III, 9 ; 1001).

Le rapport entre le vrai et l'illusoire finit ainsi par se renverser et au lieu qu'il faille chercher dans le théâtre l'image du monde, c'est le monde qui devient un théâtre : *All the world's a stage...* Il n'est pas rare que dans les *Essais*, Montaigne exprime la vie et le monde en termes de théâtre. On connaît cette phrase : «La pluspart de nos vacations sont farcesques...» (III, 10, 1011). Et on sait aussi qu'il ne faut jamais juger un homme «qu'on ne luy aye veu joüer le dernier acte de sa comedie» (I, 19; 79)[18].

Tous les comportements humains peuvent au jour le jour être regardés comme des spectacles : «Vous et un compagnon estes assez suffisant theatre l'un à l'autre, ou vous à vous mesmes» (I, 39; 247). Si bien que grâce au théâtre on comprend que la vie trop glorieuse de certains héros est marquée du sceau de l'inauthenticité à cause de l'admiration même qu'elle suscite : trop ostentatoire pour être honnête. On se rappelle le bref et désavantageux parallèle entre «la vertu d'Alexandre» qui «semble representer assez moins de vigueur en son theatre, que ne fait celle de Socrate» (III, 2; 809) parce que la vie de Socrate a sur celle d'Alexandre la supériorité de s'être écoulée de façon «basse et obscure» *(ibid.),* loin des feux de la rampe.

Mais nous sommes là, c'est bien connu, à la fin du IIIe livre et au terme d'une évolution.

Le théâtre comme mensonge? C'est bien évident. Parfois évoqué avec indulgence : ainsi de ce malade qui rêvait sa vie et «pensoit estre perpetuellement aux theatres à y voir des passetemps, des spectacles et des plus belles comedies du monde» (II, 12; 495). Bonheur d'ignorer le monde. Celui-là ne se souciait pas d'y voir clair : «Guery qu'il fust par les medecins de cette humeur peccante, à peine qu'il ne les mit en proces pour le restablir en la douceur de ces imaginations» *(ibid.).*

Indulgence révélatrice : le pessimisme de Montaigne devant la «comédie» humaine s'exprime librement dans de telles images. Tant il est vrai que le théâtre apparaît sans cesse à double face dans les *Essais :* justifié – et combien agréable! – s'il représente utilement les actions des hommes, capable même de les souder et pourvu alors d'une vertu civique; blâmable au contraire s'il fausse le jeu en maquillant la vraie vie : car il n'est personne, sauf le fou, qui puisse échapper au monde sans dommage. Vacations farcesques...

18. «La distribution et varieté dans tous les actes de ma comedie se parfournit en un an. Si vous avez pris garde au branle de mes quatre saisons, elles embrassent l'enfance, l'adolescence, la virilité et la vieillesse du monde» (I, 20; 93-94).

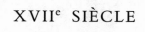

XVIIᵉ SIÈCLE

Le Menteur, *de Corneille :*
« Par un si rare exemple apprenez à mentir »

ALAIN LANAVÈRE

Pour dire à Robert Garapon les sentiments de respect, de reconnaissance et d'amitié que nous lui portons, cette trop mince étude est assurément insuffisante. Et même, voudra-t-il tenir pour sincère notre affection, puisque nous avons choisi de l'entretenir un peu des mensonges dont est toute pleine une comédie de Corneille qu'il aime, et naguère commenta heureusement[1], *Le Menteur* ?

Le protagoniste de cette pièce, Dorante, n'a pas laissé d'amuser, d'intriguer, quelquefois même de choquer, si bien que beaucoup d'études se sont volontiers orientées vers lui seul, «le» menteur[2]. Mais Dorante ne revêt ce caractère qu'après qu'il a commencé sur scène à proférer des mensonges. Si le terme même de *mensonge* apparaît peu dans le texte, en revanche quelle invention de la part de Corneille pour qualifier son manège! *Menteur*, évidemment, *fourbe* surtout, et *conteur, donneur de bourdes, imposteur, moqueur,* Dorante, grâce à son *art,* à son *adresse,* à son *industrie,* à ses *inventions,* à sa *ruse,* à sa *grimace,* à sa *finesse,* trompe joliment son monde ; il *conte,* et même *en conte,* il *feint,* il *ment,* il *en fait croire,* il *pipe* et *trompe,* il *dupe,* il *abuse,* il *cache,* il *invente,* il *fourbe,* il *joue des tours* et *des détours,* il *joue des tours de passe-passe,* il *se fait un visage,* mais aussi il *fait des romans, des contes imaginaires,* il *donne des bayes,* il *donne* et *joue des pièces,* il *en donne, joue son jeu* et *en fait croire.* On pense qu'il *rêve,* ou *extravague,* mais ses *fictions* et ses *inventions* sont des *impostures,* des *menteries,* des *feintes* et des *fourbes...* Fantaisie verbale, et brillante, que cette variation sur le vocabulaire du

---

1. Robert GARAPON, *La Fantaisie verbale et le comique dans le théâtre français du Moyen Age à la fin du XVIIᵉ siècle,* Paris, A. Colin, 1957, p. 179-184.

2. Parmi bien des tentatives d'appréciation de ce personnage, signalons : Octave NADAL, *Le Sentiment de l'amour dans l'œuvre de Pierre Corneille,* Gallimard, 1948, p. 221-224 ; Jean STAROBINSKI, *L'Œil vivant,* Gallimard, 1961, p. 50-51 ; ou encore Jean ROUSSET, *La Littérature de l'âge baroque en France,* Paris, J. Corti, 1953, p. 50, 209-210 ; etc.

mensonge, que Corneille a de surcroît ornée d'un double réseau métaphorique, le rôle de Dorante s'apparentant en effet tantôt au jeu de l'acteur de théâtre, tantôt à celui du joueur de dés, de cartes ou de balle. Un texte d'une telle qualité non seulement contribue à faire de Dorante «le» menteur par excellence (d'où le titre de la pièce), mais encore atteste que, peut-être plus encore que du menteur, c'est de ses mensonges que Corneille s'est ici soucié.

Observons d'abord que, plutôt que *Le Menteur,* notre pièce pourrait s'intituler, sinon *La Vérité suspecte,* comme celle d'Alarcon que Corneille a imitée si heureusement, du moins «Les Mensonges». En effet, pas d'intrigue ici sans, à l'origine de ses divers fils, des menteries, et variées.

Premier fil, le destin de Clarice que deux amants se disputent : c'est le mensonge de Dorante quant à la collation nautique (I, sc. 5) qu'il aurait donnée à une belle qui suscite la jalousie d'Alcippe (II, sc. 3 et 4) contre Clarice, sa fiancée, et contre Dorante ; d'où le duel (II, sc. 8), qu'interrompt heureusement Philiste (III, sc. 1 et 2). Rassuré par Dorante, Alcippe laisse Philiste le réconcilier avec Clarice, si bien que, le lendemain, il est résolu à l'épouser (IV, sc. 2). Et le dénouement conclut ce premier mariage.

Autre fil, les relations malaisées de Dorante et de son père, Géronte : c'est le mensonge de Dorante quant à son prétendu mariage poitevin (II, sc. 5) qui rompt le projet que Géronte avait conçu (II, sc. 1) de marier Dorante et Clarice ; dupé par son fils, Géronte s'affaire donc à entrer en relation avec le père de la prétendue Orphise (IV, sc. 4) mais, déniaisé par Philiste (V, sc. 1), il se retourne contre Dorante (V, sc. 2 et 3), puis, bon prince, va quérir pour lui la main de Lucrèce. Ce second mariage se fait, dont Dorante s'accommode.

Troisième fil, majeur celui-là : Clarice ment, à l'instigation d'Isabelle (II, sc. 2), quand elle décide de se faire passer pour Lucrèce, afin de sonder, à l'insu d'Alcippe, Dorante qu'elle voudrait mieux connaître. Ce mensonge féminin est à l'origine, pour moitié, du quiproquo qui fait le charme de toute la pièce, Dorante se chargeant pour sa part de se leurrer sur les noms respectifs de Lucrèce et de Clarice. D'où les plus belles scènes de la comédie (III, sc. 3-4-5-6). Sans ce mensonge initial de Clarice, on peut croire que Dorante (et son valet Cliton) eût plus vite découvert sa propre erreur, donc qu'il eût réussi à séduire, puis à épouser Clarice.

Au total, il n'est rien dans le dénouement qui n'ait son fondement dans des mensonges proférés plus ou moins tôt dans l'action par les uns et les autres. Au commencement était le mensonge...

Mais notre pièce pourrait tout aussi bien se nommer «Les

Menteurs», tout comme se nommait *Les Visionnaires* cette pièce de Desmarets de Saint-Sorlin où Corneille puisa[3]. A-t-on assez remarqué, d'abord, le parti que Corneille a tiré des lieux et des temps qu'il a choisis pour cadre de sa pièce? «Le premier acte est dans les Tuileries, et le reste à la Place Royale[4]», c'est-à-dire en des lieux publics de parade mondaine, partant d'inauthenticité. Les Tuileries, «le pays du beau monde et des galanteries» (v. 5), permettent de hasardeuses rencontres, et chacun y joue plus ou moins un personnage. Clarice a-t-elle vraiment fait un faux pas (I, sc. 2), ou bien feint-elle de se laisser choir pour attirer à elle l'attention de ce beau cavalier qui passe? Fausses, les conversations en cette promenade, aussi bien que les prétextes donnés par les jeunes filles pour se retirer ou que les démonstrations d'amitié des jeunes gens (I, sc. 3 et 4). Quant à la Place Royale, elle est commode pour épier les promeneurs (cf. v. 389 sq.), pour donner des rendez-vous truqués (cf. v. 453 sq.), pour surprendre des conversations (cf. v. 664). C'est du reste Paris tout entier qui, non sans emphase, est donné par Dorante comme «un pays de Romans» (v. 552), «une Ile enchantée» (v. 554); il y voit «tous les jours de ces Métamorphoses» (v. 557) que seul «quelque Amphion nouveau» (v. 555) a pu édifier si vite. Et Cliton, dès la première scène de l'acte I, avait déjà dit à son maître que Paris était le lieu par excellence de l'imposture : «[...] l'effet n'y répond pas toujours à l'apparence» (v. 73), et n'importe qui, assuré de l'incognito, y peut tenter de se faire valoir, fût-il nul (cf. v. 81 sq.). Dorante entend assez bien la leçon... Sur ce paysage parisien si fantasque, Corneille a eu l'intelligence de jeter une lumière indécise; les trois premiers actes, en effet, sont séparés des deux derniers par une nuit, si bien que, comme Beaumarchais le fera pour l'ultime acte de son *Mariage de Figaro,* tout l'acte III de notre comédie se passe en une équivoque pénombre, où l'on ne fait que s'*entrevoir* (v. 842 et 916) : *Mais j'entrevois quelqu'un dans cette obscurité.* Le jour s'enfuit dès la fin de l'acte III, sc. 2; l'obscurité est venue à la fin de l'acte III, sc. 3, et l'admirable entretien de la scène 5 de cet acte III est nocturne (cf. v. 710) : belle occasion de chercher à duper autrui, et de se leurrer les uns sur les autres! Le jour qui se lève au début de l'acte IV verra se dissiper bien malaisément les mensonges de cette nuit.

Quant aux personnages que Corneille a campés dans un tel cadre, ils ont presque tous quelque pente à l'insincérité, et, si ce

---

3. Cf. DESMARETS DE SAINT-SORLIN, *Les Visionnaires,* éd. H.-Gaston Hall, STFM-Marcel Didier, 1963, p. LXXXIV-LXXXVI; M. H.-G. Hall souligne très justement les ressemblances, qui ne sont pas seulement phonétiques, entre Phalante et Dorante.

4. *Examen* de 1660, *in* P. CORNEILLE, *Œuvres complètes,* éd. Georges Couton, Gallimard, Bibliothèque de la Pléiade, 1984, t. II, p. 8.

n'est «par nature», sont menteurs «par coutume» (v. 818). Cliton et Sabine, l'un et l'autre d'une honnêteté douteuse, disent à leurs maîtres ce qu'ils savent devoir leur plaire; Cliton se donne pour «l'intendant du quartier» (v. 32) – comprenons : pour l'entremetteur des amours vénales du Marais; et Sabine prouve assez qu'elle dira et fera n'importe quoi, contre de l'argent. Hippolyte et Daphné, qui ne sont que nommées (III, sc. 2), ou plutôt les deux belles que l'on prit pour elles, ne laissent pas de se masquer ou de porter «coiffe abattue» (v .785). C'est ainsi que la jeunesse dorée conduit ses amours : déguisements, subterfuges, désobéissances, espionnages et trahisons... Isabelle, la suivante de Clarice, qu'on admire pour son adresse à trouver des ruses (v. 461), va jusqu'à estimer non seulement normal, mais encore louable qu'à l'amour se mêle quelque mensonge (III, sc. 3), et elle approuve que Dorante, pour plaire, ait «voulu paraître, non pas pour ce qu'il est, mais pour ce qu'il veut être» (v. 873-4). Plus lucide encore, Clarice dit ceci :

> Les visages souvent sont de doux imposteurs,
> Que de défauts d'esprit se couvrent de leurs grâces!
> Et que de beaux semblants cachent des âmes basses! (v. 408-410)

Masqués l'un pour l'autre, les deux sexes, par crainte d'être trompés, ne sont pas loin de se faire trompeurs[5]. D'où l'emploi, pour se parler, de langues plus ou moins éloignées de la sincérité – ainsi l'ironie, dont Clarice use pour se défendre des violences d'Alcippe (II, sc. 3, fin), des assiduités de Dorante (I, sc. 2 et 3) ou de son propre dépit (IV, sc. 9); même ironie entre Lucrèce et Clarice, peu ou prou rivales auprès de Dorante (IV, sc. 9); et, le plus souvent, l'on ment, comme le fait Dorante, ou l'on triche, ne serait-ce que pour préserver sa liberté. Ceux-là seuls qui se piquent de franchise, l'un parce que sa brutalité et sa jalousie l'empêchent de tempérer ses propos, Alcippe, et l'autre, Géronte, parce qu'il a la bonne niaiserie d'un vieillard de comédie, échouent : Géronte est dupé copieusement par son fils, Alcippe s'en laisse conter et ses vaines colères le ridiculisent. Plus séduisants, les menteurs...

Et surtout, «le» Menteur. Peu différent au fond des autres personnages, Dorante sait mieux et plus qu'eux mentir. Peut-être parce que, Parisien de la veille, il n'est pas encore usé. On relève dans son rôle neuf mensonges successifs : il s'invente un passé militaire (I, sc. 3), il prétend avoir donné une collation nautique (I, sc. 5), il se dit marié à Poitiers (II, sc. 5), il assure avoir offert la collation à une Parisienne mariée (III, sc. 1), il dit avoir tué Alcippe en duel (IV, sc. 1), et prétend l'avoir ressuscité (IV, sc. 3), il soutient

---

5. Nous empruntons cette formule à Jean STAROBINSKI, *op. cit.*, p. 45.

que son épouse poitevine est grosse de ses œuvres (IV, sc. 4), il jure aimer Lucrèce au point de vouloir l'épouser (V, sc. 3 et 4), enfin il ose prétendre n'avoir pas été dupe des jeunes filles quand elles avaient échangé leurs identités (V, sc. 6). Ces mensonges, on l'a dit, ont bien des mobiles – la vanité masculine, le besoin de se tirer d'embarras, le plaisir de rivaliser avec les professionnels de l'imagi-nation que sont les romanciers et, sans doute, les dramaturges, le goût de s'amuser de la crédulité d'autrui, la mythomanie peut-être. Et la pièce, non seulement couronne les mensonges de Dorante de succès, mais encore les excuse moralement : le dénouement, Corneille l'indique bien dans son avertissement *Au lecteur,* ne punit pas Dorante comme chez Alarcon avait été châtié don Garcia ; Géronte lui accorde son pardon, Lucrèce l'aime quoiqu'il mente (parce qu'il ment ?), Cliton s'amuse des tours d'un tel maître, Philiste enfin (et Alcippe) le disculpent, nul en un mot ne veut lui tenir rigueur de ses extravagances, si bien que la comédie peut s'achever par un plaisant appel à l'imiter :

> Par un si rare exemple, apprenez à mentir (v. 1804).

Corneille a pris tant de précautions pour empêcher spectateurs et lecteurs de se poser la moindre question morale quant à Dorante et à ses congénères et il les a tous (ou presque) si joliment privés de toute sincérité, qu'on est porté à penser qu'avec cette comédie il s'appliquait à vérifier presque systématiquement l'effica-cité comique d'une formule, et d'une seule : le mensonge. Autre-ment dit, quelle pouvait être la *vis comica* du seul mensonge, voilà ce qui nous paraît avoir été ici le propos de Corneille.

De fait, le mensonge tel que le manipule et le dispose le dramaturge s'avère comique, et à plusieurs titres. Nous avons tenté de distinguer les divers effets plaisants qu'il suscite, sans nous dissimuler que la même scène associe, parfois confusément, plu-sieurs comiques.

A l'évidence, il nous plaît, dès lors que nous avons donné notre sympathie à Dorante, qu'il dupe les uns et les autres ; notre rire punit les victimes de ces facéties ; et comme ces dernières sont à répétition, nous rions d'autant.

Mais Dorante lui-même, tantôt s'embarrasse dans ses propres mensonges, tantôt ment sans savoir qu'il est par quelque endroit victime d'un autre mensonge ; c'est le cas lors de ses entrevues avec Clarice et Lucrèce, qu'il confond. Si bien que le public s'amuse alors de voir l'arroseur arrosé.

Beau parleur, Dorante profite des occasions qu'il a de tromper autrui pour «braver ainsi les conteurs de Nouvelles» (v. 362) ; il invente donc de folles fictions, et Robert Brasillach avait raison de

dire qu'alors cette pièce était moins la comédie du mensonge que la
comédie de la fable[6] ; ces fables qui vont *crescendo,* Robert Garapon
a salué en elles le déploiement de toute une fantaisie verbale *quasi*
poétique[7], qui est pour beaucoup dans le plaisir comique que nous
donnent ces mensonges.

Mais, plus radicalement encore, la pièce, puisqu'elle est toute
tissée des mensonges que s'adressent les personnages, nous jette dans
le bonheur de voir se dissiper la gravité et des situations, et des
psychologies. L'intrigue elle-même, extraordinairement serrée,
perd sa vraisemblance ; les paroles proférées n'engagent plus
sérieusement les personnages, leurs désirs et les enjeux mêmes de la
pièce se vident de leur importance. Dans ce petit monde qui
tourbillonne aux Tuileries puis à la Place Royale, chacun parle
d'amour, de liberté, d'honneur, de mariage, sans que les mots aient
forcément tout leur sens ; dès lors, on parle pour parler, c'est-à-dire
pour ne pas agir ou faute de le pouvoir, on alterne discours ouvert à
autrui et apartés clandestins à l'adresse d'un comparse[8], on tente de
conduire de longues conversations truquées dans la pénombre, on
se bat en duel sans savoir pourquoi, on bafoue gaillardement un
père importun, on s'assure un amant de rechange au cas où le
premier ferait défaut, on change de maîtresse en quelques instants,
on se marie même sans trop en avoir envie : tout cela compte,
comme disaient les petits enfants, pour du beurre ! Et ce glissement
du vraisemblable à la fantaisie, cette dilution dans la gaieté de toutes
les valeurs qu'eussent cultivées, dans une autre pièce, les personnages, n'ont pu se faire ici que par ce jeu fantasque de tromperies et
de menteries que tous jouent, à commencer par Dorante. Boileau
avait à sa façon raison de s'abandonner à la folle pensée d'écrire
contre l'Equivoque même une satire ; mais, faisant la revue «des
maux sans fin» dont il la tient coupable, il oublie peut-être de
marquer qu'elle avait, en de certaines comédies du genre de la
nôtre, une puissance comique singulière. En effet, grâce aux
mensonges qu'elle exploite systématiquement, notre pièce parvient
à entraîner son spectateur dans le royaume de l'équivoque ;
entendons le mot, comme Boileau, «pour toutes sortes d'ambi-
guïtés de sens, de pensées, d'expressions, et enfin pour tous ces abus
et ces méprises de l'esprit humain qui font qu'il prend souvent une
chose pour une autre[9]». Et convenons qu'il est très plaisant d'être

---

6. Robert BRASILLACH, *Corneille,* Paris, Fayard, 1961, p. 169.

7. *Op. cit.,* p. 183.

8. Il est curieux qu'en 1660, dans son *Examen* (éd. cit., p. 7), Corneille ait presque cherché à
excuser l'emploi d'apartés dans *Le Menteur.* Cf. Jacques SCHERER, *La Dramaturgie classique en France,*
Paris, Nizet, s.d., p. 264.

9. BOILEAU, *Satires,* éd. Charles-H. Boudhors, Paris, Les Belles Lettres, 1966. *Discours de l'auteur
pour servir d'apologie à la Satire XII sur l'Equivoque,* p. 116.

ainsi, le temps d'une représentation, témoin de la défaite des valeurs que nous servons usuellement : obéissance filiale, respect de la foi jurée, constance amoureuse, sincérité enfin et surtout. Au monde sérieux de la morale, où s'opposent le bien et le mal, la vertu et la faute, se substitue un autre monde, amoral plus qu'immoral, indécis et léger, changeant et drôle. Pour ce faire, Corneille n'eut pas besoin, comme Desmarets de Saint-Sorlin, de changer ses héros en «visionnaires» de bonne foi, ou de les déguiser et de les masquer, encore moins de placer ailleurs qu'à Paris et en 1643-1644 leurs aventures : il lui suffisait de laisser ses personnages «équivoquer», c'est-à-dire brouiller à leur guise le rapport usuel d'adéquation du mot et de la chose. Ainsi, dans *Le Menteur*, les héros se contentent de parler et de faire parler leurs partenaires sans jamais sembler s'inquiéter d'exprimer ou d'atteindre leur être profond ou des valeurs authentiques. Seuls soucieux de vérité, Alcippe et Géronte ont par là même vite fait de se discréditer, et le ridicule les punit de s'être abandonnés à une jalousie ou à une colère «vraies»; mais les autres personnages nous amusent et séduisent par cette volubilité déréglée, qui n'engage et ne signifie guère, au sens où le spectateur, comme parfois Cliton, non seulement ne sait jamais très bien la sincérité des uns et des autres, mais encore s'en accommode très heureusement.

On sait que, dès la saison de 1644-1645, Corneille tentait, avec *La Suite du menteur,* d'exploiter le succès qu'il avait remporté avec le premier *Menteur.* Il s'agissait de puiser à nouveau à la source espagnole, qui enchantait alors bien des dramaturges, mais aussi pour Corneille d'aider les comédiens du Marais à brillamment assurer la réouverture de leur théâtre, reconstruit après l'incendie du 15 janvier 1644[10]. Mais cette nouvelle pièce, exquise, n'obtint pas, de l'aveu même de son auteur, tout l'effet avantageux qu'il en escomptait. Et désormais, sauf à rééditer et à commenter ses chefs-d'œuvre comiques, Corneille ne se mêla plus de produire de comédies. Reste à conjecturer l'influence qu'eut cette fête du mensonge qu'est, à notre goût, *Le Menteur.*

Les moliéristes ont coutume de tenir en piètre estime l'anecdote controuvée de François de Neufchâteau, ou encore le mot péremptoire de Voltaire dans son *Commentaire sur Corneille*[11], selon lesquels Molière eût dû à l'imitation du *Menteur* tout son génie comique. Contre cette exorbitante assertion, on tient communément que *Le Menteur*, que Molière joua vingt-trois fois de 1659 à

---

10. Cf. S. WILMA DEIERKAUF-HOLSBOER, *Le Théâtre du Marais,* Paris, Nizet, 1954, t. I, ch. V.

11. Typiques de ces réactions, les pages sur ce point de L. PETIT DE JULLEVILLE, *in : Théâtre choisi de Corneille,* Hachette, s.d., p. 657 sq.

1673 [12], ne lui suggéra guère que la célèbre scène de *Dom Juan* (IV, sc. 5) où, comme Géronte l'avait fait avec Dorante, Dom Louis semonce son indigne fils («Non, non, la naissance n'est rien où la vertu n'est pas.»). On admet aussi, parfois, que *L'Etourdi* a quelques traits communs avec *Le Menteur*, dans la mesure où une étourderie et un mensonge commis conduisent *quasi* automatiquement ici Mascarille, là Dorante, à prodiguer plaisamment leur verve pour en pallier les fâcheuses conséquences. Mais nous aimerions aller plus avant.

Molière, si attentif lui-même à ne rien produire qui ne fût à la mesure exacte des acteurs de sa troupe [13], ne pouvait que remarquer le même parti chez Corneille avec *Le Menteur* : il nous semble bien que «*Le Menteur* a été fait pour des acteurs», ainsi que le dit Georges Couton [14] : le rôle de Cliton ne se justifie que par le dessein d'exploiter les talents comiques de Jodelet, et celui de Dorante doit son développement à la confiance que Corneille avait en Floridor, qui très probablement créa durant l'hiver 1643-1644 le rôle. D'où, à la lecture, l'impression que l'on a, sinon d'une pièce d'acteur, conçue autour d'un rôle-vedette, du moins d'une pièce où abondent les couplets d'acteur, les tirades à effet, les scènes «à faire», etc. Cette impression, *L'Illusion comique* l'avait déjà donnée, qui pareillement avait été écrite comme sur mesure pour sauver la troupe du Marais de l'insuccès qui la menaçait après qu'une décision royale avait à la fin de 1634 privé Montdory de quatre de ses meilleurs comédiens [15]. Or ces deux comédies (que Corneille a lui-même incidemment rapprochées dans l'*Examen* de *L'Illusion comique*) forment «un estrange monstre» au sens qu'elles sont toutes deux plus spécialement que d'autres écrites pour des acteurs ; le dramaturge y prend donc plus volontiers le risque de laisser les discours des personnages se déployer non certes gratuitement, mais quelque peu librement, au-delà ou en deçà de ce que nécessiteraient l'intrigue et les psychologies des personnages. Autrement dit, dans de telles pièces destinées à les flatter, les acteurs ont à jouer des rôles relativement lâches, abondants, marqués par un verbalisme un peu luxueux. Et l'on ne s'étonne pas que Corneille ait alors inventé pour que ses acteurs brillassent des rôles de «menteurs» et des actions fondées sur des menteries : Clindor et Matamore, Dorante et ses comparses étant tous à des titres divers des «menteurs», et Clindor devenant même comédien professionnel (ce que Dorante eût pu devenir), de telles pièces ne peuvent que se prêter à des

---

12. Cf. Sylvie CHEVALLEY, *Molière en son temps*, Genève, Minkoff, 1973, p. 383.
13. Cf. René BRAY, *Molière homme de théâtre*, Paris, Mercure de France, 1954, p. 191 sq.
14. Ed. cit., p. 1220.
15. Cf. S. WILMA DEIERKAUF-HOLSBOER, *op. cit.*, t. I, p. 37 sq.

«numéros» de théâtre; l'intrigue veut que le personnage profère des mensonges, et du reste l'auteur a enfermé ledit personnage dans un tel emploi : dès lors l'acteur joue le rôle d'un acteur, il joue même à l'acteur; et ainsi s'exagère sur scène la théâtralité de cette sorte de pièces. Dans *Le Menteur*, Dorante lui-même (et, en lui, Floridor et Corneille) fait valoir sa façon singulière de «mentir» :

> Le Ciel fait cette grâce à fort peu de personnes :
> Il y faut promptitude, esprit, mémoire, soins,
> Ne se brouiller jamais, et rougir encor moins (v. 934-936).

De fait, le lecteur, et plus encore peut-être le spectateur, suspendent un peu en ces endroits leur adhésion au sens même des propos échangés par les personnages (en qui ils reconnaissent des acteurs dans l'exercice de leur art), et s'intéressent tout autant au jeu brillant de leur langage qu'à ses fonctions pratiques; comme le fait Cliton envers Dorante à partir du moment où il mesure en lui un virtuose de la menterie, nous ne parvenons plus à prendre tout à fait au sérieux ses amours, ses aventures, son caractère même, et nous nous abandonnons au plaisir de jouir, grâce à Dorante (ou à Floridor) d'une sorte d'exercice de théâtre.

Or il nous paraît que Molière a plus d'une fois ainsi traité le public de ses pièces : chez lui, bien des personnages usent, ou mésusent du langage comme l'avaient fait Dorante et ses comparses. Comme eux mis par l'intrigue tissée par le dramaturge en situation de mentir (Mascarille, Scapin, Toinette, etc.), ou encore intéressés par leur caractère à fourber (Tartuffe, Dom Juan), ou enfin enfermés dans une manie qui les porte à se mentir à eux-mêmes et à tricher avec autrui (Alceste, Argan, Harpagon, etc.), les héros moliéresques profèrent de piquantes répliques ou de somptueuses tirades qui jettent le public dans une indécision délicieuse quant à leur sincérité : disent-ils bien leurs sentiments et leurs convictions? Disent-ils ce qu'ils savent ou croient devoir dire en pareille occasion? S'écoutent-ils parler plus encore qu'ils ne parlent à leurs partenaires (et à la salle)? Laissons de côté les cas où les personnages servent de truchements à leur auteur qui, par eux et comme à travers eux, s'exprimerait, mais convenons que parfois les mots proférés par les héros de Molière semblent, dans l'univers même que constitue la pièce, plus ou moins «en liberté», le personnage se dispensant de dire exactement ce que la logique de son caractère et les nécessités de l'intrigue voudraient qu'il dise. Alceste a beau s'exclamer :

> Je veux qu'on soit sincère, et qu'en homme d'honneur
> On ne lâche aucun mot qui ne parte du cœur (v. 35-36).

Je veux que l'on soit homme, et qu'en toute rencontre
Le fond de notre cœur dans nos discours se montre (v. 69-70),

les grands personnages moliéresques se gardent bien de lui obéir, et
Alceste le premier se dispense d'être aussi sincère. Leurs discours,
plus d'une fois équivoques, ou ambigus, n'ont pas cette transparence idéale[16]. A leur façon «diseurs d'inutiles paroles» (*Le Misanthrope,* v. 46), ils déconcertent par leur verve, mais loin de s'en
plaindre, le public s'en enchante; et nous croyons que Molière
n'avait pas ici perdu la leçon que *Le Menteur,* plus qu'aucune autre
comédie de Corneille, pouvait lui offrir.

D'abord, cet écart que le public surprend entre ce que le
personnage devrait dire et ce qu'il dit effectivement, cette luxu-
riance et ces facéties verbales dont un Dorante est capable, attestent
à l'envi qu'à l'origine d'un tel théâtre se trouve, mieux qu'un
dramaturge, un écrivain, à savoir le libre inventeur d'un langage
qui s'affranchit peu ou prou de ses stricts emplois prosaïques.
Molière, soucieux d'élaborer cette «comédie plénière» dont a fort
bien parlé Robert Garapon[17], ne pouvait que prêter attention à un
Clindor ou surtout à un Dorante : ces menteurs et leurs menteries
permettent merveilleusement l'essor d'une fantaisie verbale qui,
confinant à la poésie, confère au théâtre une dignité toute littéraire;
d'où, chez Molière, quantité de fourbes et de tricheurs de toute
espèce, dont le langage truqué enchante.

Ensuite, et peut-être surtout, face à un Dorante, à une Lucrèce ou
à une Clarice, le spectateur s'imagine avoir affaire à des créatures
mystérieuses, partant *vivantes.* En effet, ce jaillissement en eux de
mots surabondants et trop riches, ces paroles vaguement équivoques ou, à l'opposé, «trop» sincères ou «trop» mensongères, cette
faconde excessive signalent en eux, d'emblée, une évidente ardeur;
lors des scènes d'exposition, nous ne savons trop qui ils sont, mais
cette promptitude à parler, cet entrain à ne pas déparler, nous
intriguent; par là séduits, nous nous attachons à ces personnages et
cherchons souvent à discerner leurs mobiles au fur et à mesure que
l'action progresse. Peu importe que nos interrogations sur eux
soient vaines et nos curiosités déçues, peu importe que, comme
pour Dorante, nous nous égarions en conjectures sur son identité
«réelle», il a suffi de son brio pour que nous le créditions d'une
psychologie, et vraisemblable. Comme nous-mêmes dans la réalité,
Dorante en dit tantôt un peu trop, tantôt pas assez, et ainsi ses
propos, par quelque endroit inadéquats, irritent, donc excitent

16. Cf. sur ce point le bel article de Marie-Rose CARRÉ, *Mots en esclavage et mots en liberté :
Molière devant les théories linguistiques de son temps,* in : *XVIIᵉ siècle,* 1974, n° 104, p. 61-77.
17. Robert GARAPON, *Le Dernier Molière,* Paris, SEDES, 1977, p. 36 (et *passim*).

notre curiosité à son endroit : il nous *paraît* donc vivant. Par là se trouvait remplie l'une au moins des conditions d'exécution de cette «grande comédie» que visait Molière. «Le» menteur, Dorante, par son «si rare exemple», n'a-t-il pas inspiré ces étranges beaux parleurs que sont tant de héros de Molière?

La vraisemblance chez d'Aubignac et Corneille : quelques réflexions disciplinaires

HUGH M. DAVIDSON

Dans ces réflexions, qui ont comme point de départ *La Pratique du théâtre* et les trois *Discours sur le poème dramatique,* je voudrais essayer de rendre explicites quelques aspects du contexte dans lequel d'Aubignac et Corneille développent leurs notions du vraisemblable et de la vraisemblance. Mon intention sera de mettre l'accent sur la manière particulière dont les auteurs formulent les questions et définissent les termes qui les intéressent, sur quelques précédents impliqués ou invoqués, et enfin, sur leurs conclusions. Après ces considérations, il sera peut-être possible de mieux comprendre leurs vues, et aussi de mieux comprendre comment et pourquoi ils sont en désaccord sur certains points essentiels.

A l'intérieur de la perspective indiquée, celle des conditions intrinsèques de la discussion du terme «vraisemblance», je me propose de concevoir ces conditions comme des *disciplines,* et de dire ensuite, plus précisément, que deux disciplines se présentent à l'arrière-plan : la rhétorique et la poétique. Ces deux arts ou méthodes ou manières de penser, avec leurs vocabulaires et leurs procédés techniques caractéristiques, sont à l'origine de bien des choses que nous voyons dans le dialogue ou débat entre d'Aubignac et Corneille. Naturellement, ce ne sont pas les seules disciplines en cause ici : l'histoire, la philosophie politique et morale, la théologie ont leur rôle, qui est de suggérer une sorte de climat encyclopédique; mais leur influence est moins immédiate que celle de la rhétorique et de la poétique.

D'Aubignac et Corneille acceptent sans question le cadre de référence traditionnel de la rhétorique et le prennent comme le contexte général dans lequel ils vont réfléchir sur les problèmes de la poésie dramatique. Comme corollaire, il leur semble convenable, même inévitable, que la poétique soit subordonnée à la rhétorique. Par conséquent, ils se mettent dans une situation définie par quatre facteurs : (1) l'orateur ou l'écrivain qui invente (2) un discours ou un poème qui est ensuite adressé à (3) un public avec l'intention d'accomplir (4) une fin spécifique.

(Aristote les reconnaissait déjà comme causes dans sa *Rhétorique*, et, il n'y a pas si longtemps, les structuralistes en donnaient leur version : l'émetteur, le message, le récepteur, et la fonction linguistique.) Je crois qu'on peut dire que c'est par rapport à ces facteurs, à ces paramètres, que d'Aubignac et Corneille s'attendent à résoudre leurs problèmes principaux.

Bien entendu, au fur et à mesure que se déroule la discussion de la littérature dramatique qui repose sur ces bases, des différences d'opinion se présentent : on ne définit pas les quatre éléments exactement de la même façon ; on leur assigne des degrés différents d'importance relative. Pour d'Aubignac, les spectateurs formeront une espèce d'échantillon ou de coupe transversale de la société ; toutes les classes seront représentées ; elles auront besoin non seulement d'être diverties mais aussi d'être édifiées à l'égard des valeurs qui conviennent aux sujets d'un grand prince. Pour Corneille, les spectateurs qui viennent au théâtre n'ont pas d'abord et premièrement besoin d'instruction ; ce sont des gens ayant déjà des goûts, des préférences, que l'on ne changera pas si facilement ; d'ailleurs, comme membres d'une sorte de jury, ils portent des jugements et rendent des verdicts. Pour d'Aubignac le poète a besoin, lui aussi, d'instruction ; il faut lui apprendre les meilleurs moyens d'accomplir sa tâche à la fois artistique, morale, et politique ; et d'Aubignac croit évidemment posséder les qualifications nécessaires pour servir de guide aux poètes, étant donné son érudition et sa familiarité avec ce qui se passe dans le théâtre contemporain. Pour Corneille aussi, le poète a besoin de savoir ce qu'il fait ; son activité suppose des connaissances et la possession d'un art ; dans les trois *Discours,* cependant, il fondera en général ses idées et ses jugements sur sa propre expérience de ce qui marche ou ne marche pas dans les œuvres dramatiques ; toujours prêt à consulter les Anciens et à lire les théoriciens, il ne peut pas se permettre d'adopter simplement le point de vue du grammairien ou du philosophe.

Les différences de ce genre ont certes leur importance. Mais je voudrais revenir pour un instant à quelque chose que nos deux auteurs ont en commun : leur accord sur un type de réflexion qui se retrouve souvent dans la perspective de la rhétorique. Ici nous touchons à un aspect essentiel du problème sémantique posé par la

notion du vraisemblable. Voici ce que je veux dire : «vraisemblable» et «vrai», tels que d'Aubignac et Corneille les emploient,
ont été retirés plus ou moins systématiquement de tout contact
gênant avec des valeurs transcendantales. L'exemple de Platon nous
aidera à comprendre. Dans le *Phèdre,* la *République,* et le *Banquet,* il
nous conduit au Vrai, au Bien, au Beau tels que ces principes
apparaissent ou se révèlent à la fin d'un processus de purification
dialectique. Tout en étant extra-réels ils rendent intelligibles les
natures et les mouvements des choses réelles, et exercent en outre
une force attractive sur les imaginations et les conceptions des
esprits philosophiques et poétiques. En France au XVIIᵉ siècle, on
trouvera sans doute de tels principes sous leur forme pure dans la
philosophie et la théologie; mais ils ont beaucoup moins de
présence dans le domaine littéraire, où l'on préfère, quand il s'agit
des grandes valeurs, une approche humaniste, exempte de métaphysique et de pédantisme. Avant de passer à quelques différences
de vues entre nos deux auteurs, il est bon de souligner cet accord
sur une attitude fondamentale.

Au lieu, donc, de partir du Vrai dans sa force impersonnelle, on
établit une certaine distance, on se met à la recherche du vraisemblable; au lieu de prendre comme point de départ le Bien, on
choisit le bienséant, obéissant à un réflexe comparable au précédent; et, à la place du Beau absolu et transcendantal, on aspire à une
beauté plutôt raisonnable et régulière, à un idéal qui émerge des
inventions d'un art très conscient de la puissance des grands
exemples passés. Je n'ai aucune intention de dévaluer les œuvres qui
ont été créées dans l'état d'esprit qui résulte de cette refonte subie
par la triade métaphysique. Grâce à ces transformations, opérées
sous les auspices et avec les principes de la rhétorique, les écrivains
ont pu instituer un rapport fécond entre les vérités et les valeurs
abstraites d'une part et, de l'autre, la vie et le langage discursif : s'il
fallait un précédent, on avait l'exemple de Cicéron travaillant à
corriger l'erreur de Socrate, qui avait séparé la sagesse et l'éloquence.

Entre les mains de d'Aubignac, la vraisemblance devient une
sorte d'atout, la discussion de n'importe quel sujet pouvant le
conduire à faire des développements sur ce critère préféré. Après le
premier livre de *La Pratique du théâtre,* après avoir esquissé son plan
pour le rétablissement officiel du théâtre en France, il passe dans le
deuxième livre à des considérations plus techniques touchant le
sujet ou la fable, et c'est dans le deuxième chapitre de ce livre que
d'Aubignac formule, en termes généraux, son grand principe
critique :

> Voicy le fondement de toutes les Pieces du Theatre, chacun en parle et peu de gens l'entendent; voicy le caractere general auquel il faut reconnoistre tout ce qui s'y passe; en un mot la Vray-semblance est, s'il le faut ainsi dire, l'essence du Poëme Dramatique, et sans laquelle il ne se peut rien faire ni rien dire de raisonnable sur la Scéne (76; voir la note 1).

Il explique tout de suite sur quoi il se fonde : le théâtre est un art d'imitation; un objet possible d'imitation serait le vrai, mais pour des raisons techniques ou des considérations de bienséance, le vrai doit être écarté; on pourrait proposer le possible, mais les actions seulement possibles seraient ridicules ou peu croyables; il ne reste donc que le vraisemblable qui puisse «fonder, soutenir, et terminer» (77) un poème dramatique. Ajoutons une nuance : le vrai et le possible seront admissibles, mais seulement à condition d'être vraisemblables.

On n'a pas, pense-t-il, suffisamment compris la portée de ce principe; on a cru et dit que la vraisemblance était importante seulement pour l'action principale d'une pièce; d'Aubignac corrige cette erreur avec insistance :

> Or l'on doit sçavoir que les moindres actions representées au Theatre, doivent estre vray-semblables, ou bien elles sont entierement defectueuses, et n'y doivent point estre (78).

Immédiatement après il indique, d'une façon tout à fait caractéristique, comment il entend et analyse la notion d'action humaine :

> Il n'y a point d'action humaine tellement simple, qu'elle ne soit accompagnée de plusieurs circonstances qui la composent, comme sont le temps, le lieu, la personne, la dignité, les desseins, les moyens et la raison d'agir (78).

Cette conception de l'action humaine avait paru plus tôt dans le livre, dans le chapitre sur les règles des Anciens. Une de ces règles, dit-il, concerne l'observation de la vraisemblance à l'égard de la personne, du temps, et de l'état des choses représentées. L'adjectif «vraisemblable» s'applique donc aux détails de la situation et aux réactions du personnage dans ces circonstances particulières. Le rapport est évident entre ces notions et la métaphore, chère à d'Aubignac, selon laquelle ce que l'on présente sur la scène ressemble à une peinture; en tant que représentation, elle doit contenir non seulement des personnages mais aussi toutes les

---

1. F. D'AUBIGNAC, *La Pratique du théâtre*, éd. P. Martino, Paris, Champion, 1927; on trouvera les indications de page entre parenthèses à la fin de chaque passage cité.

indications nécessaires et raisonnables touchant la situation dans laquelle ils se trouvent.

Plus loin, dans le chapitre consacré à l'unité d'action, d'Aubignac recommande à son poète de ne pas choquer la vraisemblance ni l'imagination des spectateurs ; ensuite, à propos de l'unité de lieu, il écarte les opinions — évidemment des objections — des ignorants, des demi-savants, des petits esprits, et affirme que les savants connaissent et comprennent cette règle ; un peu plus tard, dans le chapitre consacré à la question de l'unité de temps, les arguments sont les mêmes, seulement légèrement modifiés pour le nouveau contexte. Il en est de même pour toute une série de sujets : les monologues, les *a parte,* les stances, les narrations, les grands effets scéniques exigent tous une constante vigilance ; et le poète, éclairé par «la seule lumière du Theatre» (253 ; la vraisemblance, bien entendu) doit trouver des raisons ou des couleurs pour rendre ces aspects et ces détails des pièces croyables (un des synonymes de «vraisemblable»). L'expression «pécher contre la vraisemblance» revient souvent sous sa plume ; on peut même «pécher grossièrement» contre elle.

Pour résumer, il me semble que les jugements de d'Aubignac dépendent d'abord d'un procédé habituel qui consiste à concevoir la pièce comme une succession de moments ou de tableaux, et ensuite des réponses qu'il donne à trois questions qui découlent de cette imagerie. (1) Le tableau est-il cohérent ? et (2) L'action (ce que dit et fait le personnage) est-elle une conséquence raisonnable de la situation représentée ? En tenant compte des circonstances et des personnages que le dramaturge nous montre sur la scène, nous pourrons porter un jugement sur la convenance ou la disconvenance des détails dans l'ensemble. Et si tout — agent, circonstances, desseins — se tient dans la situation, nous pourrons nous prononcer sur le lien causal — dire s'il est vraisemblable ou non — entre l'action et tout ce qui la précède et l'entoure. Finalement, (3) la question fondamentale, sous-jacente : la réalité représentée — dans ses détails et ses conséquences — correspond-elle à la notion du vrai reconnue par ceux qui portent les jugements ? Ici il faut méditer ces lignes, tirées du paragraphe qui ouvre le chapitre «de la Vray-semblance» :

> C'est une Maxime generale que le *Vray* n'est pas le sujet du Theatre, parce qu'il y a bien des choses veritables qui n'y doivent pas estre veuës, et beaucoup qui n'y peuvent pas estre representées : c'est pourquoy Synesius a fort bien dit que la Poësie et les autres Arts qui ne sont fondés qu'en imitation, ne suivent pas la vérité, mais l'opinion et le sentiment ordinaire des hommes (76).

Il n'y a rien de métaphysique dans l'argument de d'Aubignac ; l'être n'y entre pas comme règle de la pensée ; et dans son discours critique il n'aura jamais besoin de quitter le terrain de l'opinion, de l'opinion fortifiée chez lui par l'expérience et par l'érudition.

Ainsi donc, être vraisemblable, c'est être semblable à ce qui est vraisemblable. Dans la distance nous pourrons entrevoir de temps en temps le vrai véritable et le monde réel, mais les préoccupations du poète doivent aller dans un autre sens : l'art du théâtre a pour mission d'atteindre et d'imiter une réalité opinée, consentie. D'ailleurs, si la valeur cruciale pour d'Aubignac est sans aucun doute la vraisemblance, il est bon de ne pas trop simplifier les choses, et de remarquer la façon dont cette valeur évoque dans son esprit les thèmes de cohérence, de conséquence, et de correspondance. Sa pensée suit tantôt l'une tantôt l'autre de ces trois pistes ; et la troisième idée, celle d'un rapport de similitude entre une représentation et un objet situé dans la sphère de l'opinion, convient parfaitement à une attitude foncièrement humaniste, légèrement sceptique, ayant son inspiration et sa justification dans la perspective intellectuelle de la rhétorique.

Chez Corneille, nous voyons une attitude et une position plus complexes que celles de d'Aubignac. J'essaierai de rassembler son arsenal de distinctions et de donner une idée de sa manière de les développer. Si la vraisemblance joue le rôle de critère inévitable dans *La Pratique du théâtre,* elle n'est pour Corneille qu'une valeur parmi beaucoup d'autres ; en effet, il écrit parfois que c'est un ornement, une addition désirable, utile, mais sujette à des restrictions importantes.

Reconnaissons d'abord trois groupes de considérations dans les arguments de Corneille : celles qui portent sur le choix du sujet tragique ; celles qui caractérisent les personnages et les événements ; et celles qui traitent de la composition, de l'économie intime de l'œuvre dramatique. Corneille passe ainsi d'un niveau assez général, où il est question d'un choix fondamental, à un niveau plus spécifique, plus technique, et ensuite à un niveau où il réfléchit sur les liaisons des parties dans l'œuvre achevée. A propos des deux premiers niveaux, on fera bien de ne pas perdre de vue un couple de termes opposés : le vrai et le vraisemblable, celui-là servant de principe ou de règle ; et le poète aura le vrai pour but, si le vrai est accessible ; en l'absence du vrai il peut utiliser ce qui y ressemble. Au troisième niveau, le vocabulaire change ; Corneille part d'une distinction entre le vraisemblable et le nécessaire ; et les termes opposés ont un rapport paradoxal qui varie selon les cas : la priorité va tantôt à l'un, tantôt à l'autre.

En parlant des sujets de ses pièces, Corneille aime à nous rappeler leurs sources. S'ils sont empruntés à l'histoire, on peut omettre certaines choses par souci des bienséances, mais on a toujours la règle de la vérité à sa disposition en se mettant au travail et en se défendant. S'il n'y a pas de source dans l'histoire, on a quand même un critère grâce auquel le poète – et, après lui, les spectateurs – pourront juger le sujet et ce qui en est dit : l'opinion commune. Il est parfaitement légitime pour le poète de se défendre en disant que ce qu'il a mis dans son poème reproduit ou représente les choses telles qu'on pense qu'elles ont été. Ensuite Corneille indique explicitement une dernière possibilité significative. Si le poète n'a pas choisi un sujet historique ou communément reçu, mais a eu recours à l'invention, alors il rencontre directement le problème de la vraisemblance. Signalons que ce problème se pose sérieusement pour le poète seulement en l'absence des deux fondements stables que sont l'histoire et l'opinion. Vouloir alors trouver ou inventer le vraisemblable signifie qu'on va chercher quelque chose de comparable aux deux bases qui manquent. D'où un contraste vraiment frappant entre d'Aubignac et Corneille : d'une part une vraisemblance qui se retrouve et se fait sentir partout dans l'œuvre, et de l'autre, une vraisemblance qui n'est qu'une des trois sources possibles du sujet. En outre, il est à noter que chez Corneille le vraisemblable trouve sa place à la fin et non au début de sa petite liste. Mais il ne faut pas trop s'inquiéter : Aristote est là pour étayer l'argument :

> Cette liberté du poëte se trouve encore en termes plus formels dans le vingt et cinquième chapitre [de la *Poétique*], qui contient les excuses ou plutôt les justifications dont il se peut servir contre la censure : «Il faut,» dit-il, «qu'il suive un de ces trois moyens de traiter les choses, et qu'il les représente ou comme elles ont été, ou comme on dit qu'elles ont été, ou comme elles ont dû être»... (105-106; voir la note 2).

Et Corneille traduit immédiatement la citation dans son propre vocabulaire, rendant ainsi parfaitement claire sa manière de comprendre Aristote :

> [...] par où il lui donne le choix, ou de la vérité historique, ou de l'opinion commune sur quoi la fable est fondée, ou de la vraisemblance (106).

Puisqu'il accepte toutes ces possibilités, Corneille se trouve dans une situation avantageuse : l'histoire, l'opinion commune, et la vraisemblance lui fournissent des bases pour la défense de sa «pratique du théâtre».

---

2. P. CORNEILLE, *Trois discours sur le poème dramatique*, éd. L. Forestier, Paris, Société d'édition d'enseignement supérieur, 1963; pour les citations et les indications de page, voir la note 1.

Quant au deuxième plan sur lequel Corneille tend à se placer, celui des personnages et des événements, nous voyons d'abord qu'il maintient, à l'égard du vrai et du vraisemblable, la même priorité du premier sur le second qu'auparavant. Mais il veut distinguer entre deux espèces de vraisemblance : celle qui s'applique aux personnages et celle qui s'applique aux événements ; et chacune de ces catégories est divisée à son tour. En ce qui concerne les personnages, Corneille reconnaît (1) une vraisemblance particulière dans ces cas où il y a des fondements historiques pour ce que le poète attribue au personnage ; et (2) une vraisemblance générale pour les cas où l'on attribue à une personne ce qui est typiquement vrai d'une telle personne (en se fondant, paraît-il, sur l'expérience commune et l'opinion). Cette distinction semble faire écho à celle des deux sources de sujets mentionnées plus haut. Corneille résume sa pensée ainsi :

> Le vraisemblable général est ce que peut faire et qu'il est à propos que fasse un roi, un général d'armée, un amant, un ambitieux, etc. Le particulier est ce qu'a pu ou dû faire Alexandre, César, Alcibiade, compatible avec ce que l'histoire nous apprend de ses actions (113).

Au sujet des événements et de la manière dont ils peuvent être justifiés comme vraisemblables, Corneille pose une question assez différente. Ce qu'il faut alors estimer et décider se ramène à savoir si les événements arrivent souvent ou rarement. Il donne une réponse double : (1) dans le cas d'un événement représenté qui arrive plus souvent le contraire, le poète peut se défendre facilement, car la vraisemblance est alors évidente ; (2) mais s'il arrive moins souvent que le contraire tout en étant aisément possible, le poète sera autorisé par ce degré de possibilité à s'en servir dans sa pièce. L'importance que Corneille accorde à l'intrigue conçue comme une succession d'événements (et non de tableaux) est, à mon avis, très significative : elle suggère que, tout en s'inspirant d'une rhétorique générale comparable à celle de d'Aubignac, Corneille tend à aborder le problème de l'action à représenter plutôt du point de vue de la discipline poétique. Il se souvient sans doute d'Aristote, qui considère l'arrangement ou le système des incidents comme l'âme de la tragédie.

Au troisième niveau des réflexions critiques de Corneille, au niveau où il s'agit de problèmes détaillés de structure et de composition, on voit paraître dans la discussion un terme nouveau : le nécessaire. Corneille souligne l'importance de cette idée en faisant remarquer que le couple vraisemblable/nécessaire constitue une sorte d'unité dans le traité d'Aristote, qu'en général l'un des termes ne se voit pas sans l'autre, et que ceux qui s'occupent du théâtre ont une tendance à oublier ce fait. Ici encore, il voit deux possibilités. (1) Si le poète se trouve devant un problème concernant la succession ou la liaison des incidents, il choisira ce qui arrive nécessairement plutôt que ce qui pourrait arriver : le nécessaire a la priorité sur ce qui n'est que vraisemblable. (2) Dans le second cas où, afin de se conformer aux conditions techniques du genre dramatique, le poète se voit obligé de donner un tour particulier à l'action, où, par exemple, l'observation des règles de son art mène à des complications jugées invraisemblables, il peut admettre qu'il serait préférable de faire autrement, mais comme poète dramatique il n'est pas libre de négliger les unités de lieu et de temps, qui sont inhérentes à la structure dramatique : une tragédie n'est pas un roman. Corneille indique le principe qui le guide et en tire deux conséquences :

> Le but du poëte est de plaire selon les règles de son art. [...] Pour plaire selon les règles de son art, il a besoin de renfermer son action dans l'unité de jour et de lieu; et comme cela est d'une nécessité absolue et indispensable, il lui est beaucoup plus permis sur ces deux articles que sur celui des embellissements (119).

La nécessité invoquée dans le premier cas semble être logique ou naturelle (ou ce qui en serait l'équivalent dans l'opinion commune). Dans l'autre cas Corneille entend évidemment une exigence strictement technique et imposée par la nature de l'œuvre à inventer. Paradoxe curieux : s'il s'agit de montrer deux événements qui se suivent et de fixer la relation qui les relie, le poète se décidera en faveur d'un lien nécessaire, comme étant plus convaincant qu'un lien vraisemblable; mais s'il doit compliquer et télescoper les choses pour obéir à ce que son art lui prescrit, il sacrifiera la vraisemblance à la nécessité. Il serait difficile d'imaginer une attitude plus opposée à celle de d'Aubignac : pour lui, loin d'être contraire aux règles, la vraisemblance les résume toutes et leur sert de fin.

En ce qui concerne le rapport entre les questions de rhétorique et les questions de poétique, Corneille semble pencher plutôt dans le sens des préoccupations poétiques; et la différence est marquée, si on le compare sur ce point avec d'Aubignac. Néanmoins, quant à ses intuitions fondamentales, Corneille reste dans la ligne de la rhétorique; sa position et celle de d'Aubignac appartiennent à la même famille. Il tend à limiter la sphère de la poétique au problème de l'intrigue, rejetant à d'autres arts ou disciplines l'investigation des cinq autres parties qualitatives reconnues par Aristote; il assume l'attitude prescriptive d'un Horace au lieu de la posture inductive d'Aristote; et suivant encore Horace et ses partisans, il accepte

d'écrire pour des lecteurs et des spectateurs qui réclament le droit
de juger si on a réussi à les faire réfléchir et à leur donner du plaisir;
et il a soin d'expliquer les utilités des œuvres dramatiques. Autant
de symptômes et de conséquences, à mon avis, d'une option où l'on
se décide à poser tous les problèmes fondamentaux dans le cadre
fixé par le quatuor de termes que j'ai indiqué au début de cet essai :
auteur-discours-public-fin.

Pour conclure, je voudrais proposer quelques remarques qui se
rattachent, en fait, à ce que je disais plus haut sur la traduction des
principes transcendantaux qui se produit quand on adopte la
perspective de la rhétorique. Toute doctrine de la vraisemblance
dépend finalement d'une conception particulière de la vérité; or,
chacune des grandes disciplines intellectuelles a une manière qui lui
est propre de définir la vérité, de la rechercher, et de l'exprimer. Si
l'on veut bien accepter cette hypothèse, on peut comprendre d'une
part la situation de d'Aubignac et de Corneille l'un vis-à-vis de
l'autre, et d'autre part, comment ils se situent par rapport à
des écrivains et des penseurs contemporains qui appartiennent
à d'autres familles d'esprits. Malgré tout ce qui les sépare, les deux
auteurs étudiés ici tendent à s'accorder sur une sorte de vérité
contextuelle, variable selon les circonstances, qui est au fond le
produit de l'intelligence et de l'opinion communes (elles peuvent
comporter des dosages divers de culture humaniste). Cette orienta-
tion ou perspective, avec la notion assez complexe de la vraisemblance qui lui est propre, est celle de la rhétorique; mais elle est très
différente de la manière de voir et de penser qui accompagne la
géométrie universalisée proposée par Descartes et par les savants ou
les philosophes qui l'ont suivi. A cette vision nouvelle correspond
une vérité nouvelle, cette fois-ci évidente ou dépendant d'évidences, et avec elle, une vraisemblance caractéristique, qui, une fois
reconnue, sera rejetée comme inférieure et incapable de figurer
dans les longues chaînes de raisons tant désirées. Pour un autre
contraste qui nous aide à caractériser la situation de d'Aubignac et
de Corneille, on pourrait mentionner Pascal, dont l'art de persuader principal (il semble en avoir plus d'un) est rigoureusement
subordonné à une dialectique théologique; et dans les limites de
cette discipline une troisième vérité apparaît : ni essentiellement
contextuelle ni essentiellement évidente ou démontrée, elle provient d'une réconciliation de contrariétés; et il faut reconnaître une
fois de plus, je crois, une conception correspondante de la vraisemblance, une vraisemblance qui n'est que l'apparence ou la figure de
la réalité.

Pouvoir et féminité dans Pulchérie

HUGUETTE GILBERT

Rex anima non sexu[1].

La figure historique de l'impératrice de Byzance Pulchérie était propre à retenir l'attention des contemporains de Corneille à plus d'un titre, et d'autres écrivains, avant lui, s'y étaient intéressés[2] : cette princesse chrétienne, que l'Eglise grecque compte parmi les saintes de son calendrier, avait voué à Dieu sa vie et sa virginité, tout en manifestant pour l'exercice du pouvoir un goût et une aptitude remarquables. «Dès l'âge de quinze ans, relève Corneille, elle empiéta le gouvernement sur son frère, dont elle avait reconnu la faiblesse.» Et il ajoute : «Après la mort de ce prince, ne pouvant retenir l'autorité souveraine en sa personne, ni se résoudre à la quitter, elle proposa son mariage à Martian, à la charge qu'il lui permettrait de garder sa virginité [...]. Elle passait alors cinquante ans...» *(Au lecteur).*

Pulchérie était donc de l'étoffe des femmes fortes qui font les héroïnes. De son histoire, Corneille a retenu la journée capitale au cours de laquelle elle décide d'épouser le vieux sénateur Martian. Mais il en a profondément modifié les circonstances : l'auteur de *Polyeucte* se désintéresse de la sainte pour prêter paradoxalement à l'illustre princesse, considérablement rajeunie[3], une passion amoureuse qui joue, au théâtre, le rôle d'obstacle à l'ambition politique

---

1. Devise empruntée à *La Galerie des femmes fortes* du Père LE MOYNE.
2. Notamment Scudéry qui la range au nombre de ses *Femmes illustres*, et le Père Caussin qui l'accueille dans sa *Cour sainte*. Les sources de *Pulchérie* sont étudiées par Georges COUTON dans son édition des *Œuvres complètes* de Corneille, Paris, Gallimard, Bibliothèque de la Pléiade, 1987, t. III, p. 1659-1664.
3. La Pulchérie de l'Histoire avait gouverné à peu près trente-six années sous le nom de son frère. Corneille réduit cette durée dans sa pièce à quinze années. Il y revient trois fois (v. 14, 229 et 554) dans les premières scènes. Cette insistance procède d'un souci de vraisemblance et de dignité : la Pulchérie de Corneille est amoureuse et elle peut, sans ridicule, se refuser à donner des fils à Martian. Le vœu de virginité n'est plus une donnée, au demeurant très ancienne, de la situation, mais une conséquence de son évolution.

que la religion et le vœu de virginité avaient pu jouer, dans l'Histoire, à la mort de Théodose II.

En effet, la pièce s'ouvre au moment où le Sénat doit désigner un successeur à ce dernier, puisqu'il ne laisse pas d'héritier mâle. Pulchérie, sa sœur, espère que le choix du Sénat tombera sur le jeune Léon qu'elle aime de longue date, mais qu'elle n'épousera qu'à cette condition, ainsi que l'exigent sa gloire et son ambition :

> Il faut, quelques douceurs que cet amour propose,
> Le trône ou la retraite au sang de Théodose (I, 1, v. 41-42).

Léon, qui ne manque pas de valeur, n'est cependant pas encore du poids de ses rivaux et, très épris, il s'inquiète :

> Ah! que ce cœur, Madame, a lieu d'être alarmé
> Si sans être empereur je ne suis plus aimé! (I, 1 v. 75-76)

Pour s'assurer du trône et de la main de Pulchérie, il va alors suivre la suggestion de sa sœur Irène : proposer aux suffrages du Sénat Pulchérie elle-même, à charge pour elle de nommer, en se choisissant un époux, le nouvel empereur. Le Sénat est trop heureux de faire taire les rivalités et de déléguer ses prérogatives à une princesse expérimentée et respectée qui se retrouve ainsi arbitre de l'Empire. Tout un chacun, qu'il s'en plaigne ou qu'il s'en loue, prévoit que Pulchérie va épouser Léon.

Cependant ce dernier n'a fait que détourner le cours des événements sans en modifier les potentialités tragiques : Pulchérie redoutait d'abord de voir à la tête de l'Etat un empereur autre que l'homme qu'elle aimait; devenue impératrice, elle n'a pas changé de sentiments, mais la haute idée qu'elle se fait désormais de sa mission condamne Léon : trop jeune encore,

> Pour surprenant que soit l'essai de son courage (III, 1, v. 797),

il n'a pas eu véritablement l'occasion de donner au monde la preuve d'une indiscutable supériorité; de plus, il s'est privé, par son imprudente initiative, de toute chance de voir son mérite tout de même reconnu par le Sénat et d'apporter à Pulchérie

> [...] la main d'un empereur (III, 3 v. 924).

Pour Pulchérie, l'obstacle est invincible :

> [...] ma gloire inexorable
> Me doit au plus illustre, et non au plus aimable,

> Et plus ce rang m'élève, et plus sa dignité
> M'en fait avec hauteur une nécessité (III, 3, v. 953-956).

Il est hors de question pour elle de commencer à régner par ce qu'elle appelle «un trait de faiblesse» (v. 786), et de compromettre ainsi son autorité et la cohésion de l'Empire.

Mais ce n'est pas sans déchirement, et l'amante exprime en termes pathétiques la souffrance de l'amour impossible pour un objet d'autant plus désirable :

> Rien n'en détachera mon cœur que le trépas :
> Encore après ma mort n'en répondrais-je pas,
> Et si dans le tombeau le Ciel permet qu'on aime,
> Dans le fond du tombeau je l'aimerai de même (III, 2, v. 851-854).

Aussi, contre tout espoir, tente-t-elle malgré tout de déjouer la cruauté du sort en sollicitant le Sénat de lui imposer lui-même celui qu'elle ne peut elle-même désigner, puisque :

> Je n'en puis choisir d'autre, et n'ose le choisir (III, 2, v. 848).

Ainsi Léon, tenant son pouvoir du Sénat et non de la femme qui l'aime, pourrait s'imposer comme chef, et Pulchérie suivre son inclination sans remords. Elle cherche même à peser sur la décision du Sénat par un ultimatum désespéré :

> [...] Ou Léon, ou personne (IV, 3, v.1310).

Cependant le Sénat se dérobe, et c'est à Pulchérie qui, dans son amour et comme pour forcer le destin, a juré à Léon que nul autre

> Ne se verra[it] jamais maître de [s]a personne (III, 3, v. 1022),

de trouver comment obéir aux exigences de son devoir envers l'Etat sans manquer à sa parole. Elle va à l'encontre de toutes les prévisions en demandant de l'épouser au vieux sénateur et ministre d'Etat Martian qui l'adorait depuis longtemps en silence et qu'entoure un respect général. Mais Martian ne sera son époux qu'en titre :

> Je fais vœu de mourir telle que je suis née (V, 6, v. 1670).

Ainsi épuré, l'amour n'est plus une faiblesse et un obstacle, mais la source d'une perfection à laquelle Léon est invité à son tour à accéder : il doit, à l'exemple de Pulchérie, se mettre «au-dessus de l'amour» (v. 1695), pour se préparer à recueillir dignement et sûrement, le moment venu, la charge de l'Empire; qu'il étudie, sous Martian, le «grand art de régner» (v. 1683) et qu'il s'attache au trône en épousant Justine, la fille du nouvel empereur, déjà secrètement amoureuse du jeune homme. Ainsi, le moment venu, justifiera-t-il le cœur de Pulchérie aux yeux de l'univers.

Mais ni pour Léon ni pour Pulchérie, le renoncement ultime n'est facile et l'humanité des personnages est ainsi préservée. Léon n'arrive qu'après bien des protestations au nécessaire : «J'obéis donc» (v. 1729), et l'auguste Pulchérie elle-même ne peut s'empêcher de soupirer nostalgiquement : «Ah! Léon!» (v. 1637), avant de se ressaisir pour parachever sa glorieuse ascension.

L'admiration que provoque cet héroïsme ne saurait cependant être sans mélange : alors qu'elle attend, au début de l'acte V, la décision du Sénat qui doit arrêter son destin et celui de Léon, Pulchérie s'étonne et s'inquiète du tour que prennent paradoxalement ses désirs :

> Je crains de n'avoir plus une amour si parfaite,
> Et que si de Léon on me fait un époux,
> Un bien si désiré ne me soit plus si doux (V, 1, v. 1438-1440).

Mieux encore, elle en vient à souhaiter ardemment que le Sénat lui permette de gouverner seule. L'idée lui était déjà venue, comme un moindre mal et comme une concession à l'amour, d'obtenir la faveur inouïe de régner sans époux, si elle devait renoncer à Léon. Mais elle découvre maintenant que ce qu'elle redoute ce n'est pas de devoir perdre Léon, mais au contraire de devoir l'épouser pour régner. Le Sénat cependant ne la laisse pas longtemps à son rêve d'émancipation et, un court instant, Pulchérie se révolte :

> Sexe, ton sort en moi ne peut se démentir,
> Pour être Souveraine, il faut m'assujettir (V, 2, v. 1475-1476).

Le drame qui se joue dans *Pulchérie* reçoit ainsi un nouvel éclairage : il n'est plus seulement dans le conflit entre la passion amoureuse et le «bonheur de l'Etat» (v. 1224), mais aussi, et peut-être plus essentiellement, dans les difficultés spécifiques du pouvoir féminin.

En effet, à travers le cas de la princesse byzantine, le public de Corneille était naturellement ramené à des questions qui passionnaient son époque[4] et qu'il abordait selon ses lois, ses mœurs et ses préjugés.

---

4. Notamment la fameuse et multiforme «querelle des femmes». *Pulchérie* est jouée la même année que *Les Femmes savantes*.

Le royaume, on le sait, ne doit pas «tomber en quenouille», selon l'expression consacrée, et l'exclusion des femmes est «conforme à la loy de nature, laquelle ayant créé la femme imparfaite, faible et débile, tant du corps que de l'esprit, l'a submise à la puissance de l'homme»[5].

Or, le cas de Pulchérie vient infirmer cette déclaration : n'a-t-elle pas fait la preuve de ses capacités?

> Tant qu'a vécu son frère, elle a régné pour lui,
> Ses ordres de l'Empire ont été tout l'appui,
> On vit depuis quinze ans sous son obéissance (I, 3, v. 227-229).

D'ailleurs le Sénat manifeste pour elle le plus grand respect et compte assez sur son expérience et son jugement pour remettre en ses mains le destin de l'Empire. A ceux qui redoutent les conséquences de son union prévisible avec le trop jeune Léon, le vieux Martian n'hésite pas à répondre :

> L'auguste Pulchérie en sait assez pour deux (II, 2, v. 552).

Pourtant, bien que nul ne mette en cause sa compétence, le Sénat lui fait une nécessité de se choisir un époux,

> Pour donner plus de force à [s]on autorité (II, 2, v. 1472).

Si la femme est ainsi exclue du pouvoir absolu, c'est donc moins pour incapacité que parce que le gouvernement féminin suscite la peur et fait craindre le désordre : il est perçu comme menaçant ou, pour employer le mot même de Pulchérie, comme «sinistre» (v. 1550); il est contre nature, et la femme au pouvoir, c'est le monde à l'envers[6]. Cette appréhension est peut-être le fait d'«un peuple sans raison» (v. 1551), comme le dit encore Pulchérie, on ne peut en faire abstraction. Une femme ne peut exercer un pouvoir politique réel que dans l'ombre d'une figure masculine, fût-elle postiche. Et Pulchérie de citer les exemples de Zénobie et de Sémiramis qui régnèrent l'une et l'autre sous le nom de leur fils. Mais dans les conditions où elle se trouve, seul le mariage lui permettra de conserver le trône sans le mettre en danger. Ce n'est finalement pas sans un regret cuisant : malgré la dissimulation à

---

5. Le Bret, cité dans Roland MOUSNIER, *Les Institutions de la France sous la monarchie absolue*, Paris, P.U.F., 1974, t. I, p. 503.

6. Pour reprendre le titre d'un article de Pierre RONZEAUD, «La femme au pouvoir ou le monde à l'envers», *XVIIᵉ siècle*, 1975, n° 108, p. 8.

laquelle elles étaient contraintes, Pulchérie envie Zénobie et Sémiramis :

> C'était régner enfin, et régner sans époux (V, 1, v. 1456).

Comment en est-elle venue là, elle qui naguère envisageait avec
une joie entière d'épouser Léon?

En fait, petite-fille, fille et sœur d'empereur, Pulchérie, qui a très
ouvertement régné pour son frère, entend bien rester au sommet de
l'Etat. Elle a prévu, à cette fin, de faire de Léon qu'elle aime et dont
elle a reconnu le mérite, l'associé et l'héritier de Théodose, en vertu
d'usages dont l'Histoire romaine fournit maints exemples. Elle
rappelle cette ambition au jeune homme :

> Vos hauts faits à grands pas nous portaient à l'Empire,
> J'avais réduit mon frère à ne m'en point dédire,
> Il vous y donnait part, et j'étais toute à vous (I, 1, v. 21-23).

Bien loin d'y être hostile, elle voyait dans le mariage le moyen
normal de conserver son rang ou de le retrouver, et ses modèles
étaient alors «Eudoxe et Placidie» (v. 88), sa mère et sa tante, toutes
deux femmes d'empereur.

La mort prématurée de Théodose a mis fin au projet, mais il
suffirait encore que le Sénat donnât l'Empire à Léon pour que le
drame fût évité. Or, l'aveuglement de Léon et l'incroyable
complaisance du Sénat font obtenir à Pulchérie, de son propre
aveu,

> [...] plus qu'il ne [lui] était dû (III, 3, v. 907).

Elle se retrouve, malgré elle, dans une situation imprévisible et
particulièrement contraignante pour une femme. Devenue impératrice, elle ne peut pour Léon ce que Léon pouvait pour elle, l'élever
jusqu'à lui :

> Mais puis-je avec ce nom même chose pour vous? (III, 3, v. 927).

Bien loin d'avoir pleine disposition de la puissance qui lui a été
conférée, elle ne peut paradoxalement l'utiliser que pour «nommer
un maître» (v. 928), le maître de l'Empire et le sien, sans considération de sentiment personnel; et l'amour attente d'autant plus à son
autorité que son sexe la limite ou même la dément.

C'est pourquoi son attitude à l'égard du mariage se modifie
radicalement : elle n'a pas eu besoin d'épouser Léon, ni aucun autre
homme, pour devenir impératrice. Bien que femme, elle fait

l'expérience, d'autant plus exaltante, de détenir, ne serait-ce que pour une journée, la grandeur suprême, la toute-puissance. Imposé comme une «loi», comme une «peine» (v. 929), parce qu'une femme, même s'il s'agit de l'auguste Pulchérie, même si on vit depuis quinze ans sous son obéissance, ne peut retenir le pouvoir, le mariage n'est plus ce qui la rend à son rang, mais ce qui la ramène à l'assujettissement de son sexe. Comment ne sentirait-elle pas cette nécessité comme littéralement dégradante? Aussi est-elle tentée de ne pas s'y résigner.

Elle fait alors le rêve naïf – «la chose est sans exemple» (v. 1305) – de régner seule, c'est-à-dire comme un homme, avec l'«indépendance» qui caractérise les «vrais souverains» (v. 1445-1446) [7], et avoue même voir «d'un œil d'envie» (v. 1449)

> Toujours Sémiramis et toujours Zénobie (V, 1, v. 1450),

ces rebelles qui, nous l'avons dit, régnaient enfin, parce qu'elles régnaient sans maître, fût-ce dans l'imposture.

Quand cette ambition lui est refusée, Pulchérie prend finalement la décision surprenante d'épouser le vieux Martian. Mais l'arrangement qu'elle lui propose préserve l'essentiel de son pouvoir : son mariage n'est qu'un simulacre – une «illusion» (v. 1669) – destiné à «éblouir» le peuple pour le «tenir en bride» (v. 1551). Parce qu'il ne sera son époux que de nom, Martian ne sera «en effet» que le «premier ministre» (v. 1549) de Pulchérie, chargé de prendre et d'exécuter ses lois [8], et non le véritable maître. S'il y consent, c'est que le vieillard éprouve pour elle, depuis dix ans, une passion violente, mais silencieuse et désespérée, dont elle s'assure avant de lui confier l'Empire :

> On m'a dit que pour moi vous aviez de l'amour :
> Seigneur, serait-il vrai? (V, 3, v. 1488-1489).

Ainsi, en encourageant ses feux sans les satisfaire (n'est-il pas «le plus heureux» (v. 1560) de tous ses amants?), elle peut maintenir sur lui l'ascendant nécessaire à l'illusion qu'elle veut créer. Bien qu'elle prétende ainsi se sacrifier pour tenir parole à Léon, la solitude à laquelle elle se condamne, en refusant les servitudes, mais

7. L'exercice de l'autorité étatique est considéré comme incompatible avec la soumission chez la femme à l'autorité maritale, comme le note Pierre RONZEAUD, *art. cit.*, p. 15.

8. Conformément à la définition que donne Roland MOUSNIER, *op. cit.*, p. 519.

aussi les accomplissements de son sexe, peut apparaître comme un défi[9] et un déni :

> [...] Martian reçoit, et ma main, et ma foi,
> Pour me conserver toute et tout l'Empire à moi (V, 6, v. 1671-1672).

Cependant ce triomphe de la volonté de puissance ne s'accompagne nullement de cynisme. Au contraire, dès le début de la pièce, Pulchérie se montre attentive à déchiffrer la volonté d'un Ciel qui contrecarre ses projets, et son élection par le Sénat, loin de favoriser la satisfaction de ses désirs, la conduit immédiatement à tenter de les dominer. C'est qu'elle semble bénéficier d'une manière de grâce d'état :

> Je suis Impératrice, et j'étais Pulchérie (III, 1, v. 754 et 794),

répète-t-elle, comme transfigurée par sa nouvelle dignité.

La cohérence impose alors de ne pas réduire le dénouement au triomphe de l'ambition féminine et de l'imposture indispensable à sa satisfaction, et de considérer la révolte de Pulchérie contre l'injustice de son sort non comme la clé de la pièce, mais comme une crise nécessaire à l'évolution de la protagoniste.

Pulchérie n'est en effet machiavélique qu'en apparence, quoi qu'en pense Léon, prompt, dans sa douleur et son incompréhension, à l'accuser de pratiquer cet «art de régner» qui

> [...] ne manque jamais de cent raisons d'Etat (III, 4, v. 1056).

Elle n'a rien de l'ambitieux et dangereux Aspar, qui intrigue pour s'emparer du pouvoir par n'importe quel moyen.

C'est le Ciel qui, à travers Léon et par le consentement unanime du Sénat, l'a élevée au rang suprême, en ces temps troublés où les Princes du sang − contrairement aux Princesses − ne font plus que «dégénérer» (v. 1536), et où les candidats masculins au pouvoir sont ou trop jeunes, ou trop vieux, ou trop ambitieux pour que l'ordre règne durablement. Les signes de son élection, au sens mystique du terme, se lisent à la fois dans la force qui la pousse d'emblée à régner

---

9. Intéressants à cet égard sont les termes dans lesquels le gazetier Robinet rend compte de la première représentation de *Pulchérie* :
> Hier certaine Pulchérie
> En beautés, dit-on, fort fleurie
> Fut dépucelée au Marais
> En présence d'un grand congrès.

(Lettre du 26 novembre 1672, citée dans les *Œuvres complètes* de Corneille, éd. cit., t. III, p. 1655).

sur elle-même pour pouvoir régner sur tous, et dans le discernement exceptionnel qui lui permet, malgré les hésitations, de
prévoir le danger, de déjouer la ruse, de connaître mieux que
quiconque les besoins de l'Etat et mieux qu'eux-mêmes le bien des
autres, d'interpréter enfin les volontés du Ciel :

> Pulchérie a des yeux qui percent le mystère (IV, 1, v. 1097).

Pourtant, avec elle, le Ciel intronise quelqu'un qui par son sexe
réel est impropre à incarner, à symboliser le pouvoir légitime tel
que le représentait la mythologie royale dans la France de Corneille. Le Ciel a-t-il pour elle l'intention de renverser l'ordre du
monde ? Elle peut un instant l'espérer :

> Je voudrais que le Ciel inspirât au sénat
> De me laisser moi seule à gouverner l'Etat (V, 1, v. 1447-1448).

Mais le Ciel ne se plie pas à son désir. Que veut-il donc ?
C'est alors que Pulchérie, comme inspirée par le Ciel, et en tout
cas avec la soudaineté d'une conversion[10], s'engage résolument,
par un beau coup de théâtre, sur la voie étroite qui concilie au
mieux, et pour sa plus grande gloire, son devoir d'assumer
pleinement le pouvoir auquel elle a été appelée et l'infirmité
insurmontable de sa nature :

> Je dois à ce haut rang d'assez nobles projets
> Pour n'admettre en mon lit aucun de mes sujets.
> Je ne veux plus d'époux, mais il m'en faut une ombre... (V, 3,
> v. 1543-1545).

Cette «ombre» de mari, c'est la nécessaire représentation virile,
paternelle, imaginairement parfaite et protectrice, dont le pouvoir
ne saurait décidément se passer sans se mettre en péril; par ses vertus
authentiquement rassurantes, Martian,

> [...] admiré dans la cour,
> Adoré dans l'armée [...] (V, 4, v. 1584-1585),

est tout désigné pour remplir ce rôle que son âge laisse prévoir
d'assez courte durée et pour donner à Léon le temps de se préparer,
dans l'ordre, à assurer la relève[11]. Pulchérie, quant à elle, en
conservant sa virginité, se met symboliquement au-dessus du désir

---

10. Pour emprunter au titre d'un article de Marie-Odile SWEETSER, «Corneille et la tragédie providentielle : la conversion», *C.A.I.E.F.*, 1985, p. 163.
11. Léon Ier succédera en effet à Martian, dans l'Histoire comme sur la scène.

et en dehors de l'asservissement, et peut prétendre ainsi, sans transgression, à être, en quelque sorte, l'âme de l'Empire, et à dicter ses lois. Ce pouvoir qu'elle n'usurpe point (contrairement à Zénobie et à Sémiramis qui ont cessé d'être ses modèles), elle acquiert le droit de le retenir par une ascèse qui l'élève au-dessus de la pure volonté de puissance, autant que de son amour pour Léon. Elle se soumet ainsi aux volontés mystérieuses du Ciel :

> Lui-même il nous entraîne où nous ne pensions pas (V, 6, v. 1712),

et ne connaît plus ni déchirement, ni révolte :

> [...] il sait trouver la voie
> De nous faire accepter ses ordres avec joie (V, 6, v. 1713-1714).

Et pour preuve, si on peut dire, de ce qu'elle est désormais autorisée par le Ciel, la toute-puissance de Pulchérie s'exerce au dénouement avec une efficacité décisive : chacun, en s'inclinant devant son autorité, trouve sa place et son rôle dans un ordre restauré, finalement favorable à sa grandeur et à son bonheur[12]. La leçon donnée à Léon vaut pour les autres : «Je parle, obéissez» (v. 1728), dit-elle,

> Et laissez-vous conduire à qui sait mieux que vous
> Les chemins de vous faire un sort illustre et doux(V, 6, v. 1723-1724).

En définitive, le compromis que Pulchérie fait accepter à Martian pour «éblouir» le peuple ne vise ni à ridiculiser ni à subvertir l'ordre patriarcal, mais au contraire à le préserver, en en maintenant, dans des circonstances exceptionnelles, les nécessaires apparences.

L'Histoire et la légende avaient livré à Corneille la figure édifiante d'une Princesse chrétienne qui avait vécu dans le monde comme une religieuse. Mais avec Corneille l'héroïne n'est plus une sainte. Serait-elle une parfaite amante ? «La virginité n'est plus offerte à Dieu, écrit Georges Couton, mais à une haute idée de la fidélité amoureuse [...]. Un mysticisme de l'amour a remplacé le mysticisme religieux»[13].

Il est vrai. Mais, en dernière analyse, n'est-ce pas le mysticisme du trône qui l'emporte?

---

12. Cet aboutissement harmonieux et plus d'un endroit de la pièce ne sont pas sans évoquer, trente ans après, des passages de *Cinna*; et d'ailleurs, à en croire Madame de Sévigné, *Pulchérie* faisait «souvenir des anciennes» pièces de Corneille (Lettre du 9 mars 1672, citée dans les *Œuvres complètes* de Corneille, éd. cit., t. III, p. 1654 et 1662).

13. *La Vieillesse de Corneille*, Paris, Librairie Maloine, 1949, p. 203.

La première réception du Cid au Japon

HIROSHI ITO

C'est vers la quinzième année de l'époque Meiji (1882), selon l'étude des savants japonais, que l'on a véritablement commencé à introduire le théâtre étranger chez nous en traduisant en japonais des pièces de théâtre[1]. L'introduction se fit dans le but d'améliorer le théâtre traditionnel *kabuki*. Les auteurs dramatiques éprouvaient à cette époque le besoin de renouveler leur matière en s'inspirant du théâtre européen.

La traduction japonaise était alors en général très libre et correspondait davantage à une adaptation au sens strict du terme. Car les traducteurs changèrent le nom des personnages en celui de Japonais et transposèrent la situation au Japon. Ils osèrent quelquefois supprimer des scènes qui semblaient incompréhensibles pour les Japonais du temps. Mais on parlait toujours de traduction alors qu'il s'agissait d'adaptation. Puisque le public de notre pays ne savait presque rien de l'étranger après deux cents ans d'isolement du Japon, il était inévitable et naturel de changer ainsi les noms de personnages et les situations dramatiques.

Dans la trente-deuxième année de Meiji (1899), un homme traduisit en japonais *Le Cid* de P. Corneille pour la première fois. Le titre japonais en était *Aïaï-Ki (Le Spectacle pitoyable)* et cette traduction, après celle de Molière, venait assez tôt. La représentation du *Cid* en *kabuki* n'eut lieu que douze ans plus tard, en 1911.

Pourquoi et en quoi le traducteur japonais s'intéressait-il au *Cid*, comment en changea-t-il l'action théâtrale? Et à quel sujet le public japonais de l'époque s'intéressait-il? Avant d'aborder notre propos, il serait opportun d'évoquer la situation générale de la traduction et de l'adaptation du temps.

---

1. Voir les deux livres suivants : Toshio KAWATAKE, *Zoku Hikaku Engeki-gaku (Nouvelle étude comparée du théâtre)*, Tokyo, Nansô-sha, 1974, p. 370-380; Shûji ISHIZAWA, *Shingeki no Tanjô (Naissance du nouveau théâtre japonais)*, Tokyo, Kino-kuniya, 1964, p. 114.

Traduction-adaptation des pièces de théâtre au Japon

La première représentation de l'adaptation japonaise d'une œuvre théâtrale eut lieu en 1879 à Tokyo. C'était la pièce *Ningen banji kane no yononaka (La Clef d'or ouvre toutes les portes)* adaptée par Mokuami Kawatake, auteur dramatique, de la pièce de E.-B. Lytton, dramaturge anglais : *The Money*. Mokuami adapta au théâtre une pièce qui fut traduite assez librement en japonais par un autre, en ayant transposé la situation au Japon.

En ce temps-là, il y avait plusieurs traductions déjà assez libres de Shakespeare et leurs adaptations à la scène. La première fut celle du *Merchant of Venice,* la seizième année de Meiji (1883), traduite par un savant, Tsutomu Inohoué, et intitulée en japonais *Jinniku shichi ire saiban (La Justice de la chair humaine gagée).* Cette traduction était déjà assez libre quant à la situation et aux personnages. Elle fut adaptée deux ans après, par un dramaturge, Genzô Katsu, sous le titre *Sakura doki zeni no yononaka (L'Argent fait tout)* et mise en scène à Osaka. La représentation en fut couronnée de succès en raison de son sujet extraordinaire.

Il est à noter ici que ces «traductions» plutôt libres sont très vieillies et traditionnelles du point de vue de l'art scénique, malgré des nouveautés inouïes de la situation dramatique, et que les personnages agissent toujours dans le cadre des idées propres au féodalisme et au moralisme de la société des samouraïs japonais. Nous comprenons donc que les traducteurs-auteurs de l'époque s'intéressèrent surtout aux récits mouvementés que l'on n'avait jamais entendus chez nous jusqu'alors, aux nouvelles scènes spectaculaires, aux sujets moralisateurs et aux personnages stéréotypés.

Les premières introductions du théâtre étranger chez nous sont donc superficielles et n'ont aucun rapport avec l'idée de la tragédie et du théâtre modernes européens.

Il en est de même ou presque pour le théâtre français qui fut introduit après le théâtre anglais, vers la vingtième année de Meiji (les années 1890).

La première traduction du théâtre français fut celle de *L'Ecole des femmes* de Molière, la dix-neuvième année de Meiji (1886), traduite par un savant, Tôsei Ko, et intitulée *Kage hinata ume no édaburi (Un homme à deux visages).* Mais cette pièce traduite ne fut pas montée[2]. La deuxième fut *La Tosca* de V. Sardou, en 1891, traduite par un dramaturge, Ochi Fukuchi, et intitulée *Maï ôgi urami no yaïba*

---

2. Voir l'article : «Meijiki ni okeru France dane gikyoku jôen nempyô» («Chronologie de la représentation des pièces françaises à l'époque Meiji»), par Nobuo SHIRAKAWA, dans le *Cahier du musée du théâtre à l'Université Waseda,* 1979, n° 9.

(L'Eventail et le sabre de la rancune). Cette traduction fut portée tout de suite après à la scène. La représentation semble avoir plu, car il y eut des reprises l'année suivante[3]. La troisième fut *L'Avare* de Molière, la même année que celle-ci. C'est un romancier célèbre, Kôyô Ozaki, qui la traduisit assez librement sous le titre *Natsu kosode (Vêtement ouaté voulu même en été)*. On la monta six ans après, en 1897 et cette représentation semble avoir eu un grand succès, étant donné qu'il y eut beaucoup de reprises depuis ce temps-là.

Nous supposons que ces traducteurs-adaptateurs retraduisirent tous la pièce française à partir d'une version anglaise déjà traduite[4], mais il est possible que seul l'un d'eux, O. Fukuchi, se soit servi du texte français original, parce qu'il comprenait assez bien le français. Nous n'en avons cependant aucune preuve.

Quant au premier cas, *L'Ecole des femmes,* le traducteur insista sur la duplicité du personnage principal *Kanzo Fuyuno* (Arnolphe). Dans le deuxième cas, *La Tosca,* le traducteur, attachant de l'importance à la situation historique de l'époque Edo, transforma l'intrigue romanesque de la pièce originale en drame historique. Enfin, pour *L'Avare,* le traducteur souligna trop l'avarice du personnage *Gorôyemon Haifukiya,* qui était d'ailleurs plus vieux qu'Harpagon.

Nous pourrons donc conclure que ces trois traducteurs changèrent les situations, en encourageant le bien et en réprimant le mal dans un but moralisateur. Ces pièces traduites sont inévitablement plus légères et plus superficielles que les pièces originales françaises au point de vue, soit des caractères, soit des sujets traités. Ajoutons que le public japonais, qui était habitué surtout au *kabuki* du temps, aimait mieux les scènes spectaculaires que le drame psychologique comme celui de l'Europe. Nous considérerons maintenant le cas du *Cid.*

« Traduction» du Cid *de P. Corneille*

C'est durant la trente-deuxième année de l'époque Meiji (1899) qu'un dramaturge, Kiken Iida, traduisit *Le Cid* pour la première fois au Japon, sous le titre *Aiaï-Ki (Le Spectacle pitoyable)*. Il publia la pièce par fragments dans le journal *Yomiuri*. Plus tard, en 1921, il la fit paraître dans un livre intitulé *France meigeki sanshu (Trois pièces du théâtre français[5])*. Le traducteur Iida était célèbre pour sa

3. Voir l'article : «"Ogi no urami" to "La Tosca"» («"La rancune de l'éventail" et "La Tosca"»), par Mikio OGASAWARA, dans le *Bulletin de la société japonaise d'étude du théâtre*, 1988, n° 26.

4. N. SHIRAKAWA, *op. cit.*

5. Les deux autres pièces traduites par lui-même sont les suivantes : *Maboroshi nikki (Le Journal d'illusion)*, traduite de *Si j'étais roi* (opéra-comique), par DONNERY et BRÉSIL ; et *Bikkuri-bako (Boîte à surprise)*, traduite des *Surprises du Divorce* (comédie), par A. BISSON et A. MARS.

traduction de l'œuvre d'E. Zola. Il traduisit donc la pièce française du *Cid* directement en japonais. Il écrit dans la préface du livre : «J'ai pris comme base l'édition publiée en 1868 pour traduire la pièce. Il faudrait faire une adaptation considérable pour la monter sur notre scène.» Quoi qu'il dise, sa traduction était déjà assez libre, car elle supprime quelques scènes et change évidemment de situation dramatique, ce dont nous parlerons plus bas. «C'est ainsi, continue-t-il, que M. Haryû (Torahiko) Enomoto a bien adapté cette pièce sous le titre de *Kamakura bukan (Le Miroir d'héroïsme de Kamakura)* et l'acteur fameux Utayemon l'a montée sur la scène du théâtre Kabuki-za (Tokyo).»

Nous considérerons ici d'abord le texte de Iida, *Aïaï-Ki*. Le traducteur situa l'action à Kamakura, près de Tokyo, à l'époque Namboku-chô (au XIVe siècle) où les samouraïs se battaient pour assurer leur hégémonie sur tout le Japon. Le nombre des personnages était égal, mais «un page de l'Infante» du *Cid* était transformé en «une suivante». Tous les personnages changèrent de nom : Don Rodrigue s'appela *Kiyotaka Adachi* ; Don Fernand, *Yoshisada Nitta* ; Don Diègue, *Kiyouji Adachi* ; Don Gomès, *Nobukuni Aso* ; Don Sanche, *Morishige Endô* ; l'Infante doña Urraque, la princesse *Haruka* ; et Chimène, *Biwa* (Luth japonais).

Le traducteur supprima les deux premières scènes de l'Acte I, et les deuxième et troisième scènes de l'Acte V de Corneille. Bref, il passa complètement sous silence l'amour de l'Infante pour Rodrigue, qu'il trouva sans doute inutile en raison du mépris de la psychologie propre au théâtre du temps.

L'Infante n'y joue plus que le rôle d'une consolatrice de Chimène. De même, il traita Don Sanche en ami moins amoureux de Chimène que celui de la pièce originale. Autrement dit, il concentra son attention sur l'amour entre Rodrigue et Chimène, mais, sans tenir compte de la profondeur de l'œuvre due à la description de la psychologie humaine. Il insista plutôt sur l'honneur des personnages et leur dévouement pour leur grand seigneur. C'est pourquoi le traducteur décrit la scène du «soufflet», où Don Diègue éprouvait un grand dépit pour Don Gomès qui l'avait frappé au front par haine avec son éventail au lieu de sa main.

Dans la sixième scène (la quatrième, au Japon) de l'Acte I, où Rodrigue récite un monologue de soixante vers de stances, *Kiyotaka* parle seul de son chagrin et de son conflit entre le devoir et l'amour, mais en une vingtaine de lignes, sans lucidité, et sans progression de pensée. La quatrième scène de l'acte III, scène célèbre du duo lyrique de l'amour malheureux, est aussi plus courte que celle de Corneille. Nous avons l'impression que l'amour et la passion des deux personnages sont moins forts que dans l'original.

Après que Don Sanche a apporté l'épée de Rodrigue à Chimène, il explique devant le roi ce qui s'est passé lors du duel dans la sixième scène (la quatrième, au Japon) de l'Acte V. Chez Corneille, Don Sanche dit : «Il m'a désarmé», tandis que dans la traduction japonaise *Morishige* (Don Sanche) et *Kiyotaka* (Don Rodrigue) ne se sont pas battus en duel, parce que celui-ci dit : «Dans la situation critique où se trouve le camp de notre grand seigneur, il n'est pas digne d'un homme d'âge mûr de se battre pour obtenir la main d'une femme. Je te cède la victoire du duel pour mieux me dévouer à notre grand seigneur.» *Morishige,* rempli d'admiration par le dévouement de son rival, abandonne sa propre passion pour *Biwa* (Chimène), qui ne l'aime d'ailleurs pas.

Dans la dernière scène de l'Acte V de Corneille, Don Fernand prend la parole deux fois pour Chimène et Rodrigue, tandis que le grand seigneur *Yoshisada* adresse la parole à *Biwa* cinq fois et à *Kiyotaka* une seule fois. *Yoshisada* essaie de persuader *Biwa* de son mariage avec *Kiyotaka* six mois plus tard au lieu d'un an dans le texte original, mais elle reste muette : *Biwa* : «...» Les points de suspension traduisent le silence et non pas l'acquiescement. Elle n'est donc pas heureuse de l'ordre du grand seigneur. Le traducteur nuance son attitude pour éviter que la pièce ne «choque les bonnes mœurs[6]».

Le traducteur connaissait-il donc la querelle du *Cid*? Nous ne le croyons pas. Il n'était qu'un auteur dramatique et qu'un introducteur de pièces étrangères. Mais ce qui nous intéresse beaucoup, c'est que la suppression des scènes et la modification qu'il apporta dans la pièce originale pourraient être considérées même comme des réponses aux remarques que firent Scudéry, Chapelain et d'autres critiques lors de la querelle du *Cid*.

Il nous faudrait remarquer que sa traduction du *Cid* et ses remaniements auraient dû contribuer au renouvellement du théâtre *kabuki,* s'il avait réussi à enrichir le sujet et la matière de sa pièce, *Aïaï-Ki,* en y adaptant la description psychologique de la pièce française. Parce que nous pouvons croire qu'il simplifia l'action théâtrale en tenant compte de la «vraisemblance» qu'on ne connaissait guère dans le théâtre japonais de l'époque. Le théâtre *kabuki* était alors, dans son ensemble, très compliqué et très spectaculaire, comme le théâtre baroque de la première moitié du XVIIe siècle en France[7].

Malheureusement le traducteur Iida accorda de l'importance au respect de la gloire en négligeant le conflit aigu entre la raison (la

---

6. Scudéry «Observations sur le Cid», dans *La Querelle du Cid,* par A. GASTÉ, Slatkine Reprints, 1970, p. 79.

7. Toshio Kawatake professe depuis longtemps que le théâtre *kabuki* a un caractère baroque. Voir son livre mentionné ci-dessus.

gloire) et la passion (l'amour), ainsi que l'amour de l'Infante. Il modifia d'ailleurs le sens de l'honneur familial de Rodrigue en une soumission un peu plus complète à son père. En bref, l'ancienne morale japonaise, où le dévouement au grand seigneur et la soumission au père vont jusqu'au sacrifice de l'amour, domine dans toute la traduction.

« *Adaptation* » *et représentation du* Cid

Nous avons dit que le traducteur Kiken Iida transposa l'expédition de Rodrigue pour attaquer des Mores au XIe siècle en celle de *Kiyotaka* réprimant l'insurrection d'un seigneur *Takauji* au XIVe siècle. Dans la pièce adaptée : *Kamakura bukan (Le Miroir d'héroïsme de Kamakura),* l'adaptateur Torahiko Enomoto la transposa dans celle de *Saburo* affrontant l'assaut des Mongols au XIIIe siècle. L'adapteur situa l'action à Kamakura comme le traducteur, mais il opta pour une bataille contre des étrangers, comme Corneille.

Les personnages en sont beaucoup plus nombreux que ceux du texte français : vingt-six japonais contre douze français. Cependant l'adaptateur exclut complètement de sa pièce l'Infante qu'avait laissée quand même le traducteur, bien que celui-ci eût supprimé plusieurs scènes. Tous les personnages rechangèrent de nom : Don Rodrigue s'appela *Saburo Kikuchi;* Don Diègue, *Nyûdô Kakuga Kikuchi;* Don Gomès, *Sayemon Adachi;* Don Sanche, *Kuro Jôno;* et Chimène, *Asagiri (Brouillard du matin).* Don Fernand, qui n'était qu'un des grands seigneurs dans la pièce «traduite», fut promu à la dignité de Shogoun, s'appelant *Tokimuné Hôjô.* Quant à Don Diègue, il est devenu un bonze, *Nyûdô,* qui a fait retraite dans une bonzerie, suivant la coutume de l'époque. C'est une modification très importante dont nous parlerons plus bas.

Le début de cette pièce adaptée est une scène de concours de tir à l'arc à Kamakura, capitale du Shogounat [8]. Rodrigue *(Saburo)* vient d'y être vainqueur, tandis que Don Sanche *(Kuro)* a été déjà vaincu. Après cette scène, on assiste à celle du «soufflet». Don Diègue *(Nyûdô)* était désigné comme président de la cérémonie d'accès à la majorité du fils de *Tokimuné,* Shogoun, au lieu du gouverneur. Don Gomès *(Sayemon),* ayant espéré cet honneur, n'en est pas content et frappe *Nyûdô* au front avec son éventail comme dans la pièce du traducteur. Cela était considéré, à

---

8. La pièce adaptée *Kamakura bukan* n'a pas été publiée, mais le manuscrit en est conservé dans la bibliothèque théâtrale Otani à Tokyo.

l'époque, comme plus insultant que la gifle. Nous voyons donc que nos deux auteurs, traducteur et adaptateur, insistèrent sur la profondeur de la haine et la gravité de l'insulte.

Mais *Nyûdô,* outragé, ne bondit pas de colère, parce qu'il est bonze, sans épée. Bien loin de s'irriter de l'insulte subie, il empêche son domestique de dégainer son épée pour venger l'affront. Après que *Sayemon* est parti, *Nyûdô* dit à son domestique qu'étant bonze, il ne lui est pas permis de se venger lui-même ni de songer à ses propres affaires, lorsque la patrie est menacée par les Mongols. Il lui ordonne même de ne pas en parler à son fils. Malgré cela, son domestique préviendra ce dernier.

Il est naturel que l'adaptateur ait supprimé la scène où le père éprouvait le courage de son fils. Cela se comprend car, à l'époque, voir éprouver le courage d'un fils aurait répugné au public japonais qui considérait la vengeance du père comme le devoir naturel d'un fils.

A ce moment-là, Don Sanche *(Kuro)* entre en scène avec ses amis. Il aime Chimène *(Asagiri).* Il a remis une lettre pour elle à sa suivante. Celle-ci lui apprend que sa maîtresse, *Asagiri,* est déjà fiancée à ce même *Saburo*-Rodrigue qui l'a vaincu au tir à l'arc. Il se met en colère et décide de tuer *Saburo.*

Après avoir amené le domestique de son père à révéler le secret de l'affront, *Saburo* n'hésite pas à aller le venger. Il n'a pas de conflit intérieur ni d'indécision. On néglige et on supprime la pyschologie dramatique, parce que le public de l'époque aurait considéré, à notre avis, de pareilles hésitations comme le miroir terni de l'héroïsme. Il se précipite donc à la recherche de son ennemi.

A la nuit tombée, *Saburo* rencontre enfin *Sayemon*-Don Gomès et dégaine son épée tout de suite. Ils commencent à se battre sur la scène sans lumière. *Kuro*-Don Sanche s'approche alors de ce duel à pas de loup. En pensant tuer *Saburo* par derrière, il se jette sur lui l'épée nue à la main. Mais son coup d'épée atteint, au lieu de *Saburo,* son ennemi *Sayemon* en pleine poitrine à cause de l'ombre épaisse. En même temps, *Saburo* aussi porte un coup d'épée à *Kuro,* qui est blessé à l'épaule et qui se sauve. Tout s'est passé dans les ténèbres. *Saburo*-Rodrigue croit lui-même avoir tué son ennemi *Sayemon,* et tout le monde le croit comme lui. *Kuro,* qui a échappé à la mort, sait seul la vérité.

Cette scène nous intéresse beaucoup. Chez nous, *Saburo,* en principe, ne peut pas épouser la fille d'un homme qu'il a tué. La nuit sombre était, nous semble-t-il, un moyen habile et utile pour éviter un meurtre à *Saburo* et pouvoir le marier avec *Asagiri*-Chimène.

Au second acte, *Asagiri* demande au Shogoun la justice et la tête de *Saburo,* comme chez Corneille. *Kuro*-Don Sanche lui aussi réclame la tête du meurtrier en cachant son secret. *Nyûdô*-Don Diègue, trahissant la vérité par amour pour son fils, dit qu'il a poussé ce dernier à la vengeance. *Saburo,* son fils, le dément. Presque tout suit la pièce de Corneille. Le Shogoun remet son jugement jusqu'à ce que les Mongols soient rejetés à la mer et il nomme *Saburo* général en chef. *Asagiri* est obligée d'accepter la remise du procès, parce que la défense de la patrie passe avant tout.

Chez elle, le lendemain des funérailles de son père, *Asagiri* avoue à sa suivante son amour pour *Saburo,* mais, étant la fille d'un samouraï, elle doit le poursuivre en justice. Elle soupire de douleur. C'est alors que *Saburo* arrive avec sa troupe armée. Il ne vient pas offrir sa tête à *Asagiri,* mais s'excuser de ne point l'offrir, puisqu'il en a reçu l'ordre de son maître qui a une autorité absolue sur lui. «Si vous reveniez, [lui dit-elle] triomphant de cette bataille, je serais obligée de demander votre mort.» C'est pourquoi elle lui souhaite de mourir sur le champ de bataille. A ces mots, *Saburo* comprend bien qu'elle l'aime toujours et lui, en partant, la remercie. A ce moment-là, *Asagiri* s'écrie : «Non, ne mourez pas! Je désire revoir encore une fois votre visage!»; et après qu'il est parti, elle murmure : «O faiblesse, ton nom est femme», comme un personnage digne de Shakespeare dont les œuvres étaient alors à la mode. Ce sont des mots que Corneille n'aurait jamais fait dire à Chimène.

Au troisième acte, on est à Hakata dans l'île de Kyûshû, la nuit, devant la mer. *Saburo* vient y repousser les Mongols qui ont débarqué. Ses troupes remportent la victoire avec l'aide d'une effroyable tempête. Mais on a trouvé une marque sanglante sur la manche de *Saburo* et on en conclut qu'il est mort.

Au quatrième et dernier acte, *Nyûdô*-Don Diègue et *Asagiri* pleurent à Kamakura la mort du héros, *Saburo. Nyûdô* apprend pour la première fois l'amour d'*Asagiri* pour son fils. Mais la nouvelle en était fausse. Le héros revient et fait le récit de sa victoire. Le Shogoun lui donne un nouveau patronyme *Akaboshi (Etoile rouge)* pour célébrer ses exploits. A peine son récit est-il fini que le procès recommence. Le Shogoun dit enfin qu'il offre *Saburo* à *Asagiri,* non pas à *Kuro*-Don Sanche qui a proposé son aide à *Asagiri.* Celle-ci répond au Shogoun : «Puis-je lutter seule contre *Saburo* ? Je préférerais mourir de mes propres mains.» Quand elle va dégainer son épée, *Saburo* l'en empêche en disant : «Attendez, madame, je vous livre ma tête». *Asagiri* lui crie alors, comme Chimène dans Corneille (Acte III, scène 4) : «Si vous m'offrez votre tête, est-ce à moi de la prendre? Je dois l'attaquer, mais vous devez la défendre. Vous vous êtes vengé sans aide, et vous voulez m'en donner! J'en serais honteuse, en tant que fille de samouraï.»

A ce moment-là, *Kuro*-Don Sanche avoue soudain son crime : «Ce n'est pas *Saburo,* mais moi, *Kuro* qui ai tué *Sayemon,* le père d'*Asagiri.* C'était par mégarde.» Ainsi *Asagiri* ne garde-t-elle plus de ressentiment contre *Saburo.* Si celui-ci avait été le meurtrier du père d'*Asagiri,* il n'aurait jamais été autorisé, à cette époque au Japon, à épouser celle-ci.

Quelle différence entre le texte français et la pièce japonaise! Les Français n'en seront sans doute pas contents. Ils diront que c'est une autre pièce que *Le Cid,* ou que l'adaptateur a trop dénaturé soit le caractère des personnages, soit la pièce elle-même. Cette représentation a pourtant eu du succès. Nous n'en avons pas de critique, mais le témoignage très intéressant d'un académicien français, André Bellessort, qui a assisté à la représentation et porte un jugement réservé dans son livre *Le Nouveau Japon*[9].

Il le trouve d'abord plus espagnol que français. Le *kabuki* est évidemment plus spectaculaire et plus baroque, si l'on peut dire, que le théâtre classique français. Nous en avons parlé plus haut. Ensuite il y fait dire ainsi à Chimène : «On tait le nom de notre patrie d'adoption et de notre père adoptif.» Il était naturel à l'époque Meiji de ne pas citer le nom de l'auteur étranger, parce qu'on ne citait pas même le nom de l'auteur japonais, et que le public ne s'intéressait peut-être à aucun étranger.

Enfin, Bellessort n'est pas satisfait du manque de psychologie dans le théâtre japonais. Sur ce point nous sommes d'accord avec lui. Mais quand il écrit : «Notre psychologie ne résiste pas à cette frénésie de suicides[10]», il accorde trop d'importance, nous semble-t-il, au suicide dont il parle dans un autre chapitre de son même livre[11]. Il est certain qu'il y avait beaucoup de suicides dans le théâtre *kabuki,* en dépit du fait que le public, pourtant friand de scènes spectaculaires et tragiques, n'aimait pas toujours voir des suicides sur scène.

Nous pourrions donc en tirer une conclusion. D'un côté, l'adaptateur Enomoto a trop respecté la coutume et la morale japonaises de son époque. Il a donc chargé *Kuro-*Don Sanche d'un rôle peut-être trop important. D'un autre côté, en s'intéressant au respect de la gloire et de l'héroïsme du samouraï, il a décrit l'acte rapide de *Saburo-*Don Rodrigue pour venger l'affront de son père. C'est pourquoi il a négligé sa psychologie et ses conflits intérieurs qui auraient dû prendre place dans notre théâtre. Selon l'ancienne morale, il a transposé l'honneur de Rodrigue dans la loyauté à son suzerain et dans la piété filiale qui dominaient alors la société japonaise. Il nous paraît donc naturel et excusable que Bellessort n'ait pas été totalement satisfait de ce spectacle.

9. Voir «La Comédie-Française au Japon» (p. 72-85), dans le livre d'André BELLESSORT, *Le Nouveau Japon,* Paris, Perrin, 1918.

10. *Ibid.,* p. 83.

11. Voir «Sur le suicide japonais», p. 288-293.

Le corpus cornelianum *dans la correspondance de Madame de Sévigné*

MIREILLE GÉRARD

Dans le domaine de l'histoire littéraire, il est très réconfortant d'observer que les efforts de générations de chercheurs portent leurs fruits et que la *res publica litterarum* progresse toujours, au moins dans l'établissement des données documentaires. De ce point de vue, la critique de réception offre l'avantage, pour l'art du théâtre, de fournir un élément indispensable d'appréciation, celui du succès des œuvres, de leur écho dans le public ou, comme dit A. Compagnon, de la trace du plaisir laissé par une «lecture solliciteuse et excitante[1]». Dans cette perspective, Mme de Sévigné est souvent évoquée comme un témoin fervent et attentif de l'œuvre de Corneille. Mais cet enthousiasme peut s'apprécier de bien des façons. Sans pouvoir épuiser ce vaste et beau sujet[2], nous nous attacherons ici à résoudre le premier problème, celui de la collation des allusions à Corneille, travail minutieux et délicat, mais indispensable pour bien mesurer à la fois la mémoire de Mme de Sévigné, ou de ses correspondants, et l'audience de Corneille. L'établissement de cette liste de références nous conduira à examiner trois points : les divers index utilisables, l'examen des cas difficiles et les premières conclusions que l'on peut tirer des enrichissements que nous proposons.

Trois grandes éditions des lettres de Mme de Sévigné se sont succédé depuis un siècle : l'édition Monmerqué du XIXe siècle dans la collection des Grands Ecrivains de la France, édition de la

---

1. A. COMPAGNON, *La Seconde Main*, Paris, Seuil, 1979, p. 27.
2. Le «Premier Corneille», si bien remis en honneur par M. Garapon, n'est pas le mieux représenté sous la plume de Mme de Sévigné, mais, dans les commentaires qu'elle fait de l'œuvre de Corneille, il se dégage une morale de l'énergie souriante qui nous a paru justifier le choix de ce sujet pour rendre hommage à notre maître et ami, M. Garapon. C'est faute de place, bien entendu, que notre étude sera limitée.

Correspondance[3], très bien annotée, mais malheureusement établie avant la découverte de l'important manuscrit Capmas (1873); puis, l'édition Gérard-Gailly (1953-1957) qui améliore le texte des lettres, mais ne donne pas les réponses des correspondants; et enfin, l'édition de R. Duchêne, qui reprend le projet des G.E.F. et fournit, avec les variantes et les notes, le texte le plus sûr de la correspondance[4]. Voici quelques chiffres pour mesurer les progrès de l'édition Duchêne par rapport à celle des G.E.F. : 92 références à Corneille dans les G.E.F. et 110 dans l'édition Duchêne, – ces deux index sont nettement supérieurs au *Recueil des Textes et Documents du XVIIe siècle relatifs à Corneille* (C.N.R.S., 1972) de G. Mongrédien qui ne recense que 33 allusions à Corneille chez Mme de Sévigné; si l'on compare avec Racine, même progrès : 57 références dans les G.E.F. et 91 dans l'édition Duchêne, ce qui est supérieur au *Nouveau Corpus Racinianum* de R. Picard (C.N.R.S., 1976) qui en relevait 62 (d'après les G.E.F. et Gérard-Gailly); autre élément de comparaison, le succès de Quinault : 60 références dans les G.E.F. et 87 dans l'édition Duchêne. Deux remarques peuvent être faites au vu de ces chiffres : la première est que l'étude du texte de Mme de Sévigné conduit à enrichir le corpus des allusions et des citations; la deuxième, que, si l'on se fie au nombre des références, Quinault talonne Racine mais que Corneille l'emporte sur ses deux rivaux : «Vive donc notre vieil ami Corneille!» (D, I, 459) est grosso modo la leçon de cette première observation[5].

Ces observations préliminaires manifestent aussi qu'un index est chose variable et délicate à établir. Nous rendons ici hommage à J. Duchêne qui, d'une manière générale et pour l'étude de Corneille en particulier, fournit un point de départ très précieux. Voici le palmarès chiffré auquel elle aboutit sur quatorze pièces recensées. La première série comprend toutes les allusions y compris celles des correspondants et tend à donner une image de la réception de Corneille dans le cercle des familiers de Mme de Sévigné : *Le Cid* (31), *Cinna* (15), *Polyeucte* (12), *Horace* (9), *Pompée* (8), *Pulchérie* (5), *Héraclius* et *Sertorius* (4), *Nicomède, Psyché* et *Rodogune* (2), *Andromède* et *Œdipe* (1). On aboutit à un total de 96 allusions aux œuvres de Corneille. La seconde série de chiffres correspond aux seules allusions de Mme de Sévigné et ne modifie

3. *Lettre de Mme de Sévigné, de sa famille et de ses amis*, Paris, Hachette, 1862, 14 vol., in-8°. Nous renvoyons à cette édition par le sigle G.E.F.

4. *Correspondance de Mme de Sévigné*, Paris, Bibliothèque de la Pléiade, 1972-78. Le tome I a été revu en 1977 et 1983, le tome II en 1986. L'index, au tome III, a été établi par Jacqueline Duchêne. Nous renvoyons à cette édition par la lettre D.

5. Nous restons ici dans le domaine de la tragédie. Si nous étendions à la comédie, le triomphe de Molière serait sans conteste : plus de 160 références dans l'édition Duchêne (voir notre article : «Molière et Mme de Sévigné», *R.H.L.F.*, juillet-août 1973, p. 608-625).

que sur un point la première hiérarchie : *Le Cid* (27), *Cinna* (12), *Polyeucte* (10), *Horace* et *Pompée* (7), *Pulchérie* (4), *Héraclius* et *Sertorius* (3), *Nicomède, Psyché* et *Rodogune* (2), *Andromède* et *Œdipe* (1), soit 81 allusions à des œuvres précises. Si l'on se réfère à la chronologie de la première représentation, telle qu'elle est établie par G. Couton[6], les pièces citées par Mme de Sévigné sont dans l'ordre : *Le Cid* (1637), *Horace* (1639-1640), *Cinna* (1642-1643), *Polyeucte* (1642-1643), *Le Menteur* (1643-1644), *Pompée* (1643-1644), *Rodogune* (1644-1645), *Héraclius* (1646-1647), *Andromède* (1650), *Nicomède* (1650-1651), *Œdipe* (1658-1659), *Sertorius* (1662-1663), *Psyché* (1671), *Pulchérie* (1672), soit quatorze pièces sur les trente-deux qui vont de *Mélite* (1629-1630) à *Suréna* (1674-1675). Cependant, avant d'aller plus loin, nous voudrions apporter quelques modifications à ce tableau en proposant dix-sept références nouvelles et l'inscription de quatre pièces supplémentaires au répertoire connu de Mme de Sévigné. Certaines allusions ne recèlent aucune ambiguïté et d'autres reposent sur l'étude de cas limites qui nécessitent quelques mots d'explication.

Voici d'abord quelques ajouts qui ne posent pas de problèmes. Parmi les citations non identifiées de la *Correspondance,* il y en avait une particulièrement irritante de quatre vers[7] que l'on trouvait dans une lettre à Bussy du 16 avril 1670 :

> Je reçois votre lettre ; vous êtes toujours honnête et très aimable. Je ne vais guère loin chercher dans mon cœur pour y trouver de la douceur pour vous :
>
> > Enfin, n'abusez pas, Bussy, de mon secret
> > Au milieu de Paris, il m'échappe à regret
> > Mais enfin il m'échappe, et cette retenue
> > Ne peut plus contenir la lettre que j'ai lue (D, 1, 119).

Nous en avons retrouvé la source dans *Rodogune* (Acte IV, sc. 1, v. 1205-1208) et, au milieu des séquelles de sa brouille avec Bussy, on admirera, en se reportant au texte, la subtilité du pastiche de Mme de Sévigné. La princesse, en tête à tête avec Antiochus, finit par avouer :

> J'aime ; n'abusez pas, Prince, de mon secret.
> Au milieu de ma haine, il m'échappe à regret,
> Mais enfin il m'échappe et cette retenue
> Ne peut plus soutenir l'effort de votre vue.

---

6. Cf. CORNEILLE, *Œuvres complètes,* éd. G. Couton, Paris, Bibl. de la Pléiade, Gallimard, 1980-1987, 3 vol., t. I, p. LXXII-LXXIII. Nous renverrons à cette édition par la lettre C.
7. Elle n'est toujours pas identifiée dans la troisième édition du tome I, 1983.

L'intérêt de cette élucidation, c'est qu'elle permet de mieux sentir le sel d'une autre parodie, cette fois sous la plume de Mme de Coulanges, qui, vingt-cinq ans plus tard, le 24 juin 1695, écrit à Mme de Sévigné :

> J'attends aujourd'hui une compagnie qui ne vous déplairait pas, ma très belle : c'est M. de Tréville, qui vient lire à deux ou trois personnes un ouvrage qu'il a composé; c'est un précis des Pères, qu'on dit être la plus belle chose qui ait jamais été. Cet ouvrage ne verra jamais le jour, et ne sera lu que cette fois seulement de tout ce qui sera chez moi; je suis la seule indigne de l'entendre. C'est un secret que je vous confie au moins :
> N'abusez pas, Prince, de mon secret :
> Au milieu de ma lettre il m'échappe à regret;
> Mais enfin il m'échappe [...] (D, III, 1110).

On sait que Tréville, après la mort de Madame, eut plusieurs accès de retraite. Saint-Simon dit de lui : «Sa vie dégénéra en un haut et bas de haute dévotion et de mollesse et de liberté qui se succédaient par quartier.»

Autre récolte assez facile à engranger : celle de quatre allusions supplémentaires au *Cid*. Le vers célèbre «La faveur l'a pu faire autant que le mérite» (Acte I, sc. 4, v. 156) est souvent utilisé dans la société du temps. Après être passée à Vaux-le-Vicomte, pleine du souvenir de Foucquet, Mme de Sévigné brode à son tour : «Nous parlâmes fort, M. de Vaux et moi, de l'état de sa fortune présente et de ce qu'elle avait été. Je lui dis, pour le consoler, que la faveur n'ayant plus de part aux approbations qu'il aurait, il pourrait les mettre sur le compte de son mérite et qu'étant purement à lui, elles seraient bien plus sensibles et plus agréables. Je ne sais si ma rhétorique lui parut bonne.» (D, II, 330, lettre du 1er juillet 1676). Une autre scène célèbre a également frappé les contemporains, celle de l'affrontement du Cid et du Comte (Acte II, sc. 2). Le vers bien connu «Et pour leurs coups d'essai veulent des coups de maître» est pastiché par Mme de Sévigné le 16 février 1676 : «J'ai été malade de bonne foi pour la première fois de ma vie. Et pour mon coup d'essai j'ai fait un coup de maître.» (D, II, 239). Cela nous autorise à voir une même allusion dans la lettre suivante du 19 août 1675. Le maréchal de Créquy, aussitôt après la mort de Turenne, vient de se faire battre à plate couture par le duc de Zell. Elle commente : «Il est vrai que ce duc de Zell est jeune et joueur; mais voilà un joli coup d'essai.» (D, II, 58). Bussy, lui aussi, est inspiré par cette scène. Il s'assimile au comte Don Gomès qui, avec quelque mépris, réplique à Rodrigue :

> Trop peu d'honneur pour moi suivrait cette victoire :
> A vaincre sans péril on triomphe sans gloire.

Pendant la Fronde, avec une condescendance moqueuse, le comte Bussy, intallé à Saint-Denis, écrit à sa cousine restée dans Paris : «Voulez-vous que je vous parle franchement, ma belle cousine? Comme il n'y a point de péril pour nous à courre avec vos gens, il n'y a point aussi d'honneur à gagner[8].» Enfin, dans l'autre scène fameuse du *Cid*, celle du duo entre Rodrigue et Chimène (Acte III, sc. 4), le célèbre «qui l'eût cru?», plusieurs fois attesté dans la correspondance, se retrouve encore sous la plume de Mme de Coulanges le 14 janvier 1695 : «[La maréchale d'Humières] nous apprit qu'elle ne voyait plus la duchesse d'Humières. Qui l'eût cru, que les intérêts pussent faire une telle désunion?» (D, III, 1078). Deux autres allusions sont signalées en note mais ne sont pas passées dans l'index. La première renvoie à *Polyeucte* (Acte II, sc. 1) : «Il y a aujourd'hui cinq ans, ma fille, que vous fûtes... quoi? ... mariée» (D, I, 686, 29 janvier 1674). La seconde est une citation approximative mais reconnaissable de deux vers de l'épître à Foucquet en tête d'*Œdipe* : «Je suis folle de Corneille; il nous redonnera encore une *Pulchérie* où l'on verra encore

[...] la main qui crayonna
La mort du grand Pompée et l'amour de *Cinna* (D, I, 455, 9 mars 1672).

Ces huit allusions à Corneille ne soulèvent pas de problèmes majeurs. Nous abordons maintenant l'étude de références plus délicates mais dont l'intérêt est d'ajouter au répertoire déjà connu de Mme de Sévigné quatre nouvelles pièces : *Don Sanche d'Aragon*, *Médée*, *La Toison d'or* et *La Comédie des Tuileries*.

R. Duchêne améliore le texte de la lettre du 2 septembre 1676 en proposant, d'après le manuscrit Capmas, la lecture suivante : «Pour vos lettres de marquis de Soutillanes, d'Hacqueville vous a dit ce que je vous avais mandé» (D, II, 384). Il est question de l'érection en marquisat de la terre d'Entrecasteaux. Le nom Soutillanes n'étant pas très clair, R. Duchêne propose, avec juste raison à notre sens, d'y voir une faute de lecture tout à fait explicable pour Santillane et donc une allusion vraisemblable au *Don Sanche* de Corneille où Dona Isabelle anoblit le «roturier» Carlos en le faisant marquis de Santillane (Acte I, sc. 3). Cette connaissance du *Don Sanche* de Corneille élucide à notre avis une autre allusion, celle du

---

8. D, I, 11, lettre du 16 mars 1649. R. Duchêne renvoie au *Cid* en note mais la référence n'est pas passée dans l'index.

1er juillet 1671 : «En récompense, je lui [à son fils Charles] dis l'autre jour que si vous répondiez au dessus de la *Reine d'Aragon,* j'étais fort assurée que vous ne mettriez pas : *à Guidon le Sauvage*» (D, I, 286). Le dessus est la suscription de la lettre. Mme de Grignan vient de rejoindre son mari en Provence et découvre «ses états» comme la reine d'Aragon qui va revenir dans son pays après vingt ans d'absence. Sa fille Dona Elvire, future reine d'Aragon, doit se trouver un mari et avoue son amour pour le beau et vaillant Carlos. On découvrira que ce Carlos est son frère Don Sanche. On imagine le badinage de Charles-Carlos écrivant à sa sœur. La connaissance du *Don Sanche d'Aragon* (1649-1650) par Mme de Sévigné nous paraît fort vraisemblable.

Les allusions relatives à Médée sont recensées dans l'index de J. Duchêne au nom du personnage, mais ne sont pas rattachées à une œuvre explicite. Cette prudence s'explique mais ne se justifie pas totalement. En dehors d'une vague réminiscence mytholo-gique, on peut en effet hésiter entre trois hypothèses : la tragédie de Corneille de 1635, sa *Toison d'or* de 1661 ou l'opéra de Quinault, *Thésée,* qui est souvent invoqué par Mme de Sévigné. Mais cet opéra n'est joué à Paris qu'à partir du 12 mai 1675 et Mme de Grignan a quitté la capitale au plus tard le 25 mai pour la Provence. Au milieu des préparatifs de départ elle n'a sans doute pas eu le temps de voir la représentation et en tout cas elle est partie sans le livret puisque Mme de Sévigné se soucie de le lui envoyer le 3 juillet 1675 (D, I, 751). Il ne serait donc pas étonnant que Mme de Sévigné, parlant de Médée, fasse aussi allusion à des spectacles antérieurs à 1675. En effet, la Médée de Quinault est surtout dépeinte comme l'amante jalouse de ses rivales. Or Mme de Sévigné en parle à plusieurs reprises comme le symbole de la criminelle ou de l'amour maternel dénaturé. Certaines allusions nous paraissent renvoyer assez clairement à la *Médée* de Corneille comme dans les cas suivants. A propos de la Brinvilliers, Mme de Sévigné écrit le 29 avril 1676 : «On a trouvé sa confession. Elle nous apprend qu'à sept ans, elle avait cessé d'être fille, qu'elle avait continué sur le même ton, qu'elle avait empoisonné son père, ses frères, un de ses enfants et elle-même, mais ce n'était que pour essayer d'un contrepoison; Médée n'en avait pas tant fait» (D, II, 278). La confession détaillée des crimes de Médée ne se trouve que dans la tragédie de Corneille (I, 4, et surtout III, 3). C'est aussi la Médée de la tragédie que l'on retrouve derrière Mme de Cauvisson, enragée de marier sa fille contre son gré : «Vous me dites que je ne me soucie peut-être guère de Mme de Cauvisson, dont vous me parlez. Eh, mon Dieu! ma bonne, je ne pense à autre chose! La douleur de Médée, sa jolie fille, j'en parlais à tout moment et à vous-même» (D, III, 922). Si Médée est folle de douleur de devoir sacrifier ses enfants, elle est aussi l'image de la mère indigne que Mme de Sévigné repousse avec horreur. Dans l'allusion suivante, la marquise ne veut pas être remboursée par sa fille et s'écrie avec vivacité : «Ne faudrait-il pas que je fusse comme Médée pour souffrir que vous fussiez la maîtresse d'une disposition comme celle-là ?» (D, II, 15, 24 juillet 1675). De même, bien que l'on puisse hésiter, nous rattacherions volontiers à la tragédie, à cause du contexte, l'allusion fugitive suivante : «Les fureurs de la Rambures, pareilles à celles de Médée, sont admirables. Les manœuvres de la Champmeslé pour conserver tous ses amants, sans préjudice des rôles d'Athalie et de Bérénice et de Phèdre, font passer cinq lieues de pays fort aisément» (D, III, 674, 24 août 1689). En 1635, Mme de Sévigné, qui avait neuf ans, était sans doute bien jeune pour voir la pièce mais, d'après G. Mongrédien, la pièce a été rejouée les 26 et 28 février 1666, à un moment où Mme de Sévigné se trouvait à Paris avec sa fille, sans parler des ressources de la lecture.

En revanche, dans les cas suivants, il faut renoncer à la tragédie : «Je suis comme vous, ma bonne, je crois voir la vieille Médée avec sa baguette faire fuir quand elle voudra tous ces vains fantômes matériels» (D, II, 205-206, 29 décembre 1675). Cette remarque est encadrée par une antonomase de Chimène, donc un souvenir de Corneille, et un pastiche de l'*Alceste* de Quinault. Dans un contexte qui n'est pas lumineux, R. Duchêne renvoie avec vraisemblance au *Thésée* de Quinault (Acte IV, sc. 2 et 3), où Médée, jalouse, suscite les Furies contre sa rivale Eglé puis les fait disparaître. Mais on ne peut passer sous silence une autre source possible. Dans *La Toison d'or* de Corneille, les indications scéniques précisent : «Ce palais doré se change en un palais d'horreur sitôt que Médée a donné un coup de baguette. Tout ce qu'il y a d'épouvantable dans la nature y sert de termes [...][9].» Il s'agit là d'épouvanter une autre rivale, Hypsipyle. Les monstres disparaissent également à volonté. Mme de Sévigné a pu voir cette pièce avec sa fille pendant les représentations données au Marais au début de 1661. En tout cas, elle semble déjà y faire allusion le 3 juillet 1672 : «Monsieur le Prince et ses Argonautes étaient dans un bateau, et l'escadron qu'ils attaquèrent demandait quartier, lorsque le malheur voulut que M. de Longueville, qui sans doute ne l'entendit pas, poussé d'une bouillante ardeur, monte sur son cheval qu'il avait traîné après lui, et voulant être le premier, [...] on le perce de cinq ou six coups» (D, I, 547). Ce malheur dû à la précipitation rappelle les plaintes de Jason à ses Argonautes : «Amis, voilà l'effet de votre impatience» (Acte I,

9. Cf. C., t. III, p. 248 et 259.

sc. 5, v. 576). Avec ces deux allusions, nous opterions donc pour rajouter *La Toison d'or* au répertoire connu de Mme de Sévigné.

  Paulo difficiliora canamus : La Comédie des Tuileries. Comment interpréter : «Nous avons trouvé la pièce des cinq auteurs extrêment jolie et très bien appliquée; le chevalier de Buous l'a possédée deux jours, vos deux vers sont très bien corrigés» (D, I, 651, 28 décembre 1673)? Il ne peut s'agir de désigner ici cinq familiers de Mme de Grignan puisque la pièce est «appliquée». L'expression renvoie donc aux pièces commandées par Richelieu et auxquelles Corneille avait collaboré. A *L'Aveugle de Smyrne,* il faut préférer *La Comédie des Tuileries.* Cette pièce mettait en scène le beau jardin où logeait Mademoiselle. Quand elle songe à cette amie, Mme de Sévigné invoque souvent Corneille. Voici comme elle parle d'elle le 6 avril 1672 : «La vieille Madame est morte d'une vieille apoplexie qui la tenait depuis un an. Voilà Luxembourg à Mademoiselle, et nous y entrerons. Elle avait fait abattre tous les arbres du jardin de son côté, rien que par la contradiction. Ce beau jardin était devenu ridicule; la Providence y a pourvu. Il faudra le faire raser des deux côtés et y mettre Le Nôtre pour y faire comme aux Tuileries. Mademoiselle n'a point voulu voir sa belle-mère mourante; cela n'est ni chrétien, ni héroïque» (D, I, 472). G. Couton dans son édition en reste à l'attribution traditionnelle du troisième acte à Corneille[10]. R. Duchêne renvoie en note à *La Comédie des Tuileries,* mais la référence n'est pas passée dans l'index.

  Voici enfin des cas d'allusion où l'on pourrait hésiter mais où nous serions plutôt pour des retranchements. Dans le passage suivant, il est difficile de décider entre l'attribution à Racine ou à Corneille :

> L'histoire de Revest est plaisante. L'Evêque pesta, jura, tempêta, furibonda et fut contraint de venir à vous; et vous fîtes bien de donner grâce.
>   Revest, de tes conseils voilà le juste fruit;
> n'est-ce pas cet honnête homme-là? (D, I, 674, 19 janvier 1674).

  Le contexte là encore n'est pas d'un grand secours. Il s'agit, à propos d'une charge de greffier, d'un des nombreux conflits entre les Grignan et l'évêque de Marseille. Ou bien l'évêque, comme le

10. Cf. C., t. I, p. 1414.

pense R. Duchêne, est Maxime dans *Cinna* (Acte IV, sc. 6), qui se repent des conseils de l'affranchi Euphorbe :

> Euphorbe, c'est l'effet de tes lâches conseils,
> Mais que peut-on attendre enfin de tes pareils?

Ou bien, il est Porus dans l'*Alexandre* de Racine :

> Hé bien!, de votre orgueil, Porus, voilà le fruit.
> Où sont ces beaux succès qui vous avaient séduit?
> Cette fierté si haute est enfin abaissée.
> Je dois une victime à ma gloire offensée :
> Rien ne vous peut sauver. Je veux bien toutefois
> Vous offrir un pardon refusé tant de fois (Acte V, sc. 3).

Le rythme du pastiche, son contexte qui assimile Mme de Grignan à Alexandre et le commentaire de Corbinelli qui, comme Mme de Sévigné, insiste sur la grandeur d'âme de Mme de Grignan nous paraissent des indices favorables : «Vous immolez toute la province au faux éclat d'honnêteté, il fallait dire que vous ne pouviez accorder cette grâce en conscience» (D, I, 677). Puisqu'il faut trancher, nous trancherons ici pour Racine et dans le cas suivant nous trancherons pour Quinault. On sait que la petite fille de Mme de Sévigné s'appelait Pauline. Voici un cas où il serait tentant, comme le fait R. Duchêne en note, de penser à *Polyeucte* : «Aimez, aimez Pauline. Donnez-vous cet amusement. Ne vous martyrisez point à vous ôter cette petite personne. Que craignez-vous? [...]» (D, II, 497). Mais le renvoi qu'il indique à la lettre suivante engage à douter :

> [...] Je chante donc encore une fois :
> Aimez, aimez Pauline, aimez sa grâce extrême (D, II, 499).

La source de Mme de Sévigné se trouve dans l'opéra de Quinault *Thésée,* à l'acte II, sc. 1 : «Aimez, aimez Thésée, aimez sa gloire extrême.» Nous rejoignons ici l'index de J. Duchêne qui supprime l'allusion à *Polyeucte*. Et pourtant, il se peut que dans la première référence, deux allusions, l'une à *Thésée,* l'autre à *Polyeucte,* se renforcent. Ces deux derniers exemples suffiront à montrer que la recherche des réminiscences dans la correspondance de Mme de Sévigné est chose délicate, que l'établissement d'un index est néanmoins un instrument de travail indispensable, mais que la précision des chiffres garde une valeur relative. Nous avons conscience en effet que d'autres progrès pourront encore être réalisés. Nous appelons de nos vœux au moins deux travaux. Le premier serait l'établissement d'une concordance des œuvres de

Corneille telle qu'il en existe pour Racine ou Pascal. Le deuxième consisterait à reprendre le *Recueil des textes et des documents [...] relatifs à Corneille* de G. Mongrédien.

Au terme de cette enquête, voici donc le bilan que nous proposons. Nous ajoutons les dix-sept références suivantes à l'index de l'édition Duchêne : *Rodogune* (D, I, 119 et D, III, 1110), *Le Cid* (D, I, 11, D, II, 58 et 330, D, III, 1078), *Polyeucte* (D, I, 686), *Œdipe* (D, I, 455), *Don Sanche d'Aragon* (D, I, 286 et D, II, 384), *Médée* (D, II, 15, 278, D, III, 674 et 922), *La Toison d'or* (D, I, 547 et D, II, 205-206), *La Comédie des Tuileries* (D, I, 472). Le nombre des pièces connues de Mme de Sévigné passe de quatorze à dix-huit et si on les place dans l'ordre chronologique de leur création, voici comment elles se succèdent : *Médée* (1634-1635), *La Comédie des Tuileries* (1635), *Le Cid* (1637), *Horace* (1639-1640), *Cinna* (1642-1643), *Polyeucte* (1642-1643), *Le Menteur* (1643-1644), *Pompée* (1643-1644), *Rodogune* (1644-1645), *Héraclius* (1646-1647), *Don Sanche d'Aragon* (1649-1650), *Andromède* (1650), *Nicomède* (1650-1651), *Œdipe* (1658-1659), *La Toison d'or* (1660-1661), *Sertorius* (1662-1663), *Psyché* (1671), *Pulchérie* (1672). Dans l'état actuel de nos connaissances, sa correspondance ne mentionne donc pas : *Mélite* (1629-1630), *Clitandre* (1630-1631), *La Veuve* (1631-1632), *La Place Royale* (1633-1634), *L'Illusion comique* (1635-1636), *La Suite du Menteur* (1644-1645), *Théodore* (1645-1646), *Pertharite* (1651-1652), *Sophonisbe* (1662-1663), *Othon* (1664-1665), *Agésilas* (1665-1666), *Attila* (1666-1667), *Tite et Bérénice* (1670-1671), *Suréna* (1674-1675). Ce qui ne prouve pas absolument qu'elle ne les connaissait pas. Nous pensons donc proposer le corpus minimum des allusions de Mme de Sévigné à Corneille avec les chiffres suivants. La première série comprend les allusions des correspondants : *Le Cid* (35), *Cinna* (14), *Polyeucte* (13), *Horace* (10), *Pompée* (8), *Pulchérie* (5), *Héraclius, Médée* et *Rodogune* (4), *Sertorius* (3), *Don Sanche, Nicomède, Œdipe, Psyché* et *La Toison d'or* (2), *Andromède, La Comédie des Tuileries* et *Le Menteur* (1). Comme au début de notre article, la seconde série donnera l'indice de fréquence sous la plume de Mme de Sévigné seule : *Le Cid* (29), *Cinna* et *Polyeucte* (11), *Horace* et *Pompée* (7), *Médée* et *Pulchérie* (4), *Héraclius* et *Rodogune* (3), *Don Sanche, Nicomède, Œdipe, Psyché, Sertorius* et *La Toison d'or* (2), *Andromède, La Comédie des Tuileries* et *Le Menteur* (1). Soit 114 références dans la première série et 92 dans la seconde, auxquelles il faut ajouter bien entendu tous les passages où Mme de Sévigné parle de Corneille d'une manière générale. Au vu de ce bilan, on nous pardonnera de réserver pour une autre occasion l'appréciation détaillée de la culture cornélienne de Mme de Sévigné.

En conclusion de cette première étape, il apparaît qu'il se produit un jeu subtil entre les connaissances de Mme de Sévigné, celles de ses correspondants et celles des éditeurs ou lecteurs du XXe siècle que nous sommes. En l'absence de la plupart des autographes, les allusions élucidées le sont le plus souvent par les copistes ou les éditeurs successifs. Mme de Sévigné distinguait parfois les allusions dans ses autographes, mais pas toujours. Nous en avons un exemple dans la lettre du 17 juin 1685 dont nous possédons l'autographe. Elle écrit : «Revenons à Livry, vous m'en paraissez entêtée : vous avez pris toutes mes préventions, je reconnais mon sang, je suis ravie que cet entêtement vous dure toute l'année» (D, III, 204). Certains lecteurs du XXe siècle seraient bien capables de ne pas reconnaître là un hémistiche du *Cid* et R. Duchêne a raison de le souligner charitablement dans son édition. Mme de Sévigné écrivant à Mme de Grignan n'en éprouvait pas le besoin, ce qui suppose une connivence culturelle parfaite. En somme, comme nous l'avons souvent vérifié, par rapport aux lettres imprimées, Mme de Sévigné dans ses autographes est plus discrète dans l'étalage de sa culture, mais plus savante que nous ne le pensons.

Le théâtre au secours de l'apologétique : Corneille et Molière revus par François Davant

HUBERT CARRIER

Si la personnalité de François Davant se révèle curieuse, et même attachante par certains côtés, sa notoriété n'est pas telle qu'elle puisse dispenser de le présenter, fût-ce aux spécialistes de l'histoire du théâtre au XVIIᵉ siècle; et malgré sa singularité, pour ne pas dire son étrangeté, son œuvre dramatique ne mériterait peut-être pas de retenir l'attention si l'itinéraire personnel du poète illuminé n'avait, en 1673, croisé celui de deux de nos plus grands dramaturges, Corneille et Molière.

L'essentiel de ce que nous savons aujourd'hui sur Davant provient des manuscrits de ses «Œuvres de la Rénovation», saisis en 1696 par le lieutenant civil La Reynie lors de la répression du quiétisme, transmis pour examen au cardinal de Noailles, archevêque de Paris, et conservés depuis dans ses papiers à la Bibliothèque nationale[1]. C'est d'après cette source sûre que Mᵐᵉ Elisabeth Labrousse a pu naguère, dans un article fort instructif, reconstituer «l'autobiographie d'un autodidacte» et en suivre pas à pas les principales étapes[2] : naissance en 1622 à Fleurance, dans le Bas-Armagnac, au sein d'une famille modeste (son père était maître-serger); départ pour Paris fin 1639 - début 1640; séjour de dix-huit mois à Saint-Lazare en 1642-1643, jusqu'à ce que Monsieur Vincent finisse par s'alarmer de ses visions; relations étroites avec plusieurs religieuses, dont la Mère Mectilde du Saint-Sacrement, bien connue des historiens de la spiritualité; arrestations successives, la première en 1645 à la suite de la publication d'un opuscule eschatologique, la seconde deux ans plus tard à l'instigation de «la Malherbe», intime de Simon Morin, la troisième en 1651 après la parution d'une mazarinade particulièrement délirante,

---

1. Ms fr. 13925-13951.
2. «François Davant : l'autobiographie d'un autodidacte», *XVIIᵉ siècle*, 1976, n° 113, p. 78-93.

La Sapience du Ciel, où, nouveau Messie envoyé de Dieu, il revendique pour lui-même le trône de France[3]; puis, à partir de 1653, existence obscure et laborieuse de commis aux écritures; enfin, vieillesse de petit rentier entièrement occupé à poursuivre les vaticinations de ses «Œuvres de la Rénovation», jusqu'à ce que sa participation au quiétisme le ramène en prison de 1696 à 1700. Les rares éléments que l'on puisse ajouter à cette «autobiographie» proviennent de la vingtaine de libelles qu'il a publiés pendant la Fronde et qui lui donnent une place tout à fait originale parmi ces pamphlétaires auxquels j'ai consacré l'un des chapitres de ma thèse de doctorat[4].

Ecrivain mystique, pamphlétaire, poète lyrique et visionnaire, Davant se révèle surtout dramaturge : c'est à ce titre qu'il a droit de cité dans des Mélanges consacrés au théâtre. Le troisième volume de ses œuvres contient en effet dix pièces composées dans les années 1647-1649, qu'il appelle «tragi-comédies», mais qui tiennent davantage du mystère médiéval. Qu'on en juge par la première, intitulée *« Adam et Eve, tragi-comédie physique »* : elle a pour personnages Dieu, l'archange saint Michel, l'ange Gabriel, Adam et Eve, Lucifer et Satan, et «la scène est au paradis terrestre»; de plus, si sa structure lui donne l'apparence d'une pièce du XVIIe siècle (elle est en cinq actes et en vers), son auteur se rend parfaitement compte qu'elle ne correspond pas à la dramaturgie en vigueur de son temps : «Cette pièce, quoique par scènes et par actes, est bâtie en forme d'entretiens et d'églogues, aussi bien que les suivantes, le tout pour exprimer simplement et avec naïveté les mystères de la loi de nature, de la loi écrite et de la loi de la grâce, afin d'en faire passer les instructions morales dans les âmes[5]». Dans la seconde, *Virginie,* également en cinq actes et en vers, les acteurs principaux (Dieu, Prométhée, Mariane, Virginie, etc.) côtoient les trois vertus théologales personnifiées – Foi, Espérance et Charité – et quatre démons (Lucifer, Belzébut, Astarot et Satan); toutes les suivantes, aux titres révélateurs (*La Mort d'Aman, Jérusalem céleste, Les Quatre fins dernières de l'homme, Salomon, Jésus-Christ,* etc.) rappellent également les grands drames religieux du XVe siècle; et la *Tragédie sainte en trois théâtres ou les Evangiles de Jésus-Christ mis en poème* que

---

3. Le titre complet de ce libelle donne une bonne idée du style visionnaire de Davant : *La Sapience du Ciel, estimée folie des sages du monde : foudre pour consommer un tas de pièces qui rôdent avec leurs auteurs à la faveur des ténèbres, et fiole de l'ire de Dieu versée sur le siège du dragon et de la bête par l'Ange et le Verbe de l'Apocalypse,* S.l. (Paris), 1651, 30 p., in-4°.

4. *La Presse de la Fronde : les Mazarinades (1648-1653),* t. II intitulé : «Les Hommes du livre», ch. I (à paraître en 1991 à la Librairie Droz).

5. Ms. fr. 13934, f° 1 r°.

Davant publie au cours de l'automne 1651 apparaît elle aussi de conception et de facture très archaïques, puisqu'elle embrasse toute la vie du Christ en trois «théâtres», le premier de dix actes, le second de sept et le dernier de quatre[6].

Est-ce l'impossibilité de faire représenter les pièces déjà écrites – et pour la dernière, imprimée – qui éloigna ensuite notre Gascon du théâtre? Toujours est-il qu'on le voit, dans les années qui suivirent la Fronde, se détourner des genres dramatiques au profit d'autres productions littéraires, quand un événement imprévu le ramena soudain, et avec quelle fièvre, à son inspiration première : le triomphe obtenu en 1671 par la tragédie-ballet de *Psyché,* fruit de la quadruple collaboration de Molière, de Corneille, de Quinault et de Lulli[7].

Aussitôt, l'idée lui vient que l'aventure de Psyché peut symboliser celle de l'âme humaine éprise de l'amour divin et qu'il suffirait de changer peu de chose à la pièce pour en faire une adaptation chrétienne : «En ayant vu deux ou trois représentations au théâtre, j'estimai que l'amour divin pourrait bien transfigurer l'amour humain qu'on y représentait; ce que je fis.» Voilà donc Psyché «transfigurée»; et ce dessein lui étant inspiré par Dieu, il y rencontre une si «merveilleuse facilité» que cinq jours lui suffisent pour mener à bien ce travail de réécriture théâtrale[8]...

Mais il n'en reste pas là. Animé de l'ardeur naïve des néophytes, il écrit à Corneille, probablement au cours du mois de janvier 1673, pour lui soumettre cette version remaniée de la pièce :

> Monsieur, comme vous êtes l'aîné de la famille et le principal père des modernes belles Muses, au dire de leurs nourrissons les plus expérimentés, c'est à vous qu'a recours cette nouvelle *Psyché,* comme une fille à sa mère, puisqu'après Dieu vous lui avez donné son premier être, et que vous, et celui qui vous y est joint[9] vous en pouvez réputer les créateurs. C'est vous qui devez donc la diriger et en être les juges[10].

Corneille lui répond en Normand de soumettre sa pièce à Molière pour voir s'il voudrait la monter : sans doute pensait-il se débarrasser ainsi à bon compte de son entreprenant confrère! Mais il en faudrait plus pour intimider notre poète : il envoie à Molière

6. Première édition très rare chez Nicolas Boisset, Paris, 1651; seconde édition l'année suivante, chez le même libraire. LANCASTER, (*History of French dramatic literature,* II, 660), doute qu'elle ait été représentée : cela me paraît quant à moi tout à fait impossible.

7. Henri LEMAITRE a évoqué cette appropriation par Davant de la *Psyché* de Molière dans son *Essai sur le mythe de Psyché,* Paris, Boivin, s.d., (1946), p. 197-206, mais assez rapidement, et en ne reproduisant que quelques lignes des lettres si curieuses adressées par le visionnaire à Corneille et à Molière.

8. Ms. fr. 13934, f° 1 r°.

9. C'est-à-dire Molière.

10. *Ibid.,* f° 30 r°.

une longue lettre, dont il nous a conservé le texte, pour lui expliquer le sens des changements introduits et le prier de donner à la nouvelle *Psyché* toute la perfection de son art :

Monsieur, en représentant l'amour mondain dans *Psyché,* vous avez fait un si beau plan du divin, sans y penser, qu'il ne faut que tourner la médaille et tordre le col à la fable pour voir que vous l'avez tout décrit. Salomon, sur le modèle de sa cour temporelle, figura celle de l'éternité. Et, en représentant le Cupidon dangereux et la Vénus fabuleuse, vous avez exprimé la véritable mère d'amour et son fils. Si vous pouviez introduire la piété sur le théâtre, il est à présumer que vous feriez beaucoup de fruit. Dieu vous en donne la pensée et la résolution, s'il lui plaît ! J'ai fait l'application de votre *Psyché* à ce dessein : en sorte que les mêmes choses qui vous ont servi peuvent servir pour ce nouveau sujet[11]. C'est une chose presque semblable, à la réserve de quelque petite augmentation et de quelque tableau diversifié. Vous y trouverez même du changement : parce qu'au lieu de deux sœurs envieuses de la gloire de Psyché, j'en introduis deux pleines de vertu, qui concourent à la glorifier. Sa mort feinte sur un rocher est bien signifiée par la civile, à laquelle une fille se condamne volontairement quand l'oracle divin l'appelle à soi : et la plainte paternelle exprime bien celle d'un père qui a peine de consentir sans murmure que son enfant se réduise à la mort morale afin de se préparer à la naturelle, qui mortifie la créature pour la faire vivre à Dieu. La surprise de Psyché de se voir au palais de l'Amour, croyant être exposée sur un rocher à un serpent, montre que, malgré les apparences trompeuses, la solitude de l'épouse du divin amour rencontre un vrai paradis dans un apparent enfer, où elle a les entretiens intérieurs de son Roi. Tout le reste, si vous en suivez bien la piste, n'est autre chose que le progrès de la vertu solide, telle qu'elle est manifestée dans la sainte Ecriture et par les Pères de l'Eglise, jusques au dernier période de la déitation d'une âme dans le ciel, et de son union parfaite avec Dieu. La réjouissance de vos démons figure la chute de l'épouse, qui succombe par la permission divine quelquefois, tant afin de l'humilier en la relevant, que pour la faire marcher avec plus de circonspection.

Une main invisible a conduit votre pinceau, et vous a fait faire un merveilleux portrait de sa grâce, à quoi néanmoins vous ne vous attendiez pas. [...]

Je vous résigne toute la pièce avec une parfaite indifférence, et vous donne une entière liberté de la mieux informer. Soyez juge de cette nouvelle *Psyché,* et rectifiez davantage sa matière si je n'ai pas bien rencontré en extrayant la teinture de vos discours, pour en faire une application non moins utile aux âmes que divertissante pour les esprits. Perfectionnez-la seulement, et elle s'en trouvera mieux. Réduisez-la dans la forme qu'elle doit être, puisque je ne présume pas d'être parvenu à ce but perfectionnant. [...]

Derechef, réduisez-la selon vos règles, et lui communiquez la perfection de l'art. J'en dis autant à M. Corneille, lequel a déjà fait quelque pièce pieuse qui a merveilleusement bien réussi[12].

---

11. Allusion aux décors et surtout aux machines.

12. *Ibid.,* f° 30 r° et v°. La dernière phrase renvoie probablement à *Polyeucte* plus qu'à *Théodore vierge et martyre,* qui n'avait pas «merveilleusement réussi».

Appeler la bénédiction de Molière sur un remaniement de sa pièce dans un sens mystique, il faut convenir que cela ne manque pas de sel! Nous ne connaîtrons malheureusement jamais la réaction de ce dernier, car une seconde lettre de Davant à Corneille, du 19 février, nous apprend que Molière est mort avant d'avoir pu examiner cette *Psyché transfigurée*. Curieuse lettre en vérité, où se mélangent la conviction qu'avec la mort de Molière Dieu a voulu faire un exemple contre l'impiété du «comique empoisonné», un avertissement à peine voilé à Corneille d'avoir à quitter le théâtre profane, enfin le regret qu'il n'ait pas voulu retoucher la nouvelle *Psyché* pour la plier aux règles de l'art :

Monsieur, le mardi 7ᵉ février, j'ai porté la nouvelle *Psyché* à M. Molière, selon votre avis. Il la reçut avec joie, en me témoignant que vous lui en aviez parlé et qu'il la verrait avec attention pour la disposer comme il jugerait à propos, puisque votre civilité n'y avait pas voulu toucher, et puisque je le suppliais d'en agir ainsi. J'y retournai le jour des Cendres, afin d'apprendre sa résolution; mais je ne pus pas lui parler, parce qu'il s'en était venu indisposé de la Comédie le jour précédent. J'y retournai le 18 de ce mois, et je le trouvai trépassé du 17.

Le Seigneur l'a tiré à soi par sa grâce, dans le dessein satisfaisant de bannir le comique empoisonné du théâtre, et dans la pensée justifiante d'y introduire son divin amour. Je lui souhaite cette miséricordieuse justice, et qu'il ait été navré de sa magnifiante dilection. C'est où je visais prudemment de toute ma force, et dans *Psyché* renouvelée, et dans son *Tartuffe* que j'ai aussi transfiguré, et dans une autre pièce où cette divine charité se manifeste dans son débordement le plus excessif. J'ai voulu forcer tous les obstacles de l'habitude invétérée : quoique, selon l'Ecriture, le plus souvent telle vie, telle mort.

Que les jugements divins sont secrets! que la parole du Saint Verbe est pénétrante et que son tour tragi-comique opère bien autrement que celui de l'amour mondain! Vous m'avez dit une parole que j'ai bien pesée, monsieur; savoir que vos chiens ne chassaient pas bien ensemble : et le divin amour vous en dit dans l'intérieur bien d'autres, afin que vous courriez parfaitement après son pourchas[13]. L'exemple du bon larron ne doit pas être tiré à conséquence : mais la conversion de saint Pierre est à imiter. L'époux frappe[14] pour voir si quelque Paul lui ouvrira : ne le laissez point passer outre, suivez sa parfaite volonté. Les passions humaines requièrent le tour qui dénoue une pièce à l'accoutumée : mais Dieu, qui n'a point de passion en son être, se soutient et fait son dénouement dans chaque scène qui se représente par l'évidence de son infaillible Vérité. Néanmoins, s'il en faut quelqu'un, monsieur, dans l'ouvrage que j'ai eu l'honneur de vous présenter, usez-en franchement, sans vous servir de tant de retenue, pour colloquer la vertu chrétienne dans le temple des Muses, afin que le vice païen y fasse désormais horreur. [...]

---

13. «Vieux mot qui signifiait autrefois *profit, avantage* obtenu à force de le chercher, après une longue poursuite» (Furetière).

14. Allusion à la fameuse parabole des vierges sages et des vierges folles (*Matthieu*, XXV, 1-13).

Cependant, je m'en vais retirer, si je puis, la pièce susdite, afin de voir en quel esprit cette colombe sortie de mon arche plantera son rameau d'olivier, et quelle aventure elle doit courir. Je vous reprocherai toujours votre trop grande modestie, d'avoir à son égard été trop civil, de n'y avoir pas voulu toucher avec liberté, ainsi que je vous en ai prié diverses fois[15].

Une troisième lettre écrite à Corneille quelques jours plus tard, le 24 février, nous permet d'entrevoir les réticences bien compréhensibles de la troupe de Molière à monter un pareil spectacle et les raisons alléguées – des frais excessifs de mise en scène – pour éconduire notre dramaturge visionnaire; mais surtout nous y voyons se former dans son esprit le stupéfiant projet d'étendre à l'ensemble du théâtre profane de Corneille son entreprise de transfiguration chrétienne à laquelle le grand poète est une nouvelle fois invité à collaborer :

Monsieur, comme depuis avoir eu l'honneur de vous présenter *Psyché* je n'ai pas fait un pas pour l'amour d'elle sans vous en rendre compte, je passai hier chez vous, afin de vous dire que je l'ai retirée. Un de la troupe du défunt Sr Molière m'a témoigné l'avoir lue, qui m'a dit qu'elle coûterait beaucoup de frais. Néanmoins, je l'ai fait demeurer d'accord que tous les frais sont déjà faits, parce que la plupart des choses qui ont servi à l'ancienne *Psyché* peuvent servir à la nouvelle : d'autant que c'est en cette vue que je l'ai accommodée à leur théâtre. [...]

J'ai promis à Monsieur ***, si Dieu prolongeait ma vie, de lui fournir autant de pièces pieuses qu'il en voudra représenter : et je n'ai qu'à transfigurer toutes les vôtres, comme Dieu me l'a recommandé, en y gravant le sceau royal de son paradis. En cas que cela se fasse (ce que je crois déjà fait) et que la mort d'amour ne nous enlève à l'un ou à l'autre par avance, je vous les présenterai pour leur donner le dernier embellissement, afin que nous moissonnions ensemble, si vous contribuez à mon agriculture, ce que j'aurai ensemencé dans votre fonds. Je prétends ainsi faire tant de renouveaux de vos ouvrages qu'à la fin je vous provoquerai à m'imiter par une généreuse et forte émulation[16].

On imagine volontiers la réaction horrifiée qui dut être celle de Corneille à l'idée d'une pareille métamorphose; et l'on peut penser qu'il laissa sans réponse la missive de l'illuminé; du moins Davant ne fait-il état d'aucun échange épistolaire dans la nouvelle lettre – la dernière – qu'il adressa à Corneille à une date non précisée, mais évidemment peu de jours après la précédente, lettre encore plus bizarre et plus inconséquente que toutes les autres par le mélange

15. Ms. fr. 13933, f° 2 r° et v°. Un court fragment de cette lettre a été reproduit par Georges Mongrédien dans son *Recueil des textes et documents du XVIIe siècle relatifs à Corneille*, Paris, éd. du C.N.R.S., 1972, p. 253.

16. *Ibid.*, f° 5 r° et v°. G. Mongrédien, *loc. cit.*, n'a reproduit de cette lettre que les quelques lignes relatives à *Psyché*.

d'éloges appuyés du génie littéraire de Corneille, de critiques pointilleuses des négligences formelles relevées dans les vers de *Psyché,* de reproches acerbes de son attitude intéressée (on sait que Davant ne fut pas le seul à faire ce grief à Corneille) et de ferme exhortation à quitter le théâtre profane pour la poésie chrétienne :

> Monsieur, il faut avouer que je vous ai rendu civilement au delà de ce que je vous devais, à vous et à monsieur Molière, sur le sujet de *Psyché,* de vous avoir demandé vos avis touchant sa transfiguration. Votre associé à son égard est mort avec la pièce entre les mains, sans que j'aie pu savoir de sa bouche quel était son sentiment : et vous êtes resté en vie pour empêcher son cours naturel, afin de me témoigner le vôtre mieux que si votre second eût vécu. Vous n'y voulûtes pas toucher avant son décès, en me disant qu'il fallait voir s'il la voulait représenter, puisque je la destinais pour son théâtre, et que vos chiens ne chassaient pas bien ensemble, comme je vous ai écrit du depuis : et vous en avez baillé une mauvaise estime à ses confrères, soudain qu'il a été trépassé, pour les empêcher de la produire dans le public, en leur témoignant que les vers n'étaient pas bien tournés : encore que quelques clairvoyants désintéressés qui ont vu la pièce ont remarqué que beaucoup de poèmes d'un assez modique tour sont dans l'ancienne *Psyché* même, que j'ai inséré en la nouvelle tout au long en divers endroits, et lesquels je n'ai pas voulu reformer, tant j'ai montré de la vénération pour tout ce qui venait de ses deux auteurs. J'aurais eu mauvaise grâce mêmement, puisque rien ne sort de votre plume qui ne soit limé et relimé au dernier point, et que si vous avez voulu paraître à la négligence et dans votre déshabillé en *Psyché,* ce n'est pour autre raison que vous êtes las d'avoir brillé ailleurs avec tant d'éclat et avec tant de pompeux ornements. [...]
>
> Mais, de grâce, ne me donnez pas votre blâme particulier pour vos fautes générales en les mêlant avec les miennes : cela ne serait pas raisonnable ni parfait. Parce que j'ai mis vos propres vers en beaucoup de lieux sans nul changement, comme j'en avertis les acteurs dans l'avis singulier que je leur donne afin de leur rendre compte de ma procédure, leurs manquements ne doivent pas m'être imputés. Chacun peut voir ce que j'avance dans votre comédie imprimée, où la poésie paraît un chaos touffu de répétitions entassées démesurément, avec des rimes irrégulières souventes fois, où il semble que vous avez pris plaisir l'un et l'autre de vous orner avec affectation de votre propre négligence, à cause de la promptitude avec laquelle vous avez fait cet ouvrage pour vous en faire d'autant plus estimer; en sorte que ce qui d'un côté paraît sortir de la main de deux grands maîtres fort expérimentés en l'art poétique semble venir dans l'autre de deux fameux apprentis qui, pour donner carrière à l'affluence de leurs pensées, ont affecté quelquefois de mal rimer et de produire par brasses des terminaisons vagues et obtues qui choquent les yeux clairs et les oreilles délicates. [...] Comme vous ne faites pas les choses par ignorance, mais faute d'un loisir qui vous a fait tomber en quelques fautes, plus relevées que les beautés de beaucoup d'autres, on a vénéré dans votre *Psyché* jusques à ses imperfections : et voilà ce que c'est que d'avoir acquis une longue, grande, vaste et haute réputation.
>
> Elle vous est due et je ne vous l'envie point, ne souhaitant que de vous voir travailler assidûment pour Dieu. Mais je vous dirai que vous ne trouverez pas cet entassement prodigieux dans ma *Psyché* transfigurée, en

tout ce que j'y ai pris du mien : encore que je ne présume pas d'y avoir
enchâssé les pierreries du ciel si proprement que vous auriez fait. Par là,
vous avez tort, monsieur, de censurer en moi, qui vous ai souvent copié
mot à mot, les irrégularités dont vous avez pris plaisir de vous surcharger,
auxquelles par déférence je n'ai pas touché, parce que ce qui paraît
irrégulier en vous a plus de grâce que la régularité d'autrui. Chacun
m'estimerait téméraire d'entreprendre à réformer quelque chose en deux
personnes qui ont acquis tant de crédit. [...] Sans avoir rien entrepris qu'à
renouveler votre caractère d'Eros et votre style de roman, je n'ai fait que
tourner l'Amour de votre fable, qui divague et qui perd les hommes sous
prétexte de les divertir, vers l'amour de Dieu, qui les sauve et qui les
divinise en les convertissant par des saintes récréations.

   Si vous ne conseillez pas à ceux sur qui vous régentez de jouer ma
pièce, en voici la plus certaine raison. C'est parce que je la donne
gratuitement, et que si j'en composais beaucoup de semblables pour en
faire de même, cela vous empêcherait de vendre bien cher les vôtres : et
par conséquent vous ne trouveriez pas votre compte sur la terre de me
voir prodiguer les richesses du ciel à si bon marché. Vous préférez la
fumée de votre intérêt à la gloire divine, qui vous confondra éternelle-
ment, et vos intérêts damnables au salut de vos prochains, qui vous
accableront d'outrages durant toute l'éternité. Je vous en avertis de bonne
heure, et que votre majestueuse poésie fabuleuse et héroïque, si elle n'est
réduite et rectifiée, ne produit que du faste, des divagations d'esprit et des
vanités. En quoi celle de l'esprit divin ne lui ressemble pas, à cause qu'elle
divinise ses bons spectateurs en leur communiquant son immense joie, sa
souveraine dilection, et son infinie tranquillité. Ainsi vos viandes creuses
affamantes ne sont pas sa manne à tous les goûts dont il repaît, ni votre
malvoisie empoisonnée son nectar délicieux dont il étanche notre soif.

   J'avoue perpétuellement que vous écrivez avec politesse, que vous
avez de l'élégance, et que vous tournez merveilleusement bien les choses,
quand vous voulez n'abuser pas des talents que Dieu vous a donnés; mais
demeurez d'accord qu'encore que je n'aie point ce qui vous a fait acquérir
tant d'estime mondaine, j'applique mieux mes sujets, et je sais faire un
meilleur usage des Muses que non pas vous, si vous ne reprenez la mode
que vous avez suivie en versifiant l'*Imitation de Jésus-Christ*[17].

Ici s'arrête cette bien curieuse correspondance. Croira-t-on que
le silence méprisant de Corneille et la rebuffade essuyée auprès de la
troupe du Palais-Royal auront découragé Davant? Ce serait bien
mal le connaître. De juin à septembre 1673, en trois mois de travail
ininterrompu, ce sont trente pièces des deux frères Corneille qu'il
rend chrétiennes en les «transfigurant» : *Le Berger extravagant* de
Thomas devient un «berger sage», son *Feint astrologue,* «Joseph ou
l'Amour divin amoureux de sa liberté», *Les Engagements du hasard,*
«Les Noces de Jérusalem et le Banquet des Saints». Mais naturellement, c'est Pierre qui fournit les plus solides aliments à l'appétit
boulimique du visionnaire : *Attila* devient «Abiguaïl, Justice divine
voilée d'un bandeau d'amour», *Othon,* «Catherine, métamorphosée

---

17. *Ibid.,* f° 12 r°-13 v°. Cette quatrième lettre de Davant à Corneille a échappé à G. Mongrédien.

en Jérusalem», *Horace,* «Les martyres de saint Pierre et de saint Paul», *Le Cid,* «Le Mariage de l'amour et de la justice de Dieu»; à *La Mort de Pompée* est opposée «La Passion de Jésus-Christ», à *Andromède,* «L'Assomption de Marie et de l'Eglise», à *Cinna,* «Le Martyre de saint Etienne et la conversion de saint Paul»; les comédies elles-mêmes n'échappent pas à cette pieuse mobilisation : *La Suivante* devient «La Suite de la Cour royale du Ciel», *La Galerie du palais,* «Les Galeries de l'éternité», *La Place royale,* «La Cour royale du Paradis», etc [18].

A ces trente pièces des frères Corneille s'en ajoute, après *Psyché,* une seconde de Molière, et pas n'importe laquelle : une «tragi-comédie du Tartuffe transfiguré», composée en quatre jours d'intense et fiévreuse activité [19]. *Le Tartuffe* transfiguré! On ne peut s'empêcher de penser que Molière est mort juste à temps pour n'avoir pas vu cette monstruosité. Mais comme il ne l'était pas encore quand Davant eut achevé cette stupéfiante opération, il composa à son intention une *Epître* où il lui explique le sens de son intervention :

> Si les pièces qui se représentent chez vous étaient rectifiées, et qu'on leur imprimât un divin caractère, les maximes des Ecritures saintes et les préceptes des Pères de l'Eglise, elles feraient des prodiges et des miracles tous les jours. [...]
> Je vous ai renouvelé, monsieur, et mis en l'état qu'on vous verra sur ce papier. Mais, pour m'accommoder aux forts et aux faibles et ôter de leur vue, autant que faire se peut, les pierres d'achoppement et de scandale, j'ai suivi vos démarches pas à pas et je vous ai mené sur la montagne de Thabor et de vision : où, en présence de Moïse, d'Elie et du Fils de Dieu, je vous ai fait un autre vous-même, un phénix de la nouvelle espèce et un oiseau tout transfiguré, en vous imprimant leurs rudesses et leurs douceurs. Vous n'aurez pas néanmoins de la peine à vous connaître dans cette transfiguration qui fait mourir à soi pour vivre comme il faut en la divinité de Jésus-Christ [20].

Que cache précisément ce style amphigourique? Et comment Davant conçoit-il ces «transfigurations» de pièces profanes? En fait, la transposition repose toujours sur une idée très simple; ainsi, pour les deux pièces de Molière : «Psyché se consacre dans un monastère à l'amour divin, par sa virginité : et dans ce *Tartuffe* tout est immolé au même divin amour par le mariage [21]». L'aventure de

---

18. *Discours généraux sur la poésie chrétienne,* ms. fr. 13934, f° I v°.
19. Henri LEMAITRE a consacré un article à cette métamorphose : «Le *Tartuffe* de Molière "transfiguré" par François Davant», *Revue de l'Université Laval,* Québec, t. XIX, 1 (1964), p. 322-347.
20. Ms. fr. 13934, f° 71 v° - 72 r°.
21. «Préface générale» au *Tartuffe transfiguré, ibid.,* f° 72 v°.

Psyché symbolisera la vocation religieuse, l'attirance irrésistible d'une âme d'élite pour son Créateur ; le *Tartuffe,* avec l'union finale des deux jeunes gens triomphant des forces du mal, l'idéal du mariage chrétien conduisant à l'amour de Dieu.

D'autre part, le nombre des personnages et les rapports qui les définissent sont rigoureusement calqués sur l'original. Ainsi, dans la *Psyché transfigurée,* on retrouve à côté de Psyché le roi son père, ses deux sœurs, deux princes d'Israël (correspondant à Cléomène et Agénor) amants de Psyché, Dieu (figurant Jupiter), le Fils ou l'Amour de Dieu (représentant l'Amour), Marie, mère de Dieu (transposition de Vénus) ; de même, dans le *Tartuffe transfiguré,* Elisabeth est Mme Pernelle, Eléazar Orgon, Philothée Elmire, Théotime Cléante et ainsi de suite : seuls les noms ont changé, le rôle dévolu à chacun des personnages restant strictement le même.

Mais c'est aussi par l'emprunt d'une structure dramatique que se fait cette transposition. La succession des actes et des scènes est rigoureusement identique à celle de l'original ; ainsi, la nouvelle *Psyché* commence comme l'ancienne par un dialogue des deux sœurs de l'héroïne, puis surviennent les deux princes épris de Psyché (scène 2), enfin Psyché elle-même qui leur offre d'épouser ses deux sœurs (scène 3), et ainsi de suite, tandis que le *Tartuffe transfiguré* s'ouvre comme son modèle par une scène réunissant toute la famille sauf Eléazar (Orgon) et Judas (Tartuffe), se poursuit par une conversation entre Théotime (Cléante) et Iphigénie (Dorine) à laquelle succède une simple scène de transition où est annoncé le prochain retour d'Eléazar, qui entre en effet à la scène suivante, etc [22]. Un démarquage aussi servile aboutit même parfois à des inconséquences dont Davant ne semble pas avoir conscience : alors que chez Molière le dialogue entre Orgon et Cléante qui clôt l'acte I est essentiel, puisqu'ils portent sur Tartuffe des jugements opposés, quel intérêt peut avoir le dialogue parallèle entre Eléazar et Théotime dans la pièce de Davant, puisque dès le lever de rideau nul ne se fait la moindre illusion sur Judas (Tartuffe), présenté à la scène précédente par Eléazar lui-même comme « un grand apostat qui a trahi son maître » et un voleur des aumônes destinées aux pauvres ? De même, à l'acte suivant, la scène 2 (où, dans l'original, Dorine querelle si fort Orgon sur son dessein de donner Mariane à Tartuffe) devient bien inutile, Iphigénie (Dorine) ne pouvant que féliciter Eléazar de son intention d'accorder sa fille à Tacite (Valère). Encore ne sont-ce là que broutilles au prix des grandes scènes entre Philothée (Elmire) et Judas (Tartuffe), totalement vidées de leur contenu, puisqu'il n'est

---

22. *Ibid.,* f° 36 r°, 39 r° et 79 r° - 82 r°.

plus question de la moindre tentative de séduction d'Elmire...

Si Davant a travaillé aussi vite qu'il le dit – et l'on n'a aucune raison d'en douter –, c'est donc parce qu'il n'a rien eu à construire, qu'il n'a accompli aucun travail de création. Mais c'est encore parce qu'il a effrontément emprunté à ses modèles le schéma de leurs répliques, voire pillé leurs rimes, quand ce ne sont pas des hémistiches, des vers complets, et jusqu'à des répliques entières. L'abondance même des exemples de telles «transpositions» les rend inutiles : ainsi, la scène 6 du premier acte de la nouvelle *Psyché* entre les deux sœurs de l'héroïne est empruntée quasi textuellement à Molière.

Dans la faible part d'invention qui porte malgré tout la marque personnelle de Davant, le trait le plus original et le plus frappant demeure l'archaïsme. Certes, il n'ignore pas les possibilités techniques nouvelles offertes par la machinerie de l'époque : dans le prologue de sa *Psyché,* tandis que Jérusalem prie Marie de quitter le paradis pour la terre afin d'inonder de sa grâce le cœur des hommes et d'en «bannir Vénus et l'amour idolâtre», on voit la Vierge descendre du ciel avec son Fils «qui d'un vol part de la machine et la devance sur le théâtre»; et à l'acte III du *Tartuffe transfiguré,* scène 2, l'arrivée de Judas sur la scène n'est pas moins spectaculaire, puisqu'il y est apporté par un démon[23]. Mais à côté de ces innovations que permettaient les progrès de la machinerie, que d'archaïsmes qui nous reportent à la dramaturgie sommaire des mystères du siècle précédent!

D'abord le caractère extrêmement statique de ce théâtre, où l'action est réduite à sa plus simple expression : dans sa *Psyché* comme dans son *Tartuffe,* Davant ne se soucie guère de la cohérence d'une intrigue, et l'acte I se termine sans qu'on puisse discerner le sujet de ces pièces; celles-ci n'ont d'ailleurs à proprement parler ni exposition, ni péripéties, ni nœud, ni dénouement. Plus grave encore : le *Tartuffe transfiguré* pèche contre la règle si essentielle de l'unité d'action, son auteur ne cherchant même pas à relier le semblant d'intrigue constitué par le projet de mariage de Parténice (Mariane) et de Tacite (Valère) avec l'histoire de Judas, l'apôtre maudit qui vole les pauvres après avoir vendu son maître. Aucun mouvement n'anime ces deux pièces : ce ne sont que de longs monologues, des échanges de lieux communs, des discussions languissantes et oiseuses. La première scène du nouveau *Tartuffe,* qui n'engage aucune action, mais dont tous les interlocuteurs sont d'accord pour célébrer les délices de la vraie piété incarnée par saint

23. *Ibid.,* f° 33 r° et 90 r°.

François de Sales[24], est à cet égard tout à fait éclairante : quelle différence avec le puissant mouvement dramatique de la scène de Molière !

Un autre trait archaïque est l'importance donnée au lyrisme, particulièrement frappante dans la nouvelle *Psyché* avec ses cinq monologues de l'héroïne : non pas de ces monologues délibératifs qui permettent chez Corneille le mûrissement d'une décision, mais des monologues purement statiques et lyriques. Ainsi les stances du second acte, scène 3, où Psyché exprime la dépossession de soi dans le pur amour de Dieu :

> Seigneur, je suis à vous, toute, toute, mon tout,
> Et je me suis, sans vous, tout à fait à dégoût, etc.

Or cette scène n'est pas transposée de Molière, elle est entièrement la création de Davant; ainsi encore le second monologue (acte III, scène 2) dans lequel l'héroïne exhale son émerveillement au spectacle du paradis où deux anges viennent de l'enlever; ou ses stances de l'acte IV, scène 4, constituées de trente sizains, qui ne sont qu'une longue lamentation. Ce lyrisme déclamatoire atteint son paroxysme au dernier acte avec le long monologue de Psyché aux Limbes (scène 1), un dernier monologue où elle déplore la triste destinée des deux princes ses amants (scène 3), et le chœur final des anges l'accueillant au paradis, prolongé par diverses pièces lyriques célébrant les noces mystiques de Psyché et de l'Amour divin[25].

Une conséquence de ce débordement de lyrisme constitue un dernier trait archaïque : c'est l'allongement sensible de la pièce, puisqu'aux quelque deux mille vers de son modèle – c'était déjà un maximum pour une pièce classique – Davant en ajoute plus d'un millier, ce qui fait que sa pièce, sans atteindre la démesure des mystères des XVe et XVIe siècles, finit tout de même par échapper totalement aux normes des spectacles de son temps.

Naturellement, la très forte impression d'archaïsme que l'on ressent devant ces deux pièces, surtout quand on les compare à leurs modèles, demande à être un peu tempérée : le prestige et l'éclat de

---

24. Si tout se gouvernait par les ordres pieux
   D'un saint si relevé, tout n'en irait que mieux. [...]
   Ce grand François de Sales est un saint personnage :
   Bienheureux est celui qui le met en usage.
   Il ne bigote point dans ses écrits divins :
   Mais il n'y flatte pas aussi les libertins.
   Il tolère les bals, les danses, les visites :
   Mais c'est pour des raisons qui ont des bonnes suites.
   Il en montre le mal qu'on en doit étranger [repousser]
   Et le bien qu'on en peut recueillir sans danger (*Ibid.*, f° 79 v° - 81 r°).
25. *Ibid.*, f° 44 r°, 46 v°, 54 v° - 56 v°, 58 r°.

notre scène classique ne doivent jamais faire oublier à l'historien de la littérature que le théâtre religieux issu du Moyen Age a subsisté, en se transformant plus ou moins, jusque vers le milieu du grand siècle[26]; et Margaret Pascoe a pu recenser et étudier, entre 1636 et 1650, une vingtaine de drames religieux dont quelques-uns, comme l'*Israël affligé* de Jean Vallin, édité à Genève en 1637, ou encore *La Mort de Théandre ou La Sanglante Tragédie de la Mort et Passion de Notre-Seigneur Jésus-Christ* de François Chevillard, imprimée à Orléans en 1649, présentent des caractères aussi archaïques que les pièces composées par Davant de 1647 à 1651[27]. Mais justement, ce théâtre est en voie d'extinction, surtout à Paris, dont le public est de plus en plus réticent, à partir du milieu du siècle, à voir porter à la scène des sujets religieux : si la *Théodore* de Corneille échoua à Paris, elle rencontra en province un certain succès; et alors que, vers 1650, le théâtre irrégulier est encore florissant en province, la régularité s'est définitivement imposée dans la capitale. C'est là que l'on mesure l'immobilisme de Davant : ses pièces «transfigurées» de 1673 ne marquent aucun progrès, aucune évolution par rapport à ses premières créations dramatiques de 1647-1651, elles-mêmes déjà extrêmement archaïques pour l'époque. En pleine époque classique, et s'inspirant de modèles classiques, il reste un dramaturge médiéval.

C'est que son but premier n'est pas d'offrir un spectacle, de convier le public à la représentation d'une histoire : il est de le convertir. Le théâtre n'est entre ses mains qu'un instrument au service de l'apologétique. C'est un point sur lequel il n'a jamais varié, puisqu'il proclamait déjà en 1651, dans l'avis au lecteur de sa *Tragédie sainte* : «Je tâche de faire du théâtre une école de vertu. Les âmes s'y immoleront dorénavant comme des hosties de paix.» Il explique d'ailleurs très clairement ses intentions dans les *Discours généraux sur la poésie chrétienne* qui ouvrent le dixième volume de ses œuvres; en remodelant à sa façon les pièces des deux Corneille, il n'entreprend nullement l'une de ces émulations littéraires, alors fréquentes, par lesquelles des auteurs rivalisaient sur un même sujet :

> Par ces oppositions de pièces, je n'entends pas censurer ni combattre l'art, la politesse, la méthode, l'élégance, ni tous les autres rares ornements qui entrent dans la construction magnifique des œuvres excellentes de ces deux fameux et illustres personnages : je n'ai garde d'en avoir la pensée seulement. J'aurais mauvaise grâce de rien dire que d'avantageux de ce

---

26. Cf. Emile FAGUET, *La Tragédie française au XVIe siècle*, Paris, 1883, p. 69, et Raymond LEBÈGUE, *La Tragédie religieuse en France*, Paris, 1929, *passim*.

27. Margaret-E. PASCOE, *Les Drames religieux du milieu du XVIIe siècle, 1636-1650*, Paris, Boivin, s.d., (1932), *passim*, et notamment p. 61 sq.

qui atteint sa dernière perfection. Après le jugement qu'a fait Monsieur Corneille l'aîné de ses ouvrages[28], personne ne doit présumer d'y réussir mieux que lui. Il en a fait l'anatomie et la dissection; et il en a remarqué mieux qu'aucun ne saurait faire les beautés et les défauts. Si je puis aussi bien réussir touchant l'examen des miennes, assurément je n'en jugerai pas mal. Je n'oppose donc rien à ses formes ni à ses règles, mais seulement à son fonds : c'est-à-dire à ses héros, païens ou fabuleux, des illustres chrétiens; à ses héroïnes de la terre, des saintes du ciel; et à l'esprit vain de la mondanité, l'esprit souverain de Dieu : bref, les histoires et paraboles saintes aux histoires et fictions profanes; et aux imaginations fabuleuses, l'expression de la vérité. Voilà ce que j'oppose seulement et rien de plus[29].

La «Préface générale» qui précède le *Tartuffe transfiguré* est également révélatrice de l'idée que se fait Davant du théâtre et de la mission régénératrice qu'il lui assigne. Si, pour gagner les âmes et les tourner vers Dieu, il préfère l'art dramatique à toute autre forme littéraire, même à la poésie religieuse et à l'éloquence sacrée, c'est en raison de sa merveilleuse efficacité, de son pouvoir de suggestion, de sa capacité de pénétration dans tous les esprits; de sorte qu'au lieu de jeter l'anathème sur la comédie comme le font si sottement, à son avis, prédicateurs et moralistes dévots, ils feraient bien mieux de tourner l'incomparable puissance de fascination de la scène vers la reconquête spirituelle en appliquant leurs talents, à son exemple, à un théâtre purifié des vices du siècle :

> Le théâtre de la gloire est digne de pareils spectacles et il est honorable à la religion que Dieu y burine de la sorte ses divins mystères. Qu'on mette la sainteté à la place des choses profanes, et le temple des Muses se virginisera après en avoir exilé l'idolâtrie.
> Le théâtre a plus de force pour dégrader le vice et imprimer la vertu que l'art oratoire ni que l'éloquence, parce qu'il représente les choses comme elles sont au naturel et plus intelligibles à raison de la diverse quantité des machines et des spectacles qui frappent tout d'un temps l'esprit et la vue avec les éclairs de la parole et le tonnerre de la sapience. On en a fait un mauvais usage comme des autres choses, parce que les hommes sont enclins au mal et sont fort sujets à se corrompre. Il ne faut que rectifier leurs méchantes coutumes et les rendre bonnes, afin que ce qu'ils ont introduit pour se nuire en se divertissant les recrée beaucoup et serve à leur grand avantage. [...]
> Si la comédie est rendue pure et qu'on en ôte la corruption, la turpitude bestiale n'y étant plus, ce sont les divertissements angéliques qui représentent dans l'éternité les perfections et les crimes des pécheurs et des justes pour en confondre plus les uns dans les abîmes infernaux et en exalter davantage les autres dans la céleste béatitude[30].

---

28. Dans les *Examens* de ses pièces accompagnant la première édition collective de son théâtre en 1660.
29. Ms. fr. 13934, f° 1 v° - 2 r°.
30. *Ibid.*, f° 72 v°.

Est-ce une révolution que réclame Davant? Sans doute, aux yeux du lecteur moderne; et même à ceux des contemporains. Mais c'est une révolution rétrograde, nullement une innovation. Les modèles existent; il n'est que d'y revenir, que d'opérer un salutaire retour aux sources médiévales et lyriques du théâtre français : «Autrefois les théâtres n'admettaient que les pièces de la piété; les hommes s'étant dégoûtés d'icelle, on en est venu aux héroïques sérieuses; le comique s'étant introduit, celles-là n'ont plus eu tant de cours : et de la plus haute sainteté, on est descendu à ce qui est de plus licencieux; mais comme par degrés on s'est éloigné de Dieu pour s'attacher aux vanités et à la corruption du monde, on pourra aussi par degrés s'en rapprocher en fuyant les fallaces corruptrices et la mondanité»[31]. Décidément, François Davant est un égaré en son siècle : né trop tard pour assister à la *Passion* d'Arnould Gréban ou au *Jeu de Saint-Nicolas,* il est venu trop tôt pour voir *Le Mystère de la charité de Jeanne d'Arc* ou *Le Soulier de satin.*

Mais peut-être n'est-il un égaré qu'au regard de la culture appelée aujourd'hui «dominante», celle des élites. Sa réaction de rejet d'un théâtre profane imité des Anciens est celle d'un provincial, d'un Gascon de souche paysanne, d'un autodidacte qui n'a même jamais su le latin. Certes, il garde à l'occasion des éléments traditionnels de la culture antique; par exemple, à l'acte V de sa *Psyché,* toute l'imagerie inséparable des Enfers : les «ondes infernales», le palais de Mégère, les supplices d'Ixion et de Tantale, etc.[32]. Mais c'est qu'il fallait bien réutiliser les décors de la pièce de Molière; en réalité, tout son théâtre ne respire que l'horreur des artifices de la mythologie.

Ce qui fait pour nous, en définitive, l'intérêt d'une telle attitude, c'est qu'elle semble bien dépasser la seule personne d'un obscur poète visionnaire épris de perfection chrétienne. On devine tout un arrière-plan que les grands textes qui nous sont familiers ne permettent presque jamais d'apercevoir. Cette hostilité affirmée de Davant au théâtre classique inspiré de l'Antiquité et son aversion pour les mensonges de la fable sont des signes pour l'historien des mentalités et de la sensibilité littéraire : ne doivent-elles pas s'interpréter comme la réaction, à la fois nationale et dévote, et nationale parce que dévote, de tout un public populaire resté étranger à la mythologie et attaché aux mystères et aux drames qui lui parlent de son salut?

31. *Ibid.,* f° 3 v°.
32. *Ibid.,* f° 58 r°.

L'art de l'adaptation
dans le théâtre de Scudéry

ÉVELYNE   DUTERTRE

Le talent de Scudéry apparaît essentiellement dans l'adaptation de ses sources, car il n'a pas fait d'invention. On ne s'en étonnera pas si l'on considère qu'à son époque le théâtre était bien souvent ce qu'est aujourd'hui le cinéma, une entreprise de spectacle de grande consommation. Que l'on songe à ce que fut, dans les décennies précédentes, le théâtre de Hardy qui a composé des centaines et des centaines de pièces. Ce n'est même plus le cinéma, à ce rythme, c'est le télé-film. Il fallait produire. Pour produire, Scudéry, comme ses contemporains, allait au plus facile et adaptait des romans; c'est encore ce que l'on fait aujourd'hui au cinéma. Il y faut des talents : celui du scénariste qui choisit les scènes à faire et sait les organiser, celui du dialoguiste qui rédige les dialogues dont le roman fournit parfois l'amorce, mais non toujours. Scénariste, dialoguiste, ce sont des métiers du spectacle, des talents nécessaires de nos jours comme ils l'étaient alors.

Scudéry ne brillait pas, on le sait, des éclairs de l'imagination créatrice. Il a donc été avant tout un adaptateur. Mais bien que ses emprunts aux sources soient considérables, il a fait preuve d'un grand talent d'adaptation. Cette expression n'est d'ailleurs pas juste, en ce qu'elle semble opposer l'ampleur des emprunts et le talent. En fait, plus les emprunts sont importants, plus l'art de l'adaptateur est nécessaire et c'est bien souvent dans les pièces pour lesquelles il a le plus emprunté, comme dans *Le Vassal généreux,* que Scudéry déploie le plus d'habileté dans l'adaptation.

Scudéry a beaucoup emprunté à des sources. La plupart de ses pièces sont inspirées de modèles et les rares pièces qui semblent originales ne paraissent peut-être telles que parce que la source n'est pas encore découverte.

Ses sources sont surtout romanesques. Comme beaucoup de pièces contemporaines, les pièces de Scudéry sont des adaptations de romans, essentiellement de *L'Astrée*. Sur seize pièces qu'il a composées, cinq sont inspirées de l'œuvre d'Honoré d'Urfé : *Ligdamon et Lidias* (1629-1630), *Le Trompeur puni* (1631), *Le Vassal généreux* (1632), *Orante* (1634-1635), *Eudoxe* (1639). *Le Prince déguisé* est issu du poème romanesque de Marino, l'*Adone*. *L'Amant libéral* (1636) est une adaptation d'une *Nouvelle exemplaire* de Cervantès. *Ibrahim* (1641-1642) et *Axiane* (1642) viennent directement du roman de Madeleine de Scudéry, *Ibrahim*. En tout, donc, neuf pièces sont adaptées de textes romanesques.

Peut-être d'autres sont-elles adaptées de textes dramatiques. S'il est douteux que Scudéry connût *La Comédie des comédiens* de Gougenot lorsqu'il écrivit sa *Comédie des comédiens* (1632), il est certain en revanche qu'il voulait rivaliser avec la pièce de son maître Hardy quand il composa *Didon* (1636), avec *Il Cesare* d'Orlando Pescetti dans sa *Mort de César* (1635). *L'Amour caché par l'amour,* pastorale incluse dans *La Comédie des comédiens,* présente des analogies avec *La Galerie du Palais* de Corneille ; *Le Fils supposé* (1635) avec *Diane* de Rotrou. Mais, dans ces derniers cas, il est difficile de parler d'adaptation. Ne sont-ce pas plutôt simples réminiscences ou rencontres de hasard, thèmes à la mode, ou emprunts réduits à un détail ? De ce fait, on ne retiendra dans l'examen de l'art de Scudéry que le cas de l'adaptation caractérisée, l'adaptation du roman à la scène.

Scudéry suit ses modèles romanesques de très près. Il leur doit presque tous les éléments de ses pièces : la ligne générale de l'intrigue, les épisodes principaux, maints détails. Quelquefois il conserve les noms des personnages ou les modifie à peine[1]. La tragi-comédie d'*Orante* en fournit une bonne preuve et l'on peut la prendre comme exemple d'un cas d'adaptation particulièrement heureux. L'histoire d'Orante suit dans ses grandes lignes celle de la Cryséide de *L'Astrée* telle qu'elle est contée dans *L'Histoire de Cryséide et d'Arimant*[2] et la *Suite de l'Histoire de Cryséide et d'Arimant*[3]. Dans les deux cas une jeune fille, séparée de celui qu'elle aime et qui l'aime par la haine de leurs deux familles et que l'on veut contraindre à un mariage qui lui répugne, s'ouvre les

1. C'est le cas dans *Ligdamon et Lidias*.
2. *L'Astrée,* nouvelle éd. H. Vaganay, Genève, Slatkine Reprints, 1966, partie III, livre VII, p. 365-425.
3. *Ibid.,* éd. cit., partie III, livre VIII, p. 428-468.

veines. Ramenée à la vie, elle s'enfuit sous un habit d'homme pour rejoindre son fiancé et, toujours déguisée en homme, va plaider sa cause auprès du père de celui-ci. Le fiancé, cependant, tue en duel le prétendant postiche que l'on voulait lui imposer et il écarte le parent d'Orante, qui était son véritable rival, en lui sauvant la vie. Les épisodes sont eux-mêmes puisés dans *L'Astrée* et les détails semblables sont nombreux. C'est ainsi que Cryséide, avant de mourir, veut laisser la preuve de son amour à celui qu'elle aime :

> Je pris, (dit-elle), promptement mon mouchoir et [...] je trempai le doigt dans mon sang et j'écrivis [...] ces trois paroles : Tienne, je meurs, Arimant[4].

Et voici Orante ; elle écrit de son sang sur un papier :

> Tienne je meurs, mon Isimandre[5].

Leur suivante qui les découvre remet à l'écuyer de leur fiancé respectif ce témoignage de leur fidélité. Clarince, suivante de Cryséide, s'écrie :

> O Dieux, elle est morte! Cryséide est morte! [...] De fortune elle rencontra celui qui avait apporté la lettre (d'Arimant) [...]. C'est, dit-elle, [...], une triste réponse que tu porteras à ton maître cette fois. Cryséide est morte, parce qu'on voulait la forcer d'épouser Clorange[6].

Et Nérine, suivante d'Orante, de s'exclamer :

> Ha, ciel! Quel accident? Au secours, mes amis!
> Elle nage en son sang : ô l'horrible spectacle!
> [...]
> Retourne vers ton maître et va-t-en l'avertir
> Qu'Orante ne vit plus [...].
> Qu'il punisse Florange[7], auteur de ce dommage.
> On la voulait forcer de vivre sous sa loi[8].

Même parallélisme entre les scènes où Cryséide et Orante, sous le faux nom de Cléomire, plaident leur cause auprès du père de leur fiancé. Le déroulement de l'entretien est le même dans la pièce et dans le roman : les deux pères, après des objections, cèdent peu à peu. De plus, nombre de leurs réponses sont très proches :

---

4. *Ibid.,* éd. cit., partie III, livre VII, p. 396.
5. *Orante,* Paris, A. Courbé, 1635 II, 8, p. 44-45.
6. *L'Astrée,* éd. cit., partie III, livre VII, p. 396-397.
7. Ce nom, qui est substitué à Clorange, est un exemple de ces noms à peine modifiés.
8. *Orante,* éd. cit., I, 6, p. 20 et I, 7, p. 21-22.

CLÉOMIRE-CRYSÉIDE. – (L'un des grands points), c'est, lui dis-je, qu'ils
s'entr'aimassent bien tous deux.
LE PÈRE D'ARIMANT. – Je n'ai point mis cette condition, parce qu'elle
doit être la première présupposée, vous protestant, Cléomire, que
j'aimerais mieux la mort que si je voyais que la nécessité de mes affaires
contraignît Arimant d'épouser une femme indigne de lui ou qu'il n'aimât
pas[9].

CLÉOMIRE-ORANTE. – Vous oubliez un point d'une importance extrême.
                                                                   [...]
                Qu'il aime une fille et qu'une fille l'aime.
LE PÈRE D'ISIMANDRE. – Je ne l'oublais pas, j'y suis trop disposé,
                Mais étant nécessaire, il est présupposé.
                Ces marchés d'intérêt sont des maux qu'on doit
                                                           [craindre
                Et j'aime trop mon fils pour le vouloir
                                                         [contraindre[10].

On pourrait citer bien d'autres exemples. Ils confirmeraient
l'importance des éléments empruntés par Scudéry à sa source.
Toutefois, ces éléments, il ne les prend pas tels quels, il les adapte à
la scène.

Cette adaptation est commandée par trois soucis principaux.
Il lui faut d'abord parvenir à la concentration indispensable à un
texte dramatique. Il s'impose donc de faire un choix parmi les
matériaux souvent touffus de ses sources. Il élague, se fraie un
passage au milieu des multiples épisodes secondaires qui, dans le
roman, compliquent l'histoire principale, et choisit l'histoire d'un
ou deux couples qui lui fournira son intrigue centrale. *L'Astrée* le
contraint, pour chacune des pièces qui en sont inspirées, à de
considérables suppressions de personnages secondaires, d'épisodes
annexes, d'incidents accessoires. Quand il compose *Ligdamon et
Lidias,* sa première tragi-comédie fondée sur la parfaite ressemblance des héros et les méprises qui s'ensuivent, il ne retient des
nombreux personnages du roman que les deux partenaires indispensables à l'action et leur fiancée, Amérine et Silvie. Supprimées,
les aventures de Lidias en Angleterre, supprimée, sa liaison avec
Mélandre, supprimés, les autres «serviteurs» de Silvie, ses rivaux.
Ainsi, tout l'intérêt se trouve-t-il concentré sur les couples Lig-
damon-Silvie et Lidias-Amérine. Dans le même souci de concentration dramatique il accélère le rythme des événements et en

9. *L'Astrée,* éd. cit., partie III, livre VII, p. 419.
10. *Orante,* éd. cit., V, 3, p. 104.

abrège la durée. Dans *Le Vassal généreux,* là où d'Urfé prenait le vassal au berceau pour évoquer les étapes de son éducation et l'amour progressivement éclos de son amitié pour Silviane-Rosilée, Scudéry commence sa pièce alors que le vassal et Rosilée s'aiment et s'inquiètent de l'amour que porte à Rosilée le fils du Roi. Il n'évoque ni le mariage ni ses longs préliminaires, libéralement développés dans le roman. Ce désir de resserrer les événements se fait sentir tout le long de ses pièces. Il apparaît dans l'économie des actes, la disposition des éléments empruntés, dans des modifications parfois légères, mais toujours révélatrices. Ainsi, toujours dans *Le Vassal généreux,* c'est au cours de l'entretien par lequel il cherche à dissuader son fils de prendre la fiancée de son rival que le Roi est pris du malaise qui annonce sa mort toute proche. Dans *L'Astrée,* la mort du roi n'est pas préparée, elle survient longtemps après cette entrevue, et sans aucun rapport avec elle. Dans *Orante* encore, Scudéry n'évoque pas la naissance de l'amour d'Orante et d'Isimandre que *L'Astrée* décrit avec complaisance. Comme le feront les dramaturges de la génération suivante, il présente l'action au moment de la crise, alors que leur amour, affirmé, est contrarié par la séparation. Il ne retient des faits antérieurs que ceux qui sont indispensables à la crise elle-même.

Ainsi, élaguant les aventures trop touffues, resserrant les événements qui se déroulaient dans le roman pendant plusieurs mois ou plusieurs années, issus d'épisodes dispersés de *L'Astrée,* d'une histoire et de sa suite parfois éloignées, Scudéry, par un effort de concentration souvent considérable, parvient à une intensité dramatique certaine. De ce qui était roman, il fait un drame.

Le second souci de Scudéry, dans l'élaboration de ses pièces, consiste à tenir son public sans cesse en haleine. Il y parvient en ménageant une série de rebondissements. C'est pourquoi, s'il élague, il développe en revanche le potentiel romanesque des événements retenus, et même en ajoute. C'est bien le cas dans *Ligdamon et Lidias,* où la rencontre entre Ligdamon et le frère de la victime de son sosie Lidias et le duel qui s'ensuit sont imaginés de toutes pièces. De la sorte, l'exploitation des sources donne lieu à deux démarches contraires : dans un premier temps, une simplification qui permet de couler les éléments tirés du roman dans la forme dramatique, puis une réintroduction, dans la forme dramatique ainsi obtenue, d'incidents romanesques.

Le troisième souci de Scudéry n'est pas seulement de dégager de la trame du récit romanesque les scènes à faire. Tout adaptateur sait s'y employer. Il prend soin encore de soutenir l'intérêt en ménageant des scènes spectaculaires ou pathétiques, origine supplémentaire de quelques ajouts. Dans *Ligdamon et Lidias,* il ne résiste pas à la tentation d'évoquer la traditionnelle scène de prison en montrant

Ligdamon dans sa cellule[11]. C'est surtout dans *Le Vassal généreux* qu'il ajoute des scènes spectaculaires susceptibles de donner à sa pièce la pompe et la majesté désirables. La cérémonie de l'adoubement du vassal[12] n'est qu'indiquée dans *L'Astrée*. Il la développe longuement. L'élection du roi[13], avec les déclarations emphatiques et la remise des attributs de la royauté auxquelles elle donne lieu, apporte baucoup de solennité au dénouement de la pièce. Elle est entièrement de son invention.

Aussi, bien qu'il n'apporte pas de changements importants, le développement de quelques emprunts ou l'addition de quelques éléments nouveaux entraînent une modification des sources parfaitement révélatrice de l'art de Scudéry.

Cet art n'est d'ailleurs pas égal tout au long de sa carrière, et, selon les pièces, Scudéry montre plus ou moins d'originalité. On distingue plusieurs formes d'adaptation qui vont du démarquage pur et simple à la transposition fondée sur l'invention pesonnelle.

Parfois Scudéry se contente de retranscrire un texte romanesque. C'est le cas dans *Axiane* où il reproduit directement le texte de *L'Histoire d'Osman et d'Alibech,* un épisode du roman de sa sœur Madeleine, *Ibrahim*. Il ne transpose même pas la prose en vers puisque cette tragi-comédie est en prose. Les indications narratives, quand il s'en trouve, sont transformées naturellement en dialogues, mais dans la plupart des cas Scudéry n'a même pas à s'en soucier et les répliques figurent comme telles dans le roman lui-même. Toute son intervention se limite à intervertir l'ordre des passages et à équilibrer les répliques entre les personnages, sans qu'il change une virgule au texte. C'est le cas encore pour sa tragi-comédie d'*Ibrahim* tirée de la même source, encore qu'il y fasse preuve d'un peu plus d'initiative parce qu'il ne s'inspire plus d'un épisode court et circonscrit comme *L'Histoire d'Osman et d'Alibech,* mais d'une longue histoire qui s'étale sur quatre volumes. Il est contraint de choisir les textes du roman qui présentent le plus grand potentiel dramatique, de sorte que si les scènes, les dialogues qui se prêtent le mieux au théâtre sont reproduits fidèlement, on pourrait dire servilement, du moins ont-ils fait l'objet d'un choix, ce qui n'était pas le cas dans *Axiane*, où l'épisode est repris dans son intégralité.

A côté de ce cas extrême auquel le terme d'adaptation ne convient pas vraiment – nous avons parlé de démarquage –, il en existe un autre qui consiste à former une pièce par l'assemblage de

11. *Ligdamon et Lidias,* Paris, F. Targa, 1631, III, 4, p. 70 sq.
12. *Le Vassal généreux,* Paris, A. Courbé, 1636, I, 3, p. 19 sq.
13. *Ibid.,* V, 1, p. 105 sq.

deux textes. Scudéry compose ainsi *Le Trompeur puni ou L'Histoire septentrionale* (1633), sa seconde pièce. *L'Astrée* fournit la première partie de la tragi-comédie et *L'Exil de Polexandre*, les deux derniers actes[14]. Cette juxtaposition pure et simple de deux épisodes tirés de textes différents suppose peu d'invention personnelle, puisque celle de Scudéry se limite aux chevilles qui articulent les deux textes. C'est peu.

Beaucoup plus originale, cette sorte de contraction que Scudéry tente dans *Orante*, avec le double souci déjà noté d'étoffer et de concentrer à la fois son action. Il fond deux épisodes distincts de *L'Astrée*, l'histoire de Cryséide et de Rithimer racontée au livre VII de la troisième partie, l'histoire de Cryséide et de Gondebaut qui fait le sujet du livre VIII. Son procédé est habile : il fond en un même personnage deux personnages du roman. Ormin, roi de Pise, cousin d'Orante, est à la fois Rithimer, cousin de Cryséide, et le roi Gondebaut. Il joue les deux rôles. Comme le premier, il s'éprend de sa cousine et, par amour, favorise d'abord son mariage avec un comparse qu'elle ne peut aimer, puis s'y oppose. Comme le second, il se déclare à elle et constitue l'obstacle essentiel à son mariage avec celui qu'elle aime, jusqu'à ce que, touché par la grandeur d'âme de son rival qui lui sauve la vie, il renonce à sa passion. Ainsi l'action de la pièce se trouve concentrée, et ceci sans rien perdre des péripéties de *L'Astrée*. On note un progrès très net sur la simple juxtaposition qui aboutit à la pièce précédente, *Le Trompeur puni*. Elle permet une unité que la juxtaposition compromet, et suppose déjà plus d'initiative personnelle.

Enfin, il arrive que des éléments soient inventés de toutes pièces par Scudéry. On a cité au passage la scène d'élection du roi dans *Le Vassal généreux*, le duel de Ligdamon et du frère de la victime de Lidias. Dans cette pièce, *Ligdamon et Lidias*, se trouve justement la grande invention de Scudéry, la rencontre de Lidias, sosie de Ligdamon, et de Silvie, la fiancée de Ligdamon. Cette invention est particulièrement heureuse en ce qu'elle appelle de nouvelles méprises, symétriques de celles de Ligdamon et d'Amérine, fiancée de Lidias. Si la jeune fille que rencontre Lidias était, comme dans *L'Astrée*, étrangère à Ligdamon, l'action perdrait de sa fermeté. Bien plus, elle ne pourrait s'achever heureusement, comme le demande le genre tragi-comique. Quel autre moyen en effet pour Scudéry de terminer ainsi sa pièce, sinon de confronter les deux héros ? Encore fallait-il que cette confrontation fût possible et elle

14. Longtemps, jusqu'à ce qu'Antoine Adam ait montré que Scudéry n'avait pas eu besoin de faire cet amalgame, mais l'avait trouvé tout fait dans *L'Adone* de Marino, l'on a pensé que c'était de cette façon, par la juxtaposition de deux épisodes du roman espagnol *Primaleón*, qu'il avait composé son *Prince déguisé*.

ne le devient que parce que Lidias rencontre Silvie et veut lui prouver qu'il n'est pas celui qu'elle croit en retournant dans sa patrie où Ligdamon, justement, est prisonnier.

Certes, de telles additions, dues à la seule imagination de Scudéry, sont rares. Dans son théâtre on trouve plus souvent ce que l'on pourrait appeler des demi-inventions, en ce sens que, sans être totalement imaginées par Scudéry, elles sont en germe dans le roman. Il a le mérite de les découvrir et de les développer. Ces demi-inventions sont presque toujours heureuses et elles révèlent chez lui du métier et un sens dramatique indéniable. Le point de départ n'est souvent qu'une brève indication de *L'Astrée,* un détail en apparence insignifiant, parfois même un simple mot dont il sait discerner le potentiel dramatique ou comique et qu'il développe avec bonheur. C'est le cas déjà cité de l'adoubement dans *Le Vassal généreux* et de plusieurs scènes d'*Orante* parmi les mieux venues. Dans *L'Histoire de Cryséide et d'Arimant,* Arimant se déguisait en marchand d'étoffes pour s'introduire auprès de Cryséide, prisonnière de Gondebaut. Scudéry retient le détail ainsi que le schéma de la scène qui suit, mais il les transforme profondément. Pour s'introduire auprès d'Orante, prisonnière d'Ormin, Isimandre se déguise, non en marchand d'étoffes, mais en marchand de tableaux, marchandise qui donnait lieu – l'amateur d'art qu'était Scudéry le savait bien – à des développements plus pittoresques. Les notations sèches d'Honoré d'Urfé [15] lui inspirent une scène amusante, pleine de verve et de naturel, où Isimandre, pour tromper Ormin, fait avec faconde et en homme qui s'y connaît en peinture l'éloge de ses tableaux et l'étourdit enfin de ses boniments [16]. Un peu plus loin d'Urfé note que dans sa fuite Cryséide, déguisée en homme, rencontre sa mère. Cette brève indication narrative [17] devient chez Scudéry un dialogue dans une scène brève, mais pathétique où

15. *L'Astrée,* éd. cit., partie III, livre VII :
p. 408 : «et puis déguisez-vous et vous habillez en marchand : vous pouvez entrer dans la ville».
p. 409 : «Il employa tout le lendemain à dresser tout son équipage de marchandise, et ayant bien accommodé ses balles [...]»
p. 410 : «Il y avait des marchands dans l'antichambre qui demandaient si l'on voulait acheter de la toile».
p. 411 : «[Arimant] se mit auprès de son compagnon qui commençait déjà à déployer sa marchandise et à la montrer à Clarine qui faisait grandement l'empêchée à bien considérer la bonté et la beauté de la toile».
«Voyant entrer [Rithimer] dans ma chambre, je dis [...] à Clarine qu'elle dît à ces marchands que pour cette heure ils s'en allassent et qu'ils revinssent le matin, que j'achèterais volontiers de leurs toiles».
16. *Orante,* éd. cit., III, 7, p. 64-65.
17. *L'Astrée,* éd. cit., partie III, livre VII, p. 412 : «Je ne manquai point de m'y rendre vêtue en homme, et Clarine aussi, et si bien déguisées, qu'ayant rencontré au sortir du logis ma mère qui revenait du temple elle ne nous reconnut ni l'une ni l'autre».

Rosilée, craignant d'être reconnue, tremble et fait un instant trembler le spectateur :

> MÈRE D'ORANTE. – Demain sans différer m'éloignant de ce lieu
> Mon esprit affligé vous dérobe un adieu.

(note marginale : Orante et Nérine, en habit d'homme, la rencontrent).

> ORANTE. – Ha ! Je tremble, Nérine.
> NÉRINE. –   O bonheur sans exemple !
> Madame, sauvons-nous, entrons dedans le temple ;
> Sous cet habit trompeur on ne vous connaît pas.
> ORANTE. – Veuille, Amour, qu'Isimandre ait devancé mes pas[18] !

De la brève allusion à Rithimer et à sa femme qu'il trouve dans *L'Astrée*[19], Scudéry tire un quiproquo à la fois vivant et comique, l'altercation d'Ormin et de son épouse Palinice qui, à tort, se soupçonnent et s'accusent réciproquement de la disparition d'Orante dont ni l'un ni l'autre pourtant ne sont responsables :

> ORMIN.   – La belle invention ! O Dieux, qu'elle est subtile !
> PALINICE.   – Mensonge bien pensé, mais pourtant inutile !
> ORMIN.   – Toujours votre chagrin se plaît à me fâcher.
> PALINICE.   – Orante est en vos mains, que sert de le cacher ?
> ORMIN.   – Mon esprit affligé n'entend point raillerie.
> PALINICE.   – Elle est au cabinet, ou dans la galerie ?
> ORMIN.   – Vous qui la retenez pouvez m'en éclaircir. [...][20]

Dans chaque cas Scudéry, parti d'une suggestion de sa source sur laquelle son esprit a besoin de s'appuyer, la développe et la transforme avec bonheur. Sa part d'invention personnelle crée une situation dramatique ou fait jaillir le comique. Rarement, Scudéry ne développe pas son modèle, mais au contraire le réduit, comme dans *Le Vassal généreux,* quand il reprend la scène de *L'Astrée* où Silviane-Rosilée, déguisée en homme, rencontre son fiancé et se fait passer pour un cavalier. Dans la version originale Silviane s'amuse trop longtemps aux dépens de son fiancé en lui racontant que le Prince l'a déshonorée. Scudéry supprime cette plaisanterie d'un goût douteux : Rosilée se contente de provoquer son interlo-

---

18. *Orante,* éd. cit., IV, I, p. 72.
19. *L'Astrée,* éd. cit., partie III, livre VII, p. 414 : «Les autres [...] allaient murmurant contre la femme de Rithimer, disant qu'elle m'avait fait dérober, jalouse de l'amitié que son mari me faisait paraître ; et cette opinion passa si avant que Rithimer le crut [...]. [Sa femme] ayant assez reconnu l'affection qu'il me portait [...] crut qu'assurément Rithimer m'avait fait dérober pour me tenir cachée en quelque lieu pour son plaisir».
20. *Orante,* éd. cit., IV, 9, p. 91-92.

cuteur en duel[21], un changement heureux et discret qui lui fait honneur.

C'est ainsi que Scudéry, on le voit, faisait preuve de plus ou moins d'originalité dans l'adaptation de ses sources. Une question se pose naturellement : cette originalité va-t-elle croissant avec les années, au cours de sa carrière dramatique? La réponse est décevante. Non, Scudéry ne fait pas preuve de plus d'originalité dans ses dernières pièces. On peut voir que nos exemples d'adaptations les plus ingénieuses sont empruntés à ses premières pièces. Sans doute *Arminius,* par lequel il fait son adieu au théâtre et qui constitue son chant du cygne, est-il relativement original malgré l'imitation de *Cinna,* car il est le développement de très minces indications de Tacite. Mais les pièces précédentes, *Ibrahim* et *Axiane,* sont précisément celles que l'on a décrites plus haut comme de simples démarquages. Jusqu'à ces pièces, encore qu'il empruntât beaucoup à ses modèles, Scudéry faisait preuve d'agilité d'esprit et d'une certaine invention. Des innovations parfois minimes, mais heureuses, une organisation adroite des éléments empruntés donnaient à ses pièces quelque chose de personnel. Il n'en est plus rien dans *Ibrahim* ni dans *Axiane.* Il semble que dès lors cet embryon d'invention, ce frémissement créateur, qui élevaient ses pièces au-dessus de ses sources, faiblissent, que son inspiration se taise. Il est dès lors devenu incapable de promouvoir une véritable adaptation chargée d'originalité. Il ne peut que suivre servilement sa source, ou même la recopier. Ce serait une raison plausible, entre autres, de son renoncement prématuré au théâtre qu'il abandonne dès 1642, alors qu'il n'a que quarante ans.

L'examen des adaptations de Scudéry conduit ainsi à deux conclusions qui dépassent l'art de l'adaptation lui-même et concernent la forme et l'évolution de son génie dramatique. D'une part, Scudéry a toujours besoin d'être soutenu par un modèle, par une sorte de support, sur lequel travaille son imagination. D'autre part, son talent pour l'adaptation régresse avec les années, au fur et à mesure sans doute que s'essouffle son imagination créatrice. Ses adaptations sont de moins en moins originales, jusqu'à devenir, si l'on excepte le sursaut final d'*Arminius,* de simples démarquages. Cette régression qui obscurcit la fin de sa carrière ne doit cependant pas occulter la relative originalité qui a marqué le traitement des sources dans ses autres pièces. A une époque où l'adaptation du roman à la scène était aussi courante qu'elle peut l'être de nos jours à l'écran, Scudéry est un bon adaptateur.

---

21. *Le Vassal généreux,* éd. cit., IV, 4, p. 99-100.

MOLIÈRE ET LA COMÉDIE

Jean Vivot (1613-1690)
ami, éditeur et biographe de Molière

JEAN MESNARD

Entre les précieuses notes que nous a laissées de sa main l'homme curieux et bien informé, grand amateur de théâtre, que fut Jean Nicolas de Tralage, il en est une d'autant plus digne d'intérêt qu'elle fournit un renseignement à caractère exclusif. Aisée à dater par le contexte du mois d'octobre 1695, elle concerne l'édition collective, partiellement inédite, des *Œuvres* de Molière qui avait été publiée en 1682. Tralage écrit : «Ceux qui ont eu soin de la nouvelle édition des *Œuvres* de Molière, faite à Paris chez Thierry l'an 1682 en huit volumes in-12°, sont M. Vivot et M. de La Grange. Le premier était un des amis intimes de l'auteur et qui savait presque tous ses ouvrages par cœur; l'autre était un des meilleurs acteurs de sa troupe et un des plus honnêtes hommes, docile, poli, et que Molière avait pris plaisir lui-même à instruire. La préface qui est au commencement de ce livre est de leur composition[1] [...]». Le comédien Charles Varlet, qui avait choisi comme nom de théâtre celui de sa mère, La Grange, est bien connu, notamment par son fameux *Registre*. Mais aucun autre document n'a été jusqu'ici produit mentionnant Vivot. Cet «ami intime» de Molière n'a jamais été pourvu d'un prénom et son nom même a longtemps été estropié en *Vinot*[2]. La qualité qui lui est ainsi

---

1. Bibl. de l'Arsenal, ms. 6544, *Recueil Tralage IV*, f° 240 v° - 241 r°. Publié par le bibliophile Jacob, Paul LACROIX, *Notes et documents sur l'histoire des théâtres à Paris au XVIIᵉ siècle par Jean Nicolas Du Tralage*, Paris, Lib. des Bibliophiles, 1880, p. 30-31 ; repris par G. MONGRÉDIEN, *Recueil des textes et des documents du XVIIᵉ siècle relatifs à Molière*, Paris, éd. du C.N.R.S., 1965, t. II, p. 576.
2. Effet certain d'une transcription mal écrite, car la graphie de l'original exclut toute ambiguïté. L'erreur remonte aux frères Parfaict, qui avaient pu consulter les notes de Tralage, dont la trace se perdit ensuite pendant plus d'un siècle, *Histoire du théâtre français*, Paris, 1746, t. VIII, p. 234, n. *b*. A un autre endroit, les mêmes auteurs avaient pourtant écrit *Vivot*, t. XIII, p. 297. La première orthographe fut seule retenue par les éditeurs et les biographes du XIXᵉ siècle, notamment dans la

reconnue mérite pourtant qu'on essaie de lui conférer une identité et de dessiner les traits de son visage, avec l'espoir que celui du grand écrivain en sera par-là même éclairé[3].

On sait que le père de Molière, Jean Pocquelin, maître-tapissier, s'était établi dès l'automne 1620 dans une maison située rue Saint-Honoré, au coin de la rue des Vieilles-Etuves, portant pour enseigne *Le Pavillon des singes* : maison dont il ne reste qu'une petite partie, au n° 96 de la rue Saint-Honoré, le reste ayant disparu lors de l'élargissement de ce qui est devenu la rue Sauval[4]. C'est dans cette maison qu'il fit entrer, au printemps 1621, sa première femme, Marie Cressé, et que naquit, en janvier 1622, leur fils Jean, dit habituellement Jean-Baptiste, le futur Molière. La famille Pocquelin devait occuper ce logis jusqu'au début de l'année 1643. Entre-temps, Jean, le père, acquit en avril 1631 la charge de Tapissier et Valet de chambre du roi. Un an après, il perdit sa femme. En avril 1633, il épousa en secondes noces Catherine Fleurette. Son fils aîné, en décembre 1637, obtenait en survivance la charge de tapissier et valet de chambre du roi détenue par son père. C'est seulement en 1643 que de grands bouleversements se produisirent dans la famille. Jean Pocquelin père vint établir son commerce sous les piliers des Halles, *A l'Image Saint-Christophe*. Quant à Molière, qui atteignait l'âge de vingt et un ans, il prit ses distances par rapport à sa famille et, sans quitter sa charge, sinon de tapissier, du moins de valet de chambre du roi, s'engagea dans l'entreprise de *L'Illustre Théâtre*.

Revenons au *Pavillon des singes* au temps de l'enfance et de la première jeunesse de Molière. Orientée vers le sud, la maison faisait pratiquement face au célèbre carrefour de la *Croix-du-Tiroir* et à la fontaine qui y fut édifiée en 1634. Au-delà s'ouvrait perpendiculairement la rue de l'Arbre-Sec, qui conduisait jusqu'à l'église

publication la plus prestigieuse, Molière, *Œuvres,* E. Despois et P. Mesnard., Paris, Hachette, Les Gr. Ecr. de la France, t. I, p. XII, n. 1, et XXII-XXIII, n. 3. La seconde a été heureusement adoptée par G. COUTON, Molière, *Œuvres complètes,* Paris, Gallimard, Bibl. de la Pléiade, t. I, p. LXII, n. 1, LXII, n. 1. La collaboration à la rédaction de la préface de 1682 d'un obscur comédien nommé Marcel, évoquée par ces éditeurs, ne nous semble pas pouvoir être sérieusement admise.

3. Nos recherches sur Vivot, commencées de longue date, vite assurées par la découverte de son inventaire après décès, ont recoupé ensuite celles que Mme Madeleine Jurgens menait de son côté, avec l'éclat que l'on sait, sur Molière, sa famille et sa troupe. Mme Jurgens nous a aidé à retrouver les origines et les premières relations de la famille Vivot : nous lui en exprimons notre très vive reconnaissance.

4. M. JURGENS et E. MAXFIELD-MILLER, *Cent ans de recherches sur Molière,* Paris, Impr. nat., 1963, p. 38-44; 206-210. Pour la suite, *ibid.,* p. 44, 54-56, 61-63; 210-212; 214-217; 222, 224-226.

Saint-Germain-l'Auxerrois. A une cinquantaine de pas, sur le côté est de cette rue, une importante maison occupait la moitié nord de la parcelle sur laquelle a été édifié, au XVIIIe siècle, le très bel immeuble qui porte aujourd'hui le n° 52 [5]. A l'enseigne des *Deux Croissants*, la maison appartenait à la nombreuse famille De Rivière. Jusqu'en 1631, les maîtres des lieux étaient Claude De Rivière, l'un des vingt-cinq marchands cabaretiers privilégiés suivant la cour – fonction sans doute identique à celle du père de Voiture – et Pâquette De Lihus, sa femme, qui survécut à son mari jusqu'en 1637. A cette dernière date, leurs sept enfants se partagèrent la propriété de la maison, où plusieurs d'entre eux habitaient [6]. C'était le cas, en particulier, du second, qui avait gardé de son père le prénom de Claude et le métier de marchand de vin. Du vivant de ses parents, par contrat du 13 septembre 1626 [7], ce dernier avait épousé Madeleine Vivot, fille de Nicolas, marchand orfèvre, bourgeois de Paris, et de Madeleine Du Jardin, sa seconde femme, récemment décédée. Nicolas Vivot mourut lui-même le 18 août 1633, dans sa demeure située rue et paroisse Saint-Germain-l'Auxerrois. De son second mariage, il lui restait alors, outre Madeleine, deux enfants mineurs, Jean et Anne, qui passèrent sous la tutelle de leur beau-frère et vinrent demeurer chez lui. Jean avait alors vingt ans – il était donc né en 1613 – et Anne quatorze ans [8].

5. L'identification de cet emplacement ne peut donner lieu à aucun doute, mais elle suppose des démarches assez complexes, que nous ne pouvons pas détailler. La documentation, qui sera utilisée aussi pour les autres maisons de la rue de l'Arbre-Sec mentionnées dans le présent article, est la suivante. On peut s'aider, au départ, des recherches publiées sous la direction d'André CHASTEL sous le titre *Système de l'architecture urbaine. Le Quartier des Halles à Paris,* Paris, éd. du C.N.R.S., 1977, notamment, au t. II, des planches 19 et 21. Cette dernière planche correspond au plan parcellaire actuel et donne les numéros actuels des maisons. L'autre planche donne, à une échelle semblable, l'état du quartier au début du XVIIIe siècle. Elle repose sur le plan du Terrier du roi, Arch. nat., Q¹ 1099⁴, f° 17 v° - 25 v°, dont les numéros sont conservés, mais dont le dessin est amélioré. La maison qui nous occupe y porte le n° 68. Pour préciser l'histoire de chaque maison, il faut se reporter aux papiers de la censive du Fort-aux-Dames, dépendant de l'abbaye du Montmartre, *ibid.,* S 4450 : la maison donne lieu au 54e article. On trouve aussi, pour l'année 1640 environ, un état des propriétaires et locataires des maisons de la rue, mais sans plus, grâce aux *Rôles des taxes des boues et lanternes, ibid.,* KK 1036, f°s 90 v° - 97 r°, principalement f° 91 v°. A l'occasion, des documents complémentaires seront cités.

6. Sur la famille De Rivière, voir principalement des actes des 28 février 1628 (mentionnant la profession de Claude De Rivière, père), Min. Centr., XXIV, 322; 8 octobre 1631 (partage de la succession du même), *ibid.,* 333; 25 août, 1er (3 actes), 11 et 21 septembre 1637 (actes relatifs au partage de la succession de Pâquette De Lihus, et concernant presque tous la maison de la rue de l'Arbre-Sec), *ibid.,* 347. Sur le père de Voiture et sa profession, E. MAGNE, *Voiture et l'hôtel de Rambouillet,* Paris, Emile-Paul, 1929, t. I, principalement p. 5 (et n. 3), 232-234.

7. Mentionné dans le premier inv. des biens de Nicolas Vivot (voir ci-dessous, n. 10), Titres et papiers, cote 7. La minute originale ne se retrouve pas à la référence indiquée.

8. Ages indiqués par une sentence du Châtelet en date du 22 août 1633, confiant à Claude De Rivière la tutelle de ces enfants, Arch. nat., Y 3899 B. Sur l'histoire de la famille Vivot, voir ci-dessous.

Cette dernière devait bientôt entrer comme religieuse au monastère proche des Filles de l'Assomption, rue Neuve-Saint-Honoré. Quant à Jean Vivot, il ne devait plus quitter cette maison jusqu'à sa mort, près de soixante ans plus tard.

La famille Vivot était originaire de Baugé, en Anjou, du côté du Maine. Elle était peut-être apparentée à celle d'un compatriote promis à la célébrité, le voyageur et philosophe François Bernier, disciple de Gassendi, ami de La Fontaine. Fils de Jean Vivot et de Renée Hébert, Nicolas avait quitté dès son jeune âge son pays natal, où il avait laissé trois sœurs, Marie, femme de Pierre Taboureau, Anne, femme de René Trénaunay, et Jacquine, sans doute demeurée fille[9]. Il avait contracté un premier mariage, au Mans, en 1597, avec Marie Mauboussin, qui mourut au début de l'année 1604 à Paris, où ils n'avaient pas tardé à venir s'installer. Ils avaient deux enfants, Marie et Jean, dont la première seule devait parvenir à l'âge adulte[10]. Quelques mois après, établi comme marchand-orfèvre rue des Arcis, paroisse Saint-Jacques-de-la-Boucherie, il se remariait, par contrat du 21 novembre 1604, avec Madeleine Du Jardin, qui appartenait aussi à une famille d'orfèvres[11]. C'est peu de temps après qu'il transporta sa boutique rue et paroisse Saint-Germain-l'Auxerrois, à l'enseigne des *Trois Mores*[12], dans un quartier où se concentrait une bonne part du commerce de l'orfèvrerie, comme le montre l'existence d'une rue des Orfèvres et de celle de la Monnaie. Par contrat du 10 janvier 1621, la fille qu'il avait eue de son premier mariage, Marie, épousa François Boullet, juré pour le roi ès œuvres de maçonnerie et architecte de ses bâtiments[13]. Elle en était veuve en 1633. Son père avait aussi quatre enfants de son second mariage, Madeleine, Alexandre, Jean et Anne, lorsque, le 14 février 1633, il fit dresser l'inventaire de la communauté qu'il avait eue avec sa femme. Mais Alexandre mourut bientôt après à Madrid, après y avoir dicté son testament le 27 mai[14]. Après la mort de Nicolas, un second inventaire de ses biens fut dressé le 27 août suivant : il se réduit pour

9. Sur les origines de la famille Vivot, nous sommes renseignés par l'analyse de plusieurs actes relatifs au partage de la succession de Jean Vivot et de Renée Hébert (la lecture de ce nom n'est pas tout à fait sûre), passés à Baugé du 16 mai au 1er juin 1619, dans le second inv. de Nicolas Vivot, Min. Centr., CXV, 66, 27 août 1633, cotes 3-11. La cote 3 mentionne une Mathurine Savart (nom douteux), veuve de Jacques Bernier, sans doute parente des Vivot.

10. Voir le premier inv. de Nicolas Vivot, *ibid.*, 65, 14 février 1633, cote 4, mentionnant à la fois son premier contrat de mariage et l'inv. après décès de sa première femme, et cote 5, des quittances de frais funéraires.

11. *Ibid.*, cote 1. Pour l'original, *ibid.*, XXIV, 101. Pour la famille Du Jardin, voir ci-dessous.

12. Sur cette maison, voir l'inv. du 14 février 1633, cote 2.

13. *Ibid.*, cote 6. La minute du contrat, passé devant le notaire Le Mercier (Min. Centr., VII), manque. Des précisions sur Marie Vivot sont formulées par un acte du 9 octobre 1637, *ibid.*, XXIV, 347.

14. Voir l'inv. du 27 août, cote 12.

l'essentiel à un récolement du premier. Désormais, Claude de Rivière agit en chef de la famille, qui s'établit tout entière, y compris Marie, dans la maison de la rue de l'Arbre-Sec.

Par son contenu, l'inventaire des biens de Nicolas Vivot est un document d'un type très rare et d'un intérêt exceptionnel, révélateur, au-delà d'une fortune, de l'esprit d'une famille. Rien n'y distingue les marchandises dépendant du fonds de commerce et les objets de collection personnels. La confusion devait être à peu près totale entre les deux catégories. De très belles pièces d'orfèvrerie, atteignant de hauts prix, se rangeaient de la façon la plus certaine dans la première. Mais notre attention est davantage attirée par une ample collection de «peintures, sculptures et autres marchandises de cabinet», dont l'intérêt était assez considérable pour avoir justifié le recours à trois experts prestigieux, le peintre Claude Vignon, le sculpteur Pierre Biard (le fils), le peintre et graveur Pierre Brebiette. Plus de six cents pièces furent estimées, rangées en deux séries où elles sont numérotées une à une. Dans l'ensemble, une moitié environ de peintures, presque toutes originales, mais avec quelques «manière de» qui sont sans doute des copies. La collection faisait une place de choix aux peintres français récents ou contemporains, Vignon lui-même, Vouet, et beaucoup d'autres moins connus, Fréminel, Nivelon, Fouquières, Dubreuil, Lallemant, Bellenge, plusieurs obscurs, Ambroise et Jérôme Franc, et d'autres. Entre les étrangers, les Vénitiens étaient particulièrement bien représentés, le Titien, le Tintoret et une série de Bassans, mais aussi les Flamands, Téniers, Pourbus, Momper, Rubens, une dizaine de Brueghel, père et fils. Autres Italiens : Carrache, Alexandre Véronèse, Joseph Pin, le Parmesan, Jules Romain, Raphaël. Quelques Allemands : Albert Dürer, Strobel. Peu de Hollandais : Renaldi. La qualité moyenne des pièces pâtissait apparemment de leur nombre : on est loin des trois cents livres d'estimation par tableau, moyenne de la collection de Richelieu[15]. Atteignent les sommets, entre autres : un Nivelon sur cuivre, 100 livres; comme un grand tableau de chasse avec sanglier; *L'Idolâtrie de Salomon,* de Franc le jeune, 80 livres; un chapeau de fleurs sur une coupe, de Brueghel, 75 livres; une *Vierge* d'André del Sarto, 60 livres; de même qu'un *Ecce homo* de Dubreuil; une *Descente de Croix* de Rubens, 50 livres; de même qu'un tableau sur bois représentant des usuriers; deux pots de fleurs de la main de Mahon, 48 livres; une *Dispute de Notre-Seigneur avec les docteurs du Temple,* de Vignon, 45 livres; de même qu'une *Lucrèce* de Léonard de Corona; une *Vénus et Adonis* du Titien, 40 livres. Mais un *Prince d'Orange* de Pourbus n'atteint que

15. Voir Lizzie BOUBLI, «Les Collections parisiennes de peintures de Richelieu», *Richelieu et le monde de l'esprit,* Paris, Impr. nat., 1985, p. 103-113.

18 livres, un *Pétrarque* de Raphaël, 12 livres[16]. Les prix se tiennent souvent entre 5 et 15 livres. Mais l'ensemble n'en demeure pas moins impressionnant, et très révélateur de l'état du goût à la fin du premier tiers du XVIIe siècle.

Le reste de la collection, quoique non moins précieux, n'appelle pas un regard aussi attentif. En continuité avec les peintures, on découvre, rangés en cartons ou reliés en volumes, d'innombrables dessins, estampes et gravures. Atteignent des prix particulièrement élevés des «figures» sculptées, généralement en bronze, souvent œuvre de Biard; ainsi que des médailles. Enfin se mêlent des objets de curiosité fort divers, couteaux, arcs, œufs d'autruche, pantoufles de Turquie, boîtes et même une armure. Une véritable boutique d'antiquaire doublait celle de l'orfèvre.

Dès son vivant, Nicolas Vivot avait décidé la liquidation de ce fonds, soit qu'aucun de ses enfants ne fût disposé à lui succéder, soit surtout pour faciliter le règlement de sa succession. Mais seule une petite partie de la collection put être vendue. Après sa mort, la famille pensa que les estimations avaient été trop élevées. Lorsque Claude de Rivière obtint la tutelle des enfants mineurs, il demanda l'autorisation de baisser les prix pour la poursuite de la vente, «n'étant telles curiosités de la connaissance de tout le vulgaire[17]». On peut aussi croire qu'il suffisait de mettre en vente une telle quantité de marchandises pour faire baisser les cours.

Devant cette accumulation d'œuvres précieuses, on est frappé par l'absence d'une bibliothèque. Mais tout l'intérêt de la famille Vivot se porte vers les arts, arts plastiques et arts décoratifs. Univers proche de celui des architectes : il n'est pas surprenant que Marie Vivot en ait épousé un. Le quartier qu'habitaient les Vivot – et les Pocquelin – était d'ailleurs amplement spécialisé dans les métiers d'art et le commerce de luxe. C'est dans ce milieu que Jean Vivot nous fait pénétrer.

Cette destination du quartier s'explique par une raison fort simple : la proximité du palais du Louvre, les besoins de la Cour. Aussi bien le milieu que nous essayons de cerner ne se composait-il pas seulement d'artisans et d'artistes, mais aussi, et souvent en même temps, d'officiers de la Maison du roi. C'était le cas de Jean Pocquelin et, dès 1637, de son fils. C'était amplement le cas pour l'entourage des Vivot.

La famille De Rivière, près de laquelle Jean Vivot passa toute sa vie, prête à des observations caractéristiques. On a vu que le père entrait dans la catégorie des marchands privilégiés suivant la Cour.

---

16. Dans l'inventaire, les tableaux ainsi désignés portent, dans l'ordre, à l'intérieur de la première série, les nos 108, 20, 109, 114, 33, 34, 340, 95, 21, 5, 127, 6, 105, 158.

17. Voir le document cité n. 8.

Le fils aîné, Jean, était premier valet de garde-robe de Monseigneur, frère unique du roi : emploi typique de Cour. Les professions exercées par ses frères cadets permettent de situer dans l'échelle sociale le milieu dans lequel se recrutaient ces officiers de la Maison du roi. Après Claude venaient : Michel, chanoine de Saint-Thomas du Louvre ; Pierre, notaire ; Antoine, qui se donnait le titre d'écuyer, et deux filles, Guillemette, qui épousa Jacques Le Gay, notaire ; Marguerite, mariée à Jacques Boullard, chirurgien ordinaire de la reine : on retrouve les charges de Cour[18]. La profession favorite semble être celle de notaire : il s'en trouvera d'autres à la génération suivante, et la famille sera souvent tentée de recourir aux service de ces parents plutôt que de s'adresser dans son voisinage. C'est donc le monde de la bonne bourgeoisie qui s'offre à nous, touchant à la petite noblesse, celui où les hommes peuvent prétendre au titre d'écuyer et les femmes mariées se faire appeler Mademoiselle. C'est aussi celui de la famille de Molière.

Les voisins de Jean Vivot rue de l'Arbre-Sec lui étaient d'autant plus proches que c'étaient souvent aussi ses parents. Le plus considérable demeurait sur l'emplacement de la belle et grande maison XVIIIᵉ siècle qui occupe actuellement le nᵒ 48 de la rue[19]. Il avait pour propriétaire Thomas Le Clerc, intendant des finances, et se nommait François Du Jardin. Il était l'oncle maternel de Vivot. Il remplissait les fonctions d'orfèvre et valet de chambre du roi, «grand orfèvre», disent même certains documents, et de garde des cabinets de la reine, fonctions qu'avaient exercées avant lui son père, un autre François Du Jardin. Il devait quitter, vers 1639, la rue de l'Arbre-Sec pour celle, toute proche, de la Monnaie, puis pour la rue Baillet, où il mourut en 1657. Il avait épousé Marie Benoise, d'une grande famille parisienne. L'inventaire établi à sa mort[20] mentionne beaucoup de pièces d'orfèvrerie, mais non pas des tableaux ni des antiquités : ce qui suffit à le distinguer de son beau-frère Nicolas Vivot. Les affaires d'argent et, d'abord, son service à la Cour, l'occupaient davantage.

Dans la maison contiguë à celle des De Rivière, c'est-à-dire sur la moitié sud du nᵒ 52 actuel, à l'enseigne des *Quatre fils Aymon*, était établi un autre orfèvre et valet de chambre de la reine, Antoine Le Mercier, fort lié avec les Vivot, comme avec les Du Jardin. Il était frère d'un Paul Le Mercier — toujours orfèvre et valet de chambre du roi — décédé, qui avait épousé Marie Du Jardin, sœur de

---

18. Voir la n. 6.

19. Pour l'identification des maisons, voir n. 5.

20. Min. Centr., LIV, 323, 1ᵉʳ mars 1657. Il était déjà établi rue de l'Arbre-Sec le 13 juin 1626, *ibid.*, XIX, 394, et s'y trouve encore le 13 décembre 1637, *ibid.*, XXIV, 347. Il habite rue de la Monnaie le 12 septembre 1639, *ibid.*, 415 ; et encore le 1ᵉʳ mai 1646, *ibid.*, 428. Il meurt non loin de là, rue Baillet.

Madeleine et de François[21]. Il était donc allié de la famille. C'est lui qui fit l'estimation du fonds de joaillerie laissé par Nicolas Vivot. Entre les Du Jardin et les Le Mercier, d'innombrables mariages avaient réalisé une véritable fusion. Le membre le plus éminent de cette dernière famille était évidemment Jacques Le Mercier, qui partageait avec Salomon De Brosse le titre glorieux de premier architecte du roi, protégé aussi de Richelieu, pour lequel il construisit le Palais Cardinal et la chapelle de la Sorbonne. Jacques Le Mercier demeurait lui-même rue de l'Arbre-Sec, au n° 46 actuel, c'est-à-dire dans la maison contiguë à celle de François Du Jardin. C'est là qu'il mourut, le 13 janvier 1654[22].

Autres voisins remarquables, quoique non parents, de Jean Vivot, le notaire Jean Chapelain, proche de l'écrivain du même nom, établi au n° 50 de la rue; et un autre notaire, Claude Plastrier, au n° 44. Nous retrouvons cette curieuse affinité entre notaires et officiers de la Maison du roi.

Au moment où le très jeune Jean-Baptiste Pocquelin put commencer à connaître Jean Vivot, il est clair que, pour créer les liens, le voisinage se conjuguait avec l'appartenance à un même et double milieu, celui de l'artisanat d'art et celui de la Maison du roi.

La situation réciproque des deux jeunes gens ne subit pas d'importante modification jusqu'en 1643, sinon en ce que la différence d'âge, peu favorable en 1633 à l'établissement de rapports étroits — Vivot avait neuf ans de plus que Molière — s'estompait avec le temps. Tandis que Molière faisait ses études, Vivot atteignait en 1638 sa majorité de vingt-cinq ans et se souciait d'acquérir une charge. Ce sont surtout ses rapports avec sa famille qui permettent de le suivre. Il signa le contrat, en date du 15 octobre 1637, par lequel sa demi-sœur Marie, veuve depuis longtemps, se remaria avec Claude Monnard, juré pour le roi ès œuvres de maçonnerie et architecte ordinaire de ses bâtiments : profession identique à celle de son premier mari. Jean était alors désigné comme «suivant les finances» : titre vague, signalant une vocation de comptable plutôt que de juriste. Le 31 août 1639, devenu majeur, il partageait avec Marie et Madeleine l'héritage de leur sœur Anne, devenue religieuse : il était alors déclaré «écuyer». Le 10 septembre suivant, il recevait de son beau-frère Claude De

21. Voir la mention portée dans un acte de partage du 23 septembre 1632, *ibid.*, VII, 21, où apparaissent plusieurs couples Du Jardin - Le Mercier.

22. Voir son inv. après décès, et celui de sa seconde femme, Anne de Marigny (la première avait été Marguerite Plastrier, fille du notaire son voisin), *ibid.*, XLV, 260, 12 juin 1654. Sur sa maison, qu'avait achetée pour lui, en 1635, son collaborateur Jean Thieriot, voir un acte relatif à sa succession, *ibid.*, VII, 100, 26 mai 1661. Nous n'avons pas pu préciser la parenté de l'architecte avec les autres Le Mercier mentionnés plus haut, mais elle est très probable, à en juger par sa présence au contrat de mariage d'une fille de François Du Jardin, *ibid.*, XXIV, 340.

Rivière partie du reliquat de son compte de tutelle, qui se montait en tout à près de 11 000 livres. Il continuait cependant à faire confiance à son ancien tuteur pour l'administration de ses biens. Nouvel acte avec ses sœurs, pour la succession de leurs parents le 14 septembre 1641 : il est toujours «écuyer»[23].

Lorsque, au milieu de l'année 1643, Molière se lance dans l'aventure de *L'Illustre Théâtre,* on ne peut douter que Vivot ne le connaisse bien. Il y a donc tout lieu de prêter foi aux détails que la *Préface* de l'édition de 1682 fournit sur la jeunesse du comédien. Il en est que l'on peut vérifier et qui ne pouvaient être connus que d'un familier : la réception de Molière, «dès son bas âge», en survivance de la charge de tapissier valet de chambre du roi. Voilà qui autorise d'autres affirmations apparemment moins solidement fondées : les «humanités» faites au Collège de Clermont; le passage par les «écoles de droit». Sans doute un point du témoignage semble-t-il inacceptable : Molière aurait «eu l'avantage de suivre feu Monsieur le Prince de Conty dans toutes ses classes[24]». Mais cette phrase signifie-t-elle que Molière ait été le condisciple du prince, plus jeune que lui de sept ans? Il semble qu'elle invite plus naturellement à comprendre que le brillant élève des jésuites aurait été amené à «suivre» le prince en jouant auprès de lui le rôle d'une sorte de moniteur. Quoi qu'il en soit, les données de la *Préface* de 1682 ne peuvent être prises à la légère.

Quoiqu'un goût commun du théâtre ait eu tout lieu de se manifester entre Molière et Vivot dès avant 1643, il est clair que l'entreprise de *L'Illustre Théâtre* ne put donner ni à l'un ni à l'autre de grandes satisfactions. En tout cas, leurs chemins ne tardèrent pas à diverger. Non seulement le voisinage prit fin, mais l'obligation faite à Molière, par l'échec de sa tentative parisienne, de s'engager en 1645 dans une longue carrière de comédien itinérant en province supprima, ou du moins espaça considérablement les occasions de rencontres. Seul le retour de la troupe à Paris, en 1658, put permettre de renouer solidement les liens.

Cependant, tandis que Molière devenait comédien, Vivot suivait la voie de son entourage en acquérant une charge de Cour, celle de contrôleur clerc d'office ou, plus simplement, contrôleur d'office de la Maison du roi, qu'il paya 18 000 livres et dont il obtint démission à son profit le 24 novembre 1643. Il prêta serment le 29[25]. Charge modeste, à exercer par quartier, c'est-à-dire par trimestre, comme

---

23. Pour ces actes, voir, dans l'ordre, *ibid.,* 347, 415, 419. Dans la même ligne se place un autre acte, du 16 novembre 1645, *ibid.,* 427.

24. MOLIÈRE, *Œuvres complètes,* Paris, éd. G. Couton, t. I, p. 996.

25. Voir les actes analysés dans son inv. après décès, Min. Centr., XVI, 594, 30 janvier 1690, Papiers, cote 15, n. 1 à 3.

les autres charges de Cour, mais qui l'établissait dans le monde. Demeurant toujours étroitement lié à sa famille, lui-même ne se maria pas. Entre ses goûts les plus affirmés, auquel il consacrait certainement une bonne part de son temps, celui des œuvres d'art et des antiquités, qu'il avait hérité de son père.

De par ses fonctions, il se devait de suivre la Cour dans ses déplacements. Comme Molière, mais d'une façon moins aventureuse, il eut ainsi beaucoup à voyager, notamment pendant la Fronde. A la fin de l'année 1651, il se trouvait avec la Cour à Poitiers. Il y tomba gravement malade et sa vie fut en péril. Il se vit si près de la mort que, pour conserver sa charge dans sa famille, signe d'un dévouement à ses proches qui sera souvent attesté, il en passa démission au profit d'un de ses neveux, Jean-Baptiste De Rivière. Acte qu'il considéra naturellement comme annulé lorsqu'il fut revenu en santé, mais qui suscita des réclamations lors de son décès[26]. Il disposa autrement de cette charge, recevant toutefois, le 31 décembre 1653, un certificat déclarant qu'il était inscrit sur l'état général des officiers domestiques et commensaux de la Maison du roi[27]. Il avait obtenu, à Saumur, le 19 février 1652, lettres de retenue pour la charge de l'un des trente-six gentilshommes servants du roi et en avait prêté serment le 22. Mais ce fut seulement le 17 février 1657, à Paris, qu'il en fit réellement l'acquisition[28] et un peu plus tard encore qu'il put en porter régulièrement le titre, qu'il conserva presque toute sa vie.

Officier de la Maison du roi, Vivot se trouvait collègue direct de Molière, surtout lorsque celui-ci, à la mort de son frère cadet Jean, en avril 1660, eut repris l'exercice complet de la charge de tapissier valet de chambre du roi[29]. Seule différence entre eux : si ce dernier appartenait au service de la chambre, lui-même était au service de la bouche. Il était bien placé pour attester, dans la *Préface* de 1682, à propos de son ancien collègue : «Son exercice de la comédie ne l'empêchait pas de servir le roi dans sa charge de valet de chambre, où il se rendait très assidu. Ainsi il se fit remarquer à la Cour pour un homme civil et honnête, ne se prévalant point de son mérite et de son crédit, s'accommodant à l'humeur de ceux avec qui il était obligé de vivre, ayant l'âme belle, libérale : en un mot, possédant et exerçant toutes les qualités d'un parfaitement honnête homme[30]». Le portrait ainsi tracé reflète l'idéal humain de Vivot : sans doute peut-on y reconnaître ce qu'il essayait d'être lui-même.

---

26. Voir une importante transaction du 12 mai 1690, *ibid.*, LXVI, 267.
27. Voir l'inv. après décès, Papiers, cote 15, n. 4.
28. *Ibid.*, cote 16. Voir aussi Min. Centr., LIV, 324, 15 novembre 1657.
29. M. JURGENS et E. MAXFIELD-MILLER, *op. cit.*, p. 165-166.
30. MOLIÈRE, *éd. cit.*, t. I, p. 999.

Pour éclairer sa personnalité, nous ne disposons que des documents relatifs à ses rapports avec sa famille. Il paraît avoir été l'homme affable, disponible, bon conseiller, auquel on a volontiers recours. Toujours présent à la signature des contrats de mariage. De ses neveux De Rivière, l'aîné, Louis, était entré à l'Oratoire : signe, parmi beaucoup d'autres, de la dévotion qui régnait dans la famille. Venaient ensuite deux filles, Madeleine et Marthe, qui ne tardèrent pas à se marier. La seconde, par contrat du 25 janvier 1654 [31], avec le notaire Louis Baudry, dont l'étude eut désormais la clientèle de toute la famille. Importe davantage à notre propos le contrat de mariage de Madeleine, passé quelques jours plus tard, le 8 février 1654 : le futur époux se nommait Henri Donneau de Visé [32]. Ainsi s'établissaient des relations, qui devaient être durables, avec une autre famille d'officiers de la Maison du roi, et rendue célèbre, dans le domaine des lettres et dans celui de la critique moliéresque, par l'un de ses membres, un neveu d'Henri, Jean Donneau de Visé, fondateur, en 1672, du *Mercure Galant,* encore adolescent à cette époque. Henri se qualifiait d'«écuyer, exempt des gardes du corps de la Reine Mère du roi et gentilhomme servant de Sa Majesté et de Monseigneur le duc d'Anjou» : on voit que Jean Vivot était destiné à devenir son collègue direct; on constate aussi une fois de plus, par la juxtaposition des deux mariages, la parenté des carrières du notariat et de la Maison du roi. Le futur époux demeurait rue Matignon, paroisse Saint-Germain-l'Auxerrois, où sa jeune femme allait le rejoindre et passer la plus grande partie de sa vie si l'on admet que cette adresse ne fait qu'un avec celle du cul-de-sac de la rue Saint-Thomas-du-Louvre, souvent donnée dans les actes par la suite. En cette maison vivaient beaucoup des membres de la nombreuse famille Donneau de Visé. C'était le cas, en particulier, pour l'aîné immédiat d'Henri, Antoine, présent au contrat de mariage, et qui fut le père de Jean. Antoine était exempt des gardes du corps du duc d'Orléans. Sa femme se nommait Claude Gaboury; elle était fille de Jean Gaboury, tapissier du roi, le plus ancien et le plus élevé en dignité des collègues directs de Jean Pocquelin et de son fils, Molière [33]. Jean Gaboury fut aussi pendant longtemps propriétaire d'une maison de la rue de l'Arbre-Sec, celle que devait acquérir l'architecte Le Mercier. On ne saurait imaginer plus grande consistance du milieu auquel appartenaient à la fois Molière et Vivot.

---

31. Min. Centr., XCII, 155.

32. *Ibid.,* LXIV, 97.

33. Sur la famille Donneau de Visé, Jal, *Dictionnaire critique de biographie et d'histoire,* Paris, Plon, 1872, 2ᵉ éd., p. 1279-1280; G. MONGRÉDIEN, «Le fondateur du "Mercure Galant", Jean Donneau de Visé, Documents inédits», *Mercure de France,* oct.-nov. 1937, t. 279, p. 89-116. Quelques erreurs sont aisées à rectifier grâce aux actes notariés.

Pour ce dernier, ses neveux De Rivière allaient bientôt constituer la famille la plus proche. Les deuils, en effet, s'accumulaient. Son beau-frère Claude De Rivière fut le premier à disparaître, en novembre 1654 [34]. Il était certainement malade depuis plusieurs années, peut-être paralysé : il ne parut que par procuration aux contrats de mariage de ses filles. Sa veuve Madeleine Vivot ne tarda pas à le suivre dans la tombe, vers le début d'août 1658 [35]. C'est alors qu'auprès de ses neveux mineurs Jean-Baptiste et Marie, Vivot inaugura l'exercice de fonctions de tuteur et curateur dont son obligeance naturelle devait lui faire par la suite une habitude. Jean-Baptiste, peut-être son filleul, est celui auquel il avait pensé transmettre sa charge pendant sa maladie de Poitiers. C'était encore un tout jeune homme, qui achevait à Paris des études commencées au célèbre collège de Pontlevoy, en Orléanais. Pour faciliter le partage de la succession, la famille dut se résigner à vendre, outre une maison de campagne à Auteuil, la maison des *Deux Croissants,* qui fut achetée, le 25 octobre 1660, par François Barnoin, premier barbier du roi [36]. Jean Vivot n'y conserva pas moins, en location, l'appartement qu'il y possédait sur deux corps de logis, aux troisième et quatrième étages.

Sa sœur aînée, sa demi-sœur, Marie, que son remariage avait entraînée dans un quartier lointain, rue de la Culture-Sainte-Catherine, paroisse Saint-Paul, avait sans doute elle-même disparu depuis plusieurs années déjà. Son mari, l'architecte Claude Monnard, mourut à son tour vers le début de janvier 1661. A la fille, Marie, qu'il avait eue de sa première femme, déjà mariée et veuve, étaient venus s'ajouter deux enfants encore mineurs, une fille, Marie-Madeleine, un fils, Claude, dont Jean Vivot devint naturellement le curateur [37].

Jean Vivot était donc, dans sa famille, le seul survivant de sa génération lorsque s'ouvrit, pour la vie de Cour, à laquelle il participait activement, une période particulièrement brillante. Entre autres manifestations de ce renouveau, il y a lieu de mettre l'accueil triomphal qui fut réservé à la troupe de Molière lorsque, passée sous la protection de Monsieur, frère du roi, elle put revenir à Paris et donner une représentation officielle. Dans la *Préface* de

---

34. Date indiquée par son inv. après décès, Min. Centr., XCII, 157, 31 mars 1655.

35. Son inv. après décès fut commencé le 13 de ce mois, *ibid.,* 164. Sur Jean-Baptiste, voir notamment, dans l'inv. des titres, les cotes 7 et 8.

36. Voir l'acte de partage de la succession, *ibid.,* 169, 5 novembre 1660.

37. Voir l'inv. après décès de Claude Monnard, *ibid., LIV,* 332, 17 janvier 1661. On y trouve de précieuses indications sur les travaux que Claude Monnard dirigea, principalement en 1637 et 1638, dans plusieurs palais royaux ou princiers, notamment au Louvre et aux Tuileries, à la Bastille, au Luxembourg, à Saint-Germain-en-Laye et à Fontainebleau, voir Titres, cotes 39 à 43.

1682, le récit de cette séance est trop précis pour ne pas émaner d'un témoin oculaire, et l'on peut assurer que Vivot en était :

«[...] Le 24 octobre 1658, cette troupe commença de paraître devant Leurs Majestés et toute la Cour, sur un théâtre que le Roi avait fait dresser dans la Salle des Gardes du vieux Louvre. *Nicomède,* tragédie de Monsieur de Corneille l'aîné, fut la pièce qu'elle choisit pour cet éclatant début. Ces nouveaux acteurs ne déplurent point, et on fut surtout fort satisfait de l'agrément et du jeu des femmes. Les fameux comédiens qui faisaient alors si bien valoir l'Hôtel de Bourgogne étaient présents à cette représentation. La pièce étant achevée, Monsieur de Molière vint sur le théâtre ; et, après avoir remercié Sa Majesté en des termes très modestes de la bonté qu'Elle avait eue d'excuser ses défauts et ceux de toute sa troupe, qui n'avait paru qu'en tremblant devant une assemblée si auguste, il lui dit que l'envie qu'ils avaient eue d'avoir l'honneur de divertir le plus grand roi du monde leur avait fait oublier que Sa Majesté avait à son service d'excellents originaux, dont ils n'étaient que de très faibles copies ; mais que, puisqu'Elle avait bien voulu souffrir leurs manières de campagne, il la suppliait très humblement d'avoir agréable qu'il lui donnât un de ces petits divertissements qui lui avaient acquis quelque réputation, et dont il régalait les provinces.»

Est ensuite racontée, avec non moins de détails, la représentation de la «petite comédie» du *Docteur amoureux* [38]. L'attribution à Vivot de ce récit, qui n'a pas d'équivalent dans la *Préface,* s'impose d'autant plus que son collaborateur présumé à la rédaction de cet écrit, La Grange, n'était pas encore entré, à cette époque, dans la troupe de Molière et qu'il séjournait en province. C'est à Pâques 1659 qu'il se joignit à la troupe, où il se distingua d'abord en jouant le rôle qui porte son nom dans *Les Précieuses ridicules* [39].

Que Molière jouât sur la scène du Petit Bourbon, en face de l'ancien Louvre, comme il le fit de 1658 à 1660, ou sur celle du Palais Royal, qui lui fut attribuée par la suite, ces théâtres étaient tout proches de la rue de l'Arbre-Sec, et Vivot put aisément les fréquenter autant que son goût l'y portait. Jusqu'au 17 février 1673, jusqu'à la quatrième représentation du *Malade imaginaire,* Molière fut à la fois pour lui le collègue de la Maison du roi et le grand comique admiré. Il est évident qu'il avait une facilité particulière pour suivre les représentations à la Cour, soit au Louvre, soit dans les autres châteaux royaux. Peu d'hommes ont pu approcher le comédien de plus près.

Il est naturel qu'il se soit lié aussi avec La Grange, l'«honnête

---

38. MOLIÈRE, *Œuvres complètes,* éd. cit., p. 997-998.
39. Sur La Grange, M. JURGENS et E. MAXFIELD-MILLER, *op. cit.,* p. 707-712.

homme» de la troupe, celui avec lequel il avait sans doute le plus d'affinités. Il avait d'ailleurs pu le connaître dès son jeune âge, vers 1640-1650, puisque le père du comédien était maître d'hôtel du maréchal de Schomberg, dont la demeure s'élevait rue Saint-Honoré, presque en face de la maison de Jean Pocquelin. Ce sont donc deux amis de longue date qui ont collaboré, en 1682, à l'édition des *Œuvres* et à sa célèbre *Préface*.

Quels traits ajouter au visage de cet ami de Molière au temps où il le fréquenta le plus assidûment, puis à celui où il servit sa mémoire et jusqu'à sa propre mort, qui survint le 27 janvier 1690[40]?

On le voit toujours s'occuper activement des affaires de sa famille, les charges de tuteur et de curateur faisant de plus en plus la place à celles d'exécuteur testamentaire et de conseiller en matière de succession. C'est encore auprès de ses neveux et nièces De Rivière qu'on le voit le plus assidu. Louis, d'abord prêtre de l'Oratoire, était devenu chanoine de Meaux, puis avait obtenu une charge à la Cour, celle de clerc de la chapelle et oratoire du roi[41]. Jean-Baptiste était à son tour entré dans la Maison du roi avec une charge d'huissier de la Chambre de la reine[42]. La famille Baudry menait une vie sans histoires. C'est du côté de Madeleine De Rivière, femme d'Henri Donneau de Visé, sa nièce apparemment la plus proche, qu'il fut le plus sollicité. Elle perdit son mari au printemps 1663, alors qu'elle attendait un dernier enfant[43]. Quoique ce veuvage l'ait rapprochée de son oncle, elle demeurait toujours, comme son oncle même, étroitement solidaire de la famille de Visé.

Du côté des Monnard, le vide ne tardait pas à se faire. Sa nièce Marie-Madeleine entra en religion peu de temps après la mort de son père. Quant à Claude, il mourut en 1670, étant avocat en Parlement[44]. De ce neveu, Vivot hérita des maisons à la descente du pont Marie : son beau-frère avait été, en effet, l'un des bâtisseurs de l'île Saint-Louis.

Mais Vivot eut surtout à s'employer auprès d'un cousin germain, Macé Taboureau, frère d'une sœur de son père, qui s'était établi comme orfèvre à Paris, rue des Arcis. Marié à Marie De Varennes, il en devint veuf vers 1667[45]. Peut-être sous le coup de

---

40. Voir son inv. après décès, Min. Centr., XVI, 594.
41. Acquise par acte du 30 août 1660, *ibid.*, LIV, 331.
42. Charge qu'il semble avoir abandonnée assez rapidement, sans la remplacer : voir un acte du 3 décembre 1668, où il est dit «ci-devant», Arch. nat., Y 215, f° 175 r° - 176 r°.
43. Voir l'inv. après décès, Min. Centr., LXXXIII, 115, 25 mai 1663.
44. Voir son inv. après décès, *ibid.,* LIV, 352, 17 février 1670; et le partage de ses biens, le 31 juillet suivant, *ibid.,* 353.
45. Voir un acte du 27 septembre 1667, suivi de plusieurs autres, *ibid.,* 346.

ce deuil, il fut peu de temps après reconnu faible d'esprit. Après avis de parents et enquête du lieutenant-civil, Jean Vivot fut nommé son curateur par sentence du 30 juin 1668, dont il existe un exemplaire imprimé[46]. Il installa le malade près de lui, rue de l'Arbre-Sec, géra tous ses biens jusqu'à sa mort, en 1674, et fit dresser l'inventaire de ses biens[47]. Ce document fait découvrir, comme chez Nicolas Vivot, mais à beaucoup plus petite échelle, en même temps qu'un orfèvre, un antiquaire et un collectionneur d'art.

Jean Vivot demeura aussi très lié avec des parents du côté de sa mère, notamment avec une cousine-germaine, Madeleine Le Mercier, fille de Paul et de Marie Du Jardin, c'est-à-dire nièce du grand orfèvre et de Mme Vivot. Elle avait épousé Jean Regnault, receveur général des finances à Caen, dont elle devint prématurément veuve. A sa mort, en 1686, elle fit de Vivot son exécuteur testamentaire[48]. C'est sans doute un fils de cette dernière, Jacques Regnault, substitut du procureur du roi au Châtelet, à qui Vivot confia l'exécution de son propre testament[49]. On notera qu'un autre fils de Madeleine Le Mercier, Jean-Baptiste Regnault de Sollier, seigneur de Chastelard, en Dauphiné, maria sa fille, Marie-Madeleine, avec Louis Mitton, fils du fameux libertin et ami de Pascal Damien Mitton, dont la famille fut aussi en relations avec celle de Molière[50]. La consistance du milieu ne se dément pas.

Jean Vivot offrait aussi ses bons offices à de simples amis. Celui qui semble lui avoir été le plus proche se nommait Nicolas Le Chanteur, valet de garde-robe de Sa Majesté. Il fut son exécuteur testamentaire en 1670[51].

La manière dont Vivot géra ses affaires d'argent n'appelle pas de longs commentaires. Avec les biens qu'il avait reçus de ses parents et avec l'exercice de sa charge, il pouvait vivre dans une grande aisance. On le voit surtout prêter de l'argent par obligations, ce qui lui procurait un appoint de revenus. Il posséda aussi quelques biens immobiliers, notamment un terrain hors la porte Richelieu, rue de La Grange-Batelière, mais sans doute à titre temporaire, car son inventaire après décès n'en garde pas trace, à l'exception des

---

46. Bibl. nat., Mss, *Pièc. orig.*, 3035, doss. 67226, f° 3-4.

47. Min. Centr., LIV, 360, 15 juin 1674.

48. Voir l'inv. après décès de Vivot, déjà cité, cote 7. L'inv. de Madeleine Le Mercier elle-même, mentionné au répertoire de l'étude LIV à la date du 17 décembre 1686, a malheureusement disparu des minutes.

49. Dicté le 13 décembre 1684, Min. Centr., LXVI, 250.

50. *Ibid.*, LIV, 373, 10 avril 1680. Sur les relations de la famille Pocquelin avec les Mitton, M. Jurgens et E. Maxfield-Miller, *op. cit.*, p. 29, 38, 591-594.

51. Voir l'inv. après décès de Vivot, déjà cité, cote 8; et des actes des 30 novembre 1660 et 11 décembre 1664, Min. Centr., LIV, 331 et 340.

maisons du pont Marie[52]. Vivot n'était nullement un homme de finances.

Ce qui éclate le plus dans sa personnalité, c'est le goût des arts. 1Comme son père, mais avec moins de profusion et sans doute avec p7lus de goût, il avait rassemblé dans ses appartements une superbe c4ollection de peintures, de sculptures et d'objets précieux. Elle fit lobjet d'un inventaire non moins scrupuleux que celle de son père, sur expertise des «sieurs Cousin et Morin», et avec le concours de deux marchands-joailliers, Philippe Huart et Guillaume Daustel.

Dans la collection de peintures qui comptait environ cent cinquante pièces, quelques tableaux provenaient peut-être de son père, dont il partageait manifestement le goût pour les Bassans. Mais l'essentiel semble bien avoir été le fruit de son propre choix. La prédilection pour les Italiens s'affirme hautement, en même temps qu'une autre pour les tableaux religieux. Ce sont les Italiens qui atteignent les estimations les plus élevées : un *Apollon,* manière du Guide, 200 livres; une *Judith* de même origine, 150 livres; un *Jugement* du Tintoret, 120 livres; un *Notre-Seigneur chez Marthe et Marie* de Jacob Bassan, 100 livres; une *Destruction des géants par les dieux,* de Jules Romain, 50 livres; une petite *Descente de Croix* d'Annibal Carrache, 40 livres. Beaucoup de Manfredi, de Léonard de Corona. Entre les Français se détache un grand tableau de Le Brun, portrait d'un personnage avec sa fille, 90 livres. Mais on ne relève aucune toile de Mignard, le peintre favori de Molière. Particulièrement remarquable un grand tableau de Lemaire, représentant une architecture, avec les figures de Poussin, 80 livres. Du côté des Flamands, deux têtes sur bois de Rubens, 12 livres. On relèvera surtout, parmi les Hollandais, des Van Dyck – dont le nom est écrit, phonétiquement, *Vandec –*, une *Vierge tenant son enfant,* de ses «premières manières», 50 livres; un portrait, 40 livres; une *Femme tenant une rose,* de sa manière, 12 livres[53]. On voit que les modernes sont les mieux représentés et que les anciens ne remontent guère en deçà de la Renaissance.

Les collections de dessins, d'estampes, de plans d'architecture, en volumes ou en cartons, n'étaient pas moins remarquables. On notera, entre autres, les œuvres de Callot, en deux volumes *in-folio,* 150 livres; et une *Topographie* en dix volumes, 180 livres[54]. De la bibliothèque, un seul ouvrage est inventorié, mais il est

52. Voir aussi un état détaillé des biens de Vivot à sa mort, *ibid.,* LXVI, 267, 12 mai 1690. A partir de 1654, il eut pour principal notaire son neveu par alliance Louis Baudry (ét. LIV), chez qui se trouvent les principaux actes passés pour la gestion de ses biens.

53. Les tableaux à sujets indiqués portent dans l'inventaire, en suivant l'ordre du texte, les n°s 57, 58, 121, 71, 44, 131, 73, 122, 94, 64, 67, 86.

54. *Ibid.,* n°s 219 et 235.

significatif : c'est l'*Histoire des Juifs* de Josèphe, traduite par Arnauld d'Andilly, prisée 4 livres[55].

Mais la principale originalité et le plus grand prix de la collection venaient de la présence d'antiques, de sculptures sur marbre montées pour la plupart sur leurs «escabelons» : au nombre d'une quarantaine, mais il faut dire que plusieurs appartenaient à des membres de sa famille, que sa passion avait sans doute gagnés, des enfants Baudry, un sieur De Lussé, allié aux Donneau de Visé. La plupart de ces bustes étaient en marbre blanc, quelques-uns avec le corps ou les draperies en marbre de couleur. Ces bustes se présentent souvent par couples. Entre les plus précieux, *Pompée* et *Marc-Aurèle; Hannibal* et *Scipion; Agrippine* et *Faustine*[56]. C'est au plus tard en 1671 que Vivot avait commencé à faire venir ces antiques d'Italie. Goût bien caractéristique de l'époque classique.

Sa personnalité intime sera-t-elle révélée par son testament, dicté le 13 décembre 1684, alors qu'il était en parfaite santé[57]? Ce document confirme son attachement à sa famille. Il demandait à être enterré en l'église Saint-Germain-l'Auxerrois, dans la même tombe que sa sœur Madeleine et avec les mêmes cérémonies qu'elle. Les clauses à caractère religieux sont les plus nombreuses : demande de messes pour le repos de son âme, legs aux pauvres honteux, dons en faveur de parents entrés en religion, gratification à son confesseur, M. Desmoulins, prêtre habitué en sa paroisse. Cet amateur de théâtre était un bon chrétien. De son bien le plus cher, sa collection, quelques pièces étaient expressément léguées à certains parents; une autre, une *Annonciation* de Stella, allait à son exécuteur testamentaire. Il semble avoir surtout tenu à traiter ses héritiers avec la plus grande équité.

Ces héritiers étaient au nombre de trois : Jean-Baptiste De Rivière; la sœur de celui-ci, Madeleine, veuve d'Henri Donneau de Visé; et, par représentation de leur mère, les enfants Baudry. Quelques contestations entre eux s'achevèrent par une transaction, le 12 mai 1690[58]. Après que les parents angevins eurent fait valoir leurs prétentions, la succession, semble-t-il, était entièrement réglée le 30 juin 1691[59]. La famille Vivot s'éteignait, du moins en cette branche. Son dernier représentant méritait mieux que l'obscurité totale où il est si longtemps resté plongé.

55. *Ibid.*, n° 264.
56. Pour l'ensemble des listes, voir les n°s 27-29, 48-55, 314-319. Sur la commande à Rome en 1671, *ibid.*, Papiers, cote 6.
57. Min. Centr., LXVI, 250.
58. *Ibid.*, 267.
59. *Ibid.*, LIV, 399.

Au long de notre enquête, aucun document ne s'est présenté permettant de saisir sur le vif la présence côte à côte de Molière et de Vivot. Pourtant, si l'on nous a bien suivi, le fait de relations étroites entre eux paraît une évidence. Avant même un goût commun pour le théâtre, le voisinage, l'appartenance à la Maison du roi, le rôle de trait d'union qu'ont pu jouer plusieurs personnages attestent qu'ils avaient maintes occasions de se rencontrer et de sympathiser. C'est précisément l'existence d'une sympathie mutuelle qui s'impose avec le plus de force. Partagée certainement aussi par La Grange, elle explique le ton à la fois admiratif et affectueux qui caractérise la *Préface* de 1682. La connaissance de Vivot doit ainsi permettre d'éclairer la figure de Molière. Elle rend plus manifestes, chez ce dernier, des traits qui, pour n'être pas ignorés, méritent sans doute d'être davantage mis en valeur : le dévouement au service du roi, qui n'est pas le fait d'un courtisan, au sens médiocre du terme, mais d'un homme de Cour par profession ; l'amour passionné pour les arts et pour les artistes, apparent dans sa vie, mais aussi dans sa conception du théâtre ; enfin, par-dessus tout, la qualité d'«honnête homme», leitmotiv de la *Préface* de 1682. Jean Vivot fournit le curieux exemple d'un personnage fort attachant dont aucun écrit n'existe, et sur lequel aucun document à caractère littéraire ne nous est parvenu, fût-ce une simple lettre. En son cas, le recours aux archives permet seul, et combien sûrement, de reconstituer la vie.

Molière et l'héritage du jeu comique italien

GABRIEL CONESA

> Shakespeare acteur, Molière acteur, ce ne
> sont point des hasards. C'est le corps,
> encore une fois qui doit commencer, c'est
> le corps qui doit chercher l'idée[1].

Alain a bien vu, en écrivant ces lignes, combien la pratique du
comédien est précieuse au dramaturge. Estimer ce que l'auteur
dramatique doit à sa longue expérience d'acteur est d'autant plus
délicat que, en l'occurrence, une bonne partie des éléments entrant
en ligne de compte nous sont inconnus. Nous savons assurément
que Molière recueille à la fois l'héritage du théâtre littéraire
antérieur et celui du théâtre populaire, farce et Commedia dell'Arte ;
mais si le premier nous est relativement familier − nous savons
quels textes Molière a pu connaître, et nous disposons de remarquables études critiques sur la question[2] −, il n'en va pas de même,
en revanche, pour la dette qu'il a pu contracter envers les farceurs et
surtout les comédiens italiens de son temps. Bien qu'on s'accorde à
la considérer comme capitale, puisqu'elle affecte nécessairement à la
fois son jeu et son écriture, elle est impossible à estimer, car nous
ignorons tout de la tradition orale et de la pratique scénique que les
comédiens entretenaient et se transmettaient sans doute avec
respect.

Pour ce qui concerne l'influence de la Commedia dell'Arte, à
laquelle a trait le présent propos, nous en sommes réduits à des
conjectures. Certes, il n'est pas de biographe de Molière qui ne fasse
état de son amitié pour les Italiens − avec lesquels il cohabite
professionnellement à deux reprises −, de son respect pour leur art
si particulier, et de son humilité devant le maître Scaramouche,
mais on ne saurait dépasser le stade des généralités, dès qu'on
envisage la question des influences : on se borne ainsi à évoquer,

---

1. ALAIN, *Vingt leçons sur les Beaux Arts,* Paris, Gallimard, 1931, p. 119-120.
2. Nous mesurons parfaitement, par exemple, grâce à la thèse de M. Robert Garapon, tout ce que
son comique doit à la veine française de la fantaisie verbale.

comme si la chose était bien connue et allait de soi, l'importance du corps et du jeu gestuel[3], alors qu'il ne s'agit que d'hypothèses. Nous ne savons en effet rien de précis sur les jeux de scène, hormis le fait que les postures étaient si stylisées et les *lazzi*[4] parfois si acrobatiques[5], que les témoins du temps s'avouent impuissants à les décrire[6].

La difficulté d'une telle étude tient donc à l'oralité du genre de la *Commedia dell'Arte,* dont le texte n'est pas écrit mais seulement mémorisé par les acteurs[7], de sorte que nous ne disposons pratiquement que de canevas fort sommaires, qui se bornent à mentionner la succession des scènes et des *lazzi,* alors que ce qui nous intéresserait le plus dans notre optique, à savoir l'enchaînement des répliques, les effets verbaux, les dialogues en un mot, n'y figure pas. Cette relative sécheresse est liée au fait que ces canevas, véritables outils de travail des troupes, sont simplement destinés à être affichés en coulisse, afin que l'acteur entrant en scène puisse se rafraîchir la mémoire en jetant un rapide coup d'œil sur les tenants et les aboutissants de la situation; et, s'il advient qu'un comédien ou qu'un amateur de théâtre les publie, le dialogue même ne lui semble pas digne d'être noté[8].

Partant du postulat selon lequel l'influence italienne dépasse le seul plan de l'interprétation, et bien qu'il ne soit pas possible de mesurer précisément à l'échelle de l'écriture l'ampleur de la dette que Molière a contractée, nous pouvons néanmoins tenter d'aller

---

3. LANSON écrit dans «Molière et la farce», *Revue de Paris,* mai 1901, p. 141 : «Tandis que la comédie littéraire, comme la tragédie avant Molière, ne voit ni ne montre les corps, exprime les mœurs par l'abstraction des discours, par les analyses fines ou les vives images du style et ne dessine sensiblement les pensées que par les accents de la voix, soutenus tout au plus d'un geste oratoire; tandis qu'un rôle comique n'est pour ainsi dire avant Molière que la voix d'un esprit plaisant ou bouffon, dans Molière, le sentiment intérieur qui se pousse au-dehors met tout l'homme en branle et le discours s'accompagne d'une grimace, d'une posture, qui l'interprètent et le complètent.»

4. Le *lazzi* est précisément un *jeu de scène bouffon,* mais il désigne plus généralement un *effet.*

5. On rapporte que le célèbre Scaramouche était capable de se donner, à quatre-vingt-trois ans, un soufflet avec le pied, et que Vincentini, jouant Trivelin, faisait une culbute sans renverser le verre plein qu'il tenait à la main.

6. Au XVIIIe siècle encore, Gherardi le répète constamment : «Il se fait ici une scène italienne entre Mezzetin et Arlequin et ce sont de ces choses qui, consistant plus dans le jeu que dans les paroles, ne sauraient avoir nul agrément sur le papier; c'est pourquoi je la passe» (III, 116).

7. On sait que, contrairement à une idée reçue, la part d'improvisation de ce théâtre est limitée à l'articulation de morceaux conçus et appris à l'avance, ou à quelques saillies, pour les bons acteurs dans leurs meilleurs jours. Comme tous les arts de la parole ou de la musique qui se veulent improvisés, la *Commedia dell'Arte* est extrêmement fidèle à la tradition qui la régit, et que les acteurs se transmettent avec respect; ils y trouvent toutes les références indispensables à l'improvisation.

8. Il convient de faire une exception pour les échanges amoureux, nécessairement plus raffinés et élaborés. Les canevas deviennent plus complets au XVIIIe siècle, puisqu'on y trouve de plus longs échanges dialogués, mais cela ne nous aide guère en l'occurrence; comment, en effet, ne pas imaginer, *a contrario,* que la *Commedia dell'Arte* n'ait pas, à son tour, subi en France l'influence des comédies de Molière?

un peu plus loin, à condition d'envisager, non pas le détail de l'écriture, mais l'articulation de mouvements de dialogue plus importants.

Le point sur lequel il nous paraît intéressant d'établir un rapprochement a trait à la conception de la création verbale, commune aux comédiens italiens et à Molière : il s'agit du fait que notre dramaturge, tout comme ces acteurs, semble disposer d'une sorte de fonds, constitué d'effets et de mouvements de dialogue préconçus qu'il s'agit d'articuler adroitement, suivant la situation de parole propre à tel ou tel moment de l'histoire.

Nous possédons à propos de la *commedia dell'Arte,* deux types de documents écrits, de nature sensiblement différente, dont l'analyse étaie notre hypothèse. Les premiers sont les canevas, dont nous avons de nombreux exemples[9], et qui contiennent avec le schéma de la pièce les principaux *lazzi,* faisant le plus souvent l'objet de recommandations précises quoique lapidaires.

Il est révélateur, à cet égard, de remarquer tout d'abord la manière dont sont mentionnés les *lazzi,* avec cet extrait des *Contrats rompus (Contratti rotti),* reproduit par Carlo Gozzi, au XVIIIᵉ siècle :

> BRIGHELLA entre en regardant sur la scène et, ne voyant personne, appelle.
> PANTALON *(jeu de crainte)* entre.
> BRIGHELLA veut quitter son service, etc.
> PANTALON se recommande à lui.
> BRIGHELLA s'attendrit et lui promet aide.
> PANTALON dit (sous-entendu) que les créanciers veulent être payés, surtout Truffaldin, et qu'en ce jour expire le délai, etc.
> BRIGHELLA le tranquillise.
> En ce moment :
> TARTAGLIA à la fenêtre, écoute.
> BRIGHELLA s'en aperçoit. *Il fait la scène des richesses* avec Pantalon.

---

9. Citons, parmi les plus célèbres, celui de Flaminio SCALA, recueil particulièrement précieux, parce que ancien. Scala (dit Flavio) parcourut en effet l'Italie avec les *Gelosi* dans la deuxième moitié du XVIᵉ siècle, époque durant laquelle s'élabore le meilleur de la tradition. Le titre précis de son recueil, publié en 1611, est le suivant : *Il theatro delle favole rappresentative overo la ricratione comica, boscarreccia e tragica, divisa in cinquanta giornate, composte da Flaminio Scala, detto Flavio, comico del sereniss. Sig. duca di Mantoua, in : Venetia. Appresso Gio.-Batt. Pulciani.* Citons aussi le recueil dit de FOSSARD, intitulé *Recueil de plusieurs fragments des premières comédies italiennes qui ont été représentées en France sous le règne de Henri III* (publié par Agne Beijer et P.-L. Duchartre, Paris, 1928), puis plus tard, ceux d'Evaristo GHERARDI, publié en 1700 à Paris ou celui de Dominique BIANCOLELLI, le fameux Arlequin, traduits par Gueulette. D'autres, pour être anonymes n'en sont pas moins précieux, comme le *Zibaldone* de Pérouse, datant également du XVIIIᵉ siècle (traduit et édité par Suzanne Thérault, Paris, C.N.R.S., 1975).

TARTAGLIA vient dans la rue. *Il fait le jeu de l'aumône* avec Pantalon. A la fin, ils conviennent du mariage de la fille de Tartaglia avec le fils de Pantalon[10].

Le caractère allusif de certaines indications de ce passage suppose nécessairement, pour des professionnels, une référence à des jeux de scène précis. C'est assurément le cas pour les *lazzi* simplement nommés : *jeu de crainte... Il fait la scène des richesses... Il fait le jeu de l'aumône.* Ce type de référence succincte à un fonds commun supposé connu est constant sous la plume des éditeurs de canevas : Dominique Biancolelli, au XVIIIe siècle, se borne à écrire, dans son scénario des *Deux Arlequins* : «Nous faisons entre nous les *lazzi* de l'échelle[11].» Et l'on rencontre ainsi différentes allusions aux *lazzi* les plus variés : *le trop lourd fardeau, faire l'arbre, les meubles vivants, le baise-main, le jeu de la bourse, le mort vivant*[12]. Si nous savons parfois à quoi correspond tel ou tel *lazzi*, qui porte un nom éclairant – le même Biancolelli écrit par exemple : «[...] nous faisons entre nous le *lazzi* de ne nous répondre que par monosyllabes», ce qui est suffisamment clair même pour le profane[13] –, il n'est pas rare non plus que certains d'entre eux ne signifient pas grand-chose à nos yeux ; c'est le cas de ceux qu'évoque Perrucci[14] : *laisse ceci et prends cela, la pèlerine, les amants qui s'agenouillent, l'aigle à deux têtes,* etc.[15]. Dans tous les cas, la référence à ces *lazzi* montre qu'ils sont considérés comme des unités autonomes de jeu ou de dialogue.

Leur unité est d'ailleurs renforcée, lorsqu'ils ne consistent pas en un simple geste mais qu'ils sont étoffés d'effets verbaux, par le fait qu'ils possèdent un début, un milieu et une fin. Bien qu'il soit malheureusement exceptionnel que l'auteur du recueil prenne la peine de les transcrire, cela se produit dans les cas où l'effet verbal est jugé particulièrement amusant ou brillant. Voici l'exemple du *lazzi de l'écho*, tiré du *Zibaldone* de Pérouse :

Pulcinella, *avec son baluchon, un bâton, une fiasque, un grelot [...] se trouve dans un bois, et il a peur que quelque lézard ne l'avale [...]. Il fait la scène de l'écho :*

10. Cité par P.-L. DUCHARTRE, *La Commedia dell'Arte*, Paris 1955, p. 54. C'est nous qui soulignons en italiques.

11. Frères PARFAICT, *Histoire de l'ancien théâtre italien depuis son origine en France, jusqu'à sa suppression en l'année 1697*, Paris, Lambert, 1753, p. 67.

12. Cf. Léon CHANCEREL, «Jeux, tréteaux et personnages», *Cahiers d'Art dramatique*, Paris, août 1945.

13. *Op. cit.,* man. de l'Opéra, t. 1, f° 214 sq.

14. Voir, plus bas, la note 17.

15. *Op. cit.,* p. 363. Voir également, sur cette question, «Jeux, tréteaux et personnages» de Léon CHANCEREL, *art. cit.*

Ohé, du bois, ohé, chevriers, bergers, ohé, les gens, hé là... hé là. Cette voix qui m'a répondu, à qui est-elle? . . . . *Vatel*
Vatel! Celui-là est aubergiste, certainement! Dis-moi, camarade, as-tu quelque chose à manger, oui ou non? . . . . *Non*
Non! Ça va mal. Aurais-tu au moins un petit gueuleton, avec un peu de pain et de fromage [formaggio]. . . . . *Aggio*
Aggio! Celui-là est napolitain. Salut, compatriote : la paix soit à l'âme de tes morts! Donne-moi un peu de poisson salé : *tonnino* ou *tarentiello* . . . . *Ello*
Ello! Celui-là est Sorrentin. Dites-moi, beau jeune homme, avez-vous quelques haricots dans votre «posada»? . . . . *Nada*
Nada! Celui-là est Espagnol. Ah, mi señor Cavalleros degame vostè da comedere per vuesta mercede. . . . . *Cede*
Cede! Celui-là parle latin : *O bonus homus da mihi marmitas grassum, quia venter meus «tubba catubba» facit.* . . . . *Citt*
Citto? Celui-là est Calabrais. Écoute un peu, grippe-sou né de crottin de baudet, empesté d'oignons et de fèves : je suis un honnête homme, révérence parler, et jamais je n'ai été raillé par personne; et si quelque corne te démange, sors d'ici, et, dans cette maison, ne me fais pas le bravache . . . . *Vache*
Vache? Cette fois, il y a de l'abus : celui-là me provoque, et moi je ne veux pas taper dessus! Vache et animal, c'est toi, âne bâté, espèce de crétin . . . . *Je viens*
Ici, il s'enfuit de peur [...][16].

Ce *lazzi* s'ouvre et se clôt sur la réaction de peur du personnage; il jouit, de ce fait, d'une autonomie qui permet à l'acteur de le placer librement à tel ou tel moment de l'histoire : il suffit que le personnage soit seul. Quelles que soient la longueur et la nature, gestuelle ou verbale de ces *lazzi,* seul importe dans notre perspective le fait qu'ils constituent des effets autonomes, des unités de jeu ou de dialogue modulables, pourrait-on dire, dont le comédien dispose au sein d'un vaste fonds commun et dans lequel il a le loisir de puiser, si la situation scénique le lui permet.

Le second type de documents écrits relatifs à la *Commedia dell'Arte* que nous possédons consiste plus précisément en recueils littéraires, appelés *Zibaldone* (Mélanges), *Generice* ou *Repertorio,* qui contiennent des collections de mots, de répliques et de dialogues préconçus. Ils constituent en quelque sorte des répertoires d'exemples destinés aux comédiens désireux d'approfondir leur art en se cultivant[17]. Ces recueils regroupent ce qu'on pourrait appeler les lieux communs *(cose universali)* utiles à tous les personnages, dans les différentes situations stéréotypées et récurrentes, propres à cette dramaturgie. Le comédien, conscient de la nécessité du travail

16. *Op. cit.,* p. 60. Voir *supra* note 9.
17. Citons, parmi de très nombreuses publications qui, le plus souvent, se pillent mutuellement, les *Memorie inutili* de GOZZI, auteur du XVIIIe siècle, et surtout le plus complet des traités, publié à Naples en 1699 : *Dell'arte rappresentativa, premedita ed all'improviso,* d'Andrea PERRUCCI.

préparatoire[18], préalable et indispensable à toute improvisation, y trouve, quel que soit son personnage, de nombreux fragments, monologues ou dialogues, prêts à être insérés à tel ou tel moment d'un échange.

Pour donner une idée de la nature de ces recueils, nous nous bornerons à un seul exemple, celui des rôles d'amoureux, qui, plus que d'autres, exigent du comédien sinon une certaine culture du moins beaucoup de travail[19], pour atteindre au raffinement pétrarquisant du langage dans les morceaux réellement improvisés, comme par exemple certains moments d'articulation des scènes, afin que ces passages ne tranchent pas sur les morceaux appris. Perrucci distingue ainsi les *Concetti* (pensées), *Prime uscite* (sorties), *Soliloqui* (monologues), *Raconti* (récits), *Rimproveri* (reproches), *Disperationi* (désespoirs), *Deliri* (délires), etc. Chaque catégorie contient à son tour les traits convenables à différentes situations, de sorte que l'on trouve des *concetti* relatifs à la prière amoureuse, aux épanchements lyriques, à l'amour réciproque, au mépris, à la jalousie, à la réconciliation, au dépit, aux adieux, etc.[20].

Les acteurs apprennent donc par cœur aussi bien des monologues, qui revêtent volontiers la forme poétique de sonnets[21], ou, ce qui nous intéresse davantage ici, des dialogues en stichomythies imposant un rigoureux travail de mémorisation. En voici un exemple, également extrait du *Zibaldone* de Pérouse :

Pulcinella étranger sort de l'auberge, conduisant par la main Rosetta; il dit qu'il veut la faire connaître à son frère :

ROSETTA. – Voici [celui] qui m'a arraché le cœur.
PULCINELLA. – Voici celle qui m'a dérobé l'âme.
ROSETTA. – Sa manière gracieuse me fait mourir.
PULCINELLA. – Ce beau visage me fait défaillir.
ROSETTA. – Pour ces beaux yeux, je me consume.
PULCINELLA. – Pour ces prunelles, je me pâme.
ROSETTA. – Mais, même en dépit du sort,
PULCINELLA. – En se riant de la Fortune,
ROSETTA. – Il faut qu'il soit mon mari,
PULCINELLA. – Je la veux pour femme,
ROSETTA. – Oh, quel ravissement,

18. Le Capitan, par exemple, doit posséder un fonds de connaissances propres à son rôle et donc relatives à l'histoire, à la géographie, à la mythologie, etc. Quant aux amoureux, Perrucci prend même soin de développer longuement la liste des tropes et des figures de rhétorique qui conviennent à leur discours.
19. Perrucci recommande vivement aux comédiens jouant les amoureux la lecture de bons livres toscans.
20. Cf. sur ce point, la célèbre édition des quelque cent cinquante *Lettres* d'Isabella ANDREINI, qui se composent aussi bien de monologues que de conversations dialoguées, ainsi que ses *Contrasti Amorosi*.
21. On en trouvera quelques exemples dans le *Zibaldone* de Pérouse, notamment p. 65.

PULCINELLA. – Oh, quel plaisir,
ENSEMBLE. – Ce sera !
ROSETTA. – Je meurs !
PULCINELLA. – Je me pâme !
ROSETTA. – Je palpite !
PULCINELLA. – Je fonds[22] !

De tels passages ne présentent strictement rien d'original à nos yeux, puisqu'on en trouve des dizaines d'exemples dans le théâtre littéraire français du XVIe et du XVIIe siècle. Mais, là encore, leur intérêt à nos yeux, tient au fait qu'ils sont considérés comme une unité modulable de dialogue, un élément préconçu, auquel l'acteur peut recourir à son gré, tout comme pour les *lazzi,* que nous avons évoqués plus haut.

Dans cette perspective, l'art du comédien ne réside pas dans l'invention *ex nihilo,* mais dans la façon dont celui-ci recueille cet héritage, et fait siens certains effets privilégiés, qu'il améliore – on peut légitimement l'imaginer – en les adaptant à sa personnalité et à ses dons scéniques. Le *lazzi* appartient à tous, mais lui le porte à un point de perfection et l'exécute comme personne[23].

Molière est, on le sait par le témoignage unanime de ses contemporains, un remarquable comédien doublé d'un mime exceptionnel. Il apprend le métier comme tous les acteurs de son temps, en voyant jouer les autres, et il est clair que, comme les comédiens italiens qu'il a fréquentés à Paris mais qu'il a sans doute connus plus tôt, alors qu'il parcourait la province, il s'est constitué un fonds personnel d'effets convenables à différentes situations. C'est à cette école qu'il se perfectionne, par exemple, dans l'art – caractéristique de son talent dramatique – d'exploiter au mieux telle situation de parole précise, au moyen de quelques mots simples, exclamations et autres appuis du discours, soutenant les mimiques et les gestes, où le jeu des intonations compte plus que le sens des mots.

Il élabore, en les fixant plus ou moins, des séries de répliques courtes équivalant à des *lazzi,* qu'il réutilise ici ou là, dans ses différentes comédies, même les plus grandes. De sorte qu'il dispose ainsi de séquences de dialogue toutes prêtes, affinées au contact du public par une longue pratique de la scène, et ménageant des effets

---

22. *Op. cit.,* p. 87. Nous ne citons que le début de ce passage, car ces effets stylisés sont souvent très longuement exploités, au point de couvrir deux à trois pages.

23. Cette façon de recueillir, de personnaliser et de revivifier un effet traditionnel, est d'ailleurs caractéristique des arts du spectacle de tradition orale et, notamment, de l'art clownesque.

gestuels ou intonatifs qui «portent» à coup sûr. Elles revêtent sous sa plume tantôt un aspect nettement stylisé, tantôt plus naturel, mais se présentent dans tous les cas comme parfaitement cohérentes.

En témoigne la façon dont il les reprend d'une pièce à l'autre, et, parfois mot pour mot, comme c'est le cas pour cet échange conflictuel bien connu des *Fourberies de Scapin,* dans lequel le vieil Argante veut faire casser le mariage de son fils :

> SCAPIN. – Non, je suis sûr qu'il ne le fera pas.
> ARGANTE. – Je l'y forcerai bien.
> SCAPIN. – Il ne le fera pas, vous dis-je.
> ARGANTE. – Il le fera, ou je le déshériterai.
> SCAPIN. – Vous?
> ARGANTE. – Moi.
> SCAPIN. – Bon.
> ARGANTE. – Comment, bon!
> SCAPIN. – Vous ne le déshériterez point.
> ARGANTE. – Je ne le déshériterai point?
> SCAPIN. – Non.
> ARGANTE. – Non?
> SCAPIN. – Non[24].

Ce passage, dont nous ne citons que le début[25], est intégralement repris, comme on le sait, dans *Le Malade imaginaire*[26]. Molière se borne alors à y mettre les pronoms personnels au féminin, puisque cette fois un père s'emporte contre sa fille, et à modifier la nature de la menace : il ne veut donc plus «déshériter», mais «mettre au couvent». Il s'agit là assurément d'une séquence conçue et «rodée» de longue date, issue peut-être d'une tradition orale plus ancienne encore. Toujours est-il qu'un bon acteur comique[27] sait merveilleusement exploiter de tels effets d'intonation *Vous / Moi / Bon... Non / Non? / Non)* et de répétition avec variations de timbres *(Il le fera / Il ne le fera pas).*

On surprend d'ailleurs Molière à affiner lui-même tel effet issu du fonds séculaire du théâtre comique et à le mener à un point de perfection tel qu'on croirait aisément qu'il en est l'auteur. Prenons-en pour exemple le «*lazzi* de ne répondre que par monosyllabes», auquel fait allusion Biancolelli, effet qui remonte à la nuit des temps, et dont on trouve une illustration dans la *Farce de Maître Pathelin,* quand Maître Pathelin réclame ses honoraires au berger Agnelet et que celui-ci ne répond que par des bêlements. Molière recourt une première fois à ce procédé, assez platement,

---

24. I, 4.
25. Le passage contient encore vingt répliques pratiquement identiques.
26. I, 5.
27. Molière interprète le rôle d'Argan, dans *Le Malade imaginaire,* qui correspond, dans l'extrait cité des *Fourberies de Scapin,* à celui d'Argante.

disons-le, dans une pastorale comique peu connue, *Mélicerte,* à un moment où deux personnages paraissent pour la première fois aux yeux du spectateur :

> MELICERTE. – Ah! Corinne, tu viens de l'apprendre de Stelle,
> Et c'est de Lycarsis qu'elle tient la nouvelle.
> CORINNE. – Oui
> MELICERTE. –   Que les qualités dont Myrtil est orné
> Ont su toucher d'amour Eroxène et Daphné?
> CORINNE. – Oui
> MELICERTE. – [...] Ah! que tes mots ont peine à sortir de ta bouche!
> Et que c'est faiblement que mon souci te touche[28]!

Molière réutilise plus longuement le procédé, cinq ans plus tard, en l'améliorant, au tout début des *Fourberies de Scapin* :

> OCTAVE. – Ah! fâcheuses nouvelles pour un cœur amoureux! Dures
> extrémités où je me vois réduit! Tu viens, Silvestre,
> d'apprendre au port que mon père revient?
> SILVESTRE. – Oui.
> OCTAVE. – Qu'il arrive ce matin même?
> SILVESTRE. – Ce matin même.
> OCTAVE. – Et qu'il revient dans la résolution de me marier?
> SILVESTRE. – Oui.
> OCTAVE. – Avec une fille du seigneur Géronte?
> SILVESTRE. – Du seigneur Géronte.
> OCTAVE. – Et que cette fille est mandée de Tarente ici pour cela?
> SILVESTRE. – Oui.
> OCTAVE. – Et tu tiens ces nouvelles de mon oncle?
> SILVESTRE. – De votre oncle.
> OCTAVE. – A qui mon père les a mandées par une lettre?
> SILVESTRE. – Par une lettre.
> OCTAVE. – Et cet oncle, dis-tu, suit toutes nos affaires?
> SILVESTRE. – Toutes nos affaires.
> OCTAVE. – Ah! parle, si tu veux, et ne te fais point, de la sorte,
> arracher les mots de la bouche[29].

On mesure avec quel *brio* Molière exploite le procédé en l'étoffant d'une variante (reprise de la fin du propos de l'interlocuteur) et en lui conférant une finalité dramatique précise qui le rend ici nécessaire : en effet ce type de répétition crée ici une tension initiale indispensable à un début *in medias res,* alors qu'il est plus gratuit dans *Mélicerte.*

Enfin, il est un dernier indice susceptible d'attester le fait que Molière dispose d'un fonds de *lazzi,* si l'on peut dire, et qu'il y

---

28. II, 1, v. 331-340.
29. I, 1.

recoure abondamment quand il est pris par le temps. L'exemple le plus net nous en est à nouveau fourni par *Mélicerte,* dont deux actes seulement nous sont parvenus, mais ceux-ci présentent une telle concentration de *lazzi* récurrents sous sa plume, que Molière, pressé par le désir du souverain, semble s'être résigné à articuler quelques-uns d'entre eux, afin de faire face à l'urgence de la situation[30]. Il fait donc appel à de nombreux effets de symétrie formelle, et même à des ballets de paroles, selon l'heureuse expression de M. Robert Garapon[31], procédé caractéristique de son style. La pièce s'ouvre ainsi sur un ballet croisé à quatre personnages, dont voici un court extrait :

> ACANTE. — Ah! charmante Daphné!
> TYRENE. —   Trop aimable Eroxène.
> DAPHNE. — Acante, laisse-moi.
> EROXENE. —   Ne me suis point, Tyrène.
> ACANTE. — Pourquoi me chasses-tu?
> TYRENE. —   Pourquoi fuis-tu mes pas?
> DAPHNE. — Tu me plais loin de moi.
> EROXENE. —   Je m'aime où tu n'es pas.

La rigoureuse stylisation de la stichomythie et surtout de la distribution des répliques (ABCD/ABCD) est en tout point identique à celle de l'échange qui opposera, dans *Le Bourgeois gentilhomme*[32], Cléonte et Covielle à Lucile et Nicole. Molière a ainsi puisé dans son fonds personnel un effet propre à agrémenter l'exposition. De la même manière, à la scène 2 qui voit les nymphes, Eroxène et Daphné, se faire confidence de leurs désirs amoureux, puis découvrir qu'elles sont en fait rivales, Molière ménage une parfaite identité quant à la longueur de leur propos : à un vers de la première répond un vers de la seconde, à un distique correspond également un distique, et quand Daphné prononce six, puis dix vers[33] de suite, son amie fait de même. Une fois encore, Molière reprend un procédé propre à traduire l'identité de deux personnages, déjà utilisé, entre autres, dans *Le Misanthrope*[34].

Outre ces effets formels, Molière ménage ce qu'on est en droit de nommer des *lazzi,* d'autant plus qu'il y recourt alors qu'il pourrait

---

30. La pièce est représentée devant la cour à Saint-Germain, le 2 décembre 1666, dans le spectacle du *Ballet des muses,* mais elle y est remplacée, dès le 5 janvier 1667 par la *Pastorale comique.*
31. *La Fantaisie verbale et le comique dans le théâtre français du Moyen Age à la fin du XVIIᵉ siècle,* Paris, A. Colin, 1957, p. 236-241.
32. III, 10.
33. Resp, v. 31-42 et 79-98.
34. Les deux marquis, Acaste et Clitandre, y interviennent toujours en prononçant rigoureusement le même nombre de vers, en présence de Célimène qu'ils courtisent tous les deux.

très bien s'en dispenser[35] dans une pastorale, même comique. Par exemple, alors que les deux nymphes, Eroxène et Daphné, font part à Lycarsis de l'amour qu'elles vouent à son fils, Myrtil, Molière conçoit un long quiproquo : comme elles s'expriment d'abord de manière ambiguë *(L'amour [...] a pris chez vous le trait dont il blesse nos cœurs),* Lycarsis pense à tort que la déclaration s'adresse à lui, ce qui permet un long échange comique. Mais c'est sans raison organique que Molière introduit ici un quiproquo, effet aussi vieux que le genre comique lui-même, dans lequel il est passé maître, puisqu'on en trouve de nombreux exemples remarquables dans *L'École des femmes,* dans *L'Avare*[36], *Les Femmes savantes* ou *Le Malade imaginaire.*

Molière dispose donc bien d'un fonds personnel qu'il a constitué au fil des années, faisant sien tel effet intéressant, l'améliorant, y imprimant sa marque et l'utilisant de temps à autre, même dans ses plus grandes œuvres. Cette pratique, sous-tendue par une conception modulaire du dialogue, elle-même empruntée selon nous à la *Commedia dell'Arte,* est celle d'un homme de théâtre, plutôt que celle d'un auteur. En intégrant ces effets à son dialogue, Molière lui confère une efficacité scénique qui fait souvent défaut à de grands écrivains qui s'essaient au théâtre sans être vraiment dramaturges. Ce n'est pas diminuer son talent que de remarquer, chez un si grand créateur, le recours à ce qu'on pourrait appeler des «ficelles du métier» de comédien; il est même émouvant de découvrir en cela la démarche de l'homme de théâtre qui, dans sa pratique quotidienne et parfois humble du métier, sait recourir à de banals effets relevant d'un fonds commun, les porter à un point de perfection inégalée et les anoblir en les mettant au service d'une très haute visée dramaturgique.

---

35. L'emploi d'un *lazzi* est bien souvent gratuit dans la *Commedia dell'Arte*; il se surajoute à l'échange verbal nécessaire au déroulement de la scène.

36. Celui de *L'Avare* est à la fois le plus brillant de son théâtre, et le plus long du répertoire français.

Molière ou l'Elégance

JACQUES TRUCHET

Pour situer dans son nouveau «système dramatique» la «comédie
sérieuse, qui a pour objet la vertu et les devoirs de l'homme»,
Diderot l'opposait à la traditionnelle «comédie gaie, qui a pour
objet le ridicule et le vice [1]».

En ne reconnaissant au théâtre comique du passé qu'un mode
d'action négatif – dénonciation du mal, alors que la comédie
sérieuse allait se fonder surtout sur la proposition du bien [2] –,
l'auteur du *Père de famille* rejoignait incontestablement certaines des
déclarations les plus officielles, et les plus souvent citées, de
Molière : «entrer comme il faut dans le ridicule des hommes»,
«rendre agréablement sur le théâtre les défauts de tout le monde»
(*La Critique de l'Ecole des femmes*, sc. 6; t. I, p. 660-661 [3]); «l'emploi
de la comédie est de corriger les vices des hommes [...]. Rien ne
reprend mieux la plupart des hommes que la peinture de leurs
défauts. C'est une grande atteinte aux vices que de les exposer à la
risée de tout le monde» (préface du *Tartuffe*; t. I, p. 885). Mais
d'autres phrases de Molière, non moins connues, invitent à se
demander si son œuvre ne devait pas agir aussi positivement, et s'il
n'y avait rien à aimer, admirer, imiter chez ses personnages. J'en
rappellerai deux : «Il n'est pas incompatible qu'une personne soit
ridicule en de certaines choses et honnête homme en d'autres»
(remarque formulée au sujet du rôle d'Arnolphe dans *La Critique de
l'Ecole des femmes*, sc. 6; t. I, p. 666). «Vous faites un honnête
homme de cour, comme vous avez déjà fait dans *La Critique de*

1. «De la Poésie dramatique», *Œuvres complètes*, Paris, éd. Assézat, 1875, t. IV, p. 308-309.
2. «Les devoirs des hommes sont un fonds aussi riche pour le poète dramatique, que leurs ridicules
et leurs vices» (*ibid.*, p. 310). «Je le répète donc : l'honnête, l'honnête. Il nous touche d'une manière
plus intime et plus douce que ce qui excite notre mépris et nos ris» (p. 312).
3. Nos références renvoient à l'édition G. Couton des *Œuvres complètes*, Paris, la Pléiade, 1971,
2 vol.

l'Ecole des femmes, c'est-à-dire que vous devez prendre un air posé, un ton de voix naturel, et gesticuler le moins qu'il vous sera possible» (indication donnée par l'auteur à Brécourt dans *L'Impromptu de Versailles,* sc. 1; t. I, p. 682[4]).

Le plaisir provoqué par le théâtre de Molière est très souvent celui de la connivence avec les personnages, voire de l'admiration à leur égard. De même que l'*Astrée* a fourni à tout un siècle des modèles de bien-penser et de bien-dire, Molière offrait aux honnêtes gens de son temps l'image flatteuse et stimulante d'une rare perfection de manières et de langage, doublée souvent d'une grande élévation morale. Rappelons-nous le mot de Voltaire, naguère constamment proposé comme sujet de dissertation (mais sur Corneille plus que sur Molière) : «Corneille [...] a établi une école de grandeur d'âme; et Molière a fondé celle de la vie civile[5].» Ce n'est pas en fustigeant une série de lâches que Corneille avait enseigné la grandeur d'âme; Molière n'aurait-il enseigné la «vie civile» qu'en accumulant des exemples d'incivilité?

Telle est la question que nous aimerions explorer, en ouvrant rapidement quelques pistes de recherche sur un Molière agissant positivement par la proposition de modèles d'élégance, tant formelle que foncière.

La première de ces pistes nous conduirait tout naturellement vers les grands spectacles de cour − *La Princesse d'Elide, les Amants magnifiques* −, vers *Dom Garcie de Navarre,* ou encore vers *Amphitryon.* Nous ne nous y attarderons pas, parce qu'elle pourrait sembler trop aisée à exploiter, et qu'on aurait beau jeu d'objecter que ces pièces côtoient un univers, sinon tragique, au moins héroïque. Nous nous priverons donc du plaisir de détailler maintes merveilles de bonnes manières et de conversations raffinées : Dom Sylve répliquant fièrement à Dom Garcie qu'il n'a pas pour habitude d'agir dans l'ombre, que son adversaire le trouvera en face de lui le moment venu, mais que le respect exige qu'ils fassent taire leurs débats devant la princesse (*Dom Garcie de Navarre,* III, 3, v. 992 sq.); la première scène de *La Princesse d'Elide,* entre «Euryale, prince d'Ithaque» et son gouverneur, et tant d'autres de la même pièce, sans en exclure celles auxquelles participe le «plaisant» Moron; les dialogues de Jupiter et d'Alcmène dans *Amphitryon* (I, 3 et II, 6) et la grande révélation finale du dieu − même si Sosie crée un effet de distance en constatant que «Le seigneur Jupiter sait dorer la pilule» (III, 10, v. 1913); dans *Les Amants magnifiques,* la simple et

4. Et, à la scène 4 (p. 687), Brécourt sera repris pour avoir pris «le ton d'un marquis» : «Vous ai-je pas dit que vous faites un rôle où l'on doit parler naturellement?».
5. «Lettre à un premier commis», *Œuvres,* Paris, éd. Beuchot, 1830, t. LI, p. 394.

digne aisance de la princesse Aristione[6], ou la netteté d'Eriphile demandant : « Sostrate, vous m'aimez ? » avant de continuer par une admirable tirade (IV, 4 ; t. II, p. 683), ou encore la parfaite politesse de Sostrate lui-même, trouvant toujours le ton juste pour dire ce qu'il a à dire sans jamais s'humilier ni heurter aucune convenance. Un exemple seulement de cette politesse : la discussion sur l'astrologie dans laquelle, interrogé par la princesse, il réussit à développer ses arguments contre une science dont il la sait férue sans sortir des exactes limites où le respect le lui permet (III, 1 ; t. II, p. 678-680). Quel florilège de conversations de cour exemplaires ne tirerait-on pas de ces œuvres, bien propres à charmer les courtisans de Louis XIV par l'illustration d'un art qu'ils ne pratiquaient certes pas tous avec cette perfection, mais qui constituait le code et l'idéal de leur société !

Mais pourquoi traiter ce groupe de pièces comme isolé, voire atypique, dans l'ensemble du théâtre de Molière ? Le Dorante de *La Critique de l'Ecole des femmes* n'est pas moins attentif que le Sostrate de *La Princesse d'Elide* à garder tous les ménagements que la politesse exige pour combattre la thèse soutenue par une grande dame, celle-ci fût-elle par ailleurs ridicule ; il n'argumentera contre Climène qu'après qu'elle aura aimablement permis « à son esprit d'être du parti de son cœur » (sc. 6 ; t. I, p. 657)[7]. Il n'y a pas moins d'élégance dans *Le Misanthrope* que dans *Dom Garcie,* dont on sait que cette pièce reprend des vers, et comment ne pas admirer le raffinement de Célimène, modèle d'esprit et de style − sinon de franchise et de générosité −, mais aussi d'Eliante, de Philinte[8] et d'Alceste même, aussi capable qu'eux de jolies formules et de traits satiriques[9] ? Rien d'étonnant à cela : les salons parisiens qui sont censés servir de cadre à la *Critique* et au *Misanthrope* sont de ceux que la cour fréquente, et nul n'a jamais mis en doute la qualité des visiteurs d'Elise et d'Uranie ou de Célimène. Très tôt dans l'œuvre de Molière, s'étaient mis en place les éléments de ces grandes comédies de la conversation qu'allaient être *Le Misanthrope,* précisément, ou *Les Femmes savantes,* mais que furent aussi, en beaucoup de leurs plus jolies scènes, *Tartuffe, L'Avare* ou même *Le Bourgeois gentilhomme,* sans parler d'œuvres plus modestes comme *La Comtesse d'Escarbagnas.* Aussi bien y a-t-il peu de pièces de lui que ne traversent des personnages authentiquement proches de la cour, tels

---

6. Par exemple quand elle décline spirituellement les compliments trop galants des princes qui prétendent à la main de sa fille (I, 2 ; t. II, p. 656-657).

7. « Du parti de son cœur » parce qu'il fait sa cour à Uranie, laquelle est d'un avis opposé à celui de Climène. Voir aussi la fin de la scène 5 (p. 655-656), et encore p. 658 : « Puisque j'ai bien l'audace de me défendre contre les sentiments de Madame... ».

8. Voir son récit de la comparution d'Alceste devant le Tribunal des Maréchaux (IV, 1).

9. Voir par exemple son portrait de Clitandre (II, 1, v. 475 sq.).

ces prétendants d'un rang plus élevé liés par un amour mutuel à des filles de la bonne bourgeoisie, comme le Valère du *Tartuffe* et le Clitandre des *Femmes savantes*. Ils apportent avec eux l'air de la cour, salué avec plaisir et sympathie par un public heureux de les voir ridiculiser pédants et pieds-plats par l'excellence de leur langage et de leurs manières, mais aussi par l'élévation de leur pensée. Ils prennent d'ailleurs volontiers la parole pour proclamer ès qualités les opinions de la cour; ainsi Dorante dans la *Critique* et Clitandre dans *Les Femmes savantes* écrasent-ils de leur suprême aisance la prétentieuse vulgarité des Lysidas et des Trissotin[10].

En fait le théâtre de Molière, dans lequel notre siècle affecte parfois de voir une constante contestation du pouvoir et de l'aristocratie, fut dans une large mesure un théâtre de cour, avouons-le même : un théâtre habité par un snobisme courtisan, ce qui ne veut pas dire – il importe de le préciser – qu'il aurait été animé par un mépris du peuple : chez Molière le raffinement de la cour et le bon sens du peuple s'unissent contre ces ennemis communs que sont l'imposture, le pédantisme et l'affectation ; c'est ainsi que dans la *Critique* la tirade de Dorante en l'honneur de la cour se trouve équilibrée par une autre, prononcée par le même champion en faveur du parterre (sc. 5; t. I, p. 653-654). Aussi bien Molière était-il au service de la cour, et s'il en caricaturait les ridicules et parfois en dénonçait la cruauté, il est naturel qu'il se soit plu à en louer et illustrer l'esprit. De même il était résolument parisien, et s'il lui arrivait d'égratigner le complexe de supériorité de ses compatriotes – le «Eh bien, Mesdames, que dites-vous de Paris?» du Mascarille des *Précieuses ridicules* (sc. 9; t. I, p. 274) –, c'est avec sympathie que les spectateurs du *Tartuffe,* de *Monsieur de Pourceaugnac* ou de *La Comtesse d'Escarbagnas* étaient conviés à accueillir les sarcasmes d'une Dorine, d'une Nérine ou du couple Julie-le Vicomte contre les provinciaux[11].

Qu'il s'agisse d'agréables échanges de propos conduits, semble-t-il, pour le pur plaisir de la conversation – la première scène de *La Comtesse d'Escarbagnas* en offre un modèle achevé[12] –, de tendres entretiens d'amants sympathiques comme la première scène de *L'Avare* entre Valère et Elise, de confidences d'amoureux à quelque ami ou domestique[13], ou encore de ces discussions de fond qui font intervenir des «raisonneurs» – un bien vilain mot pour des hommes

---

10. Voir *Critique,* sc. 6 (t. I, p. 661-662); *Femmes savantes,* IV, 3.

11. *Tartuffe,* II, 3, v. 656 sq.; *Monsieur de Pourceaugnac,* I, 1; *La Comtesse d'Escarbagnas, passim.*

12. En fait cette conversation n'est pas sans sujet : il s'agissait de ridiculiser *La Gazette de Hollande ;* mais ce sujet était gratuit par rapport à la donnée de la pièce et aux préoccupations des personnages.

13. Et parfois de confidences mutuelles; ainsi, dans *L'Avare,* le fils et la fille d'Harpagnon (I, 2), ou la fille d'Harpagon et la fiancée de son frère (IV, 1).

souvent si distingués! –, comment ne pas reconnaître que le dialogue moliéresque plaît déjà par sa forme même, sa clarté toute orale, son urbanité, son esprit. Ajoutons que ces qualités ne sont pas réservées aux personnages de ce qu'il est convenu d'appeler les «grandes comédies» de Molière; elles se manifestent dans tous ses genres de pièces, et cela dès le début de sa carrière. Ecoutons par exemple Célie, «esclave de Trufaldin», dans *L'Etourdi* :

> Sans me nommer l'objet pour qui son cœur soupire,
> La science que j'ai m'en peut assez instruire.
> Cette fille a du cœur, et dans l'adversité
> Elle sait conserver une noble fierté;
> Elle n'est pas d'humeur à trop faire connaître
> Les secrets sentiments qu'en son cœur on fait naître;
> Mais je les sais comme elle, et d'un esprit plus doux
> Je vais en peu de mots vous les découvrir tous (I, 4, v. 155-162)

ou, dans *Sganarelle ou le Cocu imaginaire,* la femme de Sganarelle :

> Je ne suis point d'humeur à vouloir contre vous
> Faire éclater, Madame, un esprit trop jaloux;
> Mais je ne suis point dupe, et vois ce qui se passe.
> Il est de certains feux de fort mauvaise grâce;
> Et votre âme devrait prendre un meilleur emploi
> Que de séduire un cœur qui doit n'être qu'à moi. (sc. 22, v. 559-564)

Parodie du style noble, dira-t-on. Rien, dans le contexte immédiat de ces citations, ne marque une telle intention, et de toute manière il n'y aurait pas moins d'élégance à parodier ainsi qu'à dire ces jolies choses au premier degré.

Mais il est temps d'en venir à une autre piste, vers laquelle nous conduit l'idée de parodie : celle du comique. Ne l'aurions-nous pas un peu oublié jusqu'ici? A cette objection nous aimerions répondre qu'un des tons reconnus et appréciés de la conversation élégante était l'enjouement. La Magdelon des *Précieuses* est évidemment grotesque quand elle s'écrie avec ravissement : «Ma chère, c'est le caractère enjoué» (sc. 9; t. I, p. 273) après l'entrée en scène de Mascarille; mais son ridicule ne tient qu'au fait de prendre pour d'authentiques exemples de ce «caractère» les sottises de ce valet au timbre quelque peu brouillé[14]; le «caractère enjoué» existait, et Molière en était un des maîtres. On loue toujours sa capacité de faire parler ses divers personnages selon leur condition, leur âge et leur tempérament, et l'on a raison de le faire; mais il ne faut pas nier pour autant sa tendance, fort heureuse, à leur prêter – sinon à tous, du moins à beaucoup – quelque chose de son esprit. Là encore

---

14. Son maître l'a précisé dès la première scène de la pièce (p. 266).

il serait aisé d'accumuler les citations : telle tirade de Lisette dans *L'Ecole des maris*[15] ; la description par Eraste, dans la première scène des *Fâcheux,* des importunités d'un ridicule dont il a eu le plus grand mal à se débarrasser ; les avertissements donnés non sans humour par Elmire à son mari caché sous la table[16] ; le prologue d'*Amphitryon* entre Mercure et la Nuit... ; plus encore, certains des rôles que Molière écrivit pour lui-même, les «plaisants» de cour évidemment – le Moron de *La Princesse d'Elide* et le Clitidas des *Amants magnifiques* –, mais aussi le Mascarille de *L'Etourdi,* le Sosie d'*Amphitryon*[17], Scapin enfin, chef-d'œuvre d'aisance souveraine et de mobilité. Qui oserait ici parler de vraisemblance, de vérité des personnages ? Ce n'était pas un personnage que les spectateurs voyaient dans chacune de ces créations, c'était Molière[18].

Un exemple encore : quand le médecin malgré lui débite du pseudo-latin ou singe burlesquement le langage médical, on peut à la rigueur parler de vraisemblance, puisque Molière a pris soin d'indiquer que ce Sganarelle a «servi six ans un fameux médecin» (I, 1 ; t. II, p. 226) ; mais en parlera-t-on encore quand le même personnage se lancera dans la tirade : «Quand j'ai vu qu'à toute force ils voulaient que je fusse médecin, je me suis résolu de l'être aux dépens de qui il appartiendra. Cependant vous ne sauriez croire comment l'erreur s'est répandue, et de quelle façon chacun est endiablé à me croire habile homme [...]» (III, 1 ; t. II, p. 250-251) ? Molière prête évidemment ici à son modeste héros sa propre syntaxe et son propre esprit. Mais qui songerait à s'en plaindre ?

Il ne réserve même pas le bien-dire aux personnages sympathiques. Voici encore une piste à explorer : des élégances de langage ou de manières conférées à des personnages odieux ou ridicules. C'est ici qu'il faut se rappeler la remarque déjà citée de la *Critique* sur la conduite amicale et généreuse d'Arnolphe envers le fils d'un vieil ami (avant qu'il n'ait découvert en lui un rival). Dans la *Critique* même, nous l'avons vu, la prude et précieuse Climène n'est pas incapable d'une aimable mondanité. Orgon, à son entrée en scène, ne s'informe des nouvelles de la maison qu'après s'en être civilement excusé auprès de son beau-frère qui vient de l'aborder (*Tartuffe,* I, 4, v. 226-228), et c'est lui qui conclura la pièce par cette formule chaleureuse et mondaine :

15. «Sommes-nous chez les Turcs pour renfermer les femmes ? [...]» (I, 1, v. 144 sq.).

16. «Ce sont vos intérêts ; vous en serez le maître» (IV, 4, v. 1385).

17. On pense notamment à la répétition qu'il fait de son récit de combat (I, 1, v.205 sq.) : monologue à trois voix où alternent les phrases de la narration, les interventions supposées d'Alcmène et ses propres réflexions.

18. Aujourd'hui, de même, quand un acteur brillant s'empare de tels rôles, plus que le personnage, nous voyons cet acteur, et à travers lui, comme en filigrane, nous croyons voir Molière.

> Et par un doux hymen couronner en Valère
> La flamme d'un amant généreux et sincère. (v. 1961-1962)

Quant à Dom Juan, ses vices et son cynisme ne le rendent pas incapable d'une grande élégance, qu'il vole au secours d'un homme lâchement attaqué, s'entretienne fièrement avec Dom Carlos ou refuse de trembler devant la mort[19]; on parlerait même volontiers à son sujet d'un art de l'insolence, qui atteint son comble dans sa première scène avec son père : «Monsieur, si vous étiez assis, vous en seriez mieux pour parler» (IV, 4; t. II, p. 73)[20]. Alceste lui-même, à la fin du *Misanthrope,* malgré sa fureur et son chagrin, trouve des mots aimables pour présenter ses vœux de bonheur à Eliante et Philinte (scène dernière, v. 1801-1802), et l'on y assiste d'autre part à une remarquable réhabilitation d'Oronte et des petits marquis qui adoptent une attitude cruelle certes, mais digne, explicitement soulignée par l'un d'eux :

> J'aurais de quoi vous dire, et belle est la matière;
> Mais je ne vous tiens pas digne de ma colère. (*ibid.,* v. 1695-1696)

De même, à la fin des *Femmes savantes,* Philaminte, se croyant ruinée, se placera dignement au-dessus de l'adversité, et sa «philosophie» cessera pour lors d'apparaître ridicule (scène dernière, v. 1706 sq.).

Une dernière piste reste à ouvrir : celle de l'élégance morale, dont Philaminte vient d'ailleurs d'offrir un exemple. Un très grand nombre d'autres personnages de Molière avaient, avant elle, donné des preuves authentiques de leurs qualités de cœur. Nous n'invoquerons pas *Dom Garcie,* trop proche du ton de la tragédie, et nous ne reviendrons pas sur les aspects héroïques de *Dom Juan.* Mais comment n'être pas sensible, dans *Tartuffe,* à la délicatesse d'Elmire[21], à la charité vraie de Cléante arrêtant à la fin de la pièce les imprécations d'Orgon contre l'imposteur et lui rappelant qu'il ferait mieux de faire des vœux pour sa conversion (scène dernière, v. 1947-1954), à l'attitude de Valère se compromettant pour sauver la famille de celle qu'il aime (V, 6), ce qui nous met loin du juvénile amant de la comique scène de dépit du deuxième acte (sc. 4)? Comment ne pas apprécier les qualités de cœur de l'Eliante du *Misanthrope,* capable de percevoir ce que la sincérité d'Alceste a, «en soi, de noble et d'héroïque»

---

19. Voir III, 2-4 et V, 5-6.

20. Curieusement, quand Dom Juan, embarrassé, se trouve à cet égard inférieur à son rôle, c'est Elvire qui lui donne une leçon de «noble effronterie» (I, 3; t. II, p. 40).

21. On notera notamment la qualité de ses relations avec ses beaux-enfants, dont elle n'est probablement l'aînée que de quelques années.

(IV, 1, v. 1166), de juger sans illusions, mais sans excessive indignation, l'instabilité de Célimène (*ibid.*, v. 1180-1184)[22], d'accueillir l'amour de Philinte sans passion, mais avec une sereine tendresse (scène dernière, v. 1795-1798)? Comment ne pas être charmé par le rôle d'Alcmène, si droite et transparente en son amour conjugal, mise au supplice par la subtilité de Jupiter qui prétend lui faire dissocier le mari et l'amant (II, 6)? Il n'est jusqu'à *L'Avare* qui n'offre, avec la reconnaissance de Valère et de son père, une scène de panache tout à fait brillante; car ce serait une grave erreur de mettre sur le même plan la scène de reconnaissance de *L'Ecole des femmes,* comiquement bâclée (V, 9), ou celle des *Fourberies de Scapin,* délibérément escamotée (III, 11), et celle de *L'Avare,* dont le ton héroïque et émouvant ne laisse aucune place à la parodie (V, 5). Rappelons encore la noble sincérité de Cléonte refusant d'usurper la qualité de gentilhomme dont il n'est pourtant guère éloigné («J'ai un scrupule là-dessus, que l'exemple ne saurait vaincre», *Le Bourgeois gentilhomme,* III, 13; t. II, p. 756)[23], ou celle du Clitandre des *Femmes savantes* («Mon cœur n'a jamais pu, tant il est né sincère»... I, 3, v. 215 sq.) — Clitandre qui forme avec Henriette un couple d'une maturité intellectuelle et morale exceptionnelle pour des amoureux de comédie.

Molière maître d'élévation morale, de santé morale, d'élégance morale, non seulement par la dénonciation des vices, mais par l'exemple? Pourquoi non? Mais comment ne pas songer enfin – ou d'abord – à l'élégance morale de Molière lui-même, telle qu'elle apparaît dans les rares pièces où il se met directement en cause? *L'Impromptu* évidemment, avec la grande «déclaration» contre Boursault (sc. 5; t. I, p. 695-696), et *Le Malade imaginaire,* avec la discussion entre Argan et Béralde où, faisant référence à ses propres comédies, il fait allusion à son état de santé et aux raisons personnelles qu'il a de s'abstenir des remèdes de la médecine (III, 3; t. II, p. 1155-1156). Et l'on pourrait ajouter au moins, bien que son nom n'y soit pas prononcé, le début du rôle de Sosie dans *Amphitryon,* qui évoque à peu près de la même manière que *L'Impromptu,* mais avec plus de lassitude, les satisfactions et les peines liées au service des grands (I, 1, v. 166 sq.).

Il ne faut donc pas gommer les aspects positifs du théâtre de Molière; il faut encore moins les dénaturer, comme l'a fait plus d'un metteur en scène, en faisant jouer en dérision les scènes ou

---

22. Voir aussi la fin de non-recevoir, nette mais mesurée dans la forme, qu'elle oppose à Célimène quand celle-ci veut solliciter son aide contre les prétendants qui la somment de choisir clairement entre eux (V, 3, v. 1660-1662).

23. Comme celui du Valère du *Tartuffe,* son rôle a commencé par des scènes comiques de dépit amoureux, dans lesquelles il apparaissait bien juvénile et assez inconsistant (III, 8-10); mais il change de stature immédiatement après, dans sa scène avec M. Jourdain (III, 12).

parties de scènes où ils se manifestent. Aussi bien, à lire son œuvre de droit fil, j'allais dire «naïvement», on discerne en général assez bien les passages qui requièrent pour les personnages l'approbation des spectateurs. Ils sont très nombreux, et les seuls grands rôles qui en soient entièrement dépourvus sont ceux des deux grands imposteurs, Tartuffe et Trissotin, et celui, particulièrement chargé, d'Harpagon.

Les vices et les ridicules apparaissent dans ce théâtre pour ce qu'ils sont : une pathologie, qui s'inscrit sur une toile de fond tout autre. Ils ne s'en trouvent certes pas atténués, et leur nocivité n'en prend que plus de relief, puisqu'on les voit fausser totalement les meilleurs caractères ; mais ils font figure d'accidents par rapport à un contexte marqué, lui, par une profonde élégance sur le plan esthétique comme sur le plan moral.

Dénégation, déni, délire
chez les personnages de Molière

ANNE-MARIE DESFOUGÈRES

> Je ne suis pas, mon frère, un docteur révéré,
> Et le savoir chez moi n'est pas tout retiré.
> Mais, en un mot, je sais, pour toute ma science,
> Du faux avec le vrai faire la différence (v. 351-54).

Vaine science que celle de Cléante, qui lui permet de voir
Tartuffe tel qu'il est! Car Orgon, lui, le prend pour un saint, et rien
ne saurait le persuader du contraire. Admettre le vrai[1], c'est
précisément ce que refusent bon nombre des héros de Molière et
c'est même cette négation du réel qui nourrit l'action et le comique
de la plupart de ses pièces. Certes, il y a loin des chimères d'une
Bélise aux mensonges mondains d'un Philinte dont la lucidité est
indubitable. Ces comportements de négation ont des fonctions
différentes que nous essaierons d'analyser en suivant une progression dont témoigne le titre de cette étude. Précisons le sens des deux
premiers termes souvent confondus et définis l'un et l'autre par
«l'action de dénier», c'est-à-dire «le refus de reconnaître». Nous
faisons plutôt nôtre cette définition du *Grand Dictionnaire universel
Larousse* publié en 1870 : «La dénégation est l'action de nier,
considérée dans la manière dont elle se fait ou par rapport au temps,
aux circonstances. Le déni est la même action considérée dans son
essence même[2]»... Ainsi dans notre premier point nous étudierons
la dénégation, non pas comme une attitude mentale de négation
– ce qu'est le déni –, mais comme un procédé de désaveu utilisé

---

1. Nulle prétention philosophique, bien sûr, dans cette expression. Il s'agit de la réalité telle que
peuvent la percevoir les gens de bon sens en s'appuyant sur l'expérience commune.

2. Dotée d'un sens bien spécifique pour les psychanalystes, la dénégation fait entrer, en les niant,
les désirs refoulés dans le champ du discours. Le déni les occulte. Une étude sémantique de
E. LANÇON, intitulée «Le Déniement», est consacrée à ces termes dans *La Revue française de
psychanalyse*, 1986-4, t. L.

dans les échanges sociaux dans la mesure où les circonstances l'imposent.

Dans *Le Mariage forcé* le philosophe Pancrace dit à Sganarelle : «La parole a été donnée à l'homme pour expliquer sa pensée; et tout ainsi que les pensées sont les portraits des choses, de même nos paroles sont-elles les portraits de nos pensées, mais ces portraits diffèrent des autres portraits en ce que les portraits sont distingués partout de leurs originaux, et que la parole enferme en soi son original, puisqu'elle n'est autre chose que la pensée expliquée par un signe extérieur : d'où vient que ceux qui pensent bien sont aussi ceux qui parlent le mieux» (sc. 4). Sans doute le bavard aristotélicien a-t-il raison théoriquement; mais si la pensée est exprimée par un signe extérieur, on peut être, dans la pratique, tenté de tricher avec les signes, dans la mesure où l'expression directe de cette pensée présente des inconvénients.

«Je ne dis pas cela»... (v. 352, 358, 362), répond Alceste à Oronte, alors qu'il lui dit effectivement cela, à savoir que son sonnet est mauvais : malgré ses beaux principes, Alceste n'ose pas heurter trop brutalement les bienséances. Les valets, en particulier, cherchent à éviter les retombées fâcheuses qu'engendre inévitablement la révélation de la vérité. Ainsi dans *Le Dépit amoureux* Mascarille, malmené par Eraste, dément ce qu'il a révélé concernant le mariage secret de Valère et de Lucile, aimée de son maître, et s'affole :

> – Non, Monsieur, je raillais...
> – Non, je ne raillais point...
> – Non pas, je ne dis pas cela...
> – Hélas ! Je ne dis rien de peur de mal parler (v. 278 sq.).

Mais c'est une position quasi intenable que de prétendre ne pas dire ce que l'on dit. Aussi un tiers fictif est-il chargé d'endosser les propos trop risqués : aux «gens de vertu singulière» derrière lesquels s'abrite Arsinoë, Célimène oppose des «gens d'un très rare mérite» peu sensibles aux «discours éternels de sagesse et d'honneur» dont la venimeuse prude importune ses interlocuteurs. Traitant de «petit mirmidon» certain maître supposé, libertin «sans savoir pourquoi», Sganarelle n'oublie pas d'insister : «Je parle au maître que j'ai dit» (Acte I, sc. 2).

La dénégation permet aussi de se laisser aller à la vantardise, tout en simulant la modestie imposée par les convenances. Ainsi parade Acaste devant Clitandre :

> Pour le cœur dont surtout nous devons faire cas,
> On sait, sans vanité, que je n'en manque pas (v. 787-88).

Ainsi Monsieur Diafoirus commence-t-il l'éloge de son benêt de fils : «Monsieur, ce n'est pas parce que je suis son père, mais je puis dire que j'ai sujet d'être content de lui» (Acte II, sc. 5). Quant à Tartuffe, s'il ose dévoiler ses désirs effrontés, il en atténue le caractère scandaleux en usant d'une formulation négative, qui est comme un parfum de désaveu :

> Mon sein n'enferme pas un cœur qui soit de pierre (v. 930).

Enfin l'affirmation est parfois associée à la négation en un dosage subtil, pour témoigner, par exemple, une politesse équivoque et ironique :

> ... Ah! quel heureux sort en ce lieu vous amène?
> Madame, sans mentir, j'étais de vous en peine... (v. 873-74).

s'écrie Célimène à la vue d'Arsinoë, qu'à la minute précédente elle déchirait de la belle manière. Tartuffe élève la manipulation verbale au rang des beaux arts. Par une sorte de subversion perverse il nie sa culpabilité en la proclamant :

> Oui, mon frère, je suis un méchant, un coupable,
> Un malheureux pécheur tout plein d'iniquité... (v. 1074-75).

Il sait bien qu'Orgon y verra, non pas l'aveu d'une faute, mais le signe de l'humilité admirable d'un chrétien scrupuleux. Aussi peut-il risquer :

> Et je ne suis rien moins, hélas! que ce qu'on pense... (v. 1098).

et savourer orgueilleusement sa domination.

Cette distorsion entre le propos et l'intention ou le sentiment se manifeste avec subtilité dans les scènes de dépit amoureux. Qu'est-ce que le dépit amoureux sinon le sentiment qui pousse à désavouer son amour par représailles contre l'objet aimé perçu comme désavouant le sien? Se crée alors un véritable cercle vicieux où l'amour-propre humilié relance constamment le malentendu. La scène 4 de l'acte II du *Tartuffe* est un chef-d'œuvre du genre. Valère blesse Mariane en lui demandant si elle a le dessein d'épouser Tartuffe, puisque tel est le désir d'Orgon. Au lieu de protester elle sollicite son avis. Blessé à son tour de ne pas trouver de révolte chez la jeune fille, Valère lui conseille d'obéir aux volontés paternelles. Mariane, ulcérée, acquiesce. Viennent les reproches de l'amant : il n'a pas été aimé; viennent les menaces : il portera ailleurs son cœur. Mariane se garde bien de l'en dissuader. Mais Valère craint d'être allé trop loin. Il explique piteusement la raison de ses bravades :

> Un cœur qui nous oublie engage notre gloire;
> Il faut à l'oublier mettre aussi tous nos soins :
> Si l'on n'en vient à bout, on le doit feindre au moins (v. 730-32).

Mariane ne redoute plus dès lors la surenchère; elle est sûre d'être aimée, elle est donc impitoyable. Valère est quasi contraint de partir. «Ne m'appelez-vous pas?» plaide-t-il... – «Moi, vous rêvez», répond la cruelle (v. 751-52). Heureusement Dorine intervient : on s'explique. On a eu peur, un peu comme actuellement on frissonne devant un film-catastrophe. On a joué à «si on ne s'aimait plus»... Pourquoi? On veut se rassurer sur la solidité d'un lien? On veut se donner des émotions en prenant des risques dans la quiétude d'une sécurité affective? Ou bien quelque chose dans le cœur des amants veut-il exprimer, ne serait-ce qu'en le mimant, le déni de l'amour qui fait que, pour son bonheur, on dépend de l'autre et non pas de soi?

Dans le cas du dépit amoureux, comme dans les exemples étudiés précédemment les personnages utilisent la dénégation comme un signe truqué; mais leurs sentiments ou leur représentation de la réalité n'en sont pas affectés. C'est par prudence, par bienséance, voire pour leur plaisir qu'ils feignent de désavouer leurs actions, leurs désirs, leur valeur même. Leurs propos ont un objectif : abuser leurs interlocuteurs ou même les obliger à feindre d'être abusés. Si la dénégation est un désaveu à l'usage de l'autre, le déni est un désaveu à l'usage de soi. C'est une tentation bien humaine que de refuser de voir ce qui déplaît, même s'il s'agit d'un fait dont on n'a aucune raison de douter. Dans *Le Dépit amoureux* Eraste, qui vient d'apprendre l'union secrète de Valère et de Lucile, s'écrie :

> Je démens un discours dont je n'ai que trop peur (v. 276).

De même, Alceste a beau détenir la preuve de l'infidélité de Célimène, il n'en supplie pas moins la coquette :

> Rendez-moi, s'il se peut, ce billet innocent (v. 1387).

Le déni de réalité joue dans le théâtre de Molière un rôle majeur, dont nous ne saurions ici faire une étude exhaustive. Aussi nous limiterons-nous à quelques aspects essentiels.

Ainsi, le déni de filiation est un moyen de se fabriquer un roman familial prestigieux. Magdelon s'étonne d'avoir pour père le vulgaire Gorgibus : «J'ai peine à croire [confie-t-elle à sa cousine] que je puisse être véritablement sa fille, et je crois que quelque aventure, un jour, me viendra développer une naissance plus illustre» (sc. 5). De la même veine est le déni d'appartenance sociale. Arnolphe se veut Monsieur de la Souche et Monsieur Jourdain refuse sa condition de bourgeois et entend avec ravissement Covielle évoquer son père, «un fort honnête gentilhomme», expert en étoffes, assez obligeant pour les sélectionner et les vendre à ses amis (Acte IV, sc. 3).

Les précieuses ou les femmes savantes rejettent, elles, les servitudes du corps, surtout celles de l'amour, au profit de la philosophie, qui, pour Armande

> [...] nous monte au-dessus de tout le genre humain,
> Et donne à la raison l'empire souverain,
> Soumettant à ses lois la partie animale,
> Dont l'appétit grossier aux bêtes nous ravale (v. 45-48).

Les barbons n'ont pas de ces délicatesses. Ils se croient irrésistibles, à l'exception d'Harpagon qui émet quelques doutes dont Frosine n'a d'ailleurs pas de peine à le débarrasser. «En effet [admet-il] si j'avais été femme, je n'aurais point aimé les jeunes hommes» (Acte II, sc. 5). Tout est donc pour le mieux! Ces hommes d'âge, plus ou moins riches en infirmités, ne doutent pas un instant qu'il y aura du plaisir à partager leur intimité. Pour Arnolphe, Agnès accédant au rang d'honorable bourgeoise ne peut que se féliciter de :

> [...] jouir de la couche et des embrassements
> D'un homme qui fuyait tous ces engagements (v. 685-86).

De même, en dépit de ses cinquante-deux ans et des avertissements de son ami Géronimo, Sganarelle dans *Le Mariage forcé* s'imagine en mari dorloté de Dorimène, une fille jeune et libertine, et en père d'une demi-douzaine de petits Sganarelle. Pourtant ces barbons ont peur d'être cocus, mais au lieu de voir là le résultat inévitable d'un mariage désassorti et de s'en tenir aux données de l'expérience commune, ils s'en prennent aux mœurs du temps qu'ils condamnent en bloc, comme le ridicule Sganarelle de *L'Ecole des maris,* barbon par le cœur sinon par l'âge. Son aîné Ariste a beau lui prodiguer de sages conseils, Sganarelle songe à quitter des lieux où tout ne plie pas à sa fantaisie, pour aller aux champs avec Isabelle, sa pupille, qu'il a façonnée pour son usage personnel. Ce rêve d'un lieu non pollué, loin d'une société corruptrice, surtout de jeunes femmes, où ils pourraient vivre loin des menaces de cocuage, hante les détracteurs du siècle et pas seulement les barbons. Alceste songe à fuir dans un désert l'approche des humains... en compagnie de Célimène. Pour l'envisager, il lui faut nier la réalité, s'imaginer pouvoir purger des vices du temps l'incorrigible coquette et en faire une créature à sa dévotion. Comme ils sont révélateurs ces regrets d'Alceste dans lesquels on ne voit souvent qu'une belle définition de l'amour :

> Oui, je voudrais qu'aucun ne vous trouvât aimable,
> Que vous fussiez réduite en un sort misérable,
> Que le Ciel, en naissant, ne vous eût donné rien,
> Que vous n'eussiez ni rang, ni naissance, ni bien,
> Afin que de mon cœur l'éclatant sacrifice
> Vous pût d'un pareil sort réparer l'injustice,
> Et que j'eusse la joie et la gloire, en ce jour,
> De vous voir tenir tout des mains de mon amour! (v. 1425-32).

Ce serait Agnès à la merci du généreux bienfaiteur. Ce désir d'une fusion totale avec l'objet aimé n'est que le déguisement d'une volonté de maîtrise qui refuse à la femme, devenue miroir complaisant, tout espace propre, toute autonomie, toute existence en tant qu'autre. C'est une constante chez les jaloux de Molière qui, avec une constance non moins égale, s'éprennent toujours des femmes les plus éloignées de cet idéal, car, Alceste le confesse,

> [...] la raison n'est pas ce qui règle l'amour (v. 248).

Cet amour des jaloux, pourquoi s'enferme-t-il toujours dans une impasse? On ne saurait solliciter abusivement les textes, mais il est évident que ces personnages souffrent d'un besoin d'espionner et de tyranniser qui voue à l'échec leurs tentatives amoureuses. S'agit-il pour eux d'inscrire dans les faits un rejet qu'à leur insu ils désirent et qui serait le signe d'une blessure narcissique? Car s'il est une chose qu'ils cachent derrière les arrogants exposés de principes qu'ils affectionnent particulièrement, c'est leur pitoyable vulnérabilité. Mais ils finissent toujours par se livrer. Il est bien ridicule, le malheureux Arnolphe, quand il gémit :

> Veux-tu que je m'arrache un côté des cheveux?
> Veux-tu que je me tue? (v. 1602-03).

Ce besoin de tyranniser ne s'investit pas dans les seules relations amoureuses. Il s'invente de multiples alibis et affecte particulièrement les grands réformateurs de la société. Sa croisade pour la sincérité donne à Alceste le droit de pester en toute occasion et Célimène, qui a bien compris que les situations de conflit sont pour lui une nécessité quasi vitale, constate sans surprise :

> Et ne faut-il pas bien que Monsieur contredise? (v. 669).

Mal aimé, il cherche à se faire victime de la société, pour pouvoir mieux en faire le procès. Orgon n'a point de ces détours.

> Si l'on ne vous aimait [...]

s'attendrit Dorine,

> [...] Je ne veux pas qu'on m'aime (v. 545)

répond comme un gamin rageur, cet homme qui naguère passait pour sage et qui avoue sans la moindre gêne :

> Faire enrager le monde est ma plus grande joie (v. 1173).

Rarement la violence fut assumée avec autant d'allégresse. Pour Orgon inutile de la nier. Il a trouvé dans la religion, incarnée et revue par Tartuffe, une justification à ses excès[3]. Comme un surmoi pervers l'hypocrite s'est insinué dans son âme ; et Orgon s'en félicite ingénument :

> Oui, je deviens tout autre avec son entretien,
> Il m'enseigne à n'avoir d'affection pour rien,
> De toutes amitiés il détache mon âme... (v. 275-277).

Grâce à Tartuffe Orgon peut dénier toute culpabilité : il peut saintement imposer aux siens un indésirable, contraindre sa fille à un mariage odieux, chasser son fils, humilier sa femme, etc. Tartuffe lui est devenu indispensable. Aussi décrit-il, sans en percevoir le sens, les exhibitions de son héros ; les faits les plus flagrants, il refuse de les voir. Pour un peu il resterait sous la table et se boucherait les oreilles pour ne pas consommer la ruine de son idole. C'est qu'il a été heureux sous le règne de Tartuffe, ou plutôt il fut roi par la grâce de celui-ci ! Pas de frein à ses exigences exorbitantes : pour Mariane il n'est pas doux de voir Tartuffe devenir son époux ; elle ose le dire :

> Mais je veux que cela soit une vérité ;
> Et c'est assez pour vous que je l'aie arrêté (v. 451-52)

rétorque sans vergogne ce vieil enfant tyrannique pourvu, selon Dorine, d'une large barbe au milieu du visage et à qui, pourtant, sa

---

3. Sur ce point, voir E. Auerbach, *Mimesis. La Représentation de la réalité dans la littérature occidentale*, Paris, T.E.L., Gallimard, 1977, p. 366-67.

vieille mère, autoritaire et sentencieuse, fait encore la leçon, au moment où tout semble perdu :

> Je vous l'ai dit cent fois quand vous étiez petit,
> La vertu dans le monde est toujours poursuivie,
> Les envieux mourront, mais non jamais l'envie (v. 1664-66).

Quel beau règlement de comptes tout de même !

Philaminte aussi a son héros qui lui sert de caution. Mais Trissotin ne joue pas pour elle un rôle aussi capital que Tartuffe pour Orgon. Même sans lui, nul doute que l'intrépide épouse du faible Chrysale aurait mis toute la maison au régime des sciences et belles-lettres en guise de potage.

Ainsi Molière rend sensible la façon dont les valeurs les plus nobles, comme l'amour de la vérité, celui de la science, la dévotion à son Dieu, peuvent servir d'écrans à l'abri desquels, à son insu, parce qu'on n'ose pas les assumer et qu'ils demeurent enfouis au plus profond de l'être, on se laisse aller à des désirs d'omnipotence ou à des rêves de paradis où les autres n'ont que le droit d'être les serviteurs d'un moi grandiose. Comme ils l'ont bien «mitonné» leur bonheur, les Arnolphe, les Sganarelle ! L'installation de Tartuffe dans la maison d'Orgon apporte au maître de céans le sentiment d'une plénitude :

> Et depuis ce jour-là tout semble y prospérer (v. 300),

plénitude dont l'hymen de Tartuffe et de Mariane sera le prolongement :

> Il sera tout confit en douceurs et plaisirs (v. 532).

Mais ce paradis est un enfer pour les autres. Aussi s'efforcent-ils d'en raccourcir la saison. Bien des comédies de Molière sont bâties sur le dévoilement et la destruction d'une illusion qui en commande la dramaturgie.

Molière ne les condamne pas pour autant ces rêveurs obstinés et malfaisants. Seul Harpagon reste constamment un affreux. Arnolphe sait être généreux. La tendresse bougonne que témoignent Dorine à Orgon, Toinette à Argan montre que, pour elles, derrière le tyranneau, il y a aussi un brave homme au cœur tendre. Témoin ce savoureux échange :

> TOINETTE. – Mon Dieu, je vous connais, vous êtes bon naturellement.
> ARGAN *avec emportement* – Je ne suis pas bon, et je suis méchant quand je veux (Acte I, sc. 5).

Le personnage du malade imaginaire nous permet d'introduire la question du délire. L'expression s'impose quand une interprétation déformée de la réalité se maintient en dépit des faits qui, à maintes reprises, viennent la démentir. Si le terme paraît pouvoir s'appliquer sans réserve à Bélise et à Dom Garcie de Navarre, on peut se demander s'il convient pour Argan ou pour Monsieur Jourdain, héros de comédies-ballets où l'extravagance des personnages sert et justifie la fantaisie des divertissements[4]. Le bourgeois gentilhomme n'est pas un personnage délirant, car, en dépit de sa folie des grandeurs, son discours indique clairement qu'il ne se croit pas une personne de qualité. Ainsi, il est très reconnaissant à Dorante de le traiter comme s'il était son égal. Simplement il veut faire comme s'il était gentilhomme et il est prêt à récompenser toutes les bonnes volontés qui entretiendront cette illusion. D'où le succès de la turquerie qui donne consistance à son rêve.

Argan, quant à lui, ne doute pas de sa maladie. Les médecins qui ont trouvé en lui «une bonne vache à lait» ne vont certes pas l'en dissuader. Cette complicité du corps médical avec le malade entretient des symptômes que le traitement suffit à expliquer, du moins en partie. Car Argan éprouve vraiment des symptômes. Est-il permis de parler de délire, quand le psychique inscrit ses désordres dans le somatique? Nous ne nous aventurerons pas sur ce terrain glissant. Soulignons toutefois que l'état de malade comporte toutes sortes de bénéfices : le désir de se faire dorloter peut se revendiquer sans nul respect humain, la moindre frustration se refuser comme une atteinte impardonnable : a-t-on le droit de laisser un pauvre malade tout seul? De le mettre en colère?

Restent deux cas typiques : le délire érotomaniaque de Bélise et le délire d'interprétation du jaloux Dom Garcie. Bélise croit que tous les hommes sont amoureux d'elle. Les démentis les plus formels n'ont aucune prise sur elle. Clitandre charge-t-il Ariste de demander pour lui la main d'Henriette, Bélise ne voit là qu'un ingénieux stratagème pour couvrir d'autres feux, dont elle est l'objet. Le code amoureux précieux lui offre les moyens d'étayer son interprétation des faits. Quelle est ici la fonction du délire? Bélise est une vieille fille, traitée sans ménagement par ses frères, et

---

4. Harpagon semble proche du délire à la suite du choc que lui cause le vol de sa cassette, mais le trait dominant de ce personnage est plutôt l'obsession. Craignant d'être volé, il n'a de cesse de vérifier si on lui a dérobé son or, ce qui attire l'attention. L'obsession d'Harpagon est le fruit d'une projection : il attribue au monde entier son avidité vampirique. Ne prétend-il pas que la mère de Mariane, une pauvre femme sans ressources, doit «se saigner» pour donner une dot à sa fille? Nous avons dit que ce personnage reste constamment un affreux. Quand Frosine lui prédit qu'il enterrera ses enfants et les enfants de ses enfants, il s'écrie : «Tant mieux.» (Acte II, sc. 5). C'est le cri du cœur et le déni de sa propre mort aux dépens de ses enfants. D'ailleurs il souhaite prendre la place de son fils en épousant Mariane. Harpagon ignore complètement la paternité.

tante de deux nièces belles, jeunes et courtisées. En se transformant en bourreau des cœurs, elle dénie son âge, son probable manque de séduction, sa solitude affective. En cela le personnage paraît plus plausible que l'Hespérie des *Visionnaires,* encore que dans la réalité l'érotomanie puisse se rencontrer chez des êtres jeunes. Quoi qu'il en soit le délire de Bélise lui permet de se construire un bonheur à sa mesure, où se trouvent magiquement conjurées toute perte d'objet amoureux et, de ce fait, toute dévalorisation massive de sa propre personne.

Tel n'est pas le cas du jaloux Dom Garcie, artisan infatigable de son propre malheur. Aimé d'Elvire, il ne cesse de la soupçonner d'entretenir à son insu une liaison amoureuse avec Dom Sylve. Malgré la loyauté d'Elvire, les aveux qu'elle lui fait de son amour, le fait qu'à plusieurs reprises il a dû reconnaître l'inanité des preuves qu'il croyait détenir, Dom Garcie ne peut arracher le doute de son cœur. Un billet, une parole, et le voilà redevenu un inquisiteur injurieux à l'égard d'Elvire dont on admire la patience. Dom Lope, en courtisan intéressé, s'est fait espion pour Dom Garcie, dont, nouvel Iago, il attise les jaloux soupçons, ainsi qu'il le confie à Elise, confidente d'Elvire :

> Son âme semble en vivre, et je mets mon étude
> A trouver des raisons à son inquiétude,
> A voir de tous côtés s'il ne se passe rien,
> A fournir le sujet d'un secret entretien ;
> Et quand je puis venir, enflé d'une nouvelle,
> Donner à son repos une atteinte mortelle,
> C'est lors que plus il m'aime, et je vois sa raison
> D'une audience avide avaler ce poison,
> Et m'en remercier comme d'une victoire
> Qui comblerait ses jours de bonheur et de gloire (v. 452-61).

Cet «exposé clinique» décrit admirablement les mécanismes de la jalousie pathologique. Dom Lope relève chez Dom Garcie un état d'inquiétude, auquel il faut donner des raisons. Celles-ci, à savoir les infidélités d'Elvire, qui devraient atteindre mortellement Dom Garcie, sont avidement accueillies par sa raison, et l'on voit ici la rationalité se mettre au service du délire. Mieux, ces révélations semblent assurer à Dom Garcie une victoire

> Qui comblerait ses jours de bonheur et de gloire.

Voilà quelque chose de paradoxal. Pour la tranquillité et la gloire – le mot est étonnant – de Dom Garcie, il faut que soit dénié le fait qu'Elvire, qu'il aime, puisse lui être fidèle. Le texte ne dit pas plus, mais il dit déjà beaucoup, car il suggère que l'organisation d'un délire est une mesure de protection pour l'image que le sujet a de lui-même. Accuser Elvire d'infidélité, c'est sans doute se préserver de quelque chose d'intolérable. Le déni de fidélité cache le déni de quelque chose qui doit rester secret. Ainsi le délire semble un moyen de préserver le moi de la dépression qu'engendrerait la prise de conscience des tares qu'il se cache. Mais si la loufoquerie de Bélise fait sourire, une tension presque tragique habite Dom Garcie, persécuteur de lui-même et des autres.

Au terme de cette étude, il apparaît que dans le théâtre de Molière les protagonistes sont le plus souvent des narcissiques [5]. Alpha et omega de toutes choses, ils nient les limites humiliantes que constituent pour eux l'ascendance familiale, l'appartenance sociale, l'âge et ses infirmités et surtout l'existence des autres en tant que porteurs d'idées, de sentiments et de désirs étrangers ou opposés aux leurs et à la place desquels ils sont incapables de se mettre [6]. D'où leur extrême violence, celle que suscite toute velléité de résistance, mais aussi parfois, semble-t-il, violence originaire, latente, qu'ils dénient en tant que telle, pour la faire s'épanouir licitement dans des croisades morales, religieuses ou intellectuelles. Une telle intransigeance totalitaire engendre nécessairement le conflit, car les autres doivent se défendre pour ne pas être «satellisés», contrôlés, sacrifiés, voire «phagocytés» pour le bonheur

5. Ce peut être aussi le cas pour des personnages secondaires : un valet comme Mascarille, dans *Les Précieuses ridicules,* souffre de la folie des grandeurs.
Dans nos conclusions nous nous écartons du point de vue de Ch. Mauron pour qui Molière, après Amphitryon, «ne va plus guère créer que des narcissiques : L'Avare, M. Jourdain, le Malade imaginaire, M. de Pourceaugnac, la comtesse d'Escarbagnas. Le trésor sur lequel ces personnages se crispent, écrit-il, a cessé d'être une femme pour devenir une part d'eux-mêmes». Or quoi de plus narcissique que ce qu'il faut bien appeler la paranoïa de Dom Garcie, que l'amour d'Arnolphe qui ignore complètement Agnès en tant qu'autre pour la modeler à son usage? Pour le narcissique l'altérité n'est qu'une notion intellectuelle. L'autre n'existe qu'en tant que miroir, serviteur ou... ennemi. Quand Ch. Mauron écrit : «D'une première superposition des œuvres de Molière, se dégage, me semble-t-il, une dominante obsessive : la crispation sur un trésor. Celui-ci peut être une cassette, ou une femme, ou la vie. Mais la crispation anxieuse se retrouve de *Dom Garcie* au *Malade imaginaire,* et elle apparaît toujours à la fois pathétique et comique», il formule d'une manière concrète à la fois la cause et l'effet du narcissisme. La crispation implique la peur de perdre et le trésor est la représentation d'un objet qui comble son possesseur. Or pour les psychanalystes le narcissique a mal opéré sa séparation d'avec le premier objet, avec lequel il a eu un temps, à l'aube de son existence, le sentiment de fusionner, à savoir sa mère, source de vie et de plénitude. D'où une prévalence du moi sur l'autre, voire une ignorance de l'autre-qui-n'est-pas-moi. La Rochefoucauld décrit admirablement la plasticité et les multiples variations du narcissisme dans l'analyse bien connue qu'il fait de l'amour-propre. Pour les citations de Ch. MAURON, voir *Des Métaphores obsédantes au mythe personnel,* Paris, Corti, 1968, p. 271 et 277.
6. Ainsi Argan déclare sans la moindre gêne, à propos du mariage d'Angélique et de Thomas Diafoirus : «C'est pour moi que je lui donne ce médecin; et une fille de bon naturel doit être ravie d'épouser ce qui est utile à la santé de son père» (Acte I, sc. 5).

d'un moi dont l'expansion se veut illimitée[7]. La comédie, action comique, ramène à la réalité ceux qui ont eu la ridicule prétention de la dédaigner, à moins qu'elle ne les pousse dans une fuite en avant burlesque. La vision du monde de Molière est celle des moralistes, ses contemporains. Pour lui, comme pour Pascal et La Rochefoucauld, l'amour-propre est omniprésent, l'homme, qui ne peut réaliser ses fantasmes de plénitude ou de grandeur, aime à se tromper et à être trompé. D'où le déni, d'où la dénégation[8]. Mais si l'on peut supposer que Molière, comme Philinte, n'a guère d'illusions sur la perfectibilité de la nature humaine, il ne verse pas pour autant dans un pessimisme radical. Son théâtre témoigne d'un réel souci d'équité. Aux lubies des Argan, Orgon, Arnolphe et autres Sganarelle, il n'oublie pas d'opposer, sur la scène, le bon sens et le dévouement des servantes, la sollicitude des oncles, la tendresse et la fraîcheur des jeunes couples, la sagesse et la civilité des honnêtes gens, ceux-là même qu'il s'est donné pour tâche de faire rire dans la salle.

---

7. Un exemple typique est celui de Dom Juan. Dans la conquête amoureuse, il éprouve une tension et un sentiment de puissance qui lui donnent une sorte d'illusion de plénitude, mais après la possession de sa proie un vide dépressif s'empare de lui et il doit le combler par une nouvelle conquête. Le moi de Dom Juan est semblable au tonneau des Danaïdes. Cet Alexandre est un forçat; du moins est-ce bien ainsi que Molière a choisi de peindre ce personnage mythique, ainsi que Fellini son Casanova.

8. Le déni permet de protéger le narcissisme; la dénégation de masquer le sien ou de ménager celui des autres dans les relations sociales.

La communication dans L'Ecole des maris

JACQUES SCHERER

Le développement récent et considérable de la théorie et de la pratique de la communication dans de nombreux domaines, et d'autre part le fait que le théâtre est, de toute évidence et d'une manière fondamentale, l'un de ces domaines, engagent à interroger en termes de communication les œuvres théâtrales qui posent plus particulièrement des problèmes de cet ordre. Parmi les comédies de Molière, il en est une qui est pour l'essentiel une démonstration, brillante et paradoxale, des pouvoirs de la communication. C'est *L'Ecole des maris*. Il est possible de rendre compte de son fonctionnement en utilisant des idées et des termes d'aujourd'hui, dont seul transparaît dans l'œuvre l'aspect théâtral et comique.

Isabelle est maintenue par son tuteur Sganarelle, qui veut l'épouser et qu'elle n'aime pas, dans un isolement rigoureux. Elle parvient pourtant, au bout de trois actes, à épouser Valère. Comment ont-ils communiqué? C'est ce qu'explique la partie centrale de la pièce. Le mécanisme avait déjà été trouvé, mais de façon incomplète, par Boccace. Dans le *Décaméron,* une femme mariée tombait amoureuse d'un homme qu'elle voyait passer et disait en confession à un «frère» que cet homme l'avait importunée; naturellement, le «frère» transmettait l'information à l'intéressé, ce qui éveillait l'attention de celui-ci. Même jeu avec de l'argent, qu'on disait rendre, et avec le projet d'entrer, en l'absence du mari, dans la chambre de la femme. Dans ces trois épisodes, la femme disait le faux pour que l'homme fasse le vrai. Leur accord implicite supposait un principe de réciprocité, donc une entente sentimentale sous-entendue qui dispensait d'explications. Le lecteur constatait que la communication fonctionnait. Mais l'homme était passif (le Valère de Molière héritera en partie de cette passivité) et le mari ne jouait aucun rôle. La hardiesse de Molière consistera à faire du mari à la fois celui qui reçoit de la femme l'information et qui la transmet à l'homme; c'est pourquoi ce mari peut et doit devenir le personnage principal.

Le début de *L'Ecole des maris* effectue le passage du psychologique au théâtral. Sganarelle y est défini dès les premiers vers comme un misanthrope et un asocial. La discussion s'engage sur le vêtement, piste aussi trompeuse que celle du tabac au début de *Dom Juan*. Sganarelle y critique en détail la mode contemporaine et prône son propre habillement. L'inadaptation dont il fait preuve éclate aussi, à la scène 2, dans son attitude vis-à-vis d'Isabelle. Il est avec elle dur, antipathique, voire odieux; le public est ainsi préparé dès le début à applaudir à son échec final. Tout ce que Sganarelle envisage est qu'Isabelle soit constamment «enfermée au logis». Le thème central de la comédie est en effet l'enfermement. L'efficacité du paradoxe de la communication dans une situation qui semble l'interdire ne sera convaincante que s'il joue à partir d'une prison. Le spectateur doit d'abord penser que la communication est impossible, avant de la voir se réaliser, à sa grande surprise.

Les étapes de ce développement emplissent toute la fin du premier acte et la totalité du deuxième. Elles sont indiquées par Molière avec la plus grande clarté. On peut proposer la lecture suivante de ces étapes, qui sont au nombre de huit.

Dans un premier temps, qui est le degré zéro de la communication, Valère veut engager un contact avec Sganarelle, mais n'y parvient pas. Il ne s'agit d'abord que d'une communication non verbale : Valère adresse à Sganarelle trois saluts, si du moins on tient compte à la fois des suggestions du texte et des indications de mise en scène qui, n'apparaissant qu'en 1682 et 1734, ne reflètent pas nécessairement le jeu de la création. Ces trois saluts peuvent aisément être multipliés par un jeu muet et se complètent peut-être, en écho, par un salut du valet Ergaste. Paraissant atteint de cécité mentale, ou peut-être de schizophrénie, Sganarelle, conformément d'ailleurs aux traditions de la farce, ne répond pas.

Il faut donc passer à la vitesse supérieure et, devant l'échec de ses coups de chapeau, Valère va employer le langage articulé. Aussi bien les théoriciens modernes de la communication affirment-ils que le refus de communiquer est lui-même communication et doit introduire à de meilleures formes de contact. Les discours de Valère sont brefs et prudents. Il parle des nouvelles de la cour, de la naissance prochaine du Dauphin, des plaisirs de Paris. Une seule information : les maisons des deux hommes sont voisines, ce que le décor ne manquait pas d'avoir déjà dit. Le langage de Valère, étant totalement creux, ne peut pas accrocher l'attention d'un Sganarelle qui le refuse. Celui-ci, en effet, parle le moins possible. Ses répliques sont aussi proches du monosyllabe qu'il se peut (c'est aussi une

.

tradition de la farce) et expriment toujours le refus. A la fin de la scène, Valère tente vainement de se faire introduire chez Sganarelle : il est trop tôt pour qu'une communication puisse être établie entre Isabelle et lui.

C'est Isabelle qui met en marche le mouvement suivant. Elle obtient de Sganarelle qu'il aille dire à Valère qu'elle est offensée par ses attentions. La scène n'est pas montrée, parce qu'elle aurait inutilement répété par avance celle où l'on voit Sganarelle s'acquitter de cette commission, et aussi parce que, tant que la réaction de Valère n'est pas indiquée, il n'y a pas de communication. Par contre, il y en a une lorsque Valère, ignorant le projet d'Isabelle et toujours désireux d'entrer en relation avec Sganarelle, accable celui-ci de politesses qui sont mal reçues. Comme les saluts de l'acte précédent, ces politesses sont au nombre de trois. Valère propose successivement à Sganarelle d'entrer dans sa maison, de s'asseoir dans la rue («Un siège ici, au frais», dira *L'Ecole des femmes*) et de se couvrir. L'obstination de Sganarelle le pousse à tout refuser, sauf peut-être le dernier point; mais il veut délivrer son message. Les politesses ont toujours, chez Molière, un rôle retardateur. Elles ont en outre ici la fonction de constituer pour Valère un moyen de capturer Sganarelle; mais ce moyen échoue comme les précédents. Enfermé dans sa brusquerie asociale, Sganarelle refuse à la fois les servitudes et les charmes de la communication.

L'étape suivante est la plus proche de la réflexion moderne sur la communication. Sganarelle dit à Valère de cesser de poursuivre Isabelle, car elle aime son tuteur. Ni Valère ni le public, édifiés par l'attitude antérieure de Sganarelle, ne peuvent croire à la vérité de cette dernière proposition. Le contenu manifeste du message ne passe pas, parce qu'il est en contradiction avec l'expérience. Par contre, Valère apprend que la source de l'information selon laquelle il est amoureux d'Isabelle n'est autre qu'Isabelle elle-même, ce qui le met sur la voie de la compréhension du stratagème. Il a réalisé l'isolement et la lecture du signifiant, toujours indispensable pour séparer ce dernier des «bruits» ou autres éléments adventices liés à la transmission et dépourvus de sens. Dans le discours entièrement trompeur de Sganarelle, il a détecté le seul élément qui ait pour lui une valeur dramatique, donc dynamique. Si l'origine de l'information est Isabelle, c'est que la communication de Sganarelle à Valère n'est qu'apparente et qu'il faut lui substituer la communication cachée d'Isabelle à Valère, par l'intermédiaire de Sganarelle. Dans l'ensemble rhétorique de Sganarelle, Valère, aidé peut-être un peu plus tard par son valet, a compris ce qu'il lui faut comprendre.

Ayant transmis son message, Sganarelle s'en va avec sa brusquerie habituelle. Il n'écoute pas ce que Valère peut avoir à lui dire.

Il n'y a donc pas véritablement dialogue. Il y a discours devant un personnage presque muet, Valère, qui se borne à poser quelques questions. Cette forme rhétorique, expression imprudente d'une tyrannie intellectuelle, sera reprise dans *L'Ecole des femmes*.

A la fin du premier acte, Ergaste disait que le langage des yeux est obscur

> S'il n'a pour truchement l'écriture ou la voix.

Ce programme va être rempli, et dans l'ordre qu'indique ce vers. C'est Isabelle qui prend l'initiative de la lettre. Non seulement elle l'écrit, mais, toujours en utilisant le même mécanisme (dire le faux pour réaliser le vrai) elle la rend plausible pour Sganarelle. Son initiative est indispensable pour le déroulement des étapes de la communication, parce que Valère a reçu une information, mais n'a rien pu répondre en échange. La transmission de cette lettre entraîne un danger (Sganarelle peut la lire) et une parade à ce danger (il ne faut pas l'ouvrir). Outre la justification psychologique que donne Isabelle, est à l'œuvre ici la notion, que l'avenir codifiera, de secret de la correspondance. Enfin, l'existence d'une communication écrite rend inutile, à ce stade, d'écrire une nouvelle scène entre Sganarelle et Valère. Il suffit de donner à Ergaste la boîte contenant la lettre.

Sans doute enhardi par cette lettre d'Isabelle, Valère, pour la première fois, va prendre une initiative. La situation semblait le condamner à la passivité, et en outre il ne faisait nullement preuve d'imagination. Son valet lui disait :

> L'amour rend inventif, mais vous ne l'êtes guère.

Pourtant il obtient de Sganarelle, intermédiaire zélé, qu'il transmette exactement à Isabelle un message parlé par lequel il atteste la pureté de ses intentions, disant qu'il n'aspire qu'au mariage. C'est indispensable pour qu'Isabelle continue à agir dans le même sens, et c'est urgent puisque Valère sait par la lettre qu'il ne dispose que de quelques jours. La proclamation de moralité est faite par Valère devant Sganarelle et celui-ci la transmet à Isabelle à la scène suivante. Bien que «ses propres mots» soient reproduits, ces mots n'ont pas le même sens dans la communication manifeste et dans la communication cachée. Sganarelle voit dans le discours de Valère son propre éloge et Isabelle, loin de croire que l'amour pur de Valère soit confiné dans un passé qui ne s'est pas réalisé, voit dans cette déclaration un engagement pour l'avenir. On est sur le chemin du message chiffré.

On y parvient pleinement avec l'étape suivante. Devant

l'urgence de la situation et les assurances qu'elle a reçues, Isabelle se décide à suggérer à Valère, toujours par la même voie, un crime grave, que l'opinion contemporaine réprouve sévèrement et que Molière, après l'avoir évoqué, épargne à ses personnages : l'enlèvement. Valère, qui n'y avait pas pensé, en forme l'idée devant les reproches de Sganarelle. Le «vous avez tort de vouloir m'enlever» contient, caché en son sein, un «enlevez-moi». Le moyen par lequel Valère déchiffre le message a déjà été employé : il comprend le sens caché lorsqu'il apprend que l'origine de l'information est Isabelle. Sganarelle, artisan de son propre malheur comme le veut Aristote, a pour la deuxième fois la faiblesse de le dire à Valère. Et comment Isabelle dit-elle à Sganarelle qu'elle a eu connaissance de ce prétendu projet de Valère? Ses justifications sur ce point sont des plus vagues. Elle ne dit que «j'ai su» et affirme qu'on lui a dit son dessein «de bonne part». La situation de réclusion décrite avec force au début de la pièce, entraînant le fait qu'elle ne peut communiquer avec personne, rendent ces allégations peu vraisemblables. Molière relâche ici quelque peu l'attention qu'il portait à la construction rationnelle du paradoxe de la communication et permet à Isabelle de faire fond sur la crédulité de Sganarelle. La communication sur l'enlèvement, qui est pratiquement d'origine inconnue, va devenir réelle par la transmission. Un bruit n'est d'abord qu'un bruit. Puis il est vrai que quelqu'un a dit quelque chose, même si ce quelque chose est faux. Ainsi, le langage, dans la comédie de la communication comme dans la tragédie, affirme-t-il son pouvoir créateur.

La suggestion de l'enlèvement est tellement énorme que Valère en demande une confirmation. C'est ainsi que va se jouer une partie plus périlleuse encore que les précédentes : la scène où se trouvent ensemble, pour la première fois de la comédie, les trois personnages. Il ne n'agit plus, comme dans le cas d'un tête-à-tête ou d'une lettre, d'une communication d'apparence normale entre deux personnes non observées, mais d'une confrontation serrée en présence d'un tiers soupçonneux. Il est interdit de dire la vérité. Il faut faire comprendre le vrai en mentant constamment, ce qui est le travail même du comédien. On ne peut employer que des mots à double sens. Isabelle met la scène dans l'éclairage équivoque qui lui convient en employant dès le début le schéma «l'un... l'autre». Elle aime l'un et déteste l'autre, et ne dit jamais qui sont l'un et l'autre; c'est déjà la démarche de Dom Juan devant les deux paysannes. Isabelle dit la forme sans dire le contenu, ce qui préserve le secret du message. L'engagement réciproque des deux jeunes gens que Sganarelle, abusé, prend pour un engagement entre Isabelle et lui-même, est signifié par un geste, qui illustre dans l'espace la destination des baisers, aussi trompeuse que celle des mots dans tout ce deuxième acte : Isabelle embrasse Sganarelle et, en même temps, donne sa main à baiser à Valère. Ce geste n'est pas un commentaire. Il est plastiquement et même symboliquement, un résumé de la pièce. L'autre geste, Sganarelle embrassant Valère, est purement comique, mais celui qui assemble les trois personnages en deux baisers dont un clandestin met en image le caractère chiffré du langage employé.

C'est sans doute une nécessité structurelle qu'une pièce comportant trois personnages aux intérêts divergents, donc contraints de ruser ou de porter des messages, se termine, ou soit bien près de se terminer lorsque ces trois personnages se rencontrent. Ce sera le cas de *L'Ecole des femmes,* qui est à tant d'égards une continuation et une reprise de *L'Ecole des maris.* Cette nécessité n'est pas propre à la comédie, puisqu'une tragédie, la *Bérénice* de Racine, est construite sur le même modèle. Dans *L'Ecole des maris,* la leçon de communication se termine avec le deuxième acte. Mais, quelque brillante qu'elle ait été, elle n'a fait que transmettre des informations, c'est-à-dire des idées et des mots qui confirment chaque personnage dans ses convictions, mais ne lui permettent pas d'agir. Pour accéder au domaine des faits, les schémas de la communication ne suffisent pas. Il en faut d'autres. Pour qu'Isabelle puisse être présente sans l'être, il faut réactiver le personnage de sa sœur, introduit au premier acte et bien oublié depuis. Isabelle se fait passer pour elle et entraîne l'intrigue dans des méprises que permet une nuit trompeuse, obligeante pour les auteurs comiques. Il s'agit alors dans ce troisième acte d'une thématique bien différente de celle de la communication.

Projets de pièces et personnages virtuels
dans L'Impromptu de Versailles

JEAN-PIERRE COLLINET

Aucune pièce plus que cet acte rapidement composé sur ordre du roi pour servir de réponse à *La Contre-Critique* de Boursault ne montre Molière bouillonnant d'idées et de projets. S'il n'évoque certains d'entre eux que pour les écarter, il en caresse d'autres plus complaisamment, les réalise même à demi, jetant aussi sur le papier quelques linéaments de ses œuvres à venir. Les deux premiers sont présentés comme des suggestions d'Armande, qu'elle formule avec une ironie frisant l'impertinence et auxquelles il coupe court. Prête comme le reste de la troupe à rendre son rôle dans ce qu'on se prépare à répéter une dernière fois pour essayer d'en donner aussitôt après la primeur devant le monarque, elle s'écrie d'abord : «Voulez-vous que je vous dise? vous deviez faire une comédie où vous auriez joué tout seul[1]», s'attirant de son mari cette réplique péremptoire : «Taisez-vous, ma femme, vous êtes une bête.» (sc. 1, p. 678). Mais qui dit qu'il n'a jamais rêvé soit d'un long monologue, soit d'une pièce dont il aurait à lui seul assuré toute la distribution? On sait combien de soliloques ou de très longues tirades comportait dans *L'Ecole des femmes* le rôle écrasant d'Arnolphe, et quel relief prendront dans *L'Avare,* inspirées de Plaute, les lamentations d'Harpagon sur le vol de sa cassette, de même qu'on connaît la stupéfiante aisance avec laquelle Sosie, au début d'*Amphitryon,* comme Scapin dans la scène du sac, parvient à donner l'illusion qu'il se dédouble ou se multiplie. Mais pourquoi chercher si loin? Ne va-t-il pas, dans un instant, imiter et parodier les différents acteurs ou actrices de la troupe rivale, assez fidèlement pour qu'on les reconnaisse tous sans qu'ils soient

---

1. *L'Impromptu de Versailles, Œuvres complètes de Molière,* Paris, éd. G. Couton , Bibliothèque de la Pléiade, 1971, scène 1, t. I, p. 678. Les références au texte de la pièce, pour toutes les citations qui se rencontreront dans la suite de la présente étude renverront à cette édition.

nommément désignés aux spectateurs, avant de mimer un peu plus tard les embrassades entre petits marquis et de jouer à l'improvisade leurs assauts de politesse?

Armande, cependant, ne se le tient pas pour dit, et revient à la charge, refusant de se considérer comme battue. Se plaignant que «le mariage change bien les gens» et qu'un mari ne regarde pas son épouse des mêmes yeux qu'avant d'avoir obtenu sa main, elle s'écrie : «Ma foi, si je faisais une comédie, je la ferais sur ce sujet. Je justifierais les femmes de bien des choses dont on les accuse; et je ferais craindre aux maris la différence qu'il y a de leurs manières brusques aux civilités des galants.» (sc. 1, p. 678). Une riposte féministe à *L'Ecole des femmes,* en guise de correctif et de pendant, composée par la propre moitié de Molière, voilà qui ne manquerait pas de piquant. Boutade, mais moins saugrenue qu'il ne pourrait sembler : Madeleine Béjart montre à l'occasion des capacités d'adaptatrice. Il ne paraît guère douteux qu'elle ait aidé Molière de ses conseils, sinon guidé ses premiers pas dans le métier d'auteur dramatique : pourquoi la velléité d'écrire pour le théâtre ne serait-elle pas aussi montée à la tête de sa jeune cadette? Ce virus-là trouvait un terrain propice dans une famille où l'on ne vivait que pour la scène. Molière à nouveau coupe court. Ce passage de *L'Impromptu* ne laisse pas moins entrevoir la possibilité de prolonger sa seconde *Ecole* par une suite analogue à celle que constituera chez Beaumarchais, après *Le Barbier de Séville, Le Mariage de Figaro,* deuxième volet d'une trilogie où l'on retrouve la pupille de Bartholo, jadis courtisée par le prétendu Lindor, devenue la comtesse délaissée pour d'autres conquêtes par le volage Almaviva. Mariée avec Horace, que va devenir Agnès? Il est permis de se le demander. Certes, le jeune homme, embarqué dans l'aventure pour une brève passade, touché par tant de désarmante ingénuité, se prend pour elle au cours de la pièce, d'un sentiment plus profond, qui rend le séducteur en herbe mûr pour une union durable et l'empêche de glisser sur la même pente que Dom Juan. Mais ne se lassera-t-il pas? Sera-t-il définitivement fixé? Une autre histoire, celle du couple, commence où s'arrête la comédie, appelant une suite, que Molière n'écrira pas, mais qu'André Roussin a naguère imaginée, dans son *Ecole des autres,* avant de traîner en cour d'Assises un Arnolphe devenu par amour meurtrier d'Agnès dans *La Petite chatte est morte* : double récupération du théâtre classique par le Boulevard, un peu facile, et que d'aucuns pourront juger sacrilège, mais amusante. De ces deux suppléments à *L'Ecole des femmes,* le premier, qui seul se rattache à notre propos, transporte à notre époque, dans les années cinquante, l'héroïne de Molière, qu'on retrouve mariée avec Horace depuis cinq ans. Elle pose le jour pour des photographes de mode; lui, joue toute la nuit de la trompette dans une cave, à Saint-Germain-des-Prés. Chaque jour les éloigne un peu plus l'un de l'autre, sans qu'ils aient, au fond, cessé de s'aimer. La rupture n'est évitée que grâce à la complicité d'un Arnolphe (qu'ici Roussin appelle Adolphe), bien revenu de son amour et des ses anciens préjugés sur le mariage. Trahison ? Sans doute. N'empêche que Molière, sans donner caution à de telles entreprises ni les encourager, n'a pas dédaigné, dans *L'Impromptu,* d'ouvrir lui-même cette piste, qu'il se contente d'indiquer comme au passage, laissant le soin de la suivre à de futurs émules [2].

Madeleine prend la relève d'Armande et provoque une autre diversion : nouveau retard dans une répétition que la troupe ne met aucun empressement à commencer. Son chef se heurte à la mauvaise volonté des comédiens, qui s'ingénient à contrecarrer son travail, comme les importuns qui, dans *Les Fâcheux,* se succédaient pour empêcher Eraste d'aller à son rendez-vous d'amour. L'intervenante porte le débat sur un autre terrain : « Mais puisqu'on vous a commandé de travailler sur le sujet de la critique qu'on a faite contre vous, que n'avez-vous fait cette comédie des comédiens, dont vous nous avez parlé il y a longtemps ? » (sc. 1, p. 678). Aux impertinences de sa pétulante épouse, Molière avait simplement mis le holà. Cette fois, l'observation le touche assez pour qu'il prenne la peine et le temps de s'expliquer sur ses motifs : dès lors qu'on l'attaque, à l'Hôtel de Bourgogne, sur son interprétation de rôles comiques, il ne disconvient pas qu'il se trouverait en droit à plus forte raison de caricaturer à son tour les acteurs de la troupe adverse dans leurs emplois tragiques, mais il aurait fallu disposer d'un délai moins bref et pouvoir les observer plus à loisir : « [...] je n'ai attrapé de leur manière de réciter que ce qui m'a sauté aux yeux, et j'aurais eu besoin de les étudier davantage pour faire des portraits bien ressemblants. » (sc. 1, p. 679). Il se retranche aussi sur ce qu'il n'a « pas cru [...] que la chose en valût la peine » : « C'est une idée qui m'avait passé une fois par la tête, et que j'ai laissée là comme une bagatelle, une badinerie qui peut-être n'aurait point fait rire. » (sc. 1, p. 679). L'expression « comédie des comédiens » renvoie aux deux pièces de ce titre, composées l'une par Gougenot, l'autre par Scudéry, respectivement représentées en 1633 et 1634. La peinture du milieu théâtral y servait de préambule ou de cadre à

---

2. Pour les deux pièces d'André Roussin évoquées ici, voir André ROUSSIN, *Treize comédies en un acte,* Le Rocher, Jean-Paul Bertrand, 1987 ; *L'Ecole des autres,* créée le 9 décembre 1962 au Théâtre de l'Œuvre et commandée à l'auteur pour former spectacle avec *L'Ecole des femmes,* s'y trouve aux p. 135-157 ; *La Petite chatte est morte,* issue d'une conférence écrite en 1985 et recueillie dans *Mesdames, mesdemoiselles, messieurs,* Paris, Albin Michel, 1987, « Arnolphe en cour d'assises », p. 47-78, créée vers l'époque où disparaissait André Roussin, dernière des *Treize comédies en un acte,* figure dans ce recueil aux p. 231-261.

la représentation d'une autre pièce, comédie de *La Courtisane* dans un cas, tragi-comédie pastorale de *L'Amour caché par l'amour* dans l'autre. Une formule analogue venait encore d'être employée dans *Le Baron de La Crasse,* créé vers le début de 1662, donc la même année que *L'Ecole des femmes,* sinon au cours de la même saison, à l'Hôtel de Bourgogne avec un vif succès : l'arrivée d'une troupe itinérante chez ce hobereau languedocien n'y formait qu'un prélude aux trois actes du *Zig-zag.* Que cette œuvre ait attiré l'attention de Molière semble attesté par la parenté de thème qu'on peut déceler sous la différence de ton, entre l'évocation enjouée et pleine de grâce légère de la cohue qui se bouscule pour entrer chez le Roi, dans le *Remerciement* de 1663, et le récit burlesque de l'avanie essuyée par le gentilhomme provincial, chez Poisson, lors de sa tentative pour approcher la personne du monarque à Fontainebleau.

Plus ou moins tributaire de ces devanciers, Molière n'en aurait pas pour autant manqué de renouveler profondément ce motif usé des comédiens jouant leur propre personnage, par l'introduction d'un poète, qu'il aurait représenté lui-même, assez proche à quelques égards de Monsieur Lysidas dans *La Critique* ou *L'Impromptu,* mais moins doctement pédant, et plus naïf admirateur de l'emphase cultivée, dans le registre tragique, par les Grands Comédiens de l'Hôtel, plus attentif, de surcroît, aux aspects concrets de la représentation : prestance physique des acteurs, attitudes, expression de la physionomie. Un demi-habile, en somme, à la fois auteur et spectateur, dont un vrai professionnel du théâtre s'amuse à camper la silhouette afin de plaider contre lui la cause, qui lui tient à cœur, d'un débit et d'un jeu plus naturels chez les tragédiens et de militer par la satire en faveur d'une réforme de la diction tragique que ses contemporains s'obstinaient à mal accepter. *La Critique de «L'Ecole des femmes»,* comédie des spectateurs, aurait ainsi reçu pour pendant, si Madeleine Béjart en avait été crue, une *Critique de l'Hôtel de Bourgogne,* comédie des comédiens. Mais pourquoi n'en parler qu'au conditionnel? Cette comédie des comédiens qui succède à celle des spectateurs et vient la doubler, n'existe-t-elle pas dans *L'Impromptu* lui-même? Elle y revêt même deux formes : d'une part elle met sous nos yeux la troupe du Palais-Royal, donnant au public le plaisir inhabituel d'assister non à la représentation d'un spectacle, mais à la préparation d'un autre, encore à l'étape de sa gestation, de pénétrer par effraction dans les coulisses et d'être admis en intrus clandestin dans une séance de travail entre les acteurs, part non moins fascinante que mystérieuse de leur activité, mais qui normalement reste cachée, voire interdite, comme ici la scène 2 le prouve, aux regards indiscrets des profanes. Par le biais des imitations auxquelles se livre Molière sous le masque du «poète» dont il endosse le personnage dans une esquisse de comédie intérieure, se développe d'un autre côté marginalement une évocation caricaturale et parodique du cabotinage éhonté qui règne parmi ses concurrents. Après avoir, à grands traits, indiqué le sujet de la pièce qu'il avait envisagé d'écrire, il en ébauche le dialogue. D'abord indifférenciés et fondus dans une sorte de solidarité collective en face de l'auteur venu leur proposer sa tragédie, les acteurs auxquels il s'adresse, progressivement s'individualisent : celui qui représente les rois, puis ceux qui se chargent des amoureux et de leurs maîtresses passent une audition, sur des tirades ou fragments de scènes tirés de Corneille. Ils sont impitoyablement récusés par le poète, qui les reprend et s'efforce de les initier à la déclamation ampoulée de l'Hôtel, érigée en *nec plus ultra* du bon goût. L'ensemble forme un long passage, dit en entier par Molière, qui vérifie par là le propos ironique d'Armande sur son aptitude à tenir tous les rôles à lui seul dans une comédie de sa composition. Ce texte, de structure complexe et de contenu singulièrement composite, mêle au résumé rapide quelques embryons de répliques, assaisonnés de citations empruntées à *Sertorius, Horace, Le Cid, Œdipe,* et dont la longueur, indéterminée, est laissée à la discrétion de l'interprète. Le tout forme une sorte de canevas à l'italienne, permettant à Molière comédien-auteur une marge importante de liberté dans l'interprétation : texte vivant et mouvant, rebelle à l'impression, qui le trahit partiellement, impuissante à fixer sur le papier ce qui relève de l'articulation, de l'intonation, du geste, sinon quelques indications rares, vagues et fugitives; leçon de théâtre dont le meilleur est perdu pour nous, évaporé, mais qui donne à rêver sur la prodigieuse multiplicité de dons qu'elle suppose et grâce à laquelle Molière rassemble en sa personne un abrégé complet de l'art dramatique. D'abord présentateur de son projet de pièce, dont il met en place à grands traits les personnages, à peine s'est-il attribué le rôle du poète, qu'il commence à le jouer, non sans s'interrompre pour se donner à lui-même la réplique, se coulant tour à tour indifféremment dans tous les interlocuteurs et passant de l'un à l'autre avec une agilité bondissante. Puis, choisissant comme exemples quelques passages célèbres de Corneille, il en confronte deux variétés d'interprétation, afin de montrer la différence entre la boursouflure et la simplicité vraie du naturel. Il enchaîne pour finir l'une à l'autre toute une série d'imitations, sur un rythme qui s'accélère, en guise de «bouquet» ou de «clou».

Cet intermède terminé, l'ultime répétition pour laquelle Molière a réuni sa troupe avant qu'elle ne se produise devant le Roi dans une pièce nouvelle de sa composition peut commencer.

Conçu comme un supplément à *La Critique* écrit en prolongement sur la même lancée, en un seul acte aussi, selon toute
vraisemblance, cet ouvrage supposé constitue, après l'idée, immédiatement rejetée, de comédie à une voix, puis la suggestion d'une
suite ou contrepartie possible à *L'Ecole des femmes,* et la «comédie
des comédiens» qui vient de s'esquisser, la quatrième œuvre
virtuelle contenue dans *L'Impromptu.* Si l'on compare chacun de
ces projets à celui qui le précède, on constate qu'ils prennent
toujours plus de consistance et reçoivent un commencement plus
poussé d'élaboration. Le premier, dont Armande, comme à
l'étourdie, lançait l'idée, mais que Molière lui-même refusait
énergiquement de prendre à son compte, n'était évoqué, sur le
mode plaisant, qu'à titre de chimère extravagante, comble ou
gageure, en termes trop généraux pour qu'on en pût préciser les
contours. La suggestion d'adjoindre à *L'Ecole des femmes* un second
volet, de manière à former avec elle un diptyque sur l'éducation
sentimentale des jeunes personnes, n'était encore formulée que
globalement, sans qu'Armande, et pour cause, ni davantage
Molière, cela va sans dire, eussent donné la moindre indication sur
les personnages ou l'intrigue d'une telle *Contre-Ecole.* Mais, si la
mise en œuvre demeurait floue, du moins le contenu prenait cette
fois une signification déterminée. La comédie des comédiens, à
quoi Molière lui-même a songé, se crayonne ensuite à larges traits
sous nos yeux, véritable ébauche d'une pièce à l'état naissant, mais
qui ne dépassera jamais ce stade. Celle des spectateurs, qui lui
succède, est donnée, par un effet de trompe-l'œil, comme entièrement écrite déjà, donc prête pour la mise en répétitions, sinon
pour une représentation qui semble à toute la troupe encore
prématurée : une récapitulation de tous les rôles, qui sont déjà
distribués et dont les interprètes se trouvent réunis en costumes
sur le plateau, précède une dernière mise au point des premières
scènes, jusqu'à l'interruption provoquée par Madeleine Béjart qui,
revenant à ses préférences pour une «réponse vigoureuse» (sc. 5,
p. 694) de Molière à ses adversaires, suscite une nouvelle discussion entre les comédiens et leur chef. Ainsi vient s'insérer à
l'intérieur d'une pièce en un acte qui lui sert de cadre un morceau
long de presque quatre scènes entières liées entre elles, qui
forment un ensemble cohérent et complet, mais qu'un artifice de
présentation donne comme détaché d'une œuvre imaginaire, ne
possédant d'autre existence que fictive : de même que la dissertation dialoguée, noyau primitif de *La Critique,* s'était enchâssée
dans une conversation de salon pour atteindre aux dimensions
d'une pièce, ici la riposte à Boursault et son *Portrait du peintre*
s'emboîte dans une évocation de ce qui se dit entre acteurs dans
les coulisses pendant qu'on répète.

Ce fragment de comédie qui sert de pièce intérieure dans *L'Impromptu de Versailles* et forme une espèce de pendant à *La Critique de «L'Ecole des femmes»* comprend une dizaine de personnages, recensés avant le début de la répétition par Molière, soucieux, puisque les acteurs chargés de les interpréter ne savent pas bien leur texte et devront, si l'on joue, en partie improviser, de rappeler à chacun son emploi. La moitié de ce personnel vient de *La Critique*. On pourrait croire qu'il s'agit de simples ressemblances, dues à l'analogie des caractères. Mais la présence des mêmes noms dans la pièce précédente et celle-ci ne laisse aucun doute à ce sujet, non plus que la distribution des mêmes rôles aux mêmes comédiennes ou comédiens, et l'on peut aller jusqu'à supposer qu'ils en ont aussi gardé le vêtement. La «marquise façonnière» que joue Marquise Du Parc, s'appelle Climène, comme la précieuse qu'elle avait représentée quelques mois plus tôt avec un vif succès, tant le type, quoiqu'elle s'en défende, lui va comme un gant. La «satirique spirituelle», confiée à «Mademoiselle Molière», bien douée, comme on a pu voir, pour la repartie piquante ou l'insinuation ironique, se nomme, de même que naguère, Elise. Le «poète» reste «Monsieur Lysidas», à qui Du Croisy prête de nouveau ses traits. Le marquis de *La Critique* est ici désigné comme un «marquis ridicule» par la liste des acteurs. Il ne sort pas de son anonymat, mais il conserve son goût pour les turlupinades, ainsi qu'en témoigne, clin d'œil fugitivement lancé par Molière au spectateur, sa plaisanterie sur les «canons» de son interlocuteur, qui devrait leur «faire prendre médecine», car «ils se portent fort mal» (sc. 4, p. 689-690). Tout donne à penser que Molière ne s'attribuerait pas ici le rôle s'il ne l'avait déjà tenu précédemment. Mais la contestation qui, dans cette «suite» fictive de *La Critique* conduit à la plaisante gageure de sa scène initiale, mettant aux prises deux marquis persuadés chacun que l'autre a servi de modèle à Molière pour son turlupin sans admettre en ce qui le concerne lui-même la possibilité d'avoir été pris comme cible, exigeait ici que le personnage disparût en tant que tel pour laisser la place à deux spectateurs de son acabit, à ce point identiques et conformes au type en question qu'ils en devinssent parfaitement interchangeables, comiques par leur commune obstination à revendiquer l'honneur d'avoir été tournés en ridicule. Celui qui, choisi pour les départager, les renvoie dos à dos et, parlant au nom de Molière, leur démontre combien on s'abuse quand on cherche des clés à ses portraits, qu'il veut généraux, composites, collectifs, est joué par Brécourt, créateur de Dorante dans *La Critique*. L'homme de qualité qu'il est censé représenter, bien qu'il ne porte plus cette fois de nom, ne présente aucune différence avec son prédécesseur de l'autre pièce, de sorte qu'ils se fondent entièrement l'un dans l'autre.

Uranie, qui recevait dans *La Critique,* n'apparaît point ici, sans doute restée chez elle et préférant garder le coin du feu plutôt que hanter au Louvre «l'antichambre du Roi» (sc. 3, p. 685), où Molière a situé la pièce qu'on répète dans son *Impromptu.* Mais d'autres figures féminines s'offrent à sa place, qu'elle n'a pas accueillies dans son salon. La «prude», invisible naguère, et seulement évoquée sous le titre et le nom de «la marquise Araminte[3]», est produite à présent sur le théâtre, incarnée par Madeleine Béjart, avant d'être à nouveau refoulée en coulisse dans *Tartuffe,* où Dorine tracera d'elle, sous le nom d'Orante, un portrait allègrement féroce de coquette sur le retour, puis de prendre, sous les traits d'Arsinoé, tout son éclat dans *Le Misanthrope.* La «sage coquette», une de ces femmes qui couvrent leurs débordements ou leurs turpitudes sous des dehors irréprochables et d'avance mettent en pratique les dangereuses leçons prêchées dans peu par l'hypocrite de religion à l'épouse de son bienfaiteur sur le péché qui ne consiste que dans le scandale, ambigus ou composés de dévotes et de coquettes, «qui veulent conduire doucement les affaires qu'elles ont sur un pied d'attachement honnête, et appellent amis ce que les autres nomment galants» (sc. 2, p. 683), revient à Mademoiselle de Brie, autrefois Cathos dans *Les Précieuses ridicules,* ici dotée d'un caractère plus riche de nuances et plus approfondi, tandis que Mademoiselle Du Croisy se voit chargée de la médisante, «peste doucereuse», indique la liste des acteurs, et premier crayon d'un type qui trouvera dans Arsinoé son expression définitive. Il ne manque même pas, cette fois, la «soubrette de la Précieuse, qui se mêle de temps en temps dans la conversation, et attrape, comme elle peut, tous les termes de sa maîtresse» (sc. 2, p. 683), rôle secondaire, à la mesure d'un talent mineur tel que celui de Mademoiselle Hervé. Dernière de la liste, elle ferme la revue des rôles que les comédiens vont à présent commencer de répéter. Cette récapitulation préliminaire compose une galerie de portraits, dont les modèles, pour certains, préexistent dans *La Critique,* et dont le reste, puisé par Molière dans son carnet de croquis, va recevoir bientôt dans *Le Tartuffe* (I, 2), et surtout *Le Misanthrope* (II, 4, etc.), les prolongements que l'on sait : nulle part mieux que dans *L'Impromptu* l'on ne saisit le cheminement qui conduit des *Précieuses* et de *L'Ecole des femmes,* par une progression presque insensible mais continue, aux grandes œuvres de la période créatrice la plus féconde.

Des quatre scènes qui sont ensuite répétées, la première, après quelques indications données par Molière sur le lieu de l'action,

---

3. *La Critique de «L'École des femmes», Œuvres complètes de Molière,* éd. cit., scène 5, t. I, p. 655.

endroit pratiquement ouvert à tout venant, y compris les femmes, sur les deux personnages qui s'y rencontrent, en l'occurrence le couple de marquis dont il tient le rôle avec La Grange, et sur l'espace que demandent pour leur entrée de tels petits-maîtres, occupe dans *L'Impromptu* tout le reste de la scène 3. Presque aussitôt s'élève le différend dont on a parlé, suscité par l'entêtement que chacun met à ne pas admettre qu'il ait été, comme le prétend son interlocuteur, pris pour cible et ridiculisé dans *La Critique*. Leur débat débouche vite lui-même sur une de ces gageures dont la mode sévit alors. Pascal, quelques années plus tôt, utilisait cette rage de parier à des fins apologétiques. Moins de trois mois après la création de *L'Impromptu,* des sommes considérables seront misées pour ou contre La Fontaine, à propos de *Joconde,* et Molière lui-même sera choisi comme un des arbitres auxquels s'en remettent les parieurs. L'épidémie gagne les paysans, s'il faut en croire, environ une année plus tard, *Dom Juan,* où Pierrot gage contre le gros Lucas «quatre pièces tapées, et cinq sols en double [4]» sur des hommes en train de se noyer, auxquels il ne porte pas secours avant d'avoir empoché les enjeux. Ici, le Chevalier se présente à point nommé pour trancher le différend : on sait comment il apaise la noise en donnant tort aux deux contestants. Son entrée en jeu ne modifie pas le nombre des acteurs présents réellement sur le plateau, les uns occupés à répéter, les autres attendant leur tour d'intervenir. La scène 3 de *L'Impromptu* devrait donc normalement se poursuivre. L'arrivée de ce troisième personnage dans la pièce intérieure entraîne pourtant dans la comédie qui lui sert de cadre un passage à la scène 4 : une sorte de confusion s'établit, qui se prolongera sporadiquement durant tout le cours de la répétition, entre le découpage de l'œuvre fictive sur laquelle travaille la troupe, tel que l'exigerait l'augmentation progressive du personnel requis pour la jouer, dont le nombre, grâce à différentes introductions de nouveaux venus, comme déjà dans *La Critique,* ne cesse de croître, passant de deux à trois, six puis dix, et la distribution des scènes dans l'acte même où son début vient s'enchâsser.

Mais le Chevalier n'a pas plus tôt achevé d'expliquer aux grotesques parieurs l'absurdité de leur gageure, que Brécourt, qui l'interprète, est interrompu par Molière, qui, sous prétexte de lui montrer comment dire sa réplique afin qu'elle ne perde rien de sa vigueur, dépouille un moment sa personnalité d'emprunt, cesse de bouffonner en marquis ridicule pour se substituer au partenaire qui lui donnait la réplique et, devenu sérieux, ne laissant personne

---

4. *Dom Juan, Œuvres complètes de Molière,* éd. cit., acte II, scène 1, t. II, p. 42.

d'autre parler en son nom, avec ce talent d'*orateur* dont il s'acquitte si bien chaque fois qu'il s'adresse au public pour une annonce, se lance dans une espèce de manifeste ou de programme, riche par anticipation de ses projets pour un avenir qu'on pressent prochain. Avec chaleur, il dessine moins déjà des silhouettes rapidement cernées d'un contour sûr, qu'il ne commence à leur insuffler la vie, démiurge habité par la foule encore indistincte à demi de ses créatures, dont il s'exerce à capter les voix multiples et confuses, dans cette sorte de brouhaha de timbres qui s'essaient ou d'instruments qui s'accordent avant que ne débute le concert et que ne jaillisse, dans son harmonieuse orchestration, la mélodie du compositeur. Il veut prouver qu'avec *L'Ecole des femmes* il n'a pas dit son dernier mot, ni donné toute sa mesure, que ses facultés créatrices ne sont pas épuisées, qu'il garde en réserve, «sans sortir de la cour» (sc. 4, p. 688), une multitude presque inépuisable de ridicules à peindre et de travers à remarquer. Il déverse pêle-mêle, semble-t-il, son carnet d'esquisses, d'ébauches et de croquis. Mais, minutes émouvantes! sous la voix même de Molière, pour la première fois gronde, frémissante, celle de son Alceste, à la naissance duquel il nous est ici donné d'assister. Car les «vingt caractères de gens où il n'a point touché» (sc. 4, p. 688) laissent reconnaître, au stade encore embryonnaire, ceux qui seront sous peu burinés de traits si vigoureux dans *Le Misanthrope*. On surprend dans cette amorce d'inventaire, à l'état de types très généraux et comme indifférenciés, des personnages qui, purement virtuels pour l'heure, s'individualiseront quand, s'insérant dans une intrigue, ils prendront réellement corps. Ceux «qui se font les plus grandes amitiés du monde, et qui, le dos tourné, font galanterie de se déchirer l'un l'autre» (sc. 4, p. 688) ne trouveront-ils pas leur illustration féminine en Célimène lorsque, accueillant Arsinoé sur laquelle elle vient de dauber (comme Elise déjà dans *La Critique* sur Climène, à la fin de la scène 2), elle passe brusquement de la médisance à l'amabilité, qu'elle nuance, pour la rendre plus perfidement blessante, d'une imperceptible ironie, ou quand elle se raille, la plume à la main, des soupirants dont elle semble écouter si volontiers les fadaises? Mais la prude elle-même, si perfidement mielleuse en apparence et si fielleuse par-derrière, agit-elle très différemment? Oronte ne se comporte-t-il pas de même, pour ne parler ni d'Acaste ou de Clitandre, voire de Philinte? Ce dernier, toutefois, se rangerait plutôt parmi «ces adulateurs à outrance, ces flatteurs insipides, qui n'assaisonnent d'aucun sel les louanges qu'ils donnent, et dont toutes les flatteries ont une douceur fade qui fait mal au cœur à ceux qui les écoutent» (sc. 4, p. 688). L'homme au sonnet les prend pour argent comptant, mais elles mettent en fureur l'atrabilaire, qui traite son ami de «vil complaisant[5]». Oronte lui-même, qui recherche Alceste puis, aussitôt après, lui suscite une querelle et, sachant son procès perdu, colporte la noire calomnie lancée contre lui par son adversaire – révoltante façon de lui porter le coup de pied de l'âne –, s'apparente pour sa part à «ces lâches courtisans de la faveur, ces perfides adorateurs de la fortune, qui vous encensent dans la prospérité et vous accablent dans la disgrâce» (sc. 4, p. 688); Foucquet n'est pas jugé, quand se joue *L'Impromptu* : mais combien de fidèles ne se sont pas empressés, dès son arrestation, de se déclarer contre lui ?

D'autres de ces personnages virtuels passeront dans *Le Misanthrope,* mais sans paraître en personne et seulement par le biais des portraits : ainsi ces éternels «mécontents de la cour» (sc. 4, p. 688) y seront relayés par Dorilas, aigri de ne pas avoir obtenu les grâces qu'il croit dues à «sa bravoure» comme à «l'éclat de sa race[6]». De même, on soupçonnerait volontiers Molière d'englober d'avance parmi «ces incommodes assidus, ces gens, dis-je, qui pour services ne peuvent compter que des importunités, et qui veulent que l'on les récompense d'avoir obsédé le prince dix ans durant» (sc. 4, p. 688), les Cléonte et les Damon qu'épingleront à l'envi, pour l'amusement de Célimène, elle-même bientôt mise en verve, les deux petits marquis, sans s'apercevoir que les ridicules dont ils se moquent risquent de retomber aussi sur eux. Et, pour finir, voici de nouveau Philinte, avec la coquette, son double féminin sous ce rapport, conjointement confondus au milieu de «ceux qui caressent également tout le monde, qui promènent leurs civilités à droite et à gauche, et courent à tous ceux qu'ils voient avec les mêmes embrassades et les mêmes protestations d'amitié» (sc. 4, p. 688-689). La suite du passage préfigure l'assaut de politesses qui vient de plonger Alceste dans une violente colère quand commence *Le Misanthrope* : scène plaisante que Molière a pu se dispenser de placer sous les yeux du spectateur, puisqu'il s'était amusé lui-même à la jouer à lui seul, pour doter d'une conclusion vivement enlevée, propre à mettre en valeur son agile virtuosité d'acteur, ce long morceau de *L'Impromptu*. L'idée du *Misanthrope* ne date pas, on le voit, contrairement à ce qu'on pourrait penser, de l'époque où l'auteur du *Tartuffe* doit âprement lutter pour imposer son chef-d'œuvre frappé d'interdiction : elle remonte au temps de la «Guerre comique» provoquée par *L'Ecole des femmes*; cette tirade en témoigne, qui se lit rétrospectivement comme l'annonce et la promesse d'une pièce en cours d'élaboration et permet, spectacle

---

5. *Le Misanthrope, Œuvres complètes de Molière,* éd. cit., acte I, scène 2, t. II, p. 153.
6. *Le Misanthrope, Œuvres complètes de Molière,* éd. cit., acte I, scène 1, v. 86, t. II, p. 145.

rare! d'être admis à l'entr'apercevoir dans son état naissant, à sa sortie des limbes. Placée au cœur de *L'Impromptu,* presque à son centre, elle en marque, plus encore, peut-être, que la proclamation de la fin, par laquelle Molière notifie solennellement à ses détracteurs qu'il n'entend plus intervenir désormais dans la querelle de *L'Ecole des femmes,* le point véritablement culminant.

Après cet intermède, la répétition reprend son cours momentanément interrompu. L'arrivée de Climène, sans doute suivie déjà de sa soubrette, bien que rien ne le spécifie, puisque celle-ci ne prendra la parole que plus tard, pour une seule et très courte réplique, glissant son mot dans une conversation devenue générale, en tout cas accompagnée d'Elise, ouvre dans la pièce intérieure une troisième scène, mais sans entraîner cette fois de conséquence pour le découpage de la pièce-cadre. On ne voit pas trop pourquoi ne s'applique pas ici le principe en vertu duquel on est passé de la scène 3 à la scène 4 de *L'Impromptu,* puis on va passer de la quatrième à la cinquième. Simple négligence, probablement. Mais le changement de scène qu'on attendrait n'est pas indiqué.

Cinq ou six personnages virtuels se trouvent désormais en présence. Mais le marquis joué par La Grange reste silencieux, et celui que représente Molière n'échange avec l'honnête homme qu'interprète Brécourt que deux couples de brèves répliques. Sa turlupinade lancée, il se tait, de sorte que le dialogue est monopolisé presque entièrement par les nouvelles venues. Sous couleur de complimenter Climène sur «son teint d'une blancheur éblouissante et ses lèvres d'une couleur de feu surprenant» (sc. 4, p. 690), Elise se moque de son maquillage agressif, avant de lui jeter au nez avec une feinte ingénuité : «Les méchantes gens qui assuraient que vous mettiez quelque chose» (sc. 4, p. 690), blanc de céruse ou vermillon... Accompagnées d'un amusant jeu de scène qui montre l'espiègle Elise contraignant l'autre à lever sa coiffe, ces taquineries prolongent les compliments hyperboliques dont elle accablait avec ironie dans *La Critique* la façonnière précieuse, et l'admiration qu'elle feignait d'éprouver pour sa personne, poussant alors l'impertinence jusqu'à lui dire qu'elle prétendait bien la singer en tout. Mais en même temps ces insolences anticipent sur celles qu'une Célimène saura plus magistralement distiller à la malveillante Arsinoé pour se venger de ses perfides remontrances. Moins furibonde que la prude qui recevra si plaisamment dans *Le Misanthrope* la monnaie de sa pièce, Climène ici reste assez naïve pour ne pas s'apercevoir qu'on se joue d'elle, ou, qui sait? assez dissimulée pour feindre de ne s'en pas formaliser.

Survient un dernier contingent de personnages virtuels, qui porte le total à dix, tous ensemble réunis sur l'aire de jeu, fictive, de la pièce intérieure, et dont l'apparition massive forme le début d'une quatrième scène, correspondant à la scène 5 de *L'Impromptu,* du moins jusqu'à l'endroit où, dans celle-ci, la répétition, interrompue par une remarque de Madeleine Béjart, s'arrête pour ne plus reprendre, laissant de nouveau place à la discussion entre Molière et le personnel féminin de sa troupe. Le groupe d'arrivants se compose de trois femmes, la «prude», la «sage coquette» et la «peste doucereuse», entourant Monsieur Lysidas. Le «poète» vient de leur apprendre «la plus agréable nouvelle du monde» (sc. 5, p. 690-691), qu'elles brûlent de colporter : les «Grands Comédiens» vont jouer une pièce contre Molière, à laquelle sous le couvert du très obscur Boursault, tous les auteurs jaloux «ont mis la main» (sc. 5, p. 691). Cette partie de *L'Impromptu* représente proprement la réponse qu'on attend de Molière et dont il a reçu l'ordre, à ce qu'il dit, de très haut lieu. Mais il n'oppose à ses ennemis qu'un refus de s'engager plus avant dans cette polémique dont on lui tend le piège pour le détourner de se consacrer à des œuvres plus importantes, parmi lesquelles il est permis de conjecturer que déjà figure en bonne place *Le Misanthrope*. La plaisanterie n'a que trop duré : désormais il ne joue plus. Par un contraste saisissant, on passe, presque sans transition, de la caricature bouffonne au ton le plus grave, qui rend solennelle sa déclaration. De même que, dans *La Critique,* un début proche à certains moments de la farce par un comique poussé jusqu'à la charge débouchait sur le sérieux d'un débat théorique (vestige probable de la dissertation dialoguée prévue primitivement, plus ou moins à l'instar de celles où vers la même époque l'abbé d'Aubignac polémiquait contre Corneille), pour défendre contre le genre tragique la dignité de la comédie, de même, ici, Molière a pu sembler s'abandonner librement à sa fantaisie, saisissant au vol différentes suggestions, quitte à les abandonner presque aussitôt, suivant avec une complaisance variable tout ce qui lui passe par l'esprit comme idées, projets, embryons de pièces avec une sorte d'allégresse et de hâte fébrile. Mais ni le vagabondage apparent de son imagination, ni l'étourdissante virtuosité de l'écriture dramaturgique ne doivent donner le change : Molière ne perd jamais de vue son but, même s'il paraît parfois s'en éloigner ou prendre par le plus long pour y parvenir; tout y prépare, au contraire, et tout y mène, avec autant de cohérence dans la pensée que de souple liberté dans la facture.

La répétition en restera là. Les comédiens, pris de trac à l'idée de jouer dans un instant devant le monarque une pièce qu'ils ne savent pas, se dérobent. Heureusement, le roi, compréhensif, les en dispense et autorise la troupe à puiser dans son répertoire habituel. Fin abrupte, mais moins que dans *La Critique*. On aurait aimé savoir comment se serait poursuivie la pièce intérieure. Toutefois son apparence d'inachèvement pourrait bien ne résulter que d'un trompe-l'œil. Car n'épuise-t-elle pas, en quatre scènes, toute la question ? Il ne reste, sur Boursault et sa misérable production, plus rien à dire : elle ne valait pas qu'on la traitât mieux que par le mépris et ne méritait assurément pas plus ample réfutation. Pour un auteur dramatique, donner l'illusion d'une autre pièce composée par lui, dont le public ne connaîtrait que des fragments incomplets, tels qu'ils se reflètent ou se réfractent dans l'œuvre véritablement représentée devant les spectateurs, constitue peut-être, sinon le comble de l'art, du moins un tour de force qui donne la mesure de sa souveraine maîtrise et de sa prodigieuse habileté. Cette structure paradoxale d'une exceptionnelle complexité devait surtout permettre à Molière de jeter hardiment une frêle passerelle menant de la misogynie d'Arnolphe à la misanthropie d'Alceste, et de franchir ainsi l'intervalle qui séparait encore une jeunesse finissante parvenue à son ultime aboutissement, d'une entrée dans la pleine maturité de son génie.

Don Juan meurtrier

PIERRE BRUNEL

Il y a sans doute quelque hardiesse à mettre sur le même plan, dans la *comedia* de Tirso de Molina, *El Burlador de Sevilla*, le «*muerto soy*» du Commandeur frappé à mort par Don Juan et *le «me has muerto»* de la duchesse Isabela, sa première victime. Entre la mort par le fer et la mort par la séduction (qu'elle procède ou non de la *burla*) existe tout au plus un rapport métaphorique. Il reste pourtant à se demander si ce rapport n'est pas lui-même riche de sens et si le jeu de l'amour et de la mort n'est qu'un jeu verbal.

Est-il besoin de rappeler que le coup de foudre était le moyen le plus radical qu'eût trouvé Zeus pour châtier un mortel? Qu'on songe, par exemple, à la mort de Salmonée foudroyé au moment même où il tentait d'imiter le tonnerre divin. On retrouve cette métaphore du coup de foudre dans le répertoire le plus courant de la langue amoureuse, qui n'a probablement pas attendu les troubadours, comme a l'air de le penser Denis de Rougemont, pour se constituer. Je citerai à ce propos ce délicat, ce délicieux chef-d'œuvre du genre qu'est «La Fausse morte» de Paul Valéry, «charme» digne cette fois des magiciennes de Théocrite puisqu'il redonne vie à ce qui semblait mort :

Humblement, tendrement, sur le tombeau charmant,
Sur l'insensible monument,
Que d'ombres, d'abandons et d'amour prodiguée,
Forme ta grâce fatiguée,
Je meurs, je meurs sur toi, je tombe et je m'abats.

Mais à peine abattu sur le sépulcre bas,
Dont la close étendue aux cendres me convie,
Cette morte apparente, en qui revient la vie,
Frémit, rouvre les yeux, m'illumine et me mord,

> Et m'arrache toujours une nouvelle mort
>   Plus précieuse que la vie[1].

Voici un autre exemple de métaphore où le corps aimé devient cadavre, et l'amour jeu avec la morte : les *Scènes de Don Juan* de Milosz (1906), qui présentent un héros morbide et hamlétique, hanté par des images macabres. C'est ainsi qu'il voit sa fiancée, Lola de Trémeur :

> [...] baiser un peu partout
> Le corps velu de quelque vigoureux amant,
> Sourire humidement, s'abandonner, cadavre
> Harmonieusement bercé par les cadences
> De la luxure, mer sanglante et sanglotante[2].

Don Juan n'est pas le seul personnage de la pièce à se complaire dans une semblable équivoque. Sganarello (qui est à la fois un peu Sganarelle et un peu Leporello), «miroir à peine déformant», «écho grossier de son maître[3]», évoque l'assassinat de ses deux femmes et de leurs amants, et entend encore leur cri «de luxure ou de mort». Don Juan peut alors reprendre en écho (car il est l'écho cette fois), et comme jouissant à l'avance de son crime futur :

> De luxure ou de mort... – Pauvre Sganarello!
> L'assassinat, parfois, fait naître en nous une âme...
> Malheureuse Lola de Trémeur[4]!

L'assassinat s'effectuera en deux temps. L'amant de Lola, qui n'est autre que le frère de Don Juan, Don Roland, est empoisonné par Sganarello, sur l'ordre de son maître. «On dirait, par ma foi, d'un drame romantique», commente le factoton. Mais est-ce encore un drame romantique que la sixième et dernière de ces scènes? Don Juan a enfermé Lola de Trémeur dans les oubliettes de son château de Rubezahl et, en tortionnaire consommé, il est l'instrument d'une lente agonie :

> Vous êtes dolente comme une princesse de légende
> Et si frêle, si pâle, si maladive. Quoi?
> Pour une toute petite épingle que j'enfonce
> Dans votre sein, comme l'on pique un papillon,
> Vous poussez des cris de mort? Mais j'aime cela!
> Une femme est tellement femme quand elle souffre

---

1. Paul VALÉRY, *Œuvres*, Gallimard, Bibl. de la Pléiade, 1957, t. I, p. 137-138.
2. O.-V. DE MILOSZ, *Scènes de Don Juan, Œuvres complètes*, éd. A. Silvaire, 1945, t. IV, p. 141-142.
3. André LEBOIS, *L'Œuvre de Milosz*, Denoël, 1960, p. 64.
4. *Scènes de Dom Juan*, p. 88.

> – Lorsque j'étais enfant, je tuais par amour
> Les faibles fleurs des champs aux couleurs suppliantes,
> Je rabattais leurs pétales comme on ferme les yeux
> Des petites filles mortes, et je pleurais de joie
> Et de deuil, et j'avais doucement mal à l'âme[5]...

Point de meilleure, point de pire torture que de suggérer la vision horrible du «gros cadavre tuméfié de poison[6]». Meilleure ou pire, car ce vengeur est en même temps le bourreau de soi-même, et la mise à mort, lente ou rapide, qu'il pratique, a la valeur d'un acte suicidaire. C'est que tout était pour lui prétexte à «une petite conversation avec la mort[7]», tout,

> [...] notre monde, chair putride de vieillard,
> Bouches gluantes de luxure des jeunes filles,
> Crachats juifs parmi les étoiles des blasons,
> Vierges ouvertes aux échappés de Sodome,
> Honneur mort, – poésie de la foi – violée, –
> Apocalypse des financiers de Francfort[8].

tout lui parlait de la mort et l'invitait au «suicide de la mort». La formule est ambiguë, mais comment mieux dire la mise à mort d'un monde déjà mort et le geste de désespoir d'un mort-vivant qui a passé sa brève existence à douter de son existence?

L'avatar du Commandeur ne fera que confirmer cette analyse. Dans la scène IV, qui se passe dans une taverne à Plymouth, Don Juan demande à Sganarello d'inviter à leur table un homme «trop noir et trop blanc», que le valet dit «légèrement ivre-mort» et qui se trouve en compagnie d'une «vieille beauté borgne[9]». C'est une figure du temps qui passe, la suite du dialogue le prouve, comme l'apparition à la faux dans le *Dom Juan* de Molière. Mais l'important est le motif de l'ivresse, ou plus exactement de l'homme ivre à qui l'on offre encore un verre de vin, une coupe de poison. Dans la dernière scène, Don Juan va être lui-même ce vin offert pour qu'il disparaisse. La mort de Don Juan devient, sans ambiguïté possible, acte suicidaire :

> O Dieu! fais que mon sang ne soit qu'une lampée
> D'aigre vin furieux pour la bouche tordue
> De quelque misérable en quête d'énergie!
> O Dieu, fais de mon crâne une lanterne sourde,
> De ma joie un mauvais lieu pour tes mauvais anges

5. *Ibid.*, p. 151.
6. *Ibid.*, p. 153.
7. *Ibid.*, p. 124.
8. *Ibid.*, p. 107.
9. *Ibid.*, p. 131.

De mon cœur un masque de poix, et de mon âme
Trouée de vers, un froid linceul pour la beauté[10]!

A peu près exactement contemporain du *Don Juan* hamlétique de Milosz, le *Don Juan* de Georg Trakl fait plutôt figure de Barbe-Bleue. La chose est d'autant moins surprenante qu'immédiatement après le drame (1906-1908) le poète autrichien a composé un drame pour marionnettes intitulé précisément *Barbe-Bleue*. Les deux œuvres sont de la même encre et les deux personnages centraux de la même trempe. Qu'on en juge plutôt par un simple parallèle.

C'est le jour des noces de Barbe-Bleue et d'une jeune fille de quinze ans, Élisabeth. Et ces noces seront des «noces de sang» *(Blutbraunacht)*, comme le prévoit et l'annonce un comparse nommé Herbert, tandis que des charognards survolent le lieu. Sang versé sur le seuil où doit s'agenouiller la jeune épousée. Vin couleur de sang dans le verre que Barbe-Bleue l'invite à vider, et qui, ensorcelant Élisabeth, lui arrache des cris frénétiques de désir — du désir de la mort :

> Viens, bien-aimé ! Du feu coule dans ma chevelure,
> Je ne sais plus, plus, ce que fut hier,
> Le sang m'étouffe et me serre à la gorge,
> Désormais je n'aurai plus une nuit de repos !
> Je voudrais aller nue au soleil,
> Me montrer à tous les regards,
> Et appeler sur moi mille douleurs
> Et te faire mal dans ma folie furieuse !
> Viens, mon garçon ! Bois ma flamme,
> N'as-tu pas soif de mon sang,
> Du flot de mes cheveux brûlants ?
> N'entends-tu pas les oiseaux crier dans la forêt,
> Prends-moi, prends-moi toute —
> Toi si fort — ma vie — prends, emporte[11] !

Minuit sonne. C'est l'heure d'entrer dans la chambre nuptiale, que Barbe-Bleue présente comme «pourriture et mort» *(Sein Geheimnis ist Verwesung und Tod)*, sanctuaire où «le diable doit célébrer dans le plaisir la mort». L'époux répondra donc littéralement au désir de l'épouse lubrique en lui ouvrant la gorge, en buvant son sang et sa mort palpitante. La loi de l'amour veut que deux ne fassent qu'un, «et cet un c'est la mort» *(Und eins ist der Tod)*. C'est pourquoi Barbe-Bleue, après son crime, s'effondre

---

10. *Ibid.*, p. 154-155.
11. Georg TRAKL, *Œuvres complètes*, trad. Marc Petit et Jean-Claude Schneider, Gallimard, 1972, p. 268.

mourant, comme fauché, devant un crucifix, en criant : «Dieu!».

Il ne reste du *Don Juan* de Trakl que deux scènes du troisième acte. Mais on serait tenté de dire qu'elles se suffisent à elles-mêmes tant elles recouvrent exactement les deux scènes de *Barbe-Bleue*. Là encore la présentation du personnage à travers le dialogue des comparses (Catalinon, plus effrayant que jamais, et Fiorello, un vieillard également attaché au service de Don Juan) précède son apparition, cri de volupté et de mort. Dès la première scène, nous savons qu'un crime se prépare, si horrible que tous les serviteurs, à deux exceptions près, ont fui. Ce crime n'est autre que l'assassinat de Donna Anna par Don Juan. Le meurtrier surgit tout agité encore des «profonds frissons de volupté» *(tiefster Wonneschauer)* qui l'ont parcouru au moment où il consommait ses noces de sang. Mais curieusement, la figure suprême de Donna Anna, avec cette «grimace née d'une terreur lubrique», ne cesse de le hanter. Elle l'a chassé de sa couche et pourtant le poursuit. «N'espère pas, si tu ne me tues, que je te laisse fuir jamais», criait Anna au début du *Don Giovanni* de Mozart-Da Ponte *(Non sperar, se non m'uccidi, ch'io te lasci fuggir mai)*. Don Juan, ici, a tué Anna, et elle ne cesse pas pour autant de le poursuivre, se confondant dès lors avec la Statue de pierre. Mais il faut ajouter qu'elle se présente comme à nouveau désirante et désirable, réclamant, appelant à nouveau des noces de sang :

> DON JUAN. – [...] Je frémis de te voir – malgré moi
> J'y suis forcé.
> *[Ses mains cherchent à attraper quelque chose dans le vide.]*
>   Je t'agrippe, forme
> Maudite, avorton de mes sens embrasés,
> Je t'étrangle de ces mains, te grille
> Au feu de mon souffle – tête de bête.
> Ah! te voilà encore devant moi, me regardant
> De tes orbites raidies par la mort où pleurent
> Les ténèbres que jamais nul rayon
> N'éclairera [12].

Au cri a succédé le silence du spectre, mais l'effet n'en est pas moins puissant sur les sens, sur le sang de Don Juan. Le bouillonnement en est si fort qu'il «engloutit la forme connue des choses proches» et qu'il menace d'étouffer l'amant-meurtrier. En vain tente-t-il de faire reculer le spectre *(Weg Wesenloses!)*. En vain tente-t-il d'ouvrir la fenêtre qui donne sur le monde et sur la vie. En vain tente-t-il d'affirmer sa propre permanence dans le mouvement infini des êtres et des choses. La mort, la vengeresse étrangle

---

12. *Ibid.,* p. 273.

dans sa gorge le «je suis» *(ich bin)* qui voulait s'exhaler et Don Juan s'effondre sur les marches.

Voici Don Juan sujet d'élite et d'élection pour un «théâtre de la cruauté». Antonin Artaud, qui prend volontiers Barbe-Bleue pour exemple[13], semble n'avoir jamais songé au Tenorio. Ou alors implicitement, quand il écrit qu'au même titre que la mort «le désir d'Éros est une cruauté[14]». Il est d'ailleurs probable qu'en 1932 pareille affirmation était une banalité. Je veux dire qu'elle était une reprise à peine détournée de l'idée freudienne selon laquelle «le principe du plaisir» est «au service des instincts de mort[15]». Les tenants de cette thèse auraient pu appeler à l'aide Lenau et son Don Juan, qui a conscience de donner la mort quand il force la chair (d'où l'équivalence : «La douleur du trépas, c'est le gémissement virginal de l'épouse[16]») et qui, dans sa quête amoureuse, recherche pour lui-même la mort, voulant «sur les lèvres de la dernière mourir d'un baiser[17]» et, dans le cas précis d'Anna, «mourir tout ensemble en [s'] identifiant avec elle[18]».

Mais ce Don Juan de Lenau est déjà singulier – singulier comme peuvent l'être ceux de Milosz et de Trakl. Deux traits le distinguent du Don Juan originel : il recherche la mort de l'autre (provoquant Antonio en duel, cueillant les jeunes filles comme on cueille les fleurs) ; il ne cesse de songer à sa propre mort à laquelle il finit par s'abandonner comme à une femme désirée quand, par un étrange défaut d'énergie, le désir des femmes semble l'avoir abandonné. Chez Tirso de Molina, chez Molière, chez Mozart, Don Juan ne songeait jamais à l'échéance si son valet ou son père ou telle de ses femmes n'était pas là pour la lui rappeler, et encore, même à ce moment-là, il en écartait immédiatement l'idée. De plus, loin de vivre l'amour comme une mort à deux, il considérait que le changement est la condition même de sa vie, donc de toute vie. La mort qui le menace dans la fidélité et dont parle si élégamment le Don Juan de Molière (I, 2 «La belle chose de vouloir se piquer d'un faux honneur d'être fidèle, de s'ensevelir pour toujours dans une passion, et d'être mort dès sa jeunesse à toutes les autres beautés qui nous peuvent frapper le cœur !») est une mort qui menace aussi ses partenaires. Il anime Tisbea, morte à l'amour. Il arrache Elvire au couvent, Zerline à Masetto. Chez Lenau, il considérera même que c'est là sa mission : arracher les femmes au lent dépérissement d'une vie insipide en leur donnant accès à la vraie vie. Mais on ajoute ainsi

---

13. Lettre à Gide du 20 août 1932.
14. «Troisième lettre sur la cruauté», dans *Le Théâtre et son double*.
15. «Au-delà du principe du plaisir», dans *Essais de psychanalyse*.
16. LENAU, *Dom Juan,* trad. Walter Thomas, Aubier, s.d., p. 6.
17. *Ibid.,* p. 2.
18. *Ibid.,* p. 23.

au rôle ce qui pourrait passer pour de la mauvaise foi, ou bien l'on en retranche ce trait qui, à en croire Max Frisch[19], est essentiel : Don Juan n'aime que lui; l'autre n'existe pas pour lui. Bien plus : «Don Juan est, au fond, un homme qui n'aime pas».

Si l'on en revient au *Burlador de Sevilla,* on est obligé de souscrire à ce jugement de Max Frisch. La *Burla* apparaît comme une machine implacable qui s'abat sur les pécheresses. Pourtant il est une fois au moins où Don Juan laisse échapper un cri de désir. Il s'agit de l'épisode de Tisbea : le «je meurs» *(muerto soy* I, 693) de Don Juan serait une simple parole trompeuse si le Tenorio ne la répétait devant Catalinon (684-685, 893). On a l'impression d'une possession par un éros spasmodique qui est expérience de l'agonie et s'exprime dans le langage de la mort. Assouvir ce brutal appétit, jouir de cette chair dont la vue est une agression, constitue la seule chance d'un retour à la vie et à la «liberté libre» avec laquelle pour Don Juan elle se confond. Lenau a imaginé la série des amours passagères comme une succession de morts; il serait plus juste de la considérer comme une succession de renaissances.

Don Juan, menacé, tue. Menacé par le Commandeur. Menacé aussi, si l'on en croit Max Frisch, par les femmes[20]. L'avocat chargé de le défendre devrait alors plaider la légitime défense. Mais peut-être devrait-il surtout insister sur le cas d'homicide involontaire. Don Juan ne recherche pas la mort de l'autre. Il évite l'affrontement direct avec les vengeurs, non par couardise, mais parce que le sang répandu ne fait pas partie de son programme de divertissement. C'est contre son gré qu'il croise le fer avec le Commandeur : il sait fort bien que la mort d'un vieillard n'a rien de glorieux et il considère sa réaction comme un acte suicidaire. Plus encore que ses autres adversaires, celui-ci «est venu s'embrocher sur [s]a lame comme un poulet[21]». Dans le conflit permanent qui l'oppose aux femmes, il en va différemment : il est, cette fois, l'agresseur. Mais il sait, de la même façon, que sa victime tombera. A dire vrai, à aucun moment il n'a envisagé les conséquences de son acte. La mort d'un de ces papillons qui se sont brûlés à sa flamme ne peut lui arracher qu'un cri de surprise. Là encore, homicide involontaire. Max Frisch l'a fort habilement mis en valeur au troisième acte de sa pièce. Don Juan ne comprend pas pourquoi le Commandeur, Don Gonzalès, l'apostrophe comme meurtrier.

19. Max FRISCH, *Don Juan oder die Liebe zur Geometrie,* 1953-1961 trad. H. Bergerot, Gallimard, 1969, p. 92-93.

20. *Ibid.,* p. 92 (postface). «Sa virilité est mal assurée; elle n'est pas à ses yeux un bien naturel, mais un bien précieux, qu'il possède certes et dont il n'a pas à compenser l'absence par des attitudes militaires par exemple; il la possède, mais il doit la défendre. Sa virilité est menacée. Son visage, quel qu'il soit, a le regard aigu d'un être menacé. L'être menacé penche pour les solutions radicales».

21. *Ibid.,* p. 57.

Anna, lasse de l'attendre au bord de l'étang, s'est noyée. Rodrigue, son ami, s'est tué quand il a appris que sa fiancée, Inès, avait passé une partie de la nuit avec Don Juan. Les chiens qui avaient été lancés à sa poursuite dans le parc ont été abattus par les trois cousins ferrailleurs. Mais dans tout cela est-il pour quelque chose? Abasourdi, il tue comme dans un rêve le Commandeur qui était là à l'agacer avec son épée comme un insecte...

Décidément, Don Juan est bien un meurtrier malgré lui. Parce qu'il joue avec les autres. Mais surtout parce qu'il est le jouet d'une fatalité qu'on veut l'obliger à invoquer comme Ciel. On aurait tort de le juger tout à fait impassible : il gémit sur la mort du Commandeur dans l'opéra de Mozart, il s'attendrit sur le sort d'Inès défunte dans le drame de Pouchkine et si, après un geste d'abattement (il enfouit son visage dans ses mains), il proclame, dans la pièce de Max Frisch, son refus de pleurer[22], c'est parce qu'il a compris que son adversaire, le Ciel, voulait le faire passer pour le meurtrier.

Don Juan juge la Mort extérieure à lui. Avant même d'en écarter l'échéance, il l'écarte de lui. Et pourtant elle est en lui avec le désir qui le possède et que, déjà chez Tirso de Molina, il lui arrive de vivre comme une mort. C'est pourquoi je verrais Don Juan comme taureau plus que comme torero dans cette corrida qui est, selon Max Frisch, «la meilleure introduction à Don Juan». En tout cas je reconnais bien volontiers avec le dramaturge suisse qu'«un Don Juan non meurtrier n'est pas imaginable, même pas dans une comédie; la mort lui est attachée comme l'enfant à la femme[23]».

22. *Ibid.*, p. 58.
23. *Ibid.*, p. 97.

Argan et la mort.
Autopsie du malade imaginaire

JEAN SERROY

On meurt beaucoup dans *Le Malade imaginaire*. Et, comme gagné par la contagion, Molière lui-même saute le pas, quasi sur scène, dans le costume de son personnage. Mort doublement fâcheuse, pour l'homme au premier chef («Mais quoi?» dirait Arnolphe, «nous sommes tous mortels»[...] et aussi pour le personnage, et pour la pièce elle-même. Car cette projection dans le réel de l'univers théâtral, cette frontière franchie entre le faux et le vrai, le joué et l'authentique, cette coïncidence, trop parfaite pour paraître le seul effet du hasard, éclairent rétrospectivement l'œuvre d'une lumière noire et vont jusqu'à faire de la mort de Molière la cause de la maladie d'Argan. *Le Malade imaginaire* devient alors une danse de mort où l'auteur, pressentant sa fin, la narguerait dans un ultime hoquet.

On a, certes, réagi, depuis le XIX⁰ siècle, face à cette vision d'un macabre très romantique, mais les analystes les plus pénétrants de la comédie n'échappent pas totalement à ce malaise que crée l'issue fatale qui ponctue la création de la pièce. Gide lui-même brosse un tableau assez terrifiant, lorsqu'il évoque la «solennité» que *Le Malade imaginaire* tire de «ce contact secret avec la mort» : «C'est avec elle que tout se joue; l'on se joue d'elle; on la fait entrer dans la danse [...]; on la sent qui rôde [...]; on la brave et on la bafoue; jusqu'à celle de Molière qui vient, en fin de compte, parachever atrocement cette farce tragique[1]».

Si la maladie d'Argan suscite encore bien des interrogations et autorise toujours des diagnostics contradictoires[2], l'autopsie du

---

1. André GIDE, *Journal, 1939-1949. Souvenirs*, Paris, Gallimard, La Pléiade, 1954, p. 82.

2. Voir à ce sujet la communication de Jean-Michel PELOUS et la discussion qui suit : «Argan et sa maladie imaginaire», Actes du 3ᵉ colloque de Marseille, *Marseille*, 1973, n° 95. Voir également la contribution plus récente de Ralph ALBANESE Jr., «*Le Malade imaginaire*, ou le jeu de la mort et du hasard», *XVIIᵉ Siècle*, 1987, n° 154.

malade reste donc, semble-t-il, à faire. Car, contaminée par la mort
bien réelle de l'auteur et comme obscurcie par elle, la mort, dans sa
dimension littéraire, tant dramatique que thématique, a tendance à
être quelque peu occultée. Or, comme le souligne Gide, c'est bien
avec elle que tout se joue dans *Le Malade imaginaire*. S'il ne s'agit
certes pas d'oublier que la pièce est la dernière de Molière, celle qui
a vu sa propre mort presque mise en scène, il ne s'agit pas
inversement de l'interpréter uniquement de ce point de vue *a
posteriori*. La simple chronologie amène, en effet, à considérer que le
10 février 1673, jour de la première, est antérieur au 17, date de la
quatrième représentation et de la mort de Molière.

C'est donc de la mort dans *Le Malade imaginaire* qu'il sera ici
question : celle qu'un Molière encore bien vivant place au cœur
même de sa pièce. Car si l'objet de la comédie, auquel renvoie le
titre, est bien la maladie (le terme n'apparaît pas moins de quatorze
fois tout au long de la pièce), l'altération, plus psychosomatique
que proprement physique, dont souffre Argan engendre chez lui
un fantasme de la mort qui rend celle-ci constamment présente : les
termes de «mort» et de «mourir», qui reviennent neuf fois dans sa
bouche, forment un leit motiv obsessionnel qui autorise à voir dans
la pièce, selon la juste expression de Robert Garapon, «la comédie
de la peur de la mort[3]». D'autant qu'en dehors même d'Argan, la
mort semble toucher plus ou moins tous les personnages. Il n'en est
pas un seul qui n'y fasse allusion : Béralde, Toinette, Béline,
Cléante, Angélique, Louison, le notaire, Monsieur Purgon, les
Diafoirus, tous ont plusieurs fois le mot à la bouche, ce qui peut
paraître normal en ce qui concerne des spécialistes de la chose
comme les médecins ou le notaire, mais l'est déjà moins dans le cas
d'un couple de jeunes amants, et apparaît même franchement
surprenant quand il s'agit d'une enfant dont on pourrait penser
qu'elle a de tout autres préoccupations.

Cette omniprésence de la mort demande donc à être examinée
de près[4]. Car, s'il est beaucoup question de mourir dans *Le Malade
imaginaire*, on n'y meurt pas toujours de la même façon. La mort,
d'abord, on la chante. Le prologue, à cet égard, donne le ton : dès
l'églogue en musique et en danse sur laquelle s'ouvre le spectacle, le
double duo d'amour, qui voit les bergers Tircis et Dorilas tenter de
fléchir les bergères Climène et Daphné, se place sous le signe du
martyre amoureux, de la souffrance de l'amant face à l'insensibilité
de sa belle. Blessure d'amour qui engendre inévitablement mort
d'amour, ainsi que le fait paraître la plainte de Tircis : «Languirai-je

---

3. Robert GARAPON, *Le Dernier Molière*, Paris, Sedes, 1977, p. 170.
4. On peut la mesurer à l'importance thématique qu'elle occupe et que le relevé des thèmes opéré
par Jacques TRUCHET dans *Thématique de Molière*, Paris, Sedes, 1985, met bien en valeur.

toujours dans ma peine mortelle?» La rhétorique amoureuse appelle l'image : la mort n'est qu'un mot, une figure, sans autre contenu que celle d'un topos stylistique. Pourtant, et le fait est révélateur, ce simple jeu de langage voit s'opérer un transfert qui désamorce la charge sémantique potentielle que renferme le mot. A la troupe des bergers qui, tous ensemble, brûlent de savoir ce que Flore vient leur annoncer («Nous en mourons d'impatience»), la déesse annonce le mot magique, qui annihile tout autre mot : «Vos vœux sont exaucés, Louis est de retour». Et elle en tire la conséquence immédiate : «Il ramène en ces lieux les plaisirs et l'amour, / Et vous voyez finir vos mortelles alarmes.» La joie proprement vitale qui gagne alors la troupe éloigne définitivement tout spectre de mort : c'est la vie, et son cortège de «plaisirs», de «ris», de «jeux», qui triomphe. L'entrée de ballet qui clôt le prologue répond à l'églogue qui l'ouvrait : la peine mortelle fait place au bonheur de chanter la gloire de Louis : «Heureux, heureux qui peut lui consacrer sa vie». Dès le prologue, c'est la vie qui a le dernier mot.

Ouverture symptomatique, donc, que celle qui voit affirmer la prééminence de la joie vitale sur la douleur mortelle, qui éloigne, dans la musique et la danse, jusqu'à l'écho même du mot macabre. Et ouverture qui offre, en mineur, la clef d'un des thèmes centraux de la comédie : le bonheur d'aimer. La force de vie s'attache en effet à l'amour. On le voit bien dans cette autre scène chantée qu'est, au cœur même de la pièce, le duo Cléante-Angélique. Le rapprochement avec le prologue est inscrit dans la situation même puisque Cléante, pour s'approcher d'Angélique et lui parler sous le couvert d'une leçon de chant, intervient «sous le nom d'un berger», lequel n'est autre que ce même Tircis rencontré dans l'ouverture. Mêmes mots, donc, même rhétorique amoureuse, dont l'alternative principale se trouve ici exprimée avec plus de netteté encore, lorsque Tircis-Cléante, devant la «mortelle douleur» qui l'accable, s'interroge : «Faut-il vivre? Faut-il mourir?» (II, 5). Et quand la belle Angélique lui a répondu par une déclaration sans ambages : «Oui, Tircis, je vous aime», la menace de mort disparaît, ou plutôt se concentre tout entière sur le noir rival seul susceptible de venir troubler le bonheur du couple : «Ah! je le hais plus que la mort», s'écrie Angélique, allant jusqu'à clamer avec force : «Plutôt, plutôt mourir / Que de jamais y consentir; / Plutôt, plutôt mourir, plutôt mourir».

Même si cette mort reste chantée, et si le mot n'est pas à prendre au pied de la lettre, on peut remarquer que le désir d'Angélique est bien d'échapper à ce prétendant à l'habit noir qui n'a rien de mieux à lui offrir que le spectacle de la dissection d'une femme, et que, très sérieusement, elle préfère le couvent, c'est-à-dire la mort au monde, plutôt que ce mariage imposé. Reste que cette mort ne prête pas à conséquence. Comme les plaintes du berger Tircis, celle des deux amants chantant leur partition feinte relève ici de la pastorale, donc de la convention et de la rhétorique. Elle apporte toutefois, par un effet de construction en abyme, comme un reflet interne de la pièce elle-même. Dans cette comédie dans la comédie que jouent les amants, ce qu'il s'agit de conjurer, c'est la mort, laquelle se trouve liée de façon révélatrice à la médecine par le personnage de l'amateur de dissections, Thomas Diafoirus.

Cette mort, elle rôde, comme le dit Gide, dans la maison d'Argan, et sous sa forme la plus officielle : la mort sociale, bourgeoise, juridique. C'est la mort codifiée, dont l'acte civil est le testament, et dont tout un langage technique précise les conditions, les implications, les conséquences. Le notaire, qui est traditionnellement convoqué dans le théâtre de Molière pour régler les mariages – c'est le cas dans *L'Ecole des maris, L'Ecole des femmes, L'Amour médecin, Les Femmes savantes* – l'est ici pour rédiger un testament. La situation matrimoniale du couple Argan-Béline amène Monsieur Bonnefoy à exclure la possibilité du «don mutuel entre vifs», car il faudrait qu'aucun des deux n'ait d'enfant «lors du décès du premier mourant» (I, 7). Les dispositions réglementaires que le notaire énonce entraînent donc pour Argan la nécessité de tourner la loi s'il veut qu'à sa mort Béline hérite, et pour Béline la nécessité d'écarter les enfants d'Argan si elle veut éviter tout risque. On touche là à un des axes dramatiques de la pièce : la captation d'héritage. Le cadre idyllique et chantant de la mort-rhétorique fait place au cadre sordide de la mort-intérêt. La présence de l'argent dans la maison d'Argan apporte à la comédie un aspect de drame bourgeois. Pour Béline, tout à sa rapacité et à son désir de s'approprier les biens de son époux, la mort d'Argan représente le terme qu'elle attend, qu'elle appelle, au besoin qu'elle favorise en maintenant autour de lui des médecins plus propres à le tuer qu'à le guérir. Et lorsque cette mort semble survenir un peu plus tôt que prévu, elle prend aussitôt ses dispositions : «Tenons cette mort cachée jusqu'à ce que j'aie fait mon affaire. Il y a des papiers, il y a de l'argent, dont je veux me saisir [...]. Prenons auparavant toutes ses clefs» (III, 12). Il y a là un côté balzacien, une de ces scènes de la vie privée où l'on sent quelque magot caché au fond de coffres ou d'armoires. C'est que l'importance prise par l'argent dans une société bourgeoise s'affirme dans ces sombres histoires de famille dont les exemples commencent à se multiplier : qu'on pense à Scarron et à son interminable procès contre Françoise de Plaix, la seconde épouse de son père. La douce Angélique elle-même n'est pas dupe de cet aspect des choses; elle sait que sa marâtre est une femme d'intrigues, menée par l'appât du gain, et l'allusion est directe lorsqu'elle dénonce devant Béline ces femmes qui «font du mariage un commerce de pur intérêt; qui ne se marient que pour gagner des douaires, que pour s'enrichir par la mort de ceux qu'elles épousent». Et quand elle évoque les épouses qui «courent sans scrupule de mari en mari pour s'approprier leurs dépouilles» (II, 6), c'est l'image de l'oiseau de proie qui passe, des vautours et des corbeaux à la Henry Becque[5]. Démasquer le jeu de Béline revient à éloigner l'ombre du rapace, à chasser la menace très tangible qui pèse sur Argan, à triompher de cette mort qui le guette.

Mais la partie est difficile car, aux forces de vie – Toinette, Angélique, Béralde – s'opposent les forces de mort : apothicaires et médecins. Alliés «objectifs» de Béline, ils enferment Argan dans sa maladie, par tout un arsenal de médications, purgations, saignées, dont Béralde remarque que seule la robustesse foncière de son frère a pu, jusqu'ici, lui permettre de les supporter sans dommages. Mais le danger se précise. «Si vous n'y prenez garde, il prendra tant de soin qu'il vous enverra en l'autre monde» (III, 3), prévient Béralde en dénonçant les traitements de Monsieur Purgon, assimilé par lui à un tueur : «Il ne fera, en vous tuant, que ce qu'il fait à sa femme et à ses enfants, et qu'en un besoin il ferait à lui-même.» La prédiction est sensée, puisque le médecin d'Argan, apprenant que son malade lui échappe, le voue à tous les maux et, dans une litanie incantatoire, le précipite de la bradypepsie dans la dyspepsie, et de là dans les pires affections pathologiques, jusqu'à le faire, au bout du compte, tomber de «l'hydropisie dans la privation de la vie» (III, 5). Les mots ont ici force magique, et le médecin porteur de mort est assimilé au jeteur de sort. Toinette, pour désenvoûter la victime, s'affuble aussitôt de l'habit du médecin, et entrant dès que Monsieur Purgon a opéré sa sortie, reprend de façon caricaturale et outrancière le même jeu; elle se contente de remplacer les termes techniques ronflants qui donnaient au médecin la caution du savoir par l'énumération de traitements autrement plus douloureux dans leur simplicité crue : couper un bras, crever un œil... Et, pour couronner cette consultation tranchante, elle s'en va ausculter le cadavre d'un homme mort la veille «pour aviser et voir ce qu'il aurait fallu lui faire pour le guérir» (III, 10).

Le sérieux menaçant de Monsieur Purgon se trouve ainsi désamorcé par la fantaisie parodique de la servante. La mort scientifique promise par l'homme de l'art fait place à la désarticulation comique qu'opère le médecin de comédie. Le théâtre (puisque Toinette endosse un costume et joue un rôle) a vertu d'exorcisme :

---

5. Le rapprochement a été proposé par Robert GARAPON, *op. cit.,* p. 172.

Argan n'est plus si pressé de se confier à un médecin si expéditif...
La comédie l'emporte donc. Mais la ruse de Toinette n'est que
l'amorce de cette victoire. C'est que le cas d'Argan est sérieux. Les
relations qu'il entretient avec la mort sont complexes. On peut
même se demander si le profond de sa maladie n'est pas là. Il y a bel
et bien chez lui un caractère morbide, mais cette morbidité même
apparaît curieusement comme un signe de santé. Argan cultive la
mort comme il cultive la maladie; comme il prétend sans cesse qu'il
est malade, il affirme de la même façon, et constamment, qu'il va
mourir, ou même qu'il est mort. Dès son entrée en scène, seul à ses
comptes d'apothicaire et rageant de ne voir personne répondre à ses
appels, il se plaint, en s'apitoyant sur lui-même : «Ah! mon Dieu,
ils me laisseront ici mourir» (I, 1). Un peu plus tard, devant
Toinette qui met en doute sa maladie, il cherche la consolation dans
les bras de Béline : «Mamour, cette coquine-là me fera mourir»
(I, 6). Et lorsque, enfin Monsieur Purgon l'abandonne à son triste
sort, il ne peut que constater dans un soupir : «Ah! mon Dieu, je
suis mort» (III, 6).

   Mais, à y regarder de près, cette mort-là est rassurante. Elle n'a
d'autre réalité que les mots. Il y a même pour Argan un certain
confort à mourir ainsi, du même ordre que celui qu'il trouve dans
sa maladie. Tant qu'il dit qu'il meurt, c'est qu'il est en vie. La mort
ainsi soumise aux mots est déchargée de toute menace de réalité. Il
en est le maître. C'est une mort imaginaire, comme le jeu d'un
enfant qui joue à faire le mort. Argan est, à cet égard, d'autant
moins dupe du manège de Louison lorsque celle-ci, s'effondrant
devant lui, s'écrie : «Attendez, je suis morte» (II, 8), que lui-même,
avec ses mines mourantes et ses soupirs d'agonisant, fait en
permanence la même chose. Et il est symptomatique que ce soit par
le même jeu que la vérité éclate. Certes, lorsque Toinette lui
propose son stratagème, il ne se sent plus totalement maître du jeu
et a le sentiment qu'il pourrait y avoir des risques à jouer ainsi avec
le feu : «N'y a-t-il point quelque danger à contrefaire le mort?»
(III, 11), demande-t-il. Question d'enfant qui a besoin d'être
rassuré. Mais signe aussi d'une peur de mourir, qui apparaît comme
fondamentale chez lui. Dès la première scène, son désir d'être
entouré traduit une phobie de l'isolement contre laquelle il a
d'ailleurs pris ses dispositions : son mariage avec Béline, par
exemple; mais aussi sa maladie, dont on peut penser qu'elle n'est en
fin de compte qu'une autre pièce, inconsciente, de ce dispositif, le
moyen le plus sûr qu'il a trouvé pour échapper à la mort, selon
cette logique contradictoire qui veut que, tant qu'on est malade, on
est vivant. La maladie d'Argan le rassure, dans la mesure où, liée à
toute une arithmétique de médications, elle lui garantit une
régularité de vie qui exclut toute ingérence d'un hasard fatal. Le

soin maniaque, comparable à celui d'un collectionneur[6], qu'il prend à faire le compte de ses affections et de ses traitements lui permet de s'aménager une existence confortable, où tous les risques pathologiques sont bien à leur place. Lorsque Monsieur Purgon l'abandonne, et dérange du coup tout ce bel édifice, c'est proprement la maladie qui l'abandonne. Le constat est alors immédiat : «Je suis mort», dit-il.

Là réside sans doute le côté le plus humain d'Argan, celui qui, malgré ses tics, ses phobies, ses outrances, le rend si familier. Sa «morbimanie», si elle a pour effet le plus évident de ridiculiser les médecins qui la nourrissent plus qu'ils ne la soignent, fait aussi apparaître les ressorts intimes d'un homme soumis, comme tout homme, à des peurs, des inhibitions, des fantasmes. Quel psychanalyste ne rêverait d'avoir Argan sur son divan! Et que n'en tirerait-il pas, notamment de cet évident refus d'être adulte, de ce désir d'être materné, cajolé, dans un confort douillet de coussins moelleux et de giron nourricier! Et aussi de cet aveu furtif lorsque, évoquant sa mort devant Béline, il se laisse aller à lui dire : «Tout le regret que j'aurai, si je meurs, mamie, c'est de n'avoir point un enfant de vous» (I, 7). Cette confidence sur l'oreiller complaisamment «accommodé» par Béline ne traduirait-elle pas quelque impuissance cachée, quelque ramollissement précoce, auxquels les traitements prescrits par Monsieur Purgon ne sont sans doute pas étrangers mais qui, faisant de l'homme en pleine force de l'âge un sénile avant l'heure, l'amènent, selon une logique psycho-pathologique, à la régression infantile?

Argan est, en tout cas, un être complexe. Et si *Le Malade imaginaire* est une farce, la pièce traduit ce génie propre à l'auteur de donner à la moindre pochade rang de véritable comédie. En élevant le genre et en l'amenant à traiter des grands thèmes réservés jusque-là à la dignité tragique, Molière aborde, avec *Le Malade imaginaire,* par le biais de la maladie, la question ultime de la mort. Et, si réponse il y apporte, c'est par la conception même que traduit la pièce : voué à disparaître, l'homme ne saurait évidemment échapper à son sort; tout au plus peut-il prendre, face à lui, ce détachement souriant dont le théâtre donne la clef. *Le Malade imaginaire* constitue, à cet égard, une des plus riches variations apportées par Molière au thème du théâtre dans le théâtre. Tous les personnages peu ou prou y sont amenés à jouer la comédie : Cléante et Angélique, dans leur pastorale amoureuse; Louison, dans sa mort contrefaite; Thomas Diafoirus, dans son emploi de prétendant récitant son texte; Toinette, dans sa prise d'habit

---

6. Voir à ce propos l'intervention de Georges COUTON à la suite de Jean-Michel PELOUS, art. cit.

médical; Béline, dans le rôle qu'elle joue d'épouse attentionnée et aimante; Argan, dans ce personnage du mort que Toinette lui fait endosser. Sur la scène, ce sont bien des comédiens qui s'agitent. Le seul qui ne soit pas convaincu de son rôle, c'est Argan. C'est que la mort l'inquiète.

D'où le plaisir évident qu'il prend à ressusciter : «Le défunt n'est pas mort» (III, 12), comme le dit Toinette. Et il ne peut pas mourir, puisque sa mort est une mort de théâtre. Pirouette ultime, de même nature que celle qui garantit à Scapin l'immortalité, dans les derniers mots de cette autre farce où le bondissant valet, lorsque Argante propose à la compagnie d'aller souper «pour mieux goûter [son] plaisir», clôt la comédie sur ces termes qui sont comme le pied de nez d'un bel et bon vivant à la mort : «Et moi, qu'on me porte au bout de la table, en attendant que je meure» (III, 13).

La mort d'Argan a même valeur. Mort thérapeutique, elle le purge de sa mort; mort de théâtre, elle lui confère l'immortalité. La cérémonie finale de prise d'habit, à la fois parodique et initiatique, détourne la menace définitivement. Intronisé à jamais dans le monde du théâtre, il y gagne la vie éternelle :

> «Vivat, vivat, vivat, vivat, cent fois vivat
> Novus doctor, qui tam bene parlat!
> Mille, mille annis, et manget et bibat,
>   Et seignet, et tuat!»

La mort, ainsi tournée en dérision par un latin proprement de cuisine («Et manget, et bibat») célébrant les forces de vie, c'est le seul triomphe possible. Comme si Molière, devant l'ombre terrible, montrait à travers Argan que, loin d'en trembler, on ne devrait jamais qu'en rire.

Les types secondaires
dans le Théâtre italien de Gherardi

FRANÇOIS MOUREAU

Dominique Biancolelli, puis son successeur sur la scène de
l'Hôtel de Bourgogne, Evariste Gherardi, ont occulté par leur
génie propre d'acteur la présence des autres *types* italiens jouant
dans la troupe des Comédiens-Italiens de Paris. Une contrefaçon
augmentée du premier Recueil de Gherardi porte même le titre
singulier de : *Arlequin, son théâtre italien* [1], tant la prédominance de
«l'Arlequin moderne [2]» créé par Dominique semblait imposer cette
focalisation sur le *type* central de la nouvelle dramaturgie italienne.
Le fait que, malgré l'opposition d'un *type* rival, le Mezzetin
d'Angelo Costantini, les éditions des pièces françaises aient naturellement été réalisées sous la responsabilité et pour la plus grande
gloire de Gherardi, confirme qu'un véritable détournement de
substance dramatique a été effectué au bénéfice de l'Arlequin de la
troupe expulsée en 1697. A son retour en 1716, la Nouvelle
Comédie Italienne dirigée par Luigi Riccoboni, le Lélio des
comédies de Marivaux, remit à sa place de simple *zani* le
virevoltant complice de Colombine. Dans son *Histoire du théâtre
italien*, Riccoboni, adepte modéré du style *all'improvviso* et spécialiste des rôles d'amoureux, intègre au plus juste Arlequin dans
l'économie de la scène italienne où les *types* jouent les uns avec les
autres et non au bénéfice d'un meneur de jeu omnipotent, «omnis
homo», dont parle quelque part un auteur du Recueil de Gherardi [3].
   Il suffit de comparer ces réflexions au jugement porté par

1. Amsterdam, 1696 et 1697, 3 vol.
2. Expression de Luigi RICCOBONI dans les volumes illustrés de l'*Histoire du Théâtre italien depuis
la décadence de la comédie latine*, 2ᵉ éd., Paris, Cailleau, 1731, 2 vol., in-8°.
3. REGNARD ou DUFRESNY, co-auteurs des *Chinois*, II, 4.

Gherardi dans l'«Avertissement qu'il faut lire» placé en tête de l'édition définitive du Recueil[4] pour mesurer la distance entre les deux directeurs de troupe :

> Les amateurs de sujets suivis y trouveront environ quarante comédies entières, que j'ai fait imprimer comme on les jouait sur notre théâtre, à la réserve du langage de Pasquariel que j'ai corrigé, et de la plupart des scènes qu'il jouait, dont je n'ai mis que la teneur, parce qu'elles étaient ou toutes postiches ou tout à fait italiennes, c'est-à-dire toutes grimaces ou toutes postures[5].

Exit Pasquariel, ce *zani* coupable de crime de lèse-majesté arlequinique. D'autres ont encore moins de chance, puisque Gherardi les relègue brutalement aux portes du néant :

> Je n'ai connu que les *Gradelins* et les *Polichinelles* qui n'ont jamais plu à personne : aussi ne les trouvera-t-on pas dans aucune des scènes de mon recueil, et si je les ai mis dans ma préface, c'est qu'ils sont toujours à la porte du théâtre-italien[6].

Ces lignes peu amènes expliquent que Gherardi passât pour rude auprès de ses camarades. Elles indiquent aussi que le texte du Recueil doit être prudemment analysé quand il s'agit de rendre compte de l'importance des *types* secondaires dans les pièces publiées par l'Arlequin de la troupe. Gherardi ne se priva pas de supprimer des rôles ou d'amplifier le sien de dépouilles pérégrines dont les vrais auteurs des canevas lui laissaient le plein usage[7].

Depuis 1684, la troupe était organisée selon un Règlement dit «de la Dauphine[8]», car cette princesse de Bavière amateur de théâtre avait en charge la Comédie-Italienne. Ce texte prévoyait le nombre d'acteurs de la compagnie et leurs emplois. Ceux-ci étaient répartis par couples en douze acteurs[9] : deux femmes pour le sérieux, deux pour le comique, deux hommes pour les rôles d'amoureux et deux pour le comique, deux autres pour conduire l'intrigue et les deux derniers pour jouer pères et vieillards. On note l'équilibre existant à l'intérieur des mêmes catégories d'emploi et une domination relative des rôles masculins, sans aller cependant

---

4. Nous citons d'après l'édition d'Amsterdam, Michel-Charles Le Cène, 1721, 6 vol. La première édition parut à Paris en 1700, avec le même nombre de volumes.
5. T. I, p. VI.
6. T. I, p. V.
7. «Ces scènes sont l'ouvrage de plusieurs personnes d'esprit et de mérite, composées par la plupart dans leurs heures de récréation et données par quelques-uns *gratis* à la troupe» (GHERARDI, *Avertissement,* t. I, p. III).
8. A.N. : O¹ 848, papiers du Grand Chambellan.
9. «Sa Majesté veut qu'elle [la troupe] soit toujours remplie d'un nombre fixe de douze acteurs et actrices qui lui seront agréables pour bien servir dans ses maisons royales».

jusqu'à écraser la partie féminine de l'ensemble. Constant Mic[10] avait reconstitué la troupe «idéale» du XVIᵉ siècle composée de dix à quinze *tipi fissi* ou emplois à l'italienne : deux vieillards (Pantalon et le Docteur), premier et second *zani* (valets comiques, par exemple : Brighella et Arlequin), le Capitaine, premier et second amoureux *(innamorato),* première et seconde Dames *(Donna innamorata),* soubrette («Fantesca[11]»). Cette organisation par couple pouvait subir des altérations selon les besoins, mais la structure de base restait la même, fondée sur le jeu des couples entre eux *(parti grave, parti ridicole)* et sur leur complémentarité. En apparence, le Règlement de la Dauphine reconduit cette pratique, doublant cependant le rôle de soubrette pour le mettre en correspondance avec le couple masculin de *zanis*. Dans la réalité, et avant même 1684, l'importance relative des emplois avaient été considérablement modifiée sur la scène parisienne de l'Hôtel de Bourgogne.

Le titre des pièces françaises jouées par la troupe à partir de 1681 en témoigne au premier regard. Sur douze titres de comédies ou scènes détachées publiées par Gherardi dans le premier tome de son Recueil, Isabelle et Colombine apparaissent une fois chacune et Arlequin se taille la part du lion avec huit références. Dès le début des «scènes françaises qui ont été jouées sur le théâtre italien», pour reprendre une expression de Gherardi[12], l'ancien second *zani* amené à maturité comique par Biancolelli conquiert une place qui déséquilibre le jeu traditionnel de la *commedia dell'arte* et annonce sa décadence. Constant Mic voyait assez justement la mort du style italien dans cette prolifération arlequinique[13]. Le tableau qu'il avait établi pour 275 canevas des XVIᵉ et XVIIᵉ siècles situait exactement «Arlecchino» dans la nébuleuse des *types* : 43 apparitions contre 242 pour «Pantalone», 144 pour le «Capitano» et le «Dottore». Dans l'emploi de *zani*, il était largement distancé par «Coviello» (72) et «Pedrolino» (52)[14]. De même, un manuscrit napolitain publié en 1897 par Benedetto Croce[15] qui contenait cent quatre-vingt-trois *scenari* donnait la part belle au *type* local, «Pulcinella». Une semblable remarque s'applique au *zibaldone* d'Adriani copié en

---

10. *La Commedia dell'Arte,* rééd. Paris, Librairie théâtrale, 1980, p. 28.

11. Nous citons entre guillemets le nom original italien des *types.*

12. *Avertissement,* t. I, p. III. Il parle aussi de «comédies françaises adaptées au théâtre italien», p. VI.

13. *Op. cit.,* p. 52.

14. *Op. cit.,* p. 65. Scénarios imprimés de Flaminio Scala, manuscrits de Basilio Locatelli (Rome, Biblioteca Casanatense), et recueils anonymes manuscrits : 1. publié en 1880 par A. BARTOLI, 2. conservé à la Biblioteca Corsiniana de Rome.

15. «Una nuova racolta di scenari», *Giornale storico della letteratura italiana,* 1897, 29, p. 211. Il s'agit de la collection Sersale déposée à la Biblioteca Nazionale de Naples.

1739 à Pérouse, mais dont l'origine est napolitaine[16]. En résumé, la prééminence d'Arlequin est une innovation française[17].

Des grands *types* de la première tradition italienne peu survivent à Paris après 1680, sinon dans les canevas italiens que les Comédiens continuent de jouer à la Ville comme à la Cour, dont nous connaissons mal le détail par les Archives très lacunaires des Menus Plaisirs[18] et le Recueil de Dominique traduit par Gueullette[19]. Ce dernier *zibaldone* est aussi trompeur que le Recueil de Gherardi puisqu'il privilégie, pareillement, le type que jouait Biancolelli, l'inévitable Arlequin. Nous savons cependant par divers documents d'archives compilés autrefois par les frères Parfaict[20] ou par Emile Campardon[21] que la presque totalité des *types* habituels de la *commedia dell'arte* parut sur la scène de l'Hôtel de Bourgogne, que certains eurent même du succès au-delà de la date fatidique de 1681 où le style «français» commença de s'imposer[22]. Il faut évidemment citer Tiberio Fiorilli, illustre compagnon de Molière au Palais-Royal, et qui fit Scaramouche jusqu'en 1694; Giuseppe Tortoriti qui, jusqu'à l'expulsion de 1697 et ensuite en province, reprit sa défroque noire dont l'apparition faisait rire tout Paris et interpréta le *type* en alternance avec celui du «Capitano», double militaire de Scaramouche; Angelo Agostino Lolli, «Dottore» jusqu'en 1694, puis Marco Antonio Romagnesi, qui endossa la robe du Bolonais; et, pour les rôles féminins, Orsola Cortesi, femme de Biancolelli, titulaire du *type* d'«Eularia», archétype de la «Flaminia» du Nouveau Théâtre-Italien, active jusqu'en 1691. Les difficultés de langue ou d'autres raisons moins avouables (conflits internes de la troupe dont témoignent les archives judiciaires) éliminent presque totalement ces *types* du Recueil de Gherardi, au profit du couple vedette fondé sur la concurrence parfois rude de l'Arlequin Gherardi et du Mezzetin Angelo Costantini, auxquels se joint en trio la Colombine de Catherine Biancolelli. Le *type* d'Isabelle créé par la légendaire Isabella Andreini et joué par Françoise Biancolelli, fille d'«Eularia», inaugure ces conflits de

16. Suzanne THÉRAULT, *La Commedia dell'arte vue à travers le zibaldone de Pérouse*, Paris, Éd. du C.N.R.S., 1965.

17. Thelma NIKLAUS, *Harlequin Phœnix or the Rise and Fall of a Bergamask Rogue*, London, the Bedley Head, 1956.

18. François MOUREAU, «Les Comédiens italiens et la Cour de France (1664-1697)», *XVIIᵉ siècle*, janvier-mars 1981, n° 130, p. 63-81.

19. Manuscrit de l'Opéra et copie de la B.N., agrémentés de commentaires par Thomas-Simon Gueullette et publiés presque simultanément par Stefania Spada, Naples, 1969, et par Giuliana Colajanni, Roma, 1970.

20. *Histoire de l'ancien théâtre italien*, Paris, Lambert, 1753.

21. *Les Comédiens du roi de la troupe italienne*, Paris, Berger-Levrault, 1880, 2 vol.

22. Une synthèse utile de ces questions se trouve en appendice du livre de Marcello Spaziani, *Il Théâtre italien di Gherardi. Otto commedie di Fatouville, Regnard e Dufresny*, Roma, Edizioni dell'Ateneo, 1966, p. 602-613. Elle complète Gueullette, les frères Parfaict et Campardon.

générations «comiques» dont au siècle suivant, «Silvia» et «Fla-minia» donnèrent un exemple célèbre dont profita le génie de Marivaux. A côté de ce groupe compact qui ne fit que se souder plus fortement au fil des années dans les pièces de Fatouville, Regnard ou Dufresny, la portion congrue sinon l'oubli fut le lot des *types* moins favorisés.

Certains sont promis à un bel avenir comique, à la Foire par exemple, comme «Pedrolino», le Pierrot de Giuseppe Geratoni[23]. Celui-ci créa sur le conseil de Dominique une version française sans masque du «Pedrolino» traditionnel pour une représentation donnée en février 1673 (le mois de la mort de Molière) de la *Suite du festin de pierre*[24]. Ce *type* reprenait les emplois de l'«Arlequin ancien» abandonné par Biancolelli, et il devenait donc un second *zani* qui aurait pu inaugurer un nouveau couple comique. Mais la tornade arlequinique de Gherardi, qui manqua de faire de Mezzetin même un simple faire-valoir, eut vite raison de Pierrot relégué dans les emplois d'idiot pervers et qui ne reparut dans Gherardi qu'en mars 1684 pour un petit rôle – certainement caviardé par l'amicale attention de son compagnon – du canevas franco-italien *Arlequin empereur dans la lune*. Un dessin perdu de Claude Gillot gravé par Gabriel Huquier[25] restitue l'atmosphère d'une scène de la comédie : on y voit Pierrot juché sur une voiture «soufflet» conduite par Arlequin (scène du fermier de Domfront)[26]. Le tableau du Musée de Nantes[27] qui reproduit le même sujet est habituellement attribué à Watteau dont ce serait l'une des pre-mières œuvres peintes, peut-être en collaboration avec Gillot[28] : Pierrot en a disparu. Celui qui fit de Pierrot son autoportrait

---

23. Voir notre «Iconographie théâtrale», cat. exp., Paris, 1984-1985, *Watteau 1684-1721*, Paris, Éd. de la Réunion des Musées nationaux, p. 513, et pour sa signification dans l'univers des «Modernes», notre «Pierrot vainqueur d'Apollon : la seconde querelle dans l'art de Watteau», *D'un Siècle à l'autre : anciens et modernes,* Marseille, Éd. L. Godard de Donville et R. Duchêne, 1987, p. 129-138.

24. S. SPADA, *op. cit.,* p. 115.

25. Bernard POPULUS, *Claude Gillot (1673-1722). Catalogue de l'œuvre gravé,* Paris, Maurice Rousseau, 1930, n° 345, p. 195-196. Analyse dans Martin EIDELBERG, «Watteau in the Atelier of Gillot», *Antoine Watteau (1684-1721), le peintre, son temps et sa légende,* éd. F. Moureau et M. Morgan Grasseli, Paris-Genève, Champion-Slatkine, 1987, p. 52-54.

26. Gillot a réalisé un autre dessin à partir de la même pièce : il représente un moment légèrement postérieur de la comédie, la scène de l'Apothicaire (Populus 346). Pierrot y est présent, alors que le texte de Gherardi l'ignore. Sur l'iconographie des Italiens en général, voir notre «Décor et mise en scène chez les Italiens de Paris avant 1697 ou Arlequin architecte», *L'Age du théâtre en France. The Age of Theatre in France,* éd. David Trott et Nicole Boursier, Edmonton, Academic Printing and Publishing, 1988, p. 257-271, avec un appendice des représentations graphiques.

27. Ettore CAMESASCA et Pierre ROSENBERG, *Tout l'œuvre peint de Watteau,* Paris, Flammarion, n° 35.

28. Le débat a paru tranché au moment de l'exposition anniversaire du Grand Palais en 1984, voir cat. exp. Paris, P., n° 1, p. 246-247. Martin Eidelberg l'a rouvert dans sa communication au colloque Watteau cité plus haut.

mythique dans le «Gilles» du Louvre [29] et dans plusieurs toiles de la maturité aurait «censuré» dans son œuvre la naissance du *type*. La question reste ouverte. Il est certain, en revanche, que Gherardi a éliminé Pierrot de cette scène quand il entreprit de la publier [30]. Il le confine dans un dialogue inaugural avec le Docteur qui baragouine un sabir franco-italien auquel Pierrot répond par des naïvetés obscènes, puis il le travestit en femme du Docteur et lui-même se déguise en fille de chambre : tous deux minaudent pour mettre en valeur le *zani* dominant. Ces travestissements équivoques devinrent bientôt une spécialité du couple Arlequin-Mezzetin dont s'empara aussi la gravure [31]. Pierrot est absent de la scène finale et de son divertissement où Arlequin parade en «empereur de la lune».

Geratoni ne quitta plus cet emploi d'utilité comique où il servait de bouche-trou, tantôt valet, tantôt graine de mari trompé comme dans *Le Retour de la foire de Bezons,* seule pièce que s'attribue Gherardi et qui n'est sans doute pas de lui. Par ces rôles, il côtoie un Pasquariel à peine mieux traité par Gherardi, qui, on s'en souvient, avoue avoir «corrigé» et supprimé une partie de son texte. Si Pierrot apparaît dans onze pièces de Dufresny et à deux reprises dans des rôles doubles, qui témoignent de l'affadissement de son caractère *typique,* Pasquariel ne joue que dans sept comédies du collaborateur de Regnard, et là encore par deux fois dans des rôles doubles. Après 1694, il disparaît totalement : c'est alors que Tortoriti quitte l'habit de Pasquariel pour celui de Scaramouche que lui abandonne le très antique et glorieux Fiorilli. Les rôles de Pasquariel souvent grimaciers et relégués dans les «scènes italiennes» des comédies où fleurissaient les *lazzis* et les acrobaties de danseurs de corde n'ont pas de style propre ; ils se rattachent comme il était de tradition en Italie à un emploi mixte de valet et de père. Le théâtre de Gherardi en fait le substitut de tout deuxième *zani* : «[...] il a une agilité surprenante et seconde admirablement l'incomparable Arlequin», notait à ses débuts le *Mercure galant* [32]. D'autres acteurs ont moins de chance encore. Ils pouvaient paraître trop *typés* au public parisien. C'est le cas du napolitain «Pulcinella», francisé en Polichinelle, qui ne s'acclimata jamais sur la scène de l'Hôtel de Bourgogne, bien qu'il fît les délices des divertissements dansés de l'Opéra. Gherardi l'élimine sans phrase dans son Recueil.

---

29. CAMESASCA-ROSENBERG, n° 195 ; cat. exp. Paris, 1984, P., n° 69 ; notre contribution au même catalogue, p. 489-490.

30. Il fit de même pour la scène de l'Apothicaire citée plus haut. On doit remarquer cependant que Gillot ne put voir la pièce à sa création, pas plus que chez les Italiens avant 1697. Généralement, on s'accorde pour penser que Gillot assista à une représentation de la Foire en 1707 (Populus, Eidelberg).

31. Dans la série des comédiens italiens gravés par Bernard PICART, *Arlequin Diane, Arlequin comtesse de Pimbêche,* Paris, Bibliothèque de l'Opéra, rés. 926, 4.

32. Mars 1685, p. 259.

Neveu du peintre Salvator Rosa et lui-même artiste et collectionneur, Fracanzano n'était pas un individu sans importance. Il échoua
cependant dans sa conquête du public parisien. Sans doute, le
Bergamasque ne permit-il pas qu'on lui adjoignît ce Napolitain qui
l'eût concurrencé. Avant de fasciner notre dix-neuvième siècle et
les Ballets russes, «Pulcinella» s'empara du cœur de Venise par
l'intermédiaire de Giandomenico Tiepolo; le Paris du XVIIᵉ siècle le
confina dans son provincialisme d'origine. Gradelin n'eut pas
même cette chance de renaître ailleurs : et pourtant Constantino
Costantini, père du Mezzetin, le joua de 1687 à l'expulsion; mais
c'est comme s'il n'avait pas existé dans le Recueil de Gherardi. Et
pourtant ce premier *zani* chanteur, double de Scapin, avait sa place
dans la réforme comique que les Italiens entreprirent au tournant
des années 1690 : ce spectacle musical où Gradelin aurait pu briller
lui fut apparemment interdit par Gherardi lui-même avec lequel il
eut procès en 1696 et qui s'en souvint dans son «Avertissement» de
1700. Mais la machine à broyer les autres *zanis* était en place bien
auparavant. Le propre père de Gherardi, Giov. Evaristo, en fut la
victime prémonitoire. Interprète de Flautin, qui comme son nom
l'indique était un *zani* joueur de flûte ou plus exactement, si l'on en
croit la gazette de Robinet, qui imitait «un concert de flûtes[33]»,
Gherardi père se chargea aussi du *type* de Scapin et ne put
s'imposer; il mourut en 1683, six ans avant que son fils montât sur
la scène.

Seul le Docteur semble échapper à cette mise entre parenthèses.
Il est nécessaire dans l'économie des pièces, comme les amoureux
dont il est le naturel repoussoir. Les auteurs du Recueil l'utilisèrent
jusqu'à la fin dans le registre qui était le sien de mari ou d'amant
ridicule. Il perd l'essentiel de son caractère bolonais, malgré une
tentation toujours vive pour le verbiage inutile. Angelo Lolli
interpréta le *type* de 1653 à 1694; Marco Antonio Romagnesi
quitta alors le rôle de Cinthio, l'amoureux, et prit un habit plus
conforme à son âge, sinon à ses aspirations. Romagnesi était, selon
le *Mercure galant*[34], un excellent acteur «dans le goût français». Le
«Dottore Baloardo detto Graziano» acheva dans des emplois
secondaires une carrière qu'il avait commencée en Italie par des
rôles de premier plan. Mais son aventure fut moins triste que celle
que connut son *alter ego* vénitien, l'illustre «Pantalone,»", longtemps
symbole de la *Commedia all'improvviso,* et que l'on fête à la même
époque sur les autres scènes européennes[35]. Il fut pratiquement

33. *Lettre en vers*, 5 janvier 1675, cité par Gueullette, éd. St. Spada, 1969, p. 268.
34. Juillet 1694, p. 340.
35. C. MIC, *op. cit.*, p. 35-36, note 2. Voir une liste d'acteurs interprètes de Pantalon au
XVIIIᵉ siècle dans Paul-Louis DUCHARTRE, *La Commedia dell'arte et ses enfants*, Paris, Librairie
théâtrale, 1955.

absent de l'Hôtel de Bourgogne, dans les pièces françaises au moins.
Traditionnel second rôle de père après le Docteur, il faisait
nettement double emploi avec lui et passait sans doute pour trop
typé dans sa défroque de marchand vénitien. Nos comédies
italiennes se piquaient d'être toutes parisiennes, ou exotiques et
féeriques, quand elles allaient au-delà des «folies» de la banlieue
galante. Arlequin et Mezzetin avaient seuls à l'occasion la liberté
d'être encore un peu italiens, d'aimer le vin et le fromage de leur
pays d'origine[36]. Les autres étaient désormais contraints d'être
parisiens; les auteurs leur insufflaient cet air de la capitale fait
d'amoralisme tranquille, d'esprit cynique et de brusqueries à la
citadine. L'Italie était bien loin; la tradition de la *Commedia dell'arte*
rustique et poétique de Ruzzante à Scala avait laissé la place à un
réalisme français détruisant la fantaisie particulière d'un jeu que
lettrés et comédiens de l'art avaient contribué à former dans les
villages et les Cours de l'Italie de la Renaissance. Exilés dans la
grande et belle ville de Paris, image inversée d'un Versailles qui se
mourait de bonnes manières et de conventions feintes, les *types*
italiens survécurent en se reniant. «Il Signor Magnifico» est absent
du Recueil de Gherardi. Giov. Battista Turri, titulaire du rôle en
1660 n'est plus documenté après 1670[37]. Il se crée un ensemble de
types à l'abandon que tel ou tel comédien, en contradiction avec le
sens même du jeu *all'improvviso,* interprète selon les besoins.
Tortoriti joue ainsi alternativement à partir de 1694 les *types* de
Pasquariel, de Scaramouche et du «Capitano». En 1670, un
«Spezzafer», avatar du «Capitano», avait déjà repris épisodiquement l'emploi de Scaramouche laissé pour un temps vacant par
Fiorilli.
Cette francisation des *types* se marque plus encore dans les rôles
d'amoureux, emplois à la fois nécessaires et secondaires dans
la dramaturgie comique. Cinthio, Octave ou Léandre dans les
comédies «françaises», «Valerio», «Orazio» ou «Aurelio» dans
les canevas, ces rôles n'ont en rien la présence que quelques lustres
plus tard un Riccoboni donnera à son Lélio, avec l'aide, certes, de
Marivaux. Les amoureux «français» sont des silhouettes à la mode,
peu scrupuleux dans leurs relations avec le beau sexe, fats et sûrs
d'eux-mêmes, tels que la comédie de cette fin du siècle, de Baron à

36. B..., *Le Tombeau de Maître André,* 1695, sc. 1-2, cf. le dessin de Claude GILLOT gravé par
Huquier : *Arlequin soldat gourmand,* représentant cette scène. Dessin : Louvre, inv. 26750; DUFRESNY
et B..., *Pasquin et Marforio médecins des mœurs,* 1697, I, 1-2, etc.

37. Saint-Evremond écrit encore vers 1677 à propos des Italiens de Paris : «Il n'y a quasi pas de
personnages qui ne soit outré, à la réserve de celui du Pantalon, dont on fait le moins de cas, et le seul
néanmoins qui ne passe pas la vraisemblance», *De la comédie italienne,* cité par Pierre MÉLÈSE,
*Répertoire analytique des documents contemporains d'information et de critique concernant le théâtre à Paris
sous Louis XIV (1659-1715),* Paris, Droz, 1934, p. 22.

Dancourt, les présente à l'admiration publique. Ils ont perdu un certain romanesque transalpin que signalent les recueils de canevas publiés ou copiés en Italie dans les premières décennies du règne de Louis XIII. «Eularia» (Orsola Cortesi) qui joua jusqu'en 1691 apparaît dans le recueil de son mari Dominique en amoureuse de tradition. Seconde amoureuse, quand «Aurelia» (Brigida Bianchi) était «prima Donna», elle représente la fin d'une époque. Ses filles, Françoise (Isabelle) et surtout Catherine (Colombine), sont, elles, conformes au nouveau style de jeu francisé. L'abattage de Colombine fit une grande partie de sa réputation; le reste vint de sa position privilégiée en tant que double féminin d'Arlequin et sa complice favorite. Plus terne, Isabelle retint moins l'attention; à sa retraite prématurée en 1695, elle fut remplacée par Angelica Toscano, qui jusqu'alors jouait un rôle de souillon peu reluisant sous le nom de Marinette : grandeur et misère d'un *type* d'amoureuse inaugurée autrefois par la grande Isabella Andreini, *padovana, comica gelosa e academica intenta nominata l'Accesa*[38]. Des substituts adaptés au ton des opéras-comiques que Regnard et Dufresny essayaient d'acclimater sur la scène de l'Hôtel de Bourgogne[39] se manifestèrent dans les dernières années de la troupe parisienne : la femme de Gherardi, Elisabeth Danneret, une Française, sous le diminutif «parlant» de Babet la Chanteuse à partir de 1694, et un mois avant l'interdiction, en avril 1697, une nouvelle venue Spinette, belle-sœur du Mezzetin, Angelo Costantini, qu'on devait destiner à des rôles de fantaisie chorégraphique et musicale. Ces deux comédiennes entrèrent à l'Opéra après 1697[40]. Spinette avait débuté en interprétant cinq ou six personnages dans le canevas perdu de *Spinette lutin amoureux :* le *Mercure galant* signale le succès qu'elle y remporta[41].

En revenant d'Italie en 1716, la Nouvelle Troupe de Riccoboni prit pour symbole le Phénix et pour devise : «Io rinasco». Mais l'Ancienne Troupe n'avait pas seulement été dévorée par un pouvoir politique qui lui avait signifié son exil, elle s'était détruite elle-même en se nourrissant, ogre qui de sa chair faisait un corps nouveau. La belle santé d'Arlequin venait de la qualité de ses rapines. On pardonne tout au vainqueur. Et l'extraordinaire

---

38. Qualificatifs qu'on lui donne en tête de ses *Lettere*, Torino, Cavaleri, 1620.

39. F. MOUREAU, *Dufresny auteur dramatique (1657-1724)*, Paris, Klincksieck, 1979, section II.

40. Il existe une gravure représentant *La Signore (sic) Spinette en Arlequin de l'Opéra*, R.B. del., N. Bonnart exc., B.N., est.

41. Avril 1697, p. 274-275 : «Elle y a représenté cinq ou six personnages différents dans la même pièce, ce qui lui a attiré de grands applaudissements, et le nom d'actrice universelle». Elle venait, selon le périodique, de la troupe de Max Emmanuel, l'électeur de Bavière en exil à Bruxelles qui, on le sait, divertissait son ennui en faisant jouer comédies et opéras. Son auteur-acteur favori était François PASSERAT, qui nous a laissé un recueil de ses *Œuvres*, Bruxelles, 1695.

habileté des auteurs et des acteurs travaillant pour le style italien rénové ne permet pas de douter que l'entreprise ne fût au total bénéfique. Si l'on comprend qu'il ait fallu démolir le Petit-Bourbon pour édifier la colonnade du Louvre et abattre les murailles médiévales pour construire la Porte Saint-Denis, il est permis de préférer Louis XIV qui, filialement, engloba le petit château de son père dans le grand Versailles qu'il réalisa. Le costume bigarré d'Arlequin était *aussi* composé des défroques dérobées à ses fraternelles victimes.

RACINE ET LE TRAGIQUE

Sur un vers de Racine

ALAIN NIDERST

«Andromaque, sans vous,
N'aurait jamais d'un maître embrassé les genoux.»

Que signifie ce vers? «Si j'avais dû être l'esclave d'un autre, je me serais donné la mort». Mais ce signifié est habillé, voilé peut-être, de rhétorique.

Le sujet s'objective par la dénomination, qui est ambiguë. Elle dispense de dire «je», et est donc pudique. Mais en parlant de soi, comme les autres, comme l'histoire, comme la postérité peuvent en parler, ou en parleront, on se valorise malgré tout et on inscrit l'affirmation dans le marbre. A la pudeur s'ajoute donc une double insistance, celle de l'orgueil et celle du définitif. Sans contradiction, puisque le «je» impliquerait un élan d'autant plus impudique que moins dominé, et donc impulsif, irréfléchi, exposé à l'oubli ou au revirement.

«Sans vous» est vague. De quoi s'agit-il? De votre absence? De votre mort? Mais l'expression, dans ses équivoques, abolit totalement Pyrrhus. Il n'est plus qu'un vide (dont la cause est inconnue) au moment où le vers s'achève, où viennent la virgule et le silence, qui permet de reprendre son souffle.

Le crissement des e ouverts et fermés, «n'aurait», «jamais», «d'un maître», semble marquer une sorte de piétinement. D'ailleurs, la phrase est suspendue : «aurait» attend son participe; «d'un maître» est un mystérieux génitif. Parmi ces ombres, «jamais» prolonge la majesté presque gnomique de la dénomination.

Une élégante périphrase achève la phrase. Son élégance, qui suggère de blanches images de marbres antiques, n'est que l'écrin d'une atroce réalité : l'esclavage.

Mais cet esclavage existe-t-il? Andromaque n'a jamais embrassé les genoux de Pyrrhus, et la princesse, dépossédée, joue à l'esclavage plus qu'elle n'en souffre. Jeu presque indécent, à moins de

regarder – en restant dans la psychologie – cet esclavage comme
une exagération presque provocante – en passant à la littérature –
comme un signe d'antiquité pour orner et compenser les politesses
de cour...

En tout cas, au point final, les obscurités ont disparu. La phrase
qui se cherchait, ou semblait se perdre, s'est trouvée. Andromaque
a dit qu'elle aurait préféré la mort à l'esclavage sous un autre maître
que Pyrrhus.

Elle l'a dit de façon bien enveloppée, et pourtant très ferme.
«Andromaque» pour «je» – «sans vous» pour «si vous n'étiez pas
là» – «n'aurait jamais» pour «se serait tuée» – «d'un maître embrassé
les genoux» pour «plutôt que d'être esclave». Tous les écarts
concourent aux mêmes effets : l'aveu est à la fois voilé et aggravé.
Voilé par la distance de la dénomination, le vague, et même la belle
image de la captive aux genoux du vainqueur. Mais tous ces reculs
sont destinés à renforcer l'attention. Il n'est que d'importantes
vérités, qui s'habillent à ce point de figures et d'images, presque
jusqu'à l'obscurité et à une sorte de poésie abstraite, sans locuteur,
sans auditeur, sans contenu. Si la pudeur implique la gravité,
celle-ci réside encore dans la dénomination initiale et les définitifs
«sans vous», «jamais».

Nous avons donc un aveu à la fois dissimulé et souligné, qui
paraît se perdre dans la pudeur et laisse parmi ces voiles percer des
morceaux de marbre. Au fond, nous accédons au sacré : un langage
qui se cache et s'affirme à la fois, celui des maximes, des vers dorés,
des proverbes et des prophéties.

Mais le signifié de ce vers est lui-même signifiant. Si Andromaque affirme qu'elle aurait préféré mourir plutôt que d'être
asservie par un autre que Pyrrhus, que veut-elle lui dire? Qu'elle
l'aime, qu'elle pourrait l'aimer? C'est bien ce que comprend le roi,
qui répond :

> Non, vous me haïssez (v. 917).

Elle répétera l'aveu :

> [...] quelquefois consolée
> Qu'ici plutôt qu'ailleurs le sort m'eût exilée (v. 933-934).

avec un peu moins de pudeur et un peu moins de force, en tombant
à demi du sacré dans le dramatique.

Cela n'est pas clair, et toute l'interprétation de la pièce est
suspendue à ces vers.

Si l'on veut – ce qui au fond n'est pas indispensable – nourrir la
tragédie de psychologie, il faut bien que l'actrice choisisse :

représenter Andromaque sincère ou menteuse. N'est-ce que le vieux problème de la coquetterie d'Andromaque? Après tout, Célimène adressait à Alceste un aveu qui ressemblait à celui-ci :

> Le bonheur de savoir que vous êtes aimé (*Le Misanthrope*, v. 503).

Mais, comme on ne sait si Célimène est alors sincère, ou à demi-sincère («Pour l'homme aux rubans verts, il me divertit quelquefois [...] »), ou à fond menteuse, cela ne règle rien.

Le dénouement doit nous instruire. A la dernière scène, Pylade vient nous dire :

> Andromaque elle-même, à Pyrrhus si rebelle,
> Lui rend tous les devoirs d'une veuve fidèle,
> Commande qu'on le venge et peut-être sur vous
> Vient venger Troie encore et son premier époux (v. 1589-1592).

Ce qui n'est pas tout à fait clair : la Troyenne ne se veut-elle la veuve et la vengeresse de Pyrrhus, que pour être davantage la veuve et enfin la vengeresse d'Hector?

Dans le premier dénouement (celui de 1668 et 1673, supprimé ensuite), la reine reparaissait sur le théâtre :

> Vous me faites pleurer mes plus grands ennemis;
> Et ce que n'avait pu promesse ni menace,
> Pyrrhus de mon Hector semble avoir pris la place (acte V, sc. 3).

C'était un peu plus clair. Mais pas complètement, et le poète y a renoncé.

Il faut prendre la pièce comme elle est, et Pyrrhus, en tout cas, est jusqu'au bout persuadé qu'Andromaque le «déteste» (v. 1298).

Si la Troyenne est coquette et retorse, si elle ne consent qu'à des aveux ambigus, qui promettent beaucoup et rien à la fois, c'est le registre de la haute comédie, et les subtiles insinuations d'Andromaque rayonnent forcément sur toute la pièce, qui est bien obligée de s'y adapter (à moins que l'œuvre ne soit ratée, en tout cas injouable).

Face à cette grande coquette, Pyrrhus ne peut être un tueur d'enfant. Il ne songe pas un instant à livrer Astyanax. D'ailleurs, «[ses] refus ont prévenu vos larmes» (v. 281). Avec la mort d'Astyanax, il joue, comme Andromaque, avec l'amour. Leurs singeries se répondent tristement, et cruellement malgré tout.

Comme Hermione est coquette avec Oreste à la manière d'Andromaque avec Pyrrhus, comme elle demande la mort de son fiancé avec aussi peu de sérieux qu'il évoque la mort d'Astyanax, nous ne sommes pas loin de Marivaux, et encore moins de Musset.

«On ne badine pas avec l'amour», semble nous dire Racine. Ou plutôt, on ne badine pas avec le rôle qu'on tient. On n'est impunément ni coquette ni menaçant.

De même que dans la *Médée* de Corneille le sacré, le mythologique et toute la Grèce étaient miniaturisés et se vengeaient, malgré tout, puisque l'horreur était inévitable, au lendemain de la guerre de Troie nous échouons parmi les jeux de l'amour et du hasard. Mais il est dangereux de trop jouer la comédie, et il est triste que la plus héroïque histoire du monde soit tombée aux mains de jeunes gens, qui veulent les uns les autres se tromper, et ainsi se trompent et se perdent eux-mêmes. On ne badine pas avec l'amour, on badine encore moins avec l'histoire et l'*Iliade*. *Andromaque*, ou *Les Tricheurs* de Buthrot. Ce qui susciterait une curieuse mise en scène, où seraient à la fois indiqués la prise de Troie, le destin de la Grèce (et même de Rome, et de la France, qui descendront de Troie) comme sur de grandes tapisseries chatoyantes, et parmi ces pompes, les menues roueries, les caquetages, les scènes de jeunes gens futiles et trop puissants pour leur faible maturité. La grande histoire s'accomplit donc par les petites psychologies, les comédies imprudentes, les fautes et les crimes. C'est, au fond, l'univers de Saint-Réal.

Ou bien Andromaque est sincère et pourrait aimer Pyrrhus. Pour franchir le pas, il faut qu'il soit mort et donc que l'union devenue impossible laisse la place à la gratitude et à la vengeance.

Si elle aime Pyrrhus, c'est une autre psychologie. Les valeurs, fidélité à l'époux et à la patrie, règnent chez la Troyenne, comme elles devraient régner, fidélité à la patrie et à la parole donnée chez Pyrrhus et fidélité à la famille et à la mission politique chez Oreste. Hermione, seule à croire encore à la Grèce et aux fiançailles, et la veuve d'Hector, sont, comme Sophonisbe, Plotine, Pulchérie, toutes les femmes des dernières pièces de Corneille, les vestales obstinées d'un feu que les hommes ne connaissent plus. Toutes les valeurs ont sombré à Buthrot. Les hommes se précipitent vers la traîtrise, le plaisir, le désespoir. Les femmes sont alors réduites au suicide ou au crime. La pièce ne nous peint plus les mesquineries d'une psychologie presque comique, qui accomplit une grande histoire (peut-être providentielle?) en paraissant l'ignorer. Elle nous peint les lendemains de l'épopée, la faillite des principes, la noblesse de cour incapable d'égaler la féodalité d'antan.

Pour conclure, il faut revenir à l'aveu d'Andromaque et à ses deux vers. L'élégance, les figures pudiques et l'obscurité, l'inscription de la formule dans le marbre de l'histoire, subsistent. Andromaque n'aime pas Pyrrhus, et pourtant elle ne ment pas. Elle tente de transcender les décadences de l'histoire et les contradictions du cœur en passant au sacré, ou au moins à la pensée. C'est peut-être alors l'ultime vérité de Racine – que la psychologie est créative, mais vaine, que l'histoire s'accomplit, mais ne ressemble à rien de ce qu'on croit, et que la seule réussite accessible est la langue, qui surmonte les dilemmes, orne les malheurs et rend vrais les mensonges. L'acteur doit descendre au fond de lui-même jusqu'à n'être plus que le récitant d'une liturgie, dont Euripide, Homère, Saint-Réal, Louis XIV ne sont que des prétextes. Le mieux est par la rhétorique, et au-delà de la rhétorique, de faire naître un mystère proprement sacré, et, sous les obscurités de l'intrigue, les ignorances et les perfidies des personnages, perce alors un soleil noir, qui emprunte une forme dramatique, mais en accomplit la vérité, le poème simple et majestueux à la fois, irréductible à tous les conseils des régisseurs et à toutes les analyses.

Si le propos de Racine, après tout, n'était pas d'ordre purement poétique, et que les drames ne lui fussent que des occasions... S'est-il jamais proposé autre chose que d'utiliser et de révéler toutes les ressources de la langue, d'accéder à une harmonie, qui tient encore par un fil au théâtre et à l'humanité, mais participe bien davantage du divin et de l'inexorable? C'est-à-dire qu'il a été le contemporain de Lully, et n'a rien fait d'autre que de proposer des opéras sans musique (au moins jusqu'à *Esther* et *Athalie*). Comme si le siècle de Louis XIV ne voulait plus entendre parler, mais seulement chanter. Ce qu'avait compris le vieux Corneille dans son *Suréna*. Un peu trop bien, puisqu'il donnait, encore plus que son rival, dans la poésie chantante, reniement de tout ce qu'il avait cherché auparavant, quand il faisait la part du feu (avec *Andromède* et *La Toison d'or*) et s'appliquait, au contraire, à des pièces extraordinairement parlantes comme *Othon* et *Tite et Bérénice*.

Pour sauver Astyanax

GEORGES COUTON

> J'apprends que pour ravir son enfant (Astyanax) au supplice
> Andromaque trompa l'ingénieux Ulysse,
> Tandis qu'un autre enfant, arraché de ses bras,
> Sous le nom de son fils fut conduit au trépas.
>
> *Andromaque*, v. 73-77

Ces vers devraient faire frémir.

Après la prise et la destruction de Troie, commence la dispersion des armées grecques, la fuite des Troyens rescapés du carnage, les errances et les règlements de comptes. Des poèmes épiques, des tragédies aussi ont évoqué ce temps des retours, des νόστοι. A ce cycle, appartiennent l'*Odyssée*, l'*Enéide*. Cette inspiration des νόστοι a été inépuisable : l'*Electre* de J. Giraudoux en procède encore et pareillement *Andromaque*. La guerre de Troie a toujours lieu.

Un moment atroce a été celui du partage du butin. Racine évoque le destin des vaincus : les hommes sont morts; les femmes et les enfants font partie du butin. Le tirage au sort attribue Hécube, la vieille reine, à Ulysse; Cassandre, sa fille, à Agamemnon; Andromaque et son fils Astyanax à Pyrrhus. Cette évocation vient des *Troyennes* d'Euripide. Racine la reprend (186-191).

Les destins des captives – ceux de leurs maîtres aussi – seront diversement tragiques.

Hécube eut le «déplaisir» (le mot est de Moréri) de voir sa fille Polyxène immolée sur le tombeau d'Achille, son fils Polydore tué traîtreusement par Polymnestre à qui elle l'avait confié; elle crèvera les yeux de Polymnestre et sera changée en chienne. Cassandre, fille de Priam et d'Hécube, sera violée par Ajax le Locrien dans le temple d'Athéna. Devenue esclave d'Agamemnon, elle sera tuée comme lui par Clytemnestre.

Ces tueries, ces viols sont dans la tragédie, pour les «doctes» au moins, une toile de fond de sang, de fumée, de flammes qui impose un sombre rayonnement.

A Pyrrhus le sort a donc attribué Andromaque, femme d'Hector, fils de Priam et d'Hécube, le plus valeureux des guerriers de Troie et leur enfant Astyanax. Priam mort, Hector mort, le petit esclave Astyanax est le descendant de la dynastie qui régnait sur Troie, non le dauphin mais le roi en captivité.

L'histoire d'Andromaque ne s'arrête pas là. Après Pyrrhus dont elle eut un fils, elle devait encore épouser un Troyen, Hélénus, frère d'Hector, donc son beau-frère, et avoir de lui encore des enfants.

Trois mariages, cela ne pouvait convenir à une Andromaque dont manifestement Racine entendait faire l'emblème de la fidélité conjugale et de l'amour maternel. Citant Virgile, il pratique les coupures nécessaires pour la laisser épouse du seul Hector. Dans l'analyse minutieuse de l'*Iliade* qu'il a faite, Racine a un mot très révélateur :

> Elle [Andromaque] était possédée par Hector[1].

«Possédée» est un mot de la démonologie : il y a dans l'amour d'Andromaque pour Hector une violence plus qu'humaine. De fait, nous verrons Andromaque décidée au suicide après avoir épousé Pyrrhus pour que ce mariage, qui assure le sort d'Astyanax, ne soit pas consommé. On se demandera ce que les théologiens et spécialement Messieurs de Port-Royal ont pensé en voyant que le jeune Racine proposait comme exemple de la fidélité conjugale le pire des péchés, le péché contre l'espérance.

> Andromaque ne connaît point d'autre mari qu'Hector, ni d'autre fils qu'Astyanax. J'ai cru en cela me conformer à *l'idée que nous avons maintenant* de cette princesse. (*Seconde Préface d'Andromaque*)

C'est moi qui souligne ces mots qui ne paraissent pas avoir suscité de commentaire. Où trouver cette Andromaque de «maintenant», veuve inconsolable et mère d'un seul enfant ?

J'avais songé à un écrivain d'importance que Racine ne pouvait pas ne pas connaître, Scudéry. Dans ses *Femmes illustres ou Les Harangues héroïques,* Andromaque s'adresse à Ulysse. Les Grecs vont quitter Troie. Calchas leur fait savoir que si le fils d'Hector reste vivant, Troie peut se relever. Commission est donnée à Ulysse de trouver Astyanax. Andromaque cache l'enfant dans le tombeau de son père. Ulysse s'avise qu'Andromaque porte les yeux sur le tombeau. Il comprend que l'enfant est là. Il donne ordre d'abattre le tombeau. Andromaque lui adresse une harangue : «Que les tombeaux doivent être inviolables». Effet de cette harangue, dit

---

1. Ed. la Pléiade, II, 718, note au vers 398, chant VI de l'*Iliade*.

Scudéry : «Elle n'obtint rien, cette misérable mère, car les Grecs précipitèrent son fils du haut d'une tour». Un portrait d'Andromaque ornait cette harangue.

Mais Scudéry reste silencieux sur les autres mariages d'Andromaque et fait mourir Astyanax comme la tradition le veut. Faut-il alors se dire que le *nous* de «l'idée que nous avons» est un pluriel de majesté, désignant le seul Racine? Cette explication ne satisfait guère : «maintenant» reste à élucider.

«Voilà en peu de vers [...] les quatre principaux acteurs», dit Racine, dans la Préface d'Andromaque, après avoir cité, et amputé, Virgile en se gardant bien de dire que dans l'*Enéide,* Astyanax est mort. On observera d'ailleurs qu'il n'a pas jugé utile d'indiquer par des points de suspension toutes les coupures; mais deux seulement et les éditions modernes devraient bien respecter cette présentation.

Il est un cinquième personnage que la liste des acteurs ne mentionne pas. Il est un peu «l'arlésienne» de la tragédie. On parle beaucoup de lui : c'est à cause de lui qu'Oreste est venu en ambassade et rencontre Hermione; c'est par lui que Pyrrhus se livre à son cruel chantage. Pas de tragédie sans cet Astyanax, à qui ni Racine ni aucun metteur en scène n'a jamais songé à donner une enveloppe charnelle, avant Roger Planchon qui en fait un petit Louis XIV de sept ou huit ans. Ils estimaient que l'amour et les haines qu'il polarise suffisent à lui donner vie et présence.

Avant Euripide, il a tenu sa place, de façon très émouvante, dans l'*Iliade.* Entre deux combats, Hector est revenu auprès de sa femme et de son fils. Les autres appellent l'enfant Astyanax «parce que son père défendait leur ville[2]»; lui appelle son petit garçon du nom de la rivière qui arrose Troie, Scamandre. L'enfant est effrayé par le casque de son père; Hector quitte son casque, berce l'enfant dans ses bras, puis le rend à sa mère et repart au combat. Il avait prédit le sort qui attendait sa veuve :

> Un des Achéens t'emmènera pleurante... Conduite dans Argos tu tisseras la toile au service d'une autre, tu porteras l'eau de la fontaine... soumise à toutes les contraintes, accablée sous le joug brutal de la nécessité.

Relevons au passage un mot qui montre que Racine lisait ce chant VI de l'*Iliade* avec un œil de dramaturge; cette note pour le vers 371 :

2. Racine, éd. la Pléiade, II, 718, commentaire aux vers 402 et 403 du chant VI de l'*Iliade*.

> Hector ne trouve point Andromaque au logis. Cela se fait pour réveiller
> l'attention du *spectateur*.

Spectateur et non *lecteur* : impropriété qui ressemble à ces lapsus
que les psychologues estiment révélateurs.

Après cette scène que Racine a évoquée (IV, 1, 1020-1025), il ne
sera plus beaucoup question d'Astyanax dans l'*Iliade*. Dans *Les
Troyennes* d'Euripide, Talthybios vient annoncer qu'une décision
est prise pour Astyanax :

> Ils vont tuer ton fils.

Ulysse a obtenu cette mort ; inutile qu'Andromaque s'y oppose :

> Ta ville est détruite, ton mari est mort, tu es prisonnière. Renonce à te
> débattre [...]. Que tu dises un seul mot dont s'irrite l'armée, elle pourrait
> priver ton fils de sépulture et de plaintes funèbres. Si tu te tais, tu ne
> laisseras pas à l'abandon le corps de ton enfant.

Andromaque cède à ce chantage macabre. Elle donne une
dernière fois le sein à son fils, un dernier baiser. Talthybios
reviendra avec les gardes qui portent le petit cadavre dans le
bouclier de son père. C'est sa grand-mère, Hécube, qui reçoit le
corps, évoque les cheveux bouclés qu'Andromaque soignait avec
tant d'amour, ses mains qui ressemblaient tellement à celles de son
père, maintenant inertes et brisées :

> Puisque tu n'as pu recueillir l'héritage de ton père, tu auras au moins son
> bouclier d'airain... O bouclier, que j'aime à voir [...] sur tes bords
> arrondis la trace de la sueur qui ruisselait du front d'Hector.

Elle orne le corps de l'enfant des parures qu'il aurait portées le
jour de son mariage, elle orne le bouclier d'une couronne.

Nul doute que Racine ait regretté de ne pouvoir évoquer ce
magnifique requiem pour l'innocent. Mais il avait besoin qu'il
survécût :

> J'ai été obligé de faire vivre Astyanax un peu plus qu'il n'a vécu (*Seconde
> Préface*).

On observera que cette considération ne figure pas dans la
première préface : Racine pensait-il que nul ne s'inquiétait de cette
entorse à la chronologie ? Il la justifie par des raisons qui sont celles
même qu'utilise Corneille dans *Héraclius*. Ces considérations sur le
temps sont sous-tendues par son débat avec son rival.

Faire vivre Astyanax «un peu plus qu'il n'a vécu»... Le dramaturge nous la baille belle. Il l'a tout bonnement sauvé et lui a permis une existence peut-être longue, et de régner.

Mais comment sauver Astyanax? Racine se réfère à deux autorités : celle de Ronsard, celle de «nos anciennes chroniques» qui font descendre nos anciens rois du fils d'Hector. Que Racine soit allé directement aux anciennes chroniques, à Hunibaud, à Tritheim qui avait abrégé Hunibaud, à la *Chronique de Saint-Denis*, à Lemaire de Belges, on en doutera un peu; mais l'historien du roi Louis XIV qu'il était devenu ne pouvait pas ignorer son confrère Scipion Dupleix :

> Hector eut deux fils, l'un desquels Astyanax fut occis à la prise de Troie; l'autre appelé Léodamas ou Francion échappa et fonda la ville de Sicambrie d'où les Francs Sicambres[3].

Ronsard dans sa *Franciade* chante :

> [...] la race
> Des rois français issus de Francion,
> Enfant d'Hector, troyen de nation,
> Qu'on appelait en sa jeunesse tendre
> Astyanax et du nom de Scamandre.

Francion qui avait, après bien des périls, «bâti les grands murs de Paris».

Pour conserver le mythe flatteur qui, faisant descendre la monarchie française de la monarchie troyenne, lui accordait une ancienneté plus grande que celle de Rome et de l'empire qui en était issu, Sc. Dupleix donnait à Andromaque deux fils. Ronsard se contente d'un; mais il lui fallait un miracle pour le conserver.

Jupiter lui-même en est l'auteur et le narrateur au début de la *Franciade :*

> Pyrrhus poursuivait au travers de la flamme
> Du preux Hector Andromache la femme,
> Qui avait à son tétin pressé son fils.
> D'entre ses bras je dérobai le fils;

---

3. Sc. DUPLEIX, *Mémoires des Gaules depuis le déluge jusqu'à l'établissement de la monarchie française,* 1639, t. I, p. 72. Le premier historien qui, à ma connaissance au moins, tout en relatant avec déférence le mythe troyen, émette un doute très marqué est Mézeray, dans son *Histoire de France depuis Pharamond,* en 1643. Il était bien normal que les poètes acceptent encore un mythe dont les historiens ne voulaient plus. Un *Grand Astyanax ou le héros de la France* est joué encore en 1656. Voir JURGENS et MAXFIELD-MILLER, *Cent ans de recherches sur Molière,* p. 401-403, qui donnent le marché des décors; la pièce est perdue. Sur le mythe troyen voir Colette BEAUNE, *Naissance de la nation France,* 1985, ch. I.

> Lors en sa place une feinte je fis,
> Que je formai pétrissant une nue [...]
> Du tout semblable à l'héritier d'Hector,
> Mesmes cheveux crépelus de fin or.

Jupiter donne à Andromaque le faux enfant et cache le vrai dans le temple où est amoncelé le butin, où sont enchaînés femmes, enfants, vieillards troyens. Pyrrhus saisit

> L'image feint hors des bras de sa mère,

le jette du haut d'une tour, et les Grecs sont ainsi persuadés qu'Astyanax est mort.

Le véritable Astyanax aura

> [...]   pour marque manifeste
> L'ardant éclair d'une flame céleste
> Au haut du chef, vrai signe qu'il serait
> Pasteur de peuples, et qu'un jour il ferait
> Naître des rois à qui la destinée
> Avait la terre en partage donnée.

Racine n'a voulu ni donner deux fils à Andromaque, ni sauver Astyanax par un miracle; il n'aimait pas les miracles et le dit dans la préface d'*Iphigénie*. Alors, plutôt qu'un miracle une substitution d'enfant, même au prix d'un meurtre. Racine évoque deux fois cette substitution (v. 73-76 et 221-223).

Peut-être trouverait-on au théâtre ou dans des romans d'autres substitutions d'enfants. Mais en cette occasion, l'idée vient sûrement de Desmarets de Saint-Sorlin[4]. Dans son *Clovis* sont décrits les tableaux d'une galerie imaginaire. L'un d'eux montre la veuve d'Hector,

> Qui sauve du feu grec dans une peine amère
> Le jeune Astyanax, sur le tombeau du Père.
> Plus loin sa main conduit un enfant supposé
> Qu'elle laisse par force à l'Ithaquois rusé;
> Salutaire artifice et trompeur et pieux,
> Nous te devons la vie, et nous et nos aïeux.

Desmarets avait adopté le mythe troyen des origines de la monarchie française.

Racine ne pouvait pas ignorer le *Clovis* d'un personnage aussi important que Desmarets : il avait le livre dans sa bibliothèque.

---

4. H.-G. HALL, «Pastoral, epic and dramatic denouement in Racine's *Andromaque*», *Modern Language Review,* 1974, vol. 69, p. 64-78, a le premier signalé ce texte.

Mais il a dû songer aussi à l'*Héraclius* de Corneille, qui se jouait toujours. Le tyran Phocas faisait immoler à sa vue l'empereur Maurice et ses fils. Une nourrice

> eut tant de zèle pour ce malheureux prince qu'elle exposa son propre fils au supplice, au lieu d'un des siens [de Maurice] qu'on lui avait donné à nourrir *(Héraclius, Au lecteur)*.

L'enfant est tué :

> Il n'avait que six mois, et lui perçant le flanc
> On en fit dégoutter plus de lait que de sang *(Héraclius,* v. 49-50).

La mère qui a ainsi livré son enfant raconte :

> La généreuse ardeur de sujette fidèle
> Me rendit pour mon prince à moi-même cruelle,
> Mon fils fut pour mourir le fils de l'empereur
> *(Héraclius,* II, 5, v. 611-613).

«Elle fait un soupir», dit Corneille, si avare d'indications scéniques. On soupirerait à moins. Elle s'en excuse :

> A cet illustre effort par mon devoir réduite,
> J'ai dompté la Nature et ne l'ai pas détruite (v. 619-620).

Astyanax est sauvé, provisoirement du moins. Pyrrhus le garde à sa cour, enfant prisonnier de guerre, c'est-à-dire, selon le droit de cette époque, esclave, otage si l'on préfère, séparé de sa mère qui peut le voir une fois par jour (v. 261). La pression de Pyrrhus sur Andromaque commence par cette restriction du droit de visite à son fils, en attendant le chantage à la livraison aux Grecs, c'est-à-dire à la mort.

Comment les Grecs ont-ils appris que le fils d'Hector était vivant? Par Hermione :

> J'ai déjà sur le fils attiré leur colère [des Grecs],
> Je veux qu'on vienne encor lui demander la mère (v. 445-446).

La venue de l'ambassadeur des Grecs remet en question le sort de l'enfant. Il faut que Pyrrhus choisisse, il faudra qu'Andromaque obéisse. Pyrrhus n'invoque qu'un instant le droit de propriété du maître sur l'esclave :

> Et seul de tous les Grecs ne m'est-il pas permis
> D'ordonner d'un captif que le sort m'a soumis? (v.183-184)

Une méditation sur le malheur de Troie et des Troyens montre un Pyrrhus sensible. Dans l'ivresse du massacre après la prise de la ville, on pouvait tuer Astyanax dans les bras de son grand-père Priam, comme on avait tué le grand-père. C'était le droit de la guerre : «Tout était juste alors» (v. 209). La cruauté ne se justifie plus lorsque la guerre est terminée :

> L'Epire sauvera ce que Troie a sauvé (v. 220).

Heureuse décision ; mais est-elle durable ? La première préface est largement consacrée à un portrait moral de Pyrrhus. Racine a pris la liberté «d'adoucir un peu [sa] férocité». Reste qu'il est «violent de son naturel», par hérédité : fils d'«Achille farouche, inexorable, violent».

Achille en vérité avait ses moments d'humanité ; ainsi quand il a rendu à Priam le cadavre d'Hector. Pyrrhus a des moments de pitié : il a beaucoup tué dans l'ivresse des combats et du sac de Troie ; il lui en vient maintenant une manière de nausée, qui se traduit en pitié pour les vaincus. Mais il aime ; elle est captive, sa propriété ; elle lui résiste. On peut tout craindre d'un violent par nature. Le sort d'Astyanax dépend d'un homme en proie au désordre des passions. La pitié pour les vaincus, «pour l'enfant dans les fers», jointe aux inacceptables menaces de l'ambassadeur des Grecs, l'orgueil légitime d'un souverain qui ne veut pas se soumettre dictent à Pyrrhus sa décision. A Andromaque qui «passait jusqu'aux lieux où l'on garde [son] fils», Pyrrhus annonce à la fois que les Grecs demandent Astyanax et qu'il ne le livrera pas :

> Je défendrai sa vie aux dépens de mes jours (v. 288).

Il entend obtenir d'Andromaque une contrepartie : qu'elle ne soit point «parmi [ses] ennemis». Qu'elle ne le haïsse point : le langage est encore celui de la galanterie, et de la litote. Il ajoute les promesses :

> Je vous rends votre fils, et je lui sers de père (v. 327).

Ilion renaîtra de sa cendre, Astyanax sera couronné roi des Troyens.

Andromaque refuse cette offre. «C'est un exil que mes pleurs vous demandent.» Réaction d'épouse fidèle, réaction viscérale d'une femme que trop de sang sépare de Pyrrhus. La scène se termine par une menace :

> Madame, en l'embrassant, songez à le sauver (v. 384).

Pyrrhus avait quitté Andromaque en lui annonçant qu'il la reverrait :

> Pour savoir nos destins, j'irai vous retrouver (v. 383).

Il l'a en effet revue, mais cette rencontre n'est pas montrée ; elle est racontée par Pyrrhus (II, 5, v. 645-654). Il était là ; il attendait qu'Andromaque cédât, que sa résolution s'effondrât :

> Que son fils me la dût renvoyer désarmée (v. 646).

Elle n'a pas cédé : «Sa misère l'aigrit», et ne la rend que «plus farouche».

A l'intérieur de cette scène II, 5, entre Pyrrhus et Phœnix, le récit de Pyrrhus inscrit, comme en abyme, une autre scène :

> Cent fois le nom d'Hector est sorti de sa bouche.
> [...]
> «C'est Hector, disait-elle, en l'embrassant toujours ;
> Voilà ses yeux, sa bouche, et déjà son audace ;
> C'est lui-même ; c'est toi, cher époux que j'embrasse.» (v.650-654)

Trois personnages : Andromaque, Hector revivant en Astyanax, Hector ressuscité. Un quatrième personnage assiste à cette rencontre imaginaire de l'époux, de l'épouse, de l'enfant : Pyrrhus en spectateur, jaloux d'un mort qu'il ne saurait tuer. Astyanax mourra de cette jalousie. Pyrrhus annonce à Oreste que sa victime va lui être livrée.

Andromaque tente un recours. Elle s'adresse à Hermione, essaie de l'émouvoir, renouvelle l'offre qu'elle faisait déjà à Pyrrhus de disparaître, et l'enfant avec elle :

> Laissez-moi le cacher en quelque île déserte (v.878).

Hermione reste insensible, et la renvoie à Pyrrhus.

Une fois encore Pyrrhus et Andromaque se rencontrent. L'entrevue se termine par un ultimatum. Andromaque doit choisir :

> [...] Et je viendrai vous prendre
> Pour vous mener au temple où ce fils doit m'attendre.
> Et là vous me verrez soumis ou furieux,
> Vous couronner, Madame, ou le perdre à vos yeux (v. 973-976).

Andromaque a consulté Hector sur son tombeau (v. 1 048). Qu'une captive ait pu transporter de Troie à Buthrot, ville d'Epire, l'urne funéraire de son mari étonne un peu. Les vers 943-946 ne permettent pourtant pas de croire à un cénotaphe. C'est dire que, pour Andromaque, Hector est physiquement présent, puissamment présent. Hector lui a inspiré sa résolution. Elle la dit à sa confidente, qui deviendra son exécuteur testamentaire et veillera sur Astyanax.

Elle épousera Pyrrhus et ce sera

> L'engager à [son] fils par des nœuds immortels (v. 1092).

Pyrrhus avait proposé de servir de père à Astyanax (v. 326); elle a la conviction que cette promesse sera tenue par Pyrrhus «violent mais sincère» (v. 1085). Aussitôt après le mariage, qui ne sera donc pas consommé, elle se tuera. «Innocent stratagème», dit-elle de ce suicide. Point si innocent, nous l'avons déjà dit, du point de vue de la théologie morale.

Comment voit-elle grandir Astyanax auprès de Pyrrhus? Elle voit encore en lui «l'espoir des Troyens», mais ne pense en aucune façon à une restauration : «Qu'il ne songe plus à nous venger». Astyanax vivra dans le souvenir des gloires de sa race; mais

> Qu'il ait de ses aïeux un souvenir modeste (v. 1121).

La mère qui va mourir propose à son fils une conduite un peu timorée certes, mais réaliste, de vaincu qui doit plier pour survivre. Elle n'est pas une «glorieuse».

La fin de la pièce fait apparaître un problème de service d'ordre. Oreste est accompagné d'une garde armée, sa qualité d'ambassadeur des Grecs l'exige. Cette garde paraîtra sur le plateau à la dernière scène. Pyrrhus peut craindre et craint qu'Astyanax ne soit enlevé ou tué :

> [...] Il lui laisse sa garde;
> Pour ne pas l'exposer, lui-même il se hasarde (v. 1061-1062).

L'indication est répétée par Hermione, qui souligne l'imprudence de Pyrrhus et la facilité de l'attentat (v. 1218-1219).

A Phœnix qui fut le gouverneur de son père et maintenant le sien, il confie Astyanax (v. 1392). L'enfant attendait au temple le mariage (v. 974). En homme prudent, Phœnix le transfère dans un lieu sûr :

> Autour du fils d'Hector, il [Pyrrhus] a rangé sa garde

> Et croit que c'est lui seul que le péril regarde.
> Phœnix même en répond qui l'a conduit exprès
> Dans un fort éloigné du temple et du palais (v. 1453-1456).

Au temple, Pyrrhus couronne Andromaque, déclare adopter Astyanax, le reconnaît pour le roi des Troyens. Roi des Troyens, non roi de Troie qui n'existe plus ou qui n'existe pas encore de nouveau; roi des Troyens en exil.

Oreste a l'audace de s'attaquer avec ses Grecs à Pyrrhus qui n'a plus autour de lui sa garde. La mort du roi est une manière de lynchage : Oreste lui-même ne peut approcher pour frapper son rival.

Andromaque prend effectivement le pouvoir, les sujets de Pyrrhus l'ont reconnue pour reine. Elle n'a pas eu à consommer son mariage avec Pyrrhus, tout en en gardant le bénéfice politique. Les spectateurs du XVIIe siècle devaient voir en elle une manière de Régente qui exercerait désormais le pouvoir en attendant qu'Astyanax pût régner. Pyrrhus est mort certes, Oreste est fou, Hermione s'est poignardée. On ne les plaint guère. Dénouement semi-heureux, ou tout à fait heureux selon la sympathie qu'on éprouve pour Pyrrhus ou qu'on lui refuse.

Quand Astyanax règnera-t-il personnellement? Dans l'équipement historiographique des gens du XVIIe siècle, figuraient les chronologies. Leurs auteurs sont imperturbables. Grâce à leur autorité, au prix de quelques calculs, on peut fixer des dates avec une précision qui aujourd'hui émerveille; par exemple que le deuxième âge du monde qui a commencé avec le déluge, c'est-à-dire en l'an du monde 1657, s'est terminé à la vocation d'Abraham en 1083 et a duré 426 ans, 4 mois et 18 jours. Ainsi dit la chronologie qui accompagne l'*Histoire du Vieux et du Nouveau Testament,* autrement dit les *Figures de la Bible* par Le Maitre de Sacy [5].

Adressons-nous à Pierre de Saint-Romuald, auteur d'un *Trésor historique et chronologique,* Paris, 1642, en trois *in-folio* considérables. Selon lui, «environ l'an du monde 2800, Pâris enlève Hélène». «Environ»... Heureusement il va devenir plus précis : «2803, Phaedra causa la mort d'Hippolyte.» 2810, départ des Grecs pour le siège de Troie. Pourquoi les Grecs ont-ils attendu dix ans? On ne le dit pas. «2820 : fin du siège de Troie.» «2824 : nous entrons dans le temps auquel Francus ou Francion, fils d'Hector étant venu avec plusieurs Troyens de l'Asie en Europe se saisit de la Pannonie.»

---

5. Rappelons que la création est l'an 1 du monde, la nativité arrivant en l'an 4000.

Lorsque Astyanax est effrayé par le casque de son père, nous sommes à la neuvième année du siège de Troie. Quel âge a l'enfant? Un an, deux ans? Si à plus de deux ans le fils d'un preux Troyen avait peur des armes, ce serait une pleutrerie inimaginable. Faisons le calcul : il est né en 2817 ou 2818. Pyrrhus est «désespéré d'un an d'ingratitude» (v. 969). L'ingratitude c'est le comportement d'une dame à qui l'on fait la cour et qui se refuse. Nous sommes donc au moment où la crise se noue, un an après la prise de Troie, en 2821 du monde. Astyanax a trois ou quatre ans. Fixer toutes ces dates donne de grandes satisfactions. Merci à Pierre de Saint-Romuald.

Pour le sort ultérieur d'Astyanax, nous sommes moins bien renseignés. Nous avons peut-être cru un peu hâtivement qu'il régnerait sur l'Epire. A suivre le mythe troyen, il a été pris du démon de l'aventure. Desmarets raconte qu'un esclave fidèle a emporté Astyanax, sauvé par le sacrifice d'un autre enfant. La reine des Paphlagoniens reçoit Astyanax qui sera élevé avec son fils Sicambre. A Astyanax est donné le nom de Francion. Il rassemble les Troyens fugitifs, remonte le Danube et construit sur sa rive «une neuve Troie». De lui descendra Mérovée, puis Clovis. Les lecteurs de l'*Attila* (1667) de Corneille savent bien que Mérovée est l'ancêtre de Louis XIV, et à parler le langage de la typologie, sa «figure».

Les quatre vers que nous citions au début de ces pages devraient, disions-nous, faire frémir. Ils n'ont point fait frémir. Racine ne s'attendrit pas et ne demande pas nos attendrissements pour le bébé anonyme de deux ou trois ans jeté du haut des remparts de Troie à la place d'Astyanax. Il ne nous invite pas à imaginer Andromaque choisissant ce petit garçon, le prenant peut-être par la main, apaisant ses pleurs avant de le livrer. Reste qu'elle agit tout comme le suffète carthaginois qui pour sauver du sacrifice à Baal le petit Hannibal lui substitue un petit esclave. Les commentateurs ne sont pas plus sensibles. Ils restent silencieux. Dans les éditions récentes au moins, une seule remarque, à propos du vers 75 : «Détail cruel, qui donne le ton pathétique». Plus encore que le contenu de ces vers, le silence autour d'eux mérite commentaire. Racine pouvait estimer que le besoin dramatique était une justification suffisante pour un crime bien lointain. La nécessité dramatique devenait une forme modeste de la raison d'Etat. Les spectateurs de 1667, comme l'auteur, comme la Léontine d'*Héraclius,* pensaient sans doute que la survie de la dynastie était la loi suprême : le salut du «fondateur de notre monarchie» (Racine, *Seconde Préface*) méritait un sacrifice humain.

Et les lecteurs depuis cette époque jusqu'à la nôtre? Nous avons sans doute l'idée que les crimes de théâtre ne sont jamais bien réels ; nous oublions sans trop de peine les férocités de notre âge ; et dans notre inconscient au moins, la raison d'Etat garde une place inavouée.

N'empêche ; il faut éviter de penser au petit supplicié dont on a pris la vie pour que le jeune roi survécût, si l'on veut ne pas trop ternir ce vers si simple et si beau :

> Je ne l'ai point encore embrassé d'aujourd'hui (v.264),

si l'on veut ne pas jeter trop d'ombre sur la maternelle Andromaque.

On n'a pas assez dit qu'*Andromaque* est la pièce des misères et des désastres de la guerre. Dans le massacre des non–combattants, femmes, vieillards, enfants, un infanticide est un désastre parmi d'autres, tous révoltants. La froideur de Racine pourrait bien n'être qu'une apparence ; il laisse à son lecteur la responsabilité de juger un infanticide, qui évite un régicide, dans une tragédie qui exorcise les démons de la guerre et de la gloire, qui propose le difficile retour à la paix et à l'humanité.

Bérénice *et les «hélas de poche»*

ANDRÉ BLANC

Imprudent abbé de Villars : pour s'en être pris à Racine dans un libelle vite oublié, le voilà, en vingt lignes d'une préface où on ne daigne même pas le nommer, écrasé de ridicule pour l'immortalité[1]. Mais pourquoi Racine relève-t-il particulièrement, parmi l'ensemble des critiques, l'innocente plaisanterie des «hélas de poche[2]»? Deux motifs, d'ordinaire, à semblable réaction : ou bien la flèche atteint juste le point sensible, ou bien elle porte complètement à faux. Paradoxalement, ici, l'un et l'autre ne sont pas incompatibles. De toute façon, les «hélas» de *Bérénice* méritent une étude, ne serait-ce qu'à cause du dernier, qui s'est attiré une remarque propre, de Voltaire, cette fois[3].

La réflexion de l'abbé de Villars n'est pas dépourvue de fondement : de toutes les pièces de Racine, c'est *Bérénice* qui vient en tête, avec 27 *hélas;* elle est suivie par *La Thébaïde* (21), *Athalie* (17), *Britannicus* et *Iphigénie* (ex aequo avec 15), *Andromaque* et *Bajazet* (14), *Phèdre* (11), *Alexandre* (10), *Mithridate* et *Esther* (8), et, on s'en douterait, *Les Plaideurs* (5)[4].

Que *La Thébaïde* vienne en deuxième position ne surprendra pas : pièce de début, elle peut avoir recours à des chevilles, encore qu'on relève malgré tout des emplois significatifs. Il semble d'ailleurs que Racine ait conscience d'une certaine faiblesse de style, puisque *Alexandre* ne contient que dix *hélas. Andromaque, Britannicus, Iphigénie* ont une bonne moyenne. Si *Esther* n'en présente que

---

1. RACINE, Préface de *Bérénice, Théâtre,* la Pléiade, p. 485.

2. Furetière, plus complet que Littré, donne pour *hélas :* «Interjection qui témoigne du repentir, de la plainte, de la douleur». Quant à l'expression «de poche», comme aujourd'hui, elle désigne un objet qu'on a dans sa poche, c'est-à-dire dont on peut se servir à tout moment sans difficulté.

3. VOLTAIRE, *Remarques sur Bérénice.*

4. Ces recensements sont établis d'après la *Concordance* de Batson et Friedman. Je ne compte pas les *hélas* des variantes lorsqu'elles ne sont qu'une reprise du même vers.

huit, sa brièveté (trois actes) le justifie. Beaucoup plus intéressants
sont les huit de *Mithridate,* pièce d'action, la moins tragique sans
doute des tragédies raciniennes. En revanche, on peut s'étonner de
la sobriété de *Phèdre* en ce domaine, le sujet se prêtant à la
lamentation; mais l'extrême densité du discours de cette tragédie
évite tout ce qui peut ressembler, même de loin, à une cheville. Un
seul *hélas* faible, au vers 457, dans la bouche d'Aricie; tous ceux de
Phèdre (six, soit plus de la moitié) sont lourds de sens.

Les dix-sept *hélas* d'*Athalie* sont plus étonnants, d'autant que
treize sont en début de vers, dans la bouche d'Abner (2), de Josabet
(5), de Salomith (1), du chœur (2), de Joas (2), de Joad (3). Aucun
dans la bouche d'Athalie, ni de Mathan. Il semble que le mot ait
dans cette pièce une fonction épenthétique essentielle : appui en
début de phrase ou de discours, il en souligne la force, la gravité;
reconnaissance de la faiblesse humaine, il fait en quelque sorte
partie de la *supplicatio.*

Les *hélas* initiaux sont au nombre de neuf seulement dans
Bérénice, et tous ou presque de portée différente; dans deux cas la
réplique se borne à ce mot (v. 61 et 1423); dans un cas, elle se limite
à un vers (419); dans deux cas, le vers commençant par *hélas* est le
dernier de la réplique (918, 1318); au vers 336, le *hélas* initial est le
dernier mot d'une réplique de huit syllabes; dans deux cas, il se
place à un tournant du discours (v. 569 et 641); dans un seul enfin,
au début d'une réponse de sept vers (1130). On ne saurait donc
déduire une signification générale de cette place privilégiée.

Plus intéressants sont les groupements de ces *hélas* : la distance
maximum entre deux d'entre eux est de 155 vers (v. 61-216), la
distance minimun de 6 vers (610-616). Mais le plus remarquable est
la répartition de ces groupements selon les rôles et les moments de
l'action.

D'abord, un groupe Antiochus, acte I, scènes 2, 3, 4 : 4 *hélas* en
216 vers. Puis un groupe Titus, acte II, scènes 1, 2, 4 : 6 *hélas,* suivi
d'un autre groupe à l'acte IV, scènes 5 et 7 : 3 *hélas.* Trois groupes
Bérénice, enfin : acte II, scènes 4 et 5; dans ces deux scènes, qui ne
forment qu'une séquence, en ajoutant les *hélas* de Titus et ceux de
Bérénice, on compte 7 occurrences en 42 vers (600-641). Un
deuxième groupe se partage entre III, 3 et IV, 2 : malgré le
changement d'acte, les trois occurrences se produisent en 71 vers.
Un autre, plus isolé, en IV, 5 (v. 1063) et deux autres encore, au
cinquième acte, sc. 5 et 6 (v. 1318 et 1423), le dernier mot de la
tragédie restant, comme on sait, à Antiochus.

Ces places se justifient fort bien : grandes scènes de débat
intérieur, de choix crucifiant, de rupture. Mais les *hélas* sont loin
d'avoir tous la même valeur : en particulier, ils sont en rapport
étroit avec le caractère de ceux qui les prononcent. On notera

d'abord que jamais Arsace, Paulin, Phénice ou Rutile n'emploient ce mot, ce qui est déjà montrer qu'il n'est pas utilisé au hasard, comme cheville.

Les « hélas » d'Antiochus

Antiochus, disait l'abbé de Villars, « a toujours un *toutefois* et un *hélas!* de poche pour amuser le théâtre[5] ». Or, des trois personnages principaux, qui seuls emploient ce terme, Antiochus est celui qui s'en sert le moins : 7 occurrences seulement, contre 9 pour Titus et 11 pour Bérénice. Et pourtant, l'abbé de Villars a quelque excuse : sans parler du dernier mot de la pièce, qui méritera un commentaire particulier, Antiochus paraît d'emblée l'homme des *hélas!* C'est chez lui que le mot a le plus souvent la valeur d'une épenthèse élégiaque ou encore d'un soupir de profonde tristesse, cependant non dépourvu de sens propre, comme les deux premiers, aux vers 40 et 49. Au cours d'un monologue de 32 vers, dans une sorte d'hypotypose, il interpelle la reine (acte I, sc. 2) :

> Belle reine, et pourquoi vous offenseriez-vous ?
> Viens-je vous demander que vous quittiez l'empire ?
> Que vous m'aimiez ? Hélas ! je ne viens que vous dire
> Qu'après m'être longtemps flatté que mon rival
> Trouverait à ses vœux quelque obstacle fatal
> Je pars [...].

L'interjection porte sur les quatre syllabes qui la précèdent : « Je sais bien que c'est une hypothèse irréalisable, donc... »
La même idée est reprise neuf vers plus loin :

> Et que peut craindre, hélas ! un amant sans espoir ? (v.49)

Le mot exprime le regret paradoxal de n'avoir rien à redouter, n'ayant jamais rien espéré.
A la scène suivante, Arsace, qui ne sait pas qu'Antiochus est encore amoureux de la reine, vient lui annoncer que :

> Peut-être avant la nuit, l'heureuse Bérénice
> Change le nom de reine au nom d'impératrice (v.59-60).

---

5. Abbé DE VILLARS, *Critique de Bérénice,* cité par G. Forestier, RACINE, *Bérénice,* livre de poche, p. 20, note 2. Le relevé du « toutefois » est des plus surprenants. On n'en rencontre que 28 occurrences chez Racine, dont 2 seulement dans *Bérénice ;* encore le mot n'est-il qu'une seule fois dans la bouche d'Antiochus (v. 949). « Amuser le théâtre » peut être compris soit comme « faire perdre leur temps aux spectateurs », soit, beaucoup plus vraisemblablement, comme « occuper la scène ».

A quoi Antiochus répond par un seul mot : «Hélas!» Assurément, il ne saurait partager la joie populaire d'Arsace : cette
nouvelle ne fait qu'accroître son «ennui», met un point final à tous
ses restes d'espoir.

Les trois autres *hélas* d'Antiochus sont à peu près de la même
veine; celui du vers 216 (acte I, sc. 4) :

> Vous pleurâtes ma mort, hélas! trop peu certaine,

attire l'attention sur la mort souhaitée, voire regrettée par l'amant
dédaigné; il vient en quelque sorte couronner la séquence des trois
premiers *hélas,* dans un apitoiement général sur soi-même, qui
caractérise le personnage.

C'est le même sentiment qu'exprime la réponse à Titus, lorsque
l'empereur vient lui dire qu'il compte sur lui pour annoncer
délicatement à Bérénice leur séparation, la consoler et la reconduire
en Judée — mais il n'a pas encore précisé son intention. Réponse
d'Antiochus (acte I, sc. 1, v. 685) :

> ANTIOCHUS. – Moi, Seigneur?
> TITUS.   –   Vous.
> ANTIOCHUS. –   Hélas! d'un prince malheureux
>   Que pouvez-vous, Seigneur, attendre que des vœux?

Il est clair que le *hélas!* souligne la suite de l'hémistiche : «un
prince malheureux».

Enfin, dernière occurrence avant la clausule ultime, la réaction
du prince lorsque Arsace lui suggère que l'abandon de Titus risque
de rapprocher de lui Bérénice (acte III, sc. 2, v. 809) :

> [...] Hélas! de ce grand changement
> Il ne me reviendra que le nouveau tourment
> D'apprendre par ses pleurs à quel point elle l'aime.

Le mot insiste à la fois sur *me* et sur *tourment*. Cette concentration
des *hélas* dans les premiers vers, jointe au rappel du dernier, donne
au rôle un incontestable ton nostalgique et élégiaque; plus qu'un
ton, peut-être : un *tempo*. S'ajoutant au monologue de la deuxième
scène, «Je me suis tu cinq ans...» et aux fameux vers de la quatrième
(acte I, sc. 4, v. 234-235) :

> Dans l'Orient désert quel devint mon ennui!
> Je demeurai longtemps errant dans Césarée,

ils dessinent l'image de cet amant mélancolique, original en ce qu'il s'éloigne, comme le remarque Georges Forestier, du «forcènement» habituel à la mélancolie amoureuse [6], allant jusqu'à la tentative de meurtre ou à la folie d'un Oreste, pour accompagner dans une sorte de basse continue le duo déchirant des deux héros. Curieusement, pendant les 700 vers, ou peu s'en faut, qui vont suivre, bien qu'il apparaisse encore dans six scènes et qu'il lui reste 115 vers à réciter, plus du tiers de son rôle, Antiochus s'abstiendra d'employer ce terme; son portrait, dans l'esprit du spectateur, est déjà nettement tracé.

Somme toute, on comprend l'abbé de Villars.

Les «hélas!» de Titus

Neuf *hélas :* 6 à l'acte II (sc. 1, 2, 4), 3 à l'acte IV (sc. 5 et 7). Les *hélas* de Titus sont beaucoup plus ponctuellement expressifs que ceux d'Antiochus, ils ne modifient pas le *tempo* du rôle. Titus n'a rien d'un mélancolique. Il ne ressasse pas comme Antiochus un état qui dure depuis plus de cinq ans, mais qui pour lui a été une période heureuse; il vit une crise.

Le premier *hélas* se rencontre au vers 336, après la réponse, banale, de Paulin à la question parodiquement fameuse qu'il vient de lui poser sur l'emploi du temps de la reine :

> [...] Trop aimable princesse
> Hélas!

Surprise de Paulin devant cette tristesse; Titus va s'expliquer après avoir renvoyé sa suite (acte II, sc. 1 et 2).

C'est la première apparition de Titus et sa troisième réplique. Il se doute de ce que va lui rapporter Paulin : Rome ne veut pas de Bérénice pour impératrice, et il a déjà en lui-même pris la décision de la rupture. Son *Hélas!* est l'affirmation de l'inéluctable; c'est peut-être, par là, le plus tragique de tous, celui qui commande tous les autres. Il est repris, en plus faible, à la scène suivante − mais les deux scènes ne forment qu'une même séquence −, au vers 420 :

> Hélas! à quel amour on veut que je renonce!

Bien différent d'Antiochus, Titus ne s'apitoie pas sur lui-même

---

6. Georges FORESTIER, *op. cit.,* p. 116.

en tant que tel, mais sur les faits, sur la situation. C'est ce que montrent tous ses autres *hélas!*

Ainsi, au vers 532,

> [...] Depuis cette journée
> Dois-je dire funeste, hélas! ou fortunée?,

l'exclamation dissyllabique, en milieu de vers, souligne l'opposition entre les deux adjectifs, qu'accentue encore leur allitération, «funeste» et «fortunée»: journée funeste, puisque maintenant il va devoir renoncer à Bérénice; fortunée, puisqu'elle lui a valu cinq ans de bonheur.

Valeur ponctuellement expressive, également, au vers 600,

> Plût au ciel que mon père, hélas! vécût encore!

où il ne s'agit pas d'un simple mot de regret, par décence, mais d'une insistance: c'est la mort de Vespasien qui, en appelant Titus à l'empire, vient ruiner son amour.

Après le groupement, signalé plus haut et que nous étudierons à part, le rôle de Titus comporte encore trois *hélas* autonomes, expression de l'impuissance de la volonté, sinon sur les passions, au moins sur la douleur qu'elles entraînent et sur l'impossibilité d'aider l'autre.

Au vers 1130 (acte IV, sc. 5), après la grande tirade de Bérénice «Dans un mois, dans un an [...]», Titus répond qu'il n'aura pas si longtemps à souffrir: il mourra de chagrin. Bérénice suggère alors un moyen terme: elle accepte de renoncer au mariage, mais demande la permission de rester à Rome. Titus se montre sceptique; il ne s'y oppose pas, mais sait que de toutes les solutions ce serait la pire: une vie infernale pour l'un comme pour l'autre (vers 1131-1134). L'*incipit* de cette réplique,

> Hélas! vous pouvez tout, Madame, demeurez,

signifie clairement: «Je n'ai pas la force de vous l'interdire, mais je sais que cela ne servira à rien».

Un peu plus tard, le vers 1153 reprend cette affirmation d'impuissance:

> Hélas! que vous me déchirez!

«Vous ne voulez pas comprendre et je comprends que vous ne vouliez pas comprendre.» La vision tragique projetée dans l'avenir par la reine, et donc qu'il est peut-être encore possible de conjurer, est vécue par Titus dans le présent, par là inéluctable. D'où les larmes qui l'accompagnent selon la didascalie implicite du vers 1154,

> Vous êtes empereur, Seigneur, et vous pleurez !

Dernier *hélas* d'impuissance et d'incommunicabilité, celui du vers 1239 (acte IV, sc. 7), lorsque Antiochus le somme d'aller consoler une Bérénice presque expirante :

> Hélas ! quel mot puis-je lui dire ?

Les « hélas ! » de Bérénice

Avec 11 *hélas* pour un rôle plus court que celui de Titus, à peine supérieur à celui d'Antiochus, Bérénice occupe le premier rang en ce domaine. Les *hélas* raciniens seraient-ils liés de préférence au discours féminin ? Effectivement, 19 sont prononcés par une femme dans *La Thébaïde*, sur 21 au total ; 13 sur 14 dans *Bajazet* ; 12 sur 15 dans *Iphigénie* ; 10 sur 13 dans *Andromaque* ; 11 sur 17 dans *Athalie* ; 10 sur 11 dans *Phèdre* ; 6 sur 8 dans *Mithridate* ; 6 sur 10 dans *Alexandre* ; 9 sur 15 dans *Britannicus* ; 8 sur 8 dans *Esther*. D'autre part, ils sont plus fréquents dans les caractères moins fermes, plus fragiles : 7 dans la bouche d'Andromaque, 6 dans celle de Britannicus et 9 dans celle de Junie, 1 de Burrhus, mais aucun de Néron, Agrippine ou Narcisse, 11 d'Atalide. Il est donc normal que la fréquence en soit plus grande chez Bérénice.

Comme ceux de Titus, les *hélas* de Bérénice sont le plus souvent ponctuels et expressifs.

Les premiers ne manquent pas de force, celui du vers 569 (acte II, sc. 4),

> Hélas ! plus de repos, Seigneur, et moins d'éclat,

vient appuyer une plainte énergique, un reproche ferme, mêlé d'irritation ; il est d'ailleurs proche de son sens étymologique : « Je suis lasse d'attendre ».

Celui du vers 903 (acte III, sc. 3) est plus proche d'une réaction de désarroi sous l'effet de la surprise : Devant la nouvelle de la séparation nécessaire, que vient de lui apporter Antiochus, Bérénice d'abord refusait d'y croire :

> Nous séparer ? Qui ? Moi ? Titus de Bérénice ?

Mais Antiochus répète l'ordre de Titus, et Bérénice, dans un curieux mouvement, appelle à l'aide sa suivante qui n'en peut mais :

> Nous séparer! Hélas, Phénice!

Désarroi encore plus net, à la fin de la scène, au vers 918, après un mouvement de colère contre Antiochus et un nouvel appel à sa suivante, mais en toute lucidité :

> Hélas! pour me tromper je fais ce que je puis.

Enfin, dernier *hélas* accompagnant un geste d'irritation, au vers 973 (acte IV, sc. 2), quand Bérénice refuse que Phénice rectifie sa toilette pour recevoir Titus :

> Laisse, laisse, Phénice, il verra son ouvrage.
> Et que m'importe, hélas! de ces vains ornements[7]?

Mais, à mesure que la pièce avance, Bérénice se rend compte que son sort est décidé, et ses deux derniers *hélas* vont rejoindre dans la mélancolie douloureuse ceux d'Antiochus; comme lui, elle sait maintenant que son amour est vain; c'est sur ce ton qu'elle s'adresse à Titus, au vers 1063 (acte IV, sc. 5) :

> Qu'avez-vous fait? Hélas! je me suis crue aimée.

Plainte reprise au vers 1310 (acte V, sc. 3), sur le même ton, devant l'injustice et la cruauté des Romains :

> Quel crime, quelle offense a pu les animer?
> Hélas! et qu'ai-je fait que de vous trop aimer?

Ce glissement s'achève dans la réplique dissyllabique du vers 1423 (acte V, sc. 6), après que, dans une longue tirade, Titus vient de lui affirmer qu'il ne voit pour lui d'issue que dans la mort. Ce *Hélas* qui annonce, quelque cent vers plus loin le *hélas* final, est un *hélas* d'accablement.

---

7. Il y aurait une étude à faire sur la parure ou l'absence de parure dans le théâtre de Racine : les «vains ornements» se retrouvent dans *Phèdre,* et Junie est «belle, sans ornements».

Hélas!

Il nous faut, pour achever cette étude, examiner spécialement deux cas : celui des vers 600-641 et le *« Hélas! »* final.

Le groupe des vers 600-641, aux scènes 4 et 5 de l'acte II, constitue un véritable système d'échos : 7 *hélas*, en moyenne un tous les six vers, auquel contribuent, ensemble ou séparément, Titus et Bérénice.

Titus, pour la première fois en présence de la reine, ne se sent pas le courage de lui faire part de sa décision. Devant les questions de celle-ci, à qui il n'offre plus «qu'un visage interdit», il va essayer de biaiser, en évoquant tristement la mort de son père :

> Plût au ciel que mon père, hélas! vécût encore! (v. 600)

Bérénice va presque aussitôt reprendre ce *hélas* dans un esprit tout différent :

> Vous regrettez un père; hélas! faibles douleurs!

La mort d'un père est un phénomène naturel; Vespasien avait soixante-dix ans. Sa douleur à elle, à l'idée de quitter Titus, est autrement plus forte. Il y a une certaine dérision dans ce *hélas!* Et elle insiste sur la force de son amour, elle qui mourrait le jour où on lui interdirait de le voir. Titus, effrayé par ce qu'elle va dire, ne la laisse pas achever :

> Madame, hélas! que me venez-vous dire?

Le mot porte sur le deuxième hémistiche, et les deux vers qui suivent l'expliquent : c'est au moment où Titus va se révéler «ingrat» que Bérénice lui montre la force de son attachement. Elle n'aurait pas dû parler ainsi car ses paroles ravivent la douleur de son amant comme la sienne propre : Bérénice ne comprend pas comment Titus peut être ingrat, et lui-même atteste qu'il n'a jamais été plus amoureux, «mais...»; le vers suspendu après la première syllabe inquiète la reine :

> BÉRÉNICE. – Achevez.
> TITUS.   –   Hélas!
> BÉRÉNICE. –   Parlez.
> TITUS.   –   Rome... l'empire.
> BÉRÉNICE. – Eh bien?
> TITUS.   –   Sortons, Paulin; je ne puis rien lui dire.

Si Bérénice était Pauline, elle s'écrierait peut-être, au vers 623 :

«Que cet hélas! a de peine à sortir![8]» En fait, il équivaut à un silence. Il est la transcription théâtrale et poétique d'un silence; comme la vérité est impossible à dire, Titus ne peut que constater l'abîme de leur détresse commune. *Hélas* neutre, en quelque sorte; d'autant plus fort.

Lorsque l'empereur est sorti, Bérénice, restée seule avec sa suivante, reprend comme machinalement les *hélas!* de Titus. Celui du vers 626 est un *hélas* faible, où l'on pourrait voir une cheville s'il ne s'agissait d'un écho (acte II, sc. 5) :

> Chère Phénice, hélas! quel funeste entretien!

En bonne confidente, Phénice essaie de consoler la reine en l'invitant à réfléchir : d'où vient cette froideur et cet embarras? pourquoi Titus semble-t-il lui en vouloir? que lui a-t-elle fait? Rien, répondra Bérénice dans une longue tirade, dont le «Hélas!» initial, au vers 631, accentue le constat négatif en en montrant la portée : du moment que Titus n'a rien à lui reprocher... il s'agit d'une chose plus grave. Cette chose va être indiquée dix vers plus tard, sous forme d'une supposition invraisemblable... qui finalement se révèlera véridique. Cet hémistiche du vers 641 est le premier soupçon que la reine a de la réalité; il importait de le souligner :

> Hélas, s'il était vrai...

«On peut être choqué qu'une pièce finisse par un *hélas!* Il fallait être sûr de s'être rendu maître du cœur des spectateurs pour oser finir ainsi.» Cette remarque de Voltaire[9] signale l'inattendu du dernier mot de *Bérénice,* mais elle ne l'explique pas. Or, ce *hélas* est sans doute le plus fort, voire le plus nécessaire de toute la tragédie. Reprenons la scène.

Les jeux sont faits, la séparation acceptée. Les héros ont aussi décidé d'avoir le courage de vivre au lieu de chercher un refuge dans une mort volontaire. Bérénice fait ses adieux, à Titus d'abord, dans une longue tirade de mise au point (vers 1469-1494), la terminant par :

> Adieu, Seigneur, régnez : je ne vous verrai plus.

Puis elle se tourne vers Antiochus, beaucoup moins pour le consoler que pour se débarrasser de lui une fois pour toutes, en lui

---

8. *Polyeucte,* IV, 3, v. 1253.
9. VOLTAIRE, *Remarques sur Bérénice,* cité par G. Forestier, *op. cit.,* p. 92, note 2.

intimant l'ordre de ne pas la suivre (v. 1505). Mais ce n'est pas l'image de cet amant secondaire qu'elle veut emporter dans son dernier regard; elle se tourne donc encore une fois vers Titus, comme en témoigne la didascalie qui précède le dernier vers :

A Titus
Pour la dernière fois, adieu, Seigneur.

Comme si la voix lui manquait soudain, elle n'achève pas l'alexandrin. Le vers reste en suspens, sur la *sensible*. Admirable fin de tragédie que ce discours brusquement interrompu! Mais les règles les plus élémentaires l'interdisent. Il y a deux syllabes et une rime à ajouter, un adieu s'impose. C'est à Titus de le dire, puisque c'est à lui qu'on s'adresse. Mais Titus se tait; il n'a pas la force de prononcer la parole attendue; aucun mot ne saurait exprimer sa douleur. A l'adieu de Bérénice, il ne peut répondre que par le silence.

Et comme on ne peut éviter ces deux syllabes, c'est Antiochus qui s'en charge, lui, le mélancolique, l'homme qui souffre moins que Titus puisque, depuis cinq ans, sa douleur est devenue presque une habitude. Les deux héros restent purs, détachés, hors des conventions du théâtre. Antiochus nous ramène à la réalité de la représentation, aux spectateurs. Le dernier mot de la pièce est déjà hors de la fiction, le premier mot du commentaire du public : voilà une bien triste histoire à laquelle nous venons d'assister. Ainsi va le monde... Racine s'est effectivement «rendu maître du cœur des spectateurs» puisqu'il parle à leur place, leur emprunte – ou leur souffle – le dernier mot.

«On n'a pas fini de saucissonner dans la grande forêt claudélienne», disait un jour l'auteur du *Soulier de satin*. L'image manquerait de noblesse pour évoquer les promenades botaniques que l'on peut faire dans le grand parc racinien, si ordonné, si nettement dessiné, aux arbres si également taillés. Et pourtant il arrive à ce parc d'avoir des coins de paysage japonais, je veux dire où le moindre détail reçoit toute son importance, toute sa valeur. L'interjection la plus banale qui soit pour exprimer la tristesse et la mélancolie, la cheville idéale devient en ses vers un outil dramatique et un outil poétique de premier plan. De cette alchimie nous avons essayé l'analyse. Le génie de Racine seul en pouvait faire la synthèse.

La tragédie sublime :
Boileau adopte Racine

ROGER ZUBER

En cet été de 1672, fallait-il s'inquiéter pour l'avenir de la tragédie française? Nous répondons non, car nous connaissons la suite de la carrière de Racine. Mais les contemporains voyaient les choses autrement. Et la correspondance de Rapin avec Bussy-Rabutin conserve l'écho de leur incertitude. Le 13 août, le jésuite, dont on sait les liens avec l'Académie Lamoignon, pose les questions suivantes, alors qu'il prépare ses *Réflexions sur la poétique* :

> Pourquoi l'*Electre* de Sophocle et quelques autres tragédies de cet auteur paraissent toujours belles au bout de deux mille ans, et qu'on ne peut souffrir plus d'un hiver à Paris les comédies de nos auteurs? [...] Est-ce que ces tendresses outrées qui en font le principal caractère dégénèrent de cet esprit héroïque qui doit être l'esprit de ces poèmes? Ou bien est-ce que je me trompe moi-même?

Loin de le contredire, le gentilhomme, dès le 24 août, abonde dans le sens de son ami savant :

> Il est encore certain que les sentiments de tendresse poussés trop loin ont je ne sais quoi de fade qui dégoûte dans les tragédies. Cet abus s'est introduit pour plaire aux dames, qui veulent de l'amour dans tout ce qu'on leur présente, et qui ne sont pas satisfaites si cet amour ne va pas dans l'excès.

Cet échange épistolaire est privé; il adopte le ton serein qui sied à l'instruction mutuelle, et il n'entend pas polémiquer. Mais le problème qu'il pose est un problème réel, et qui ne concerne pas seulement la production récente d'un Boyer, d'un Quinault. Qu'il nous suffise de mentionner l'accueil réservé, lors des deux saisons précédentes, et à *Bérénice* et à *Bajazet*.

Tournons-nous maintenant vers l'*Art poétique* de Boileau, qui dans son célèbre chant III, rompt avec toutes les bonnes règles en

renversant, dans son exposé, l'ordre établi entre les «grands genres».
C'est par la tragédie que le poète commence, et il continuera par
l'épopée, à l'inverse des adeptes de la tradition : Rapin, par
exemple, son confrère en l'Académie Lamoignon, qui, dans
les mêmes années, rédige, en excellent poéticien et également
en amateur de littérature contemporaine (de là le double titre
de l'ouvrage), ses *Réflexions sur la poétique d'Aristote* (1674) ou
Réflexions sur la poétique de ce temps (1675). Pourquoi, chez Boileau,
cette audace ? Parce qu'il est un esprit positif, un homme de
terrain : il constate les faiblesses, en son propre siècle, de l'épopée
française (sans la négliger, d'ailleurs, dans ce même chant III) ; il
s'appuie donc sur un genre illustre et tout récemment illustré pour
faire progresser cette dynamique de la création littéraire – disons :
cet hymne à la poésie – qui est l'idée directrice de son poème.

Un genre illustre : mais illustré par qui ? Lorsque Mme de
Sévigné, aux mêmes dates, dénigre *Bajazet* et s'écrie : «Vive donc
notre vieil ami Corneille !», elle ajoute, à l'intention de sa fille, que
Despréaux «en dit encore plus» qu'elle, et elle coupe court à toute
objection : «en un mot, c'est le bon goût ; tenez-vous-y» (lettre du
16 mars 1672). Cet autre partisan de Boileau qu'est Saint-Évre-
mond entre dans des vues semblables (*Défense de quelques pièces de
théâtre de M. Corneille,* 1677, selon R. Ternois). Telle est donc la
question : la prédilection pour le genre tragique que manifeste
notre poète et théoricien, cette prédilection signifie-t-elle qu'entre
les diverses tendances du goût mondain, il se contente d'adopter la
plus grave ? Ne serait-ce qu'un geste de gratitude pour le *célèbre*
auteur du *Cid* et d'*Horace,* ce Corneille que, précisément, les
derniers vers de l'*Art poétique* (IV, 195) allaient inciter à «rallumer
son audace» ?

Ce sont là des hypothèses tout à fait admissibles. Elles n'en
demeurent pas moins insuffisantes. En effet, l'*Art poétique* de
Boileau, sans cesser d'être souvent le reflet d'opinions à la mode – et
c'est un point sur lequel la critique récente a suffisamment insisté –,
est aussi l'œuvre d'un poéticien savant, dont les choix sont fondés
sur des principes. Et ces principes s'inscrivent dans la continuité
d'une tradition vivante : ils se fondent sur l'érudition, sur la lecture,
la plume à la main, sur la traduction même des livres d'Aristote et
d'Horace, auxquels s'ajoute – les *Œuvres diverses* de 1674 en
apportent la preuve – le *Traité du sublime ou du merveilleux dans le
discours, traduit du grec de Longin.* C'est, à notre avis, l'intercession de
ces grands maîtres qui permet d'expliquer la conversion de Boileau
à la forme racinienne de la tragédie. Par une pratique admirative de
la tragédie cornélienne, il s'était déjà, comme tant de beaux
esprits (ceux que nous venons de nommer et beaucoup d'autres),
convaincu des vertus du sublime. Mais ces leçons, tirées de la

réputation immédiate d'un écrivain toujours vivant, n'ont pas manqué d'être enrichies par la méditation approfondie de l'Antiquité, de son expérience plus encore que de ses dogmes. Le texte du chant III porte la trace de ces enrichissements.

Deux exemples suffiront, pensons-nous, qui n'épuisent pas la richesse des cent soixante premiers vers de ce chant III, mais qui nous permettent de préciser notre propos. Premier exemple : les parallèles entre Boileau et Horace. Plusieurs de ces parallèles sont des emprunts littéraux, et chacun sait que le vers 142 («Pour me tirer des pleurs, il faut que vous pleuriez») est directement tiré du *si vis me flere...* D'autres comparaisons permettent, au contraire, de mesurer un infléchissement. Ainsi, les vingt-cinq vers de l'*Ars poetica* sur les modalités du vers tragique disparaissent purement et simplement. Ainsi, la promesse faite aux meilleurs travailleurs d'obtenir une récompense à la fois immédiate et durable,

> Voulez-vous sur la scène étaler des ouvrages
> Où tout Paris en foule apporte ses suffrages,
> Et qui, toujours plus beaux, plus ils sont regardés,
> Soient au bout de vingt ans encor redemandés?

cette promesse intervient d'une manière originale. Horace (v. 190) l'adressait au probe artisan, à celui qui saurait, sans erreur, fabriquer un poème en cinq actes. Boileau (v. 15-26), qui, à cette occasion, insiste nettement sur l'insuffisance des prouesses techniques («En vain vous étalez une scène savante», 20), destine, au contraire, cette promesse au poète enchanteur, au maître de l'émotion («plaire et toucher», 25; «chercher le cœur», 16). Manifestement, le point de vue a changé.

Plus manifestement encore, Boileau recompose l'histoire du genre tragique. Certes, Horace ne pouvait guère, comme le fera (négativement : v. 135-140) son successeur, argumenter sur le cas de Sénèque. Mais déjà ce détail peut nous servir d'avertissement : si Boileau s'inquiète de ce cas fâcheux, c'est parce qu'il se situe, en héritier de la Renaissance, dans une problématique de l'histoire des styles. Il veut dire qu'une bonne écriture de la tragédie recherche l'expression simple et naturelle et se détourne de la surcharge des figures, de l'enflure des paroles, bref du style brillanté propre à l'école sénéquienne. Laissons donc «la faiblesse latine» (v. 80 : inspiré de Quintilien), et comparons ce qui est le plus comparable. Parmi les Grecs, Horace (v. 279) ne mentionne qu'Eschyle, qu'il célèbre à juste titre comme le fondateur de la tragédie. Boileau remplit noblement le même devoir. Mais il le fait dans un esprit

différent. Le lecteur de l'*Art poétique* est, quant à lui, invité
à prendre conscience d'un perfectionnement, d'un progrès qui
s'affirme dans le passage d'Eschyle à Sophocle (non nommé par
Horace), puis de Sophocle aux Français. Quels Français? Il n'en est
pas (v. 81-102) d'indiqué nommément. Et si ce silence était une
feinte?

En tout cas, force est de le constater : dans le déroulement
chronologique des choses, les Français usurpent une place qu'on
pensait voir occuper autrement. Nous sommes bien dans le
climat de 1674, avec ce développement sur la tragédie d'amour,
que Boileau, malgré toutes ses précautions de morale, de vraisemblance et de «bienséance», en somme, recommande : quoique
plus contourné dans son discours de docte, Rapin, en définitive
(*Réfl. sur la poét.*, 2e p., XX), prenait le même parti. Boileau, plus
élégant, évite de faire le dégoûté :

> De cette passion la sensible peinture
> Est pour aller au cœur la route la plus sûre (v. 95-96).

Mais, en disposant son argument juste à la place que devrait
occuper un Grec absent, il rehausse la dignité de sa constatation. Ce
Grec absent est Euripide, qu'on attendait naturellement, à la suite
d'Eschyle et de Sophocle.

Passons maintenant d'Horace à Longin, que notre Despréaux
continuait à traduire, pendant qu'il achevait son *Art poétique*. Juste
avant d'en venir au sublime qui se tire des figures et des mots, le
Traité de Longin consacre un beau chapitre (XIII dans la numérota-
tion de Boileau, XV dans les éditions modernes) aux effets de
l'imagination sur les sentiments de l'auditeur. Et n'allons pas croire
que ce spécialiste de la prose qu'est Longin n'ait rien à nous
apprendre sur les qualités poétiques : c'est en observant que ce
rhéteur ne cessait d'invoquer la poésie pour exemple que Boileau
s'est décidé à l'adopter pour maître.

Dans ce chapitre XIII, Longin, avant d'en venir aux orateurs,
raisonne sur d'autres classiques. Ce sont Eschyle, Sophocle et
Euripide, cités ensemble pour la seule fois du *Traité*. Il ne les cite pas
dans l'ordre chronologique; dans le cadre de sa démonstration,
l'avantage est pour Euripide, que Longin considère comme le plus
pathétique, et certainement le meilleur peintre de l'amour, d'entre
les trois grands Tragiques. Boileau, nous le savons, traduit l'original à la manière de son temps, et il s'applique à cette tâche avec le
plus grand sérieux. D'autres chapitres de Longin lui fournissent
l'occasion de publier de remarquables «belles infidèles» de divers

extraits d'Homère. Dans ce chapitre XIII, c'est Euripide qui est le mieux servi : nous y reviendrons. Notons d'abord la parenté entre les formules de cette esthétique de l'imagination et celles du chant III. Les passions représentées «ont cela qu'elles animent et échauffent le discours», et le poète «tend à émouvoir» : les vers 15 et 16 ne sont pas loin («Que dans tous vos discours la passion émue / Aille chercher le cœur, l'échauffe et le remue»).

Plus généralement, le sublime, dont Boileau a retravaillé la définition, devient chez lui «cet extraordinaire et ce merveilleux qui frappe dans le discours, et qui fait qu'un ouvrage enlève, ravit, transporte» (*Préface* à sa traduction). «Les beautés du sublime enlèvent l'âme», dit de son côté La Fontaine, dans un hommage à Longin qui figure au premier livre de *Psyché* et que J.-P. Collinet cite à juste titre, pour éclairer le début de notre chant III. Il faut, à notre avis, reconstituer cette atmosphère, et retrouver l'enthousiasme émotif de critiques généralement considérés comme «raisonnables», pour prendre la juste mesure des capacités d'accueil que le critique, en Boileau, pouvait réserver au poète Racine.

Dès 1677, avec l'*Epître VII*, cette adoption s'affirmera. Beaucoup plus tard, avec les *Réflexions XI et XII*, elle deviendra une sorte de culte, d'ailleurs longuement préparé par une collaboration et une correspondance très confiantes. Dès 1674, cet ensemble indissoluble que constituent l'*Art poétique* et le *Traité du sublime* montre qu'en faveur de celui qui va prendre la relève de Corneille, les bonnes dispositions de Boileau sont déjà éclatantes. Le chant IV le salue comme l'auteur de «miracles» (v. 197). Et dans le texte du Longin traduit, s'inscrit, toujours au chapitre XIII, une allusion qui ne trompe pas. L'Oreste d'Euripide fournit au rhéteur grec, en trois vers qu'il cite, un bel exemple d'émotion communicative. Boileau rend cet exemple, en un quatrain qui constitue un bel hommage à l'*Andromaque* de Racine :

> Mère cruelle, arrête, éloigne de mes yeux
> Ces Filles de l'Enfer, ces spectres odieux.
> Ils viennent; je les vois : mon supplice s'apprête.
> Quels horribles serpents leur sifflent sur la tête!

Claudel lecteur de Racine

MARIUS-FRANÇOIS GUYARD

Peu de mois avant sa mort, Claudel écrit, à la demande de Jean-Louis Barrault, une *Conversation sur Jean Racine*[1]. Ce sera son dernier texte important et on le lira comme un testament : oubliant les *Mémoires improvisés*[2], on parlera de conversion *in extremis,* du repentir éclatant d'un grand pourfendeur des classiques. Claudel lui-même invite à une telle lecture; au début de la *Conversation,* Arcas lui lance :

> Un peu tard. [...] il est mal à vous, qui occupez, si indignement que ce soit, le fauteuil de Jean Racine à l'Académie, d'avoir attendu si longtemps pour lui rendre l'hommage que vous lui deviez (448-449).

Etrange hommage, qui s'ouvre sur une célébration de *Macbeth* et s'achève sur l'évocation du «vieil Eschyle» et de «ma pauvre sœur Camille» (466). Hommage pourtant, ponctué d'exclamations émerveillées, de mots comme «sortilèges» (459) ou «art magique» (461). Si Claudel part de Shakespeare, c'est pour mieux situer un Racine en qui il loue le musicien et l'homme de théâtre, à grand renfort de citations. Aucune tragédie ne semble manquer à l'appel, d'*Iphigénie* (448, 449, 456, 462) à *Phèdre* (451, 455, 457-459, 462-466), en passant par *Britannicus* (456, 457, 462), *Bérénice* (456, 458, 459, 461), *Andromaque* (458, 459), *Bajazet* (460), *Mithridate* (460), *Athalie* (462). En réalité, on le voit, quelques titres sont absents, mais la diversité des références est assez grande pour témoigner d'une admiration générale. La prédominance de *Phèdre*

---

1. Publiée d'abord dans les *Cahiers* [...] *Renaud* [...] *Barrault,* (8ᵉ cahier, 1955, p. 97-116), la *Conversation sur Jean Racine* a été reprise dans les *Œuvres en prose* (Bibl. de la Pléiade, 1965), auxquelles renvoient nos références entre parenthèses. Pour les autres œuvres recueillies dans ce même volume, nous abrégerons en *Prose.*

2. Cités par la suite dans l'édition de 1969, Gallimard, coll. «Idées», sous l'abréviation *M.I.*

rappelle que Claudel avait aimé et discuté la mise en scène de Barrault, mais surtout que la tragédie était à ses yeux l'un des «trois grands drames de Racine», entre *Britannicus* et *Athalie*[3].

Il l'avait dit à Jean Amrouche en 1951, et ce n'est pas le seul cas où la *Conversation* renvoie à des propos antérieurs du poète. Aussi, plutôt que de commenter des *ultima verba* sur lesquels on a déjà beaucoup glosé, aimerais-je montrer que, loin d'être touché sur le tard par la grâce racinienne, Claudel s'est contenté de rassembler — mais avec quelle force! — les raisons d'une admiration fort ancienne, oubliant toutefois de ressasser certains griefs non moins anciens.

> — Je suppose, *lui disait Amrouche*, que Racine était un de ceux que vous aviez rejetés à la sortie du lycée.
> — Complètement, *répondait Claudel*[3].

Au lycée, l'une des cellules du «bagne», on professait évidemment le culte de Racine : raison suffisante, aux yeux d'un jeune homme en quête de la vraie vie, pour rejeter le tragique dans les ténèbres extérieures. L'homme mûr de 1925 cite encore ce Racine lycéen, si l'on peut dire, avec une apparente ironie :

> [...] ma mémoire, de nouveau après tant d'années! emboîte sur les vieux livres scolaires le pas des cohortes alexandrines de Corneille, de Racine et de Molière[4].

C'est ce Racine-là que, plus tard encore, Claudel retrouve au Théâtre-Français. En 1935, il y voit *Bérénice,* avec «un ennui écrasant[5]»; en 1938, *Esther* : «Très mauvais[6]». L'interprétation n'est pas seule en cause; le commentaire de la représentation de *Bérénice* vise aussi l'usage scolaire de Racine :

> Penser qu'on donne Racine comme base de l'instruction littéraire de nos enfants! C'est extravagant[7].

On pourrait croire oubliés ces griefs dans une *Conversation* où *Bérénice* est célébrée avec ferveur. Ils ne le sont pas : à l'«ennui écrasant», au «ronron élégant et gris[7]» du *Journal* font écho en 1954 «ronron» (498) et «ennui insoutenable» (457). De ce mal pourtant naît désormais un bien, comme on verra.

---

3. *M.I.*, p. 42.
4. «Réflexions et propositions sur le vers français», *Prose*, p. 10.
5. *Journal*, Bibl. de la Pléiade, 1969, t. II, p. 80.
6. *Ibid.*, p. 221.
7. *Ibid.*, p. 81.

Aux «humanités», enseignées et prônées par une Université en cela héritière des jésuites, l'ancien élève de Louis-le-Grand n'a cessé de reprocher, pire que l'étroitesse du goût, leur immoralité. Il dénoncera avec constance chez Corneille un paganisme foncier, le héros cornélien préfigurant, ou peu s'en faut, le surhomme nietzschéen. Racine, lui aussi, est en accusation. En 1940 encore, Claudel note dans son *Journal* trois vers de *Bajazet* qui illustrent la morale des classiques :

> L'intérêt de l'État fut leur unique loi!
> Et d'un trône si saint la moitié n'est fondée
> Que sur la foi promise et rarement gardée[8].

Il faut rendre au citateur un point d'exclamation qui traduit son indignation et sa précipitation de pensée : c'est Acomat qui s'exprime ainsi et la réplique de Bajazet condamnera la «perfidie». Reste que Claudel prête les pensées d'un personnage à l'auteur pour mieux blâmer sa «morale». Ce reproche ne sera pas repris dans la *Conversation*, qui cite *Bajazet* avec admiration. L'absence des vues moralisantes marque le parti pris : il s'agit bien d'un «hommage».

Le trait le plus surprenant en est un éloge appuyé et motivé de l'alexandrin : la poésie de Racine est d'abord une musique. Or jamais Claudel n'avait ménagé les sarcasmes quand il s'agissait de la versification traditionnelle, ronronnante et mécanique. Les lecteurs de 1955 ont pu croire à une palinodie; ils se trompaient.

Dès 1914, le poète note :

Coupe normale des vers de Racine : ◡– ◡◡– ◡◡– ◡–◡[9],

ce que l'éditeur du *Journal* rapproche heureusement de «l'allongement racinien» (462) célébré dans la *Conversation*.

Et la formule d'allure ironique sur les «cohortes alexandrines[4]» est encadrée en 1925 par une affirmation et un éloge. L'affirmation : le XVIIe siècle est des «deux périodes de poésie classique[4]», l'autre allant «de Leconte de Lisle à Mallarmé[4]». Plus qu'une simple information, c'est un choix en faveur du premier classicisme, celui du XVIIIe siècle se trouvant éliminé. L'éloge n'est pas loin : la «période» deviendra une «cime[10]» et le parcours de la neutre «période» à la «cime» exaltée est jalonné de formules comme :

---

8. *Journal*, t. II, p. 301, citation de *Bajazet*, acte II, sc. 3.
9. *Journal*, Bibl. de la Pléiade, 1968, t. I, p. 281.
10. *Prose*, p. 11.

> Vérification de l'équilibre par le mouvement, comme le corps dans la
> marche qui trouve successivement appui sur l'une et sur l'autre de ses
> jambes [...] résumer une situation par une sentence bien frappée[11].

Les mots déjà, et les images, de la *Conversation* :

> Qu'est autre chose le couple alexandrin que la pensée qui à chaque pas se
> mesure et se compare à cette mesure? Qui reprend, dans un avancement
> dont le *tempo* est un élément de beauté, équilibre comme d'un pied sur
> l'autre? (457)
> Frapper, c'est cela. Comme on dit : [...] *une pensée bien frappée* (459).

Cette musique si bien reconnue et louée est-elle adaptée au
théâtre? Le spectateur de la Comédie-Française en était assommé et
l'auteur de la *Conversation* s'avouera conduit du «ronron» «au
sommeil, un mauvais sommeil, bien sûr, gêné, coupable!» (458).
Quelques années plus tôt, il avait déclaré à Jean Amrouche :
«appliquer au drame» ces «éléments narratifs» que sont l'alexandrin
ou l'hexamètre, «c'est un non-sens[3]». Mais il citait aussitôt une
«exception[3]» : Racine et son «emploi miraculeux[3]», «étourdis-
sant[3]» d'un instrument si «mauvais pour le drame[3]». Exemples à
l'appui, la *Conversation* ne fera que justifier cette exception et
tranchera que l'alexandrin, «c'était l'engin adéquat dont il avait
besoin» (457).

Entendons : comme «homme de théâtre» (458), le plus bel éloge
dans la bouche d'un Claudel. Naguère, réagissant une fois de plus
contre les idées reçues au lycée, en l'occurrence l'illustre formule de
La Bruyère, il avait noté pour lui :

> [...] les hommes tels qu'ils devraient être! Oh là là! pas plus Racine ne les
> dépeint et les femmes non plus tels qu'ils sont[12].

Ici encore, les *Mémoires improvisés* ménagent une transition entre
les condamnations de la veille et les louanges du lendemain : «les
pièces de Racine[3]» y sont créditées d'une réelle «expérience de la
vie[3]». Dans la *Conversation* on verra un poète tragique plein
d'«intelligence» (455) – marque «impériale[13]» – mener «une série
d'expériences sur le cœur humain» (455) et les mener, aidé de
l'alexandrin, avec une rigueur telle qu'il faut bien se laisser
«frapper» et «séduire» (459) :

> Oui, c'est beau, ce langage de la nécessité (459).

---

11. *Prose*, p. 10-11.
12. *Journal*, septembre 1939, t. II, p. 283.
13. Cf. *infra*, n. 14.

A la fin du dialogue, l'exemple de *Phèdre* illustrera ce génie dramatique de Racine. Selon Arcas,

> Autant Racine est au-dessus de tout ce que vous pouvez lui comparer au monde, autant *Phèdre* est au-dessus de Racine. C'est un de ces moments où un écrivain, le pauvre imbécile! il apprend ce que c'est que d'être un homme de génie! (463)

«D'accord» (463), répond sobrement Paul Claudel. D'accord, il l'est, à coup sûr, quant à la prééminence de *Phèdre*, mais l'est-il sur toutes les comparaisons possibles, lui qui a mené Arcas à Racine par Shakespeare?

Voilà longtemps qu'il reprend pour son compte l'antique parallèle. Il l'a esquissé en particulier dans l'*Introduction à un poëme sur Dante*, de 1921, qui commence par une affirmation énigmatique :

> Dante est l'un de ces cinq poètes qui me paraissent mériter le titre d'*impériaux* ou de *catholiques* et dont l'œuvre réunit les trois marques suivantes :
> Premièrement l'*inspiration*[14]. [...]

Les deux autres marques étant «l'*intelligence*» et «la *catholicité*[15]».

Il y a énigme, car Claudel ne nomme pas les quatre compagnons de Dante : ce sont sans doute, comme le pensait Jacques Petit[16], Homère, Eschyle, Virgile et Shakespeare. Racine en tout cas n'est pas du nombre; s'il possède inspiration et intelligence,

> C'est par le défaut de cette catholicité, en même temps que d'une certaine énergie essentielle que notre Racine doit céder le pas à un Shakespeare auquel il est cependant supérieur par certains côtés[15].

Sur ces côtés, Claudel s'explique dans la *Conversation* où c'est à Shakespeare, génial montreur d'«événements» (450), de «céder le pas» à «notre Racine», explicateur des «causes» (455). Et celui-ci possède désormais une énergie nucléaire : il est cet expérimentateur qui en l'homme atteint le «noyau» (455). Il n'entre pas pour autant dans le club des Cinq, faute de cette catholicité reconnue à ceux-là seuls dont la «création est une image et une vue de la création tout entière[15]».

Mais le théâtre sacré? Curieusement, il est absent de la *Conversation* : la seule citation d'*Athalie* y illustre «l'allongement racinien»

---

14. *Prose*, p. 422.
15. *Ibid.*, p. 423.
16. «Claudel et Virgile», *Paul Claudel. I. Quelques influences formatrices*, R.L.M., 1964, p. 45.

(462) et, aux dernières lignes, «la plume» de Racine se rompt «comme d'elle-même» (467) après le «dénouement de *Phèdre*» (466).

En 1937 cependant, Claudel avait semblé nuancer son propos de 1921. Tout en déplorant le schisme survenu au XVIe siècle – «la religion d'une part, le monde et l'art de l'autre, comme s'il y avait deux créations[17]» –, il réunissait alors Shakespeare et Racine :

> Le drame d'un Shakespeare ou d'un Racine, s'il se passe comme séparé par les planches d'une terre que le Christ a rachetée, accepte du moins comme sous-entendue l'idée d'un ordre, d'une vaste hiérarchie morale dont le régime est incontesté[17].

Après Boileau et plus que lui, l'auteur de la *Conversation* soulignera le christianisme de *Phèdre* : «Phèdre est une chrétienne», dit Arcas; à quoi Paul Claudel réplique : «Hippolyte aussi est chrétien» (463). C'est expliciter le sous-entendu, mais en écartant deux pièces où «les planches» ne séparent pas les acteurs d'une terre où règne, sinon le Christ, du moins le Dieu des Juifs... et des Chrétiens.

L'oubli laisserait rêveur, si Claudel, dans les *Mémoires improvisés,* n'avait affirmé qu'*Athalie,* «une très grande œuvre[18]», lui demeurait pourtant «étrangère[18]».

> *Athalie* est belle comme l'*Œdipe Roi* (?) avec le vrai Dieu en plus (!!!). Sainte-Beuve (le roi des imbéciles)[19].

Bien sûr, la cible de cette note est l'auteur de *Port-Royal,* non le tragique. Que cette unique référence du *Journal* au chef-d'œuvre de Racine soit aussi dérisoire n'est peut-être pas dépourvu de sens, surtout si on la rapproche de l'impression laissée par *Esther* et de la déclaration à Jean Amrouche : il y avait dans cette dernière un rejet qui accentue éloquemment le silence de la *Conversation.* L'empire ne se partage pas et si la France a produit un poète impérial et catholique, elle a dû sans doute attendre la fin du XIXe siècle, à moins que ce ne soit le commencement du XXe...

Mais le Racine de Claudel est au moins royal : «c'est ce manteau d'or des moissons que borde somptueusement le velours bleu de la forêt royale[20]». Écrit près de vingt ans avant la *Conversation,* elle, louera l'«intonation» (460) plutôt que la palette, le poète compre-

---

17. «La Poésie au XIXe siècle», *Prose,* p. 1416.
18. *M.I.,* p. 43.
19. *Journal,* novembre 1939, t. II, p. 294.
20. Première version de «Paul Verlaine, poète de la nature et poète chrétien», *Prose,* janvier 1935, p. 1464.

nant manifestement «ce public» qui «a besoin de couleur, le salaud!» (458).

Dans son *Journal* comme dans ses essais, Claudel cite ce poète royal parmi d'autres : Chénier presque toujours, suivi de Baudelaire, de Verlaine ou de Mallarmé. Tous ont été de merveilleux artistes du vers traditionnel :

> Nous devons à Racine, à Chénier et surtout à La Fontaine, les accents purs et modulés d'une langue parvenue à la suprême fleur de la délicatesse et de la politesse[21].

La préférence donnée à La Fontaine pourra surprendre; elle est confirmée, la même année, dans la conférence intitulée «Mon pays» : citant les gloires littéraires de son terroir, Claudel y parle assez largement du fabuliste et se contente de mentionner «Jean Racine, natif de La Ferté-Milon[22]». Racine, un grand poète parmi d'autres. L'œuvre entier de Claudel n'abolit pas, mais relativise l'enthousiasme de la *Conversation,* surtout si l'on replace dans son contexte l'un de ces palmarès où revient le nom du tragique :

> Les grands *poètes français,* les grands créateurs ne s'appellent pas Malherbe ou Despréaux ou Voltaire, ni même Racine, André Chénier, Baudelaire ou Mallarmé. Ils s'appellent Rabelais, Pascal, Bossuet [...][23]

et ceteri, jusqu'à Rimbaud évidemment.

Pour «revenir à Racine[3]» Paul Claudel n'a pas attendu 1954. Dès 1951, il considérait ce retour comme accompli, en partie grâce à l'âge : «Ce n'est pas pour les jeunes gens; [...] il faut beaucoup d'expérience, il faut beaucoup de bouteille[3].» La «bouteille» permet aussi, la gloire enfin venue, de renoncer à jouer un rôle : celui de l'intolérant qui rejette les valeurs consacrées. L'âge toutefois n'a pas accru «le peu d'admiration pour Corneille[3]» : il a tout juste inspiré une litote. Même préparé par les réflexions de toute une vie, au moins depuis 1914, l'éloge de Racine tranche sur tant d'autres préventions demeurées intactes.

Mais l'enthousiasme de la *Conversation* ne doit pas abuser : Racine demeure une exception miraculeuse, une beauté étrangère. Ses œuvres étaient sur la table de Verlaine mourant; Claudel le rappelle volontiers. Sur son bureau à lui, au dernier jour, il y avait un *Rimbaud.*

---

21. «La Chanson française», *Prose,* juillet 1937, p. 381.
22. *Prose,* p. 1005.
23. «Réflexions et propositions sur le vers français», *Prose,* p. 43-44.

La Princesse de Clèves,
tragédie dans un fauteuil

JEAN GARAPON

Familier des mémoires du XVIIe siècle, de la totale liberté
esthétique dont jouissent ces ouvrages de diffusion restreinte, nous
avons eu l'attention attirée par une interprétation possible, bien que
réfutée par le contexte, du célèbre jugement de Mme de La Fayette
sur son roman, dans la lettre à Lescheraine : «[...] aussi n'est-ce pas
un roman; c'est proprement des mémoires[1]...» Par ces mots, la
romancière vise en fait le rapport au réel, infiniment plus grand,
selon elle, dans son œuvre, que dans les romans héroïques ou
sentimentaux. Cependant, pour qui se détache du contexte précis
de la lettre, ces propos peuvent être interprétés comme une
revendication de liberté esthétique. On sait que, «au carrefour des
genres en prose», les mémoires se dégagent tout au long du siècle de
l'histoire, de la biographie, du roman, tout en entretenant avec eux
des rapports constants : la richesse des mémoires réside dans ce
caractère hybride. Mais comme tous ses contemporains, le mémo-
rialiste est aussi amateur de théâtre. Et de cette fascination exercée
par le spectacle, les mémoires se font l'écho fidèle; très remarquable
est dans ces ouvrages le caractère résolument théâtral que prennent
parfois les scènes, opposées aux récits, ou encore les réflexions du
héros-narrateur, muées en monologues. Les quelques remarques
qui suivent vont tenter, sur des points limités, de poursuivre un
débat depuis longtemps ouvert : en quoi *La Princesse de Clèves*,
(«mémoires» plus que roman) est-elle redevable de l'esthétique du
théâtre? Certes, à la lecture, la comparaison avec la tragédie – genre
dominant à l'époque – vient aisément à l'esprit, même s'il ne faut

---

1. Mme DE LA FAYETTE, *Correspondance,* éd. Beaunier, Gallimard, 1942, t. II, p. 63.

pas la pousser trop loin[2]. A la suite de R. Picard[3] qui, en des formules heureuses, souligne cette ressemblance, on souhaiterait seulement montrer ici comment, au-delà d'une parenté très générale, c'est au cours de ces scènes majeures, et dialoguées, que le roman de Mme de La Fayette se rapproche de la tragédie. En ses moments les plus cruciaux, et tout en restant homogène à la lecture, le récit s'adjoint les richesses de la perspective tragique : solennité prestigieuse des paroles, mystère de la liberté des personnages soudain magnifiée aux yeux du lecteur-spectateur.

Certes, le genre tragique marque *La Princesse de Clèves* de son empreinte, au point que l'on a pu y voir une œuvre narrative spécialement écrite pour un amateur de tragédie. Sans jamais cesser d'être un roman, le récit de Mme de La Fayette offre avec les pièces de Corneille ou de Racine d'irrésistibles rapprochements, que l'on se contentera ici de résumer : extrême resserrement d'une action présentée comme une crise courte et violente, vécue par des personnages de sang princier, suffisamment connus du public et éloignés dans l'histoire pour susciter son admiration ; exemplarité de leur souffrance, exprimée avec noblesse ; climat[4] de mort omniprésente qui, de cette humanité d'élite, fait autant d'êtres en sursis ; discrète, mais obsédante unité des lieux qui engendre une atmosphère d'envoûtement et d'impuissance. Quant à la technique narrative, elle choisit de suggérer, jusqu'au plus grand dépouillement, le cadre somptueux du drame, sans jamais le décrire, et de s'appliquer exclusivement à l'analyse morale. Pareil jansénisme narratif rapproche le roman de *Phèdre*. Le découpage du récit apparente également l'œuvre à un spectacle dans un fauteuil. Au moins à première lecture, il est fort possible d'y voir une succession de tableaux[5] : la rencontre chez le joaillier, la scène du bal, la mort de Mme de Chartres, le portrait dérobé, l'aveu, etc., autant de tableaux doués d'une forte cohérence visuelle pour le lecteur-spectateur. A l'unité du décor, en effet, s'ajoutent des dialogues et des

2. C'est ce que fait M.-A. RAYNAL dans *Le Talent de Mme de La Fayette*, Picard, 1926, p. 203 sq. Rappelons que le roman a fourni à Jules Lemaître matière à une pièce de théâtre, en 1908, et à Jean Delannoy l'occasion d'une adaptation cinématographique, en 1960. D'une manière générale, en cette seconde moitié du XVIIe siècle, le théâtre imprègne tous les comportements et représentations mentales, comme le cinéma ou la télévision de nos jours.

3. «Divers aspects de la princesse de Clèves», article reproduit dans *De Racine au Parthénon*, Gallimard, 1977, p. 184-196. Nous empruntons à ce critique le titre de notre article. R. Picard montre clairement en quoi le roman illustre, à sa façon, la définition de la tragédie selon Racine, dans la Préface de *Bérénice* : «Une action simple, soutenue de la violence des passions, de la beauté des sentiments et de l'élégance de l'expression».

4. Cf. J. MESNARD, préface à *La Princesse de Clèves*, Paris, Imprimerie nationale, 1981, p. 20-21.

5. Cf. R. PICARD, *op. cit.*, p. 195.

indications scéniques précises sur les mouvements des acteurs. D'une scène à l'autre, il est fréquent que la liaison soit assurée, comme dans la tragédie, par l'arrivée opportune de tiers, utiles à la vraisemblance, commodes pour la romancière[6]. Ou encore un hasard imprévu – signe d'une fatalité en œuvre – vient contrarier les héros, empêcher une réconciliation possible[7].

Une autre ressemblance avec la tragédie se découvre dans le soin avec lequel la romancière distribue la parole à ses personnages. Parfois, leurs répliques ne font que poursuivre l'analyse, l'animer, l'illustrer[8]. Parfois, en revanche, les dialogues deviennent de véritables échanges de répliques au cours de scènes organisées, utiles à la progression de l'action, et dont la puissance dramatique requiert, comme au théâtre, la collaboration active du public (à la fois regard et conscience), entendons du lecteur. Ainsi, pour ne prendre que cet exemple, la conversation chez Mme la Dauphine autour de l'aveu divulgué[9] : une scène à deux personnages (Mme la Dauphine, Mme de Clèves),où l'héroïne apprend que son aveu a été ébruité, est suivie d'une scène à trois où – comble de souffrance – survient M. de Nemours, coupable présumé de l'indiscrétion. L'ensemble se trouve rythmé par les surprises successives que créent dans l'esprit de la princesse les propos innocents de la Dauphine et les dénégations irrecevables de M. de Nemours. La scène s'achève par un aparté de ce dernier à la princesse, procédé typiquement théâtral, nouvelle déclaration d'amour voilée. Durant tout ce temps, les positions des deux personnages principaux sont notées avec précision, et revêtent une importance dramatique et visuelle essentielle (Mme de Clèves agenouillée, le visage dans l'ombre ; M. de Nemours d'abord troublé, puis à nouveau maître de lui). Au total, comme au théâtre, cette scène de malentendu tragique n'offre de sens plein que pour le regard omniscient du lecteur : lui seul, simultanément, se représente la scène, devine la souffrance de l'héroïne, jouit sans s'en rendre compte de sa supériorité sur trois personnages à l'aveuglement variable. Pareille distance théâtrale, comme pareille situation dramatique[10], se retrouvent fréquemment dans le roman.

Il serait trop long d'énumérer tous les procédés dramatiques empruntés par Mme de La Fayette ; notons la fréquence exceptionnelle des apartés[11], et la présence de monologues de types divers,

6. Cf. p. 294, 336, 341, 348, etc. Nos références renvoient à l'édition Garnier, Paris, 1970.
7. Par exemple, p. 275 (la mort de Mme de Chartres prive celle-ci d'une conseillère conjugale sûre), ou p. 359 (le voyage en Espagne eût rendu possible une explication entre époux).
8. Par exemple, p. 258.
9. P. 343-348.
10. Pour une scène de structure semblable, cf. p. 371.
11. Cf. p. 297, 302, 307, 326, 341, etc.

comme dans la tragédie : l'un, placé dans la bouche de Mme de Clèves[12], aboutit par exemple à la décision de l'aveu ; d'autres sont de purs monologues lyriques et pathétiques. Jamais cependant la ressemblance avec le théâtre n'est plus frappante et durable que dans les vastes scènes qui constituent le sommet du récit.

De ces scènes-clés, essentielles pour l'interprétation du roman (la scène de l'aveu et celle de la rupture), d'innombrables commentaires ont été donnés, souvent contradictoires. Nous voudrions seulement souligner ici leur caractère nettement théâtral, et remarquer que cette spécificité peut éclairer le sens qu'ils revêtent pour la romancière.

Abordons ainsi la première de ces deux scènes, celle de l'aveu[13]. Son caractère théâtral ne fait guère de doute. Tout comme M. de Nemours, plus que lui en pratique, nous assistons à un spectacle où, entre les répliques, abondent les indications scéniques qui nous permettent de nous représenter le tableau avec exactitude. La gêne de l'héroïne va d'abord croissant («avec un air embarrassé», «avec un embarras qui augmentait toujours»). Puis, M. de Clèves hausse le ton («s'écria»), et presse sa femme de questions. Celle-ci demeure alors «dans un profond silence, les yeux baissés», puis prend la parole «tout d'un coup» en regardant son mari. Après un nouveau temps de silence, elle se jette aux genoux de celui-ci pour prononcer l'aveu pathétique, qu'elle accompagne de larmes. M. de Clèves «était demeuré, pendant tout ce discours, la tête appuyée sur les mains, hors de lui-même». Il embrasse ensuite sa femme et la relève. Dans son désir de connaître l'identité de son rival, il utilise d'abord des ménagements, puis sa jalousie éclate «tout d'un coup», avant qu'un gentilhomme ne vienne à point nommé interrompre un entretien dans l'impasse. Toutes ces didascalies, ces silences notés avec la précision d'un metteur en scène et qui fixent un tempo, cette liaison finale, assurent sans conteste la parenté étroite de cette scène avec la tragédie.

Cependant, la puissance dramatique du passage tient aussi à d'autres raisons. On peut d'abord rappeler que, fort habilement, la romancière n'a jusque-là placé que peu de paroles dans la bouche de son héroïne. C'est une très jeune femme, intimidée par le monde dangereux de la cour, gênée devant un mari plus âgé, paralysée par un amour dégradant à ses yeux, qui va entreprendre cet

---

12. Cf. p. 330, puis 351 et 369. Voir J. SCHERER, *La Dramaturgie classique en France*, Nizet, 1950, p. 245-251.

13. P. 332-336. VALINCOUR, en 1678, dans ses *Lettres à Mme la marquise*★★★ *sur le sujet de «La princesse de Clèves»*, compare explicitement cette scène à l'*Iphigénie* de Racine.

acte d'héroïsme soudain, et inachevé. Auparavant, en effet, nous l'avons connue le plus souvent silencieuse, ou maladroite dans ses paroles[14]. Or, avec cette scène de l'aveu, aboutissement d'une résolution héroïque, nous assistons à une prise de parole ; l'héroïne, jusque-là passive, décide de faire front devant la conjuration d'une passion entraînante et d'un conformisme social. Solennisée par l'esthétique théâtrale, la parole est alors l'occasion de cette spectaculaire métamorphose, qui comble M. de Clèves «d'estime et d'admiration». Celui-ci, pour la première fois, subit l'ascendant de son épouse, et multiplie de vains efforts pour obtenir d'elle le nom de son rival. De plus la solennité de cette soudaine prise de parole se trouve renforcée, dans l'esprit du lecteur, par ce que l'on peut appeler le silence provisoire de la narratrice, jusque-là très présente, à des titres divers, dans son récit. Celle-ci, soigneusement distinguée de l'auteur, apparaît, selon R. Francillon[15], comme «l'incarnation d'un certain conformisme moral et social», charmée par la cour, indulgente aux passions. Simultanément, elle met au jour, par la variation des points de vue narratifs, la mauvaise foi fréquente de Mme de Clèves, annonciatrice d'une chute probable. Or pendant la scène de l'aveu, et à de rares exceptions près, la narratrice s'évanouit de son récit, ménageant ainsi dans l'esprit du lecteur la liberté totale d'une héroïne qui semble soudain lui échapper. Cet abandon apparent obéit sans doute à une intention fondamentale : magnifier une originalité et un courage moral, grandir une liberté dans ses instants solaires. D'une narratrice séduite par la cour et sa moralité relâchée, il semble soudain que l'héroïne couvre la voix. En des accents d'une intensité insoutenable, elle se révèle fidèle aux rudes conseils de Mme de Chartres mourante. Sur la grisaille du style d'analyse, et par la vertu de l'esthétique théâtrale, tranchent ces quelques moments sublimes, essentiels pour la suite du récit.

Fortement inspirée de l'esthétique tragique est l'autre scène-pivot, celle de la rupture[16]. Le décor de l'ultime entrevue des deux personnages («un grand cabinet») rappelle étrangement un banal décor de tragédie. La scène, la plus longue du roman, comporte elle aussi de nombreuses didascalies, aisées à relever, qui isolent des moments dramatiques bien définis : extrême surprise de Mme de Clèves devant M. de Nemours, silence et volonté de fuite («elle voulut s'en aller») ; explication sincère de l'héroïne (elle s'assied) et aveu d'amour ; joie folle de l'aimé (M. de Nemours se jette à ses genoux) brusquement ternie par le refus du mariage ; souffrance pathétique du prétendant éconduit («M. de Nemours se jeta à ses

---

14. P. 259, 272, 273, 276, etc.
15. R. FRANCILLON, *L'œuvre romanesque de Madame de La Fayette*, José Corti, 1973, p. 209.
16. P. 382-389.

pieds [...]»). En de longues tirades, à peine interrompues par de brefs retours de la narratrice, sous forme de résumés elliptiques[17], l'héroïne affirme à nouveau une liberté inaccessible, surprenante dans ses choix aux yeux mêmes de celle qui mène le récit : c'est l'effet précieux créé par la distance creusée soudain par l'esthétique théâtrale. En une durée qui donne l'illusion de rejoindre le temps réel, la princesse fait entendre sa voix, voix frémissante et résolue, voix mystérieuse pour la narratrice elle-même, voix que le lecteur n'entendra plus. Rejetée bien loin à présent la toute-puissance d'une passion qui dicte à l'être sa conduite, annihile sa volonté, endort même sa conscience ; l'amour a beau être toujours là, il est dominé par une conscience claire, une volonté conquérante[18]. Aucun spectateur pour ces moments d'exception, à la différence, si l'on veut, de la scène précédente ; Mme de Clèves, qui domine le pâle M. de Nemours de «ses raisons inconnues», se propose seule, sans intermédiaire, à l'admiration du lecteur.

En dépit de leur singularité, ces deux scènes restent cependant unies en profondeur au reste de la narration. Dans le cours du roman d'abord, de nombreuses scènes dialoguées, plus courtes, préparent le lecteur, par une fine gradation, aux vastes dialogues cités. Nous avons vu de plus que, au cours de ces scènes mêmes, la narratrice rappelait fugitivement sa présence. Du point de vue dramatique enfin, de discrètes annonces de la romancière préparent à l'aveu, au refus du remariage. Ces scènes interviennent donc comme le couronnement d'une architecture secrète exaltant soudain la richesse cachée d'un être que méconnaît le regard social. Dans un récit qui reste homogène à la lecture, la romancière joue habilement du contraste que peut créer soudain le recours à l'esthétique du théâtre. Ainsi, l'effet de fuite saisissant des dernières pages du roman contribue à souligner rétrospectivement, dans l'esprit du lecteur, l'éclat remarquable de la scène de rupture.

«C'est proprement des mémoires [...]», disait Mme de La Fayette. Il paraît légitime, pour conclure, de souligner cette convergence des choix narratifs des mémorialistes et des romanciers, vérifiée dans le commun recours aux procédés du théâtre. Si l'on relit par exemple l'œuvre de deux mémorialistes contemporains de la romancière, le cardinal de Retz et Mademoiselle de Montpensier, on reste frappé par le prestige que revêt, à leurs yeux d'écrivains, le

---

17. P. 384.
18. D'assez loin, la scène rappelle l'explication entre Pauline et Sévère (*Polyeucte*, II, 2), comme le signale M.-A. Raynal. La comparaison est surtout possible entre les deux héroïnes.

modèle tragique, ou plus largement théâtral. Retz par exemple relatant vers 1675 la délibération qui l'a conduit, au cours des journées d'août 1648, à choisir le camp de la Fronde, s'abandonne aux délices d'un monologue tragique[19]. Et Mademoiselle de Montpensier, écrivant en 1677 le récit de son amour malheureux pour Lauzun, revoit ces événements douloureux dans une optique romanesque mais aussi tragique. Il faudrait étudier de ce point de vue le beau récit qu'elle donne de son entrevue avec Louis XIV, au cours de laquelle le souverain interdit à sa cousine un mariage extravagant[20]. Toutes les caractéristiques d'une scène tragique sont là : unité de lieu (le cabinet du roi), présence exclusive d'un dialogue très soigné, empreint d'une «tristesse majestueuse», dialogue au travers duquel s'affrontent deux volontés et où sont mêlés mariage et politique, didascalies qui guident l'imagination du lecteur (le roi se met à genoux, pleure; sa cousine pousse les hauts cris; etc.). Les événements les plus graves de l'existence, pour nos mémorialistes, sont transfigurés en épisodes de tragédie. Il semble qu'entre le monde de la gloire et la solennité du théâtre tragique existe une affinité secrète, dont les mémoires, grâce à leur esthétique hybride, peuvent aisément se faire l'écho. Tout se passe comme si Mme de La Fayette obéissait à la même logique littéraire. Elle qui, dans ses romans précédents, utilisait si peu le style direct, brosse soudain de vastes scènes, dans *La Princesse de Clèves,* pour grandir les coups d'éclat de son héroïne, les «épiphanies» d'une liberté. Cet infléchissement passager vers une autre esthétique, qui introduit dans le cours du roman une émotion de qualité nouvelle – solennité, grandeur tragique – noue une complicité avec le lecteur encore ébloui par les représentations de *Bérénice.* Dans un ouvrage de facture très homogène, il introduit une subtile variété. Il contribue à la richesse esthétique de *La Princesse de Clèves,* tragédie dans un fauteuil, plaisir de lettré.

19. *Mémoires,* Paris, éd. Garnier, 1987, t. I, p. 315.
20. *Mémoires,* Paris, éd. Charpentier, 1859, t. IV, p. 233-236.

LE THÉÂTRE ET LA RELIGION

SACERDOS SIVE RHETOR, ORATOR SIVE HISTRIO :
rhétorique, théologie et moralité du théâtre en France de Corneille à Molière

MARC FUMAROLI

La chrétienté n'a cessé de débattre, depuis la fin de l'Antiquité, sur la légitimité et le statut des images, peintes ou sculptées [1]. Elle n'en a pas moins été divisée sur le statut et la légitimité de cette autre forme de *mimésis* qu'est le théâtre, et sur le médiateur vivant de cette *mimésis,* le comédien. Mais alors que l'histoire de l'Art, s'alliant à celle de l'Eglise et de la philosophie, a conféré à la Querelle des Images, dans la très longue durée, une dignité épique, l'histoire du théâtre, plus provinciale, n'a donné à la Querelle de la moralité du théâtre qu'un intérêt mineur, restreint au surplus à la période postérieure au Concile de Trente. Or le théâtre, comme les arts plastiques, a eu ses «iconoclastes» de la *res scaenica,* et ceux-ci ont compté dans leurs rangs tant de Pères et de Docteurs, et d'une façon à ce point ininterrompue, que leurs héritiers au XVIIe siècle ont pu se réclamer d'une Tradition immuable de l'Eglise. En revanche, il faut attendre le XVIIe siècle pour trouver des «iconodules» résolus ou modérés. Cela n'est pas surprenant : si les images plastiques, tout immobiles qu'elles sont, ont pu être tenues par Platon et toute une tradition théologique pour l'un des plus graves périls de l'âme, les «idoles» théâtrales, douées de mouvement, de voix, animées par le corps vivant des acteurs, ont une emprise bien plus immédiate et puissante sur les sens. Les «iconodules» de la Querelle des images ont pu faire triompher la distinction entre icône symbolique, médiatrice entre le croyant et les archétypes divins, et images mimétiques, qui exposent l'âme au «divertissement» sensuel. Cette distinction a sans doute aussi joué en faveur

---

1. Sur la Querelle des Images, voir les articles et le volume *Nicée II, douze siècles d'images religieuses,* actes du colloque international, Nicée II, tenu au Collège de France, Paris, 2, 3, 4 octobre 1986, édités par F. Bœsplung et N. Lossky, Paris, Cerf, 1987.

d'un théâtre liturgique et sacerdotal. Mais il a été beaucoup plus difficile de dissocier, dans le théâtre mimétique, ce qui relève du plaisir innocent et même fertile, de ce qui relève de la corruption. Car le théâtre mimétique fait appel au comédien, et celui-ci, grossier ou raffiné, n'a cessé d'être considéré comme un masque charnel de Satan, qui, tel l'Antéchrist de Signorelli dans les fresques d'Orvieto, recourt à des apparences trompeuses et à des manœuvres séductrices pour s'emparer des âmes et les livrer à la voirie des sens. La théologie chrétienne a tenu ces histrions pour si dangereux que, pendant dix siècles, et pas seulement en Orient, l'«iconoclasme» antithéâtral a supprimé tout théâtre mimétique. La notion même de théâtre, et la métaphore si profonde, si fertile, que la philosophie et la littérature antiques avaient fondée sur elle, *vita tanquam scaena est,* a été effacée de la mémoire chrétienne. La citation de Pétrone au XIIe siècle par Jean de Salisbury *(totus mundus exercet histrionem)* est une exception solitaire[2]. Il faut attendre le XVe siècle, la Renaissance italienne, et Marsile Ficin pour que le «lieu commun» antique reprenne toute sa vitalité. Si la «Querelle de la moralité du théâtre» a moins d'éclat historique que la «Querelle des images», c'est que, dans le premier cas les «iconoclastes» ont fait très longtemps l'unanimité dans l'Eglise, et que cet «iconoclasme»-là y a triomphé beaucoup plus radicalement et durablement.

Cette disparition complète, pendant dix siècles, d'un des arts majeurs de la civilisation, nous est masquée rétrospectivement par un mythe historiographique : le théâtre moderne serait né du théâtre liturgique, voire de la messe elle-même. Cette théorie, qui fait de l'Eglise la mère de cela même qu'elle a si efficacement combattu, repose à mon sens sur une confusion conceptuelle élémentaire, qui investit le mot «théâtre» de deux sens complètement contradictoires. Il n'y a pas de commune mesure *en principe* (même si les «Mystères» des confraternités laïques du XVe et du XVIe siècle sont des hybrides d'un registre à l'autre) entre la gestuelle symbolique de la liturgie, ou du «théâtre» qui dérive de celle-ci, et la gestuelle mimétique du théâtre profane, renouvelé de l'antique, qui réapparaît dans l'Europe chrétienne au XVe siècle. L'une rend visible, mais sans prétendre les «représenter», une histoire sacrée, transcendante au temps et à l'espace profanes, une histoire trop vraie pour être compromise avec la fiction, le jeu, la *mimésis* de la vie éphémère et profane; l'autre se veut un jeu qui imite la vie profane, soit pour la divertir, soit pour la doter d'une conscience morale, de toute façon pour lui donner consistance et confiance en elle-même. Dans le premier cas, on a affaire à des actes

2. G.-Christian LYNDA, *Theatrum mundi, the History of an Idea,* New York and London, Garland, 1987, p. 62-72.

sacerdotaux, par lesquels des acteurs-médiateurs initient les profanes aux mystères d'une histoire sainte et de desseins divins; dans l'autre on a affaire à des représentations de la vie profane, interprétées par des comédiens «mercenaires» : cela suppose un contrat mercantile entre ceux-ci et le public, qui en échange d'un paiement obtient du plaisir mimétique; cela suppose aussi au moins l'amorce d'un *espace public laïc,* libéré de la médiation sacrée, et où la représentation théâtrale n'est qu'une facette de la représentation généralisée, d'un «monde comme théâtre», où les fictions juridiques et politiques laïques font concurrence à la hiérarchie sacrale. A la foi que nourrit le théâtre liturgique, il faut donc opposer le «faire croire» qu'alimente le théâtre mimétique, et qui est au fond la pierre angulaire assez fuyante de l'édifice des représentations laïques. Comment la foi survit-elle à la concurrence du «faire croire», tel est le drame de la culture chrétienne postérieure à la Renaissance, et il est surprenant que l'histoire du théâtre n'ait pas tiré parti du point de vue central dont elle dispose sur ce drame vital.

Quelles que soient les formes transitionnelles qui ont en Europe voilé l'émergence d'un théâtre profane, mimant pour un public laïc la vie laïque elle-même, cette émergence a rompu un interdit millénaire imposé avec succès par l'Eglise. C'est alors, mais alors seulement, qu'il y eut de nouveau, comme aux cinq premiers siècles, une «Querelle de la moralité du théâtre», sauf que cette fois, des chrétiens prirent la défense des comédiens et de la scène profane. Dans l'intervalle, les chrétiens laïcs étaient à ce point subordonnés à l'autorité sacrée de l'Eglise qu'ils n'avaient pas les moyens de se donner cet espace public de jeu réflexif et mimétique qu'est en définitive le théâtre profane, et qui fait de lui le *modèle* et la meilleure garantie de l'espace public laïc tout entier. La Réforme protestante, tout en abolissant l'écart catholique entre le sacerdoce et le laïcat, a plutôt cherché à sacerdotaliser les laïcs qu'à les laïciser. Aussi s'est-elle montrée beaucoup plus radicale, dans sa condamnation du théâtre profane, que le clergé catholique. C'est un puritain anglais du XVIIe siècle, William Prynne, qui a rassemblé le plus formidable argumentaire contre le théâtre profane des temps modernes, dans son *Histrio-mastix, the Players Scourge or Actors Trageadie* (1633)[3]. Mais il y rassemble les mêmes autorités scripturaires et patristiques dont se réclamaient depuis le XVIe siècle

---

3. «Histrio-Mastix, the Players Scourge or Actors Trageadie, divided in Two Parts, wherein it is largely evidenced by divers Arguments, by the concurring Authorities and Resolutions of sundry texts of Scripture, of the Whole Primitive Church, both under Law and Gospel, of 55 Synods and Councils, of 71 Fathers and Christian Writers, before the year of Our Lord 1200, of above 150 foreign and domestic Protestant and Popish Authors, of 40 Heathen Philosophers, Historians, Poets of many Heathen and Christian Nations..., and of our owne English Statutes, Magistrates,

les théologiens catholiques qu'il cite abondamment. A cette différence près que son réquisitoire a porté : en 1642, le Parlement
anglais, agissant en «concile ecclésiastique», supprime les théâtres,
à l'exemple de ce qu'avait décidé Calvin et la Cité-Eglise de
Genève un siècle plus tôt. Alors que, en dépit de toute l'autorité
ecclésiastique dont il jouissait à tant de titres, le cardinal Charles
Borromée ne parvint pas à extirper les comédiens et le théâtre de
son diocèse de Milan : il trouvait en face de lui un pouvoir civil et
laïque, le Gouverneur du Milanais au nom du roi d'Espagne, qui
prenait fait et cause pour les comédiens et pour le public laïc qui les
souhaitait[4]. On voit sur cet exemple fameux combien la hiérarchie
sacerdotale catholique, qui élève si haut le prêtre au-dessus du laïc,
servit les laïcs après les avoir si longtemps tenus en lisière : la
bipolarité qu'elle instaure dans la Cité chrétienne, entre sacré
et profane, autorité ecclésiastique et autorité civile, protège en
quelque sorte les laïcs sitôt que ceux-ci osent affirmer leur identité
propre, leur propre ordre public. La Réforme, en abolissant cette
bipolarité, a créé les conditions d'une théocratie homogène là où
l'Eglise catholique n'avait plus les moyens d'affirmer la sienne *sur*
un laïcat et sur des pouvoirs civils dotés par l'humansime, par ses
modèles païens, d'un sens aigu de leur autonomie. C'est le choix
des laïcs, citadins ou gens de cour, qui en terre catholique, fait
dresser des tréteaux de théâtre, et qui fait fête aux comédiens. C'est
la protection des princes et des magistrats laïcs, animés par un souci
de simple police et par des souvenirs antiques, qui garantit ces
spectacles profanes, contre les foudres épiscopales. Mais sur le fond,
William Prynne voyait clair : dans l'histoire de l'Eglise, la norme,
c'est l'exclusion du théâtre profane de la *Respublica christiana*. La
Réforme, comme l'a bien vu le citoyen de Genève jugeant au
XVIIIe siècle la société catholique de son temps, avait rendu à l'Eglise

Universities, Writers, Teachers, that popular Stage-Players (the very Pompe of the Devil which we
renounce in Baptism, if we believe the Fathers) are sinful, heathenish, lewde, ungodly spectacles, and
most pernicious corruptions... And that the Profession of Play-Poets, of Stage-Players together with
the penning, acting and frequentation of Stage-Players, are unlawful, infamous, and misbeseeming
Christians...», Londres, 1631. La matière est ironiquement arrangée par Prynne en actes et scènes de
tragédies. Dans la préface «To the Christian Reader», l'auteur se justifie d'avoir mêlé étroitement la
matière proprement théâtrale avec celle des mœurs mondaines et païennes : «dancing, Musicke,
Apparrell, Effeminacy, Lascivious Songs, Laughter, Adultery, Obscene Pictures, Bonefires, New
Years gifts, Grand Christmasses, Health drinking, Long hair, Lords days dicing, with sundry pagan
customs». Pour Prynne, comme plus tard pour Molière en sens inverse : «Your shall find in them all
materially pertinent to the theme in question, they being either the incomitants of the Stage-Players,
or having such near affinities with them, that the lawfullness of the one are necessary mediums to
evince the sinfullness of the others». L'espace laïc et païen se définit très exactement pour Prynne,
comme pour Molière, par une théâtralité mimétique générale, déduite «dans la vie» de la
fonction-archétype et contagieuse que lui propose la *mimésis* comique.
   4. Voir, outre l'abondante littérature consacrée à cet épisode dans la bibliographie de saint
Charles, Ferdinando TAVIANI, *La Commedia dell'arte e la societa barocca. I. La fascinazione del Teatro*,
Roma, Bulzoni, 1970, p. 3 sq.

les moyens de faire admettre par tous cette interdiction du théâtre profane. En réalité, du point de vue des autorités ecclésiastiques catholiques, *le fait* du théâtre profane qui leur était imposé sous la pression du laïcat et de ses représentants civils, était un fait *toléré,* et non un droit : l'unanimité des statuts synodaux publiés par les évêques après le Concile de Trente réaffirme, avec un succès variable selon les lieux, la norme chrétienne : le théâtre mimétique est un crime contre la foi, et les histrions qui se livrent à cette *mimésis* sont excommuniés. Les prédicateurs, non moins unanimes, tonnent en chaire contre les comédiens et les spectateurs, les théologiens publient des traités rappelant la doctrine de l'Eglise sur les spectacles. Tout cela est loin de rester sans effet. Mais enfin le théâtre profane n'en persiste pas moins, il prospère même, surtout là où une puissante cour laïque est à même de tenir en respect l'autorité sacerdotale. Rien de commun avec ce qui s'est passé à Genève, à ce qui se passe au XVIIe siècle dans l'Angleterre de Cromwell, dans la Nouvelle Angleterre puritaine, dans la Hollande gomariste.

La situation du théâtre profane dans l'Europe catholique est donc infiniment plus ouverte que dans l'Europe réformée. D'abord parce que, construite sur des fondations romaines, la société catholique, comme l'en accuse la Réforme, porte en elle les germes d'un «paganisme» toujours prêt à renaître, et entre autres ces troupes de *saltatores et mimi* errantes, marginales, qui attendent encore leur historien, et dont la présence a dû laisser des traces très tôt dans les archives des juridictions ecclésiastiques. Et puis, à la faveur de l'humanisme italien et de la réhabilitation du théâtre antique, la société catholique a vu apparaître ce nouveau type d'histrion dont parle au XVIIe siècle le grand canoniste De Luca, *qui mediantibus fabulis ac fictis argumentis, humanae vitae similitudinem veluti in speculo repraesentant potius comici noncupandi ac reputandi*[5]. Ces comédiens, que certains auteurs tiennent pour exempts des vices dont les *saltatores et mimi* sont affligés, doivent-ils être exceptés de l'interdiction canonique des sacrements, et de l'incapacité juridique, qui frappent leurs collègues inférieurs? Le cardinal De Luca laisse la question en suspens, tout en faisant remarquer qu'à Rome même,

---

5. Cardinal DE LUCA, *Theatrum Veritatis,* Rome, 1669-1678, art. «De donatione», disc. 42, t. V, p. 156, n. 3 et 7. Pour le cardinal jésuite de Luca, le droit, canonique et civil, ne peut reconnaître la valeur d'un acte judiciaire quelconque quand la fiabilité d'un des contractants est publiquement nulle. C'est le cas par excellence des histrions. Il tient cependant des travaux du P. Ottonelli quand il admet que certains histrions (c'est la définition que je cite) peuvent passer pour plus fiables que d'autres. Parmi les actes dont les histrions, incapables de bonne foi, sont exclus, figurent entre autres les contrats de mariage. Une étude d'histoire du droit sur le statut du comédien au XVIIe et au XVIIIe siècle éclairerait profondément l'histoire du théâtre et la biographie des comédiens à cette époque.

ils sont autorisés et tolérés. Cette hésitation a suffi pour favoriser l'essor d'un théâtre profane relativement respectable en Italie, à faire des comédiens italiens pendant trois siècles des ambassadeurs de l'humanisme de la Renaissance dans toute l'Europe, et à faire accuser l'Eglise romaine par les théologiens réformés de favoriser la corruption des chrétiens par le théâtre... Au fond la «Querelle de la moralité du théâtre» n'avait de sens et de lieu qu'en terre catholique, du fait même que le droit canonique, tenant compte de la réalité nouvelle (l'espace public laïc) est préparé à nuancer les interdits et incapacités traditionnelles frappant sans discrimination les gens de théâtre. Mais c'est un fait avant tout italien. A Paris même, les comédiens italiens jouissent, de la part du clergé italien dans la capitale, d'une compréhension qui est refusée aux comédiens français par le clergé gallican. Dans la Querelle de *Tartuffe,* Molière fera remarquer à quel point ses collègues italiens peuvent se permettre plus de liberté, même dans la satire anticléricale, que lui-même[6]. Plus tard, c'est un Italien, le P. Caffaro, qui s'attira les foudres de Bossuet pour avoir répété en français la distinction juridique faite par le cardinal De Luca, et qu'avait longuement justifiée le jésuite Ottonelli, dès 1646, dans son traité *Della moderazione cristiana del Teatro*[7]. Et au XVIIIᵉ siècle encore, l'acteur Lekain, pour pouvoir faire ses Pâques, devait se rendre en Avignon, ville pontificale, la sainte Table lui restant interdite par les curés de Paris[8].

L'historien de la rhétorique n'a pas moins son mot à dire dans cette situation complexe que l'historien du droit et de la théologie. Le sort du théâtre profane, né dans l'Italie de la Renaissance, est en effet doublement lié à l'art de persuader réhabilité par les humanistes. C'est la rhétorique de Cicéron et de Quintilien qui renoue l'antique parenté entre l'orateur et le comédien, entre les rostres et la scène. La restauration de l'idéal antique d'*eloquentia* prête au comédien, comme au peintre, une dignité nouvelle, et le *Pro Roscio* de Cicéron peut désormais devenir un argument d'autorité laïque qui fait contrepoids à ceux que fournissent les Pères de l'Eglise aux théologiens et aux prédicateurs. Dans la mesure où les gens d'Eglise eux-mêmes adoptent l'idéal humaniste de l'*Orator,* il leur devient plus difficile de refuser la distinction entre *saltator* et *comoedus, histrio* et *scaenicus.* Il n'en demeure pas moins que cet idéal *antique* est en son principe un idéal *laïc,* et que les gens d'Eglise ne peuvent l'accepter au point d'oublier la distance infinie qui doit séparer

6. Voir la fin de la préface de Molière à la première édition du *Tartuffe* en 1669 (éd. la Pléide, t. I, p. 888) : c'est l'anecdote de la conversation entre Louis XIV et le prince de Condé où les deux hommes comparent le sort réservé à une pièce italienne, *Sacramouche ermite,* et à *Tartuffe.*

7. Taviani, 1970, p. 313 sq.

8. *Enciclopedia dello Spettacolo, sub voce,* «Morale e teatro».

l'*Orator profanus* de l'*Orator divinus* et, à plus forte raison, le comédien profane du prédicateur.

Par ailleurs, la réhabilitation humaniste du *modus rhetoricus,* par opposition à la *disputatio* scolastique, ouvre, en marge du dogme, un vaste champ de *disputationes in utramque partem,* de débats entre hypothèses contradictoires, de compromis et de conciliations : le théâtre profane et les comédiens y ont trouvé un climat plus respirable, où leur cause a pu être défendue. Là où le syllogisme théologique règne sans partage, le théâtre et les comédiens profanes sont hors jeu. Là en revanche où la rhétorique a conquis ses droits, le débat à leur sujet est ouvert, et il s'introduit jusque chez les canonistes. L'empire rhétorique dans l'Europe catholique s'est étendu du même pas que progressait l'espace public laïc ; il a été favorisé par les Etats laïcs gagnant en autorité et en puissance. Le même mouvement a porté l'essor du théâtre profane, la légitimation croissante des compagnies de comédiens, la faveur que leur accordèrent les princes, les éloges que leur décernèrent les humanistes des Académies et des cours.

Lorsque l'Eglise, après le Concile de Trente, entreprit de reconquérir l'espace public laïc, de le soumettre à une norme dévote, elle n'avait plus le choix qu'entre le combat de front, perdu d'avance, contre le théâtre et les comédiens (miroir et symbole de l'espace laïc) ou une «tolérance» qui, en échange, obtiendrait du théâtre et des comédiens qu'ils feignissent de respecter la norme dévote commune. La première stratégie fut tentée par saint Charles Borromée, et elle demeura un exemple pour tous les hommes d'Eglise sévères. La seconde, plus réaliste, trouva son théoricien au XVIIe siècle chez le jésuite italien Ottonelli, qui entérinait la pratique générale de l'Eglise en Italie et même à Rome. La «modération chrétienne» du théâtre supposait qu'une *doxa* cléricale et tridentine fût assez répandue et stable parmi les laïcs pour que le théâtre et les comédiens, tenus en respect et en haleine, ne pussent que contribuer à sa consolidation. Cette «modération» ne gagna pas la France. L'Eglise gallicane, entrée en retard dans la tridentinité, et exposée à la polémique calviniste, peu disposée par ailleurs à imiter l'Italie, préfère au XVIIe siècle la sévérité borroméenne à la «tolérance» romaine. L'Etat royal dut prendre sur lui d'imposer la distinction entre «comédiens» à la Roscius, et «histrions» corrupteurs, répondant ainsi au vœu de la cour et du public laïcs. Mais les prélats, les prédicateurs, le clergé français dans son ensemble ne renoncèrent pas à la lutte, et les comédiens français eurent beau être réhabilités «au civil», ils restèrent exclus des sacrements et même de la sépulture chrétienne, à moins de renoncer publiquement à leur profession immonde ; le clergé français ne céda qu'à contrecœur, et sous des pressions expresses, à la volonté royale.

Dans cette Querelle dont les facettes sont nombreuses, les jésuites ont joué une partie particulièrement difficile. Aux avant-postes de la reconquête de l'espace laïc par l'Eglise tridentine, la Société de Jésus s'est très tôt préoccupée de la place que les laïcs accordaient au théâtre, «criminel» ou «modéré», dans leurs loisirs. L'invention, par les jésuites, du *Carnavale santificato,* des pompes des *Quarant'ore,* tend à faire contrepoids à la «fascination» des spectacles profanes, que favorise la licence traditionnelle dans le temps qui suit la fête de l'Epiphanie. Les Congrégations mariales dont ils sont aussi les inventeurs visent à faire coïncider l'année liturgique, les œuvres de piété, avec le temps laïc, sans intervalle oisif où la tentation des spectacles pourrait se glisser. Théologiens et prédicateurs jésuites, en Italie comme en France, tiennent un rang très honorable dans le combat du clergé contre le théâtre profane et les comédiens. Est-ce contradictoire avec la rhétorique et l'*actio oratoria* qu'ils enseignent dans leurs Collèges, et qui trouvent une consécration publique dans la représentation de tragédies latines? Cette éducation a avant tout pour but de former des prédicateurs éloquents, et de donner à une élite laïque les moyens de servir éloquemment la foi et l'Eglise sur le nouveau Forum ouvert par l'humanisme laïc. Le fait que de nombreux dramaturges profanes, et même des comédiens, soient sortis des rangs de leurs Collèges ne contredit nullement la réserve ou l'hostilité de principe que la Société de Jésus porte au théâtre profane. Tous les dramaturges et les comédiens qui étaient passés par les mains des jésuites ont largement contribué à cette «modération chrétienne» du théâtre qu'appelait de ses vœux le jésuite Ottonelli. Cette transformation par l'intérieur du théâtre profane, grâce à l'éducation des dramaturges et des spectateurs, voire des comédiens, n'a de sens que dans une stratégie d'ensemble qui, par ailleurs, s'emploie à contenir et contrecarrer la «fascination» du théâtre, à augmenter l'attrait des fêtes liturgiques et de la prédication. Il est difficile de nier le succès de cette stratégie : la comparaison entre les comédies antiques ou italiennes, et celles de Molière, suffit à démontrer à quel «adoucissement» le comédien-dramaturge, qui passe pourtant pour «libertin», a dû se livrer : la violence sexuelle directe, qui fuse chez les Latins et les Italiens, est entièrement voilée chez Molière par les jeux de langage et les formes civiles de la galanterie.

Il est vrai que les seuls jésuites n'auraient peut-être pas suffi à tenir en respect la verve de Molière. En France, la sévérité gallicane est telle que les jésuites eux-mêmes y sont tenus à plus de sévérité qu'ailleurs, car ils y sont exposés eux-mêmes à passer pour des comédiens et des sophistes complices des comédiens. Bossuet, dans ses *Maximes et réflexions sur la comédie,* leur rappellera avec une noire ironie les restrictions que leurs Constitutions et leur *Ratio*

Studiorum imposaient à leurs dramaturges et à leur scène pédagogique, et dont ils se sont départis pour rivaliser avec la scène
profane[9]. Et Bossuet est l'interprète retenu d'une tradition beaucoup plus violente. Professionnels d'un théâtre *ad majorem Dei
gloriam,* les jésuites ont été décrits en France, par leurs ennemis
gallicans, un peu à la façon de l'Eglise romaine elle-même par ses
ennemis réformés, comme des adeptes corrupteurs du théâtre
profane. En ceci la polémique anti-jésuite, comme les théoriciens
modernes d'un «théâtre» liturgique «ancêtre» du théâtre profane,
joue sur les mots. Le théâtre de Collège est en réalité *paraliturgique* :
c'est une synthèse de rhétorique et de poétique humanistes avec le
symbolisme religieux. Il prend son sens, comme le «théâtre
médiéval», dans une communauté religieuse; il s'inscrit dans un
ensemble de festivités dévotionnelles dont la liturgie de la messe, la
prédication, la prière, les exercices spirituels sont le foyer central[10].
Il faut beaucoup de naïveté ou de mauvaise foi pour l'assimiler au
théâtre profane, interprété par des comédiens «mercenaires», hors
du temps liturgique et à des fins de divertissement tout profane. Si
forte que l'on veuille la «dérive» du théâtre de Collège en direction
de la récréation profane, dans son principe et dans ses intentions il
était dirigé contre celle-ci, il visait à sauver les âmes de sa
«fascination» démoniaque et libertine.

Naïveté ou mauvaise foi, il reste que le théâtre des jésuites, et en
général leur humanisme rhétorique et poétique *ad majorem Dei
gloriam* passa en France pour un mimétisme pervers des «voies du
monde», détesté par les humanistes laïcs qui y voyaient un
empiètement dévot, détesté par les dévots gallicans qui y voyaient
des concessions criminelles à l'humanisme laïc. Il est loin d'être
certain que Molière ait eu en vue les seuls jésuites dans son *Tartuffe* :
d'autres familles religieuses, à commencer par Port-Royal, lui
offraient le modèle de cet hybride de laïc et de clerc qui réunit en
lui des traits que la société catholique, traditionnellement, juridi-
quement, sépare avec un soin jaloux. En réalité l'ambiguïté dont
joue l'hypocrite de Molière était très répandue : elle est inévitable
dans une société comme la française où la rivalité entre laïcat et
clergé, entre pouvoir civil et puissance ecclésiastique, est d'autant
plus vive que les deux «parties» sont aiguillonnées par leurs
«doubles» menaçants et compromettants, les «libertins» pour les
laïcs, les «hérétiques» pour le clergé. Le pendant français de
Tartuffe, laïc au fond «libertin», mais simulant le clerc prosélyte

9. Ch. URBAIN et E. LEVESQUE, *L'Eglise et le théâtre*, Paris, Grasset, 1930, p. 266-267.
10. On se reportera à la meilleure étude consacrée jusqu'ici au théâtre des jésuites, Jean-Marie
VALENTIN, *Le Théâtre des jésuites dans les pays de langue allemande (1554-1680)*, Francfort, Peter Lang,
1978, t. II, ch. 3, p. 259-322, et la description des fêtes à Munich et à Vienne, t. III, ch. 2 et 10.

pour duper des laïcs de bonne foi, c'est l'abbé de Choisy, clerc «libertin» se travestissant en femme coquette pour coucher plus commodément avec des filles. Le passage des frontières est d'autant plus tentant que les frontières sont fortement tracées et gardées, la traversée des miroirs d'autant plus attirante que les miroirs sont nombreux et profonds.

Les jésuites, hybrides de réguliers et de séculiers, étaient dans la société cléricale une famille équivoque et âprement dénoncée comme telle par leurs adversaires gallicans[11]; en revanche, ils étaient et se voulaient eux-mêmes bien distincts de la société laïque par leur vêtement, leur style de vie, leur mode de comportement. Ils se rattrapaient toutefois par le biais de leurs Congrégations mariales, viviers de la Compagnie du Saint Sacrement : là, ils faisaient des laïcs congréganistes leurs substituts, se répandant dans les divers milieux laïcs, selon une tactique de contagion aujourd'hui résumée par la formule «comme un poisson dans l'eau[12]». Mais il faut bien avouer que ce double jeu n'était pas et ne pouvait pas être leur privilège. Leurs adversaires jansénistes, pour leur faire pièce, comptèrent beaucoup d'espions mi-laïcs, mi-clercs, répandus dans la société mondaine et s'y livrant à une tactique de contagion au service de Port-Royal. Robert Arnauld d'Andilly, Pascal et les «pascalins», et même une demi-abbesse comme Mme de Sablé, étaient de ce nombre.

Cela n'empêcha pas les jansénistes de dénoncer chez leurs ennemis l'impur mélange du sacré et du profane. C'est bien à ses allégeances jésuite, à ses efforts pour opérer une synthèse entre théâtre «chrétien» de Collège et théâtre profane, que Corneille dut les attaques violentes et répétées dont le poursuivit Port-Royal. Pour un Nicole, pour un Varet, il fait figure de «tartuffe» de la dramaturgie dévote, cachant sous des masques saints et héroïques, qu'il fait interpréter par d'impurs histrions, son intention d'attirer les spectateurs chrétiens dans le piège libertin et érotique du théâtre profane. Il est impossible d'admettre que Molière, qui joua si souvent du Corneille, ait partagé ces vues, encore plus insultantes pour les «histrions» (réduits au rang de prostitués publics) que pour le poète de Polyeucte et ses inspirateurs jésuites. La «dévotion aisée» des adversaires de Tartuffe, Elmire et Cléante, dans la comédie de Molière, est beaucoup plus proche de celle de François de Sales et

---

11. Estienne PASQUIER semble avoir été le premier à inscrire ce thème dans la légende noire des jésuites. Voir Age de l'éloquence, Genève, Droz, 1980, p. 236.

12. Louis CHATELIER, L'Europe des dévots, Paris, Flammarion, 1987, en particulier p. 51-54 : «Le corps contrôlé». Victime de la légende noire des jésuites, cet auteur s'imagine qu'il n'y a eu de «dévots» laïcs et prosélytes que dans la mouvance des jésuites. La prodigieuse emprise janséniste sur les laïcs jusqu'à la Révolution, et le type de dévot qu'elle a fait perdurer, souvent hors de l'Eglise romaine, jusqu'à nos jours, reste invisible à cet auteur.

du P. Le Moyne que de celle d'Arnauld, de Nicole, de Pascal, des «Solitaires». Elle est aussi beaucoup plus résignée que ne l'était Port-Royal au moindre mal d'un théâtre profane «modéré», à l'usage de laïcs chrétiens, dont pouvaient se réclamer aussi bien Molière que Corneille, l'un dans le genre comique, l'autre dans le genre tragique. En dépit des malentendus qui purent opposer les deux dramaturges, ils partageaient ce terrain commun, et ils collaborèrent pour *Psyché*. L'«hypocrisie» de Tartuffe, dénoncée par le comédien *(hypocritès)* Molière à la société laïque de son temps comme une menace pour l'autonomie qu'elle a conquise, et pour ses deux garants, le théâtre profane et l'Etat, vise bien au-delà des jésuites ou des dévots formés par eux : il pose le problème propre à la société catholique, depuis la Renaissance et le Concile de Trente, du respect des frontières entre sacerdoce et laïcat, entre morale cléricale et morale civile, entre espace sacré et espace public laïc. En ne respectant pas ces frontières, et en se jouant d'elles, Tartuffe trompe tout le monde et rompt l'équilibre entre les deux pôles. La comédie et le comédien apparaissent en revanche, par leur *mimésis* réflexive, capables de révéler le péril et de contribuer à la clarification des rôles respectifs des uns et des autres.

Corneille, sous le règne personnel de Louis XIV, peut se réclamer de ses anciens maîtres jésuites pour défendre contre Port-Royal le théâtre «modéré chrétiennement» dont il se veut le chef de file. Molière peut s'appuyer sur l'autorité du roi lui-même pour défendre, contre les dévots en général, la légitimité de sa profession et celle du genre comique, «miroir» de la société laïque dont le roi est la tête. L'un et l'autre pouvaient s'appuyer sur la déclaration qu'en 1641, Richelieu avait fait publier par Louis XIII, et qui érigeait en France à la hauteur de doctrine d'Etat la distinction entre «acteurs» et «histrions» que proposaient en Italie un théologien tel qu'Ottonelli, un canoniste tel que de Luca :

> En cas que lesdits comédiens règlent tellement les actions du théâtre qu'elles soient du tout exemptes d'impuretés, nous voulons que leur exercice, qui peut innocemment divertir nos peuples de diverses occupations mauvaises, ne puisse leur être imputé à blâme, ni préjudice à leur réputation dans le commerce public [13].

Cela faisait du roi, et de sa Justice, le protecteur naturel et déclaré d'une profession que les mandements des évêques, les statuts synodaux, les prêches des curés s'obstinaient à confondre avec celle des saltimbanques et des mimes de carrefour. Les conséquences pratiques de cette déclaration royale étaient importantes. Les

---

13. Cité par URBAIN et LEVESQUE, ouvr. cit., p. 10.

comédiens connus pour tels recevaient de cet acte royal une
personnalité juridique que le droit canon et le droit civil refusaient
aux *saltatores*. Comment en effet des actes juridiques impliquant la
bonne foi entre les parties pouvaient-ils être passés avec des
pécheurs publics, faisant métier d'iniquité? Ils ne pouvaient logi-
quement ni faire ni recevoir donation. Leur parole était aussi sujette
à caution que leur personne commerciale. Si la donation d'Orgon à
Tartuffe, dans la comédie de Molière, joue un aussi grand rôle, c'est
afin de retourner contre les «faux dévots» l'argument juridique
dont les comédiens, sans la protection et l'attestation royales,
étaient menacés d'être victimes. Dans *Tartuffe,* c'est au tour du
«faux dévot», dénué de bonne foi, de se révéler indigne de
recevoir une donation, et de voir celle-ci cassée par la Justice
du roi. La bonne foi est passée du côté du comédien-dramaturge
et des sujets laïcs du roi, dont il prend la défense contre la
sophistique cléricale. De même, comment les comédiens, identifiés
aux *saltatores,* auraient-ils pu contracter mariage? Ils n'étaient
dignes de recevoir aucun sacrement, à plus forte raison celui-là qui
suppose un contrat entre parties fiables, un serment réciproque et
engageant définitivement, scellé par la présence d'un prêtre et des
deux familles. Aussi voit-on dans *Tartuffe* la question du mariage
entre la fille d'Orgon et le «faux dévot» tenir une place importante
dans l'intrigue. Mais cette fois, le *saltator* indigne de contracter
mariage, et privé de la bonne foi indispensable à cet acte religieux
et juridique, c'est l'hypocrite qui se pare de religion sévère; le
protecteur des bonnes mœurs et de la famille contre ce saltimbanque dévot, c'est le comédien-dramaturge Molière, et c'est le
roi.

Dans *L'Illusion comique,* trente ans plus tôt, Corneille avait pris la
défense des comédiens, et plaidé pour que leur cas soit dissocié de
celui des vulgaires mimes. Son vigoureux plaidoyer, venant après
celui de Gougenot et de Scudéry, et prolongeant le combat des
comédiens italiens à Paris, avait préparé le terrain à la déclaration
royale de 1641. Mais en définitive, le héros de *L'Illusion comique*
était Alcandre, le dramaturge, plus encore que Clindor, le comédien. C'était en définitive Alcandre, le dramaturge, qui créait les
conditions favorables à l'ascension d'un *saltator* au rang de comédien : c'est lui qui, faisant d'un mal un bien, sait se servir des défauts
mêmes de Clindor pour le rendre capable de les représenter et de les
faire haïr par les spectateurs, tout en le rachetant par cette voie
paradoxale. Dans cette pièce de jeunesse, toute l'audace de Corneille ne sort pas toutefois des limites qu'un laïc catholique de son
temps se devait de respecter : il prend appui sur ceux des hommes
d'Eglise qui, dès lors, surtout en Italie, optaient pour une solution
«modérée» du problème posé par les comédiens, et cette solution

lui agréait d'autant mieux qu'elle reconnaissait au poète-dramaturge la responsabilité de «réformer» le théâtre et de retenir les
comédiens sur leur propre pente. Il est vrai que, dans *L'Illusion
comique,* comme plus tard dans *Tartuffe,* on trouve un appel aux
autorités laïques (en l'occurrence à Louis XIII et Richelieu) pour
appuyer cette conception «modérée» et morale du théâtre profane.
Mais Alcandre ne demande au roi et au cardinal qu'un témoignage.
Molière demandera à Louis XIV une intervention autrement
tranchante, un *Fiat lux* qui écarte du théâtre, des comédiens, de la
vie mondaine, de l'Etat, les ombres menaçantes que font peser sur
tout l'espace laïc les manœuvres sournoises des dévots.

Même si, dans *L'Illusion comique,* Pridamant, le père de Clindor,
est un peu un proto-Orgon, Corneille se garde bien d'insister sur
l'origine cléricale du préjugé hostile au théâtre que nourrit ce
personnage. La comédie est une remontrance polie d'ancien élève
des jésuites adressée à ceux de ses anciens maîtres qui partageaient
l'intransigeance «borroméenne» et condamnaient sans distinction
les comédiens. Corneille ne pouvait manquer d'avoir lu, en 1631,
au seuil de sa carrière de poète, les quatre *Orationes* que le P. Louis
Cellot avait publiées chez Sébastien Cramoisy[14], et qui reprenaient
avec virulence tous les arguments accumulés par la tradition
théologique contre le théâtre profane et les histrions. Mais alors,
comme en 1636, il savait que cette véhémence n'était pas à prendre
au pied de la lettre, et qu'il y avait plusieurs demeures dans la
maison de saint Ignace. Même chez le terrible Juan Mariana, un
autre jésuite acharné contre les spectacles, on pouvait, dès 1606,
entrevoir une esquisse des thèses «modérées» du P. Ottonelli qui ne
seront formulées qu'en 1646[15]. Le P. Cellot lui-même, dans son
éloquence vengeresse, et qui peut sembler impitoyable, ne s'attaque
pas au principe même du théâtre mimétique, mais aux seuls
comédiens. Il sépare soigneusement le cas des dramaturges, dont
l'invention poétique peut s'accorder avec la morale chrétienne, des
comédiens leurs interprètes, qui corrompent tout ce qu'ils tou-
chent. Il pensait sans doute aux régents de Collège auteurs de

14. *Ludovici Cellotii Parisiensis S.J. Panegyrici et Orationes,* Parisis, *apud* Sébastien Cramoisy,1631,
privilège et autorisation du Provincial, sept. et juil. 1629.
15. *Joannes Marianae S.J. Tractatus VII,* Cologne, 1609, *Tractatus III, De Spectaculis,* liber
singularis, p. 127-167, résumé dans notre article : «La Querelle de la moralité du théâtre avant Nicole
et Bossuet», *Revue d'Histoire littéraire de la France,* sept.-déc. 1970, n° 5-6, 1007-1030, p. 1023. Prynne
cite longuement, comme un argument *a fortiori,* le traité du P. Mariana, sans voir les nuances
enveloppées dans la véhémence oratoire du jésuite (ouvr. cit., p. 996-997). Celui-ci admet en passant
que la délectation théâtrale, pourvu qu'elle soit contenue dans les règles de la licence, puisse être
autorisée; mais il doute fortement que les comédiens, pervers par profession, puissent jamais être
contenus dans ces règles : *Tametsi nullis legibus putabam furorem hunc satis frenari.* Il recommande par
ailleurs que l'on interdise aux comédiens de jamais représenter des pièces dont les sujets seraient tirés
de l'histoire sainte, ce qui suppose qu'il admette le fait théâtral, et le caractère inévitable de l'activité
des comédiens.

tragédies néo-latines, comme lui-même; mais le Corneille de *L'Illusion comique* n'est pas insensible à cette distinction qui met sa conscience de dramaturge à l'abri, au moment même où il prend la défense des comédiens que son théâtre soustrait à l'enfer des histrions. Son point de vue, même lorsqu'il entreprend de relever une contradiction dans la thèse du P. Cellot (s'il est des dramaturges «moraux», comment leurs interprètes pourraient-ils continuer à être tenus pour infâmes?), est très différent de celui qui animera Molière à écrire *Tartuffe* : comédien-dramaturge, Molière échappe complètement à la problématique cléricale. La métaphore du «monde comme théâtre» n'est plus pour lui le principe d'une vision religieuse du monde, mais la définition d'un espace laïc autonome, dont les représentants publics, se soutenant les uns les autres, sont les comédiens et les hommes d'Etat.

Corneille, qui resta toujours attaché à ses premiers maîtres, put connaître à Rouen le P. Cellot, où celui-ci fut recteur de 1637 à 1640, et où il eut d'âpres démêlés avec l'archevêque François de Harlay, redoutable prélat gallican. Devenu recteur du collège de La Flèche en 1640, le P. Cellot fit reparaître l'année suivante (celle-là même où fut promulguée la Déclaration royale en faveur des comédiens) ses *Orationes* de 1631, inchangées. Il n'était pas fâché sans doute de se faire ainsi l'interprète éloquent de la doctrine de toute l'Eglise, gallicane ou non.

La personnalité exceptionnelle du P. Louis Cellot, l'éclat littéraire de ses *Orationes* deux fois publiées, font de cette œuvre un texte-clef de la Querelle de la moralité du théâtre en France. Il est probable que Corneille l'avait à l'esprit en composant *L'Illusion comique*. Il est difficile de croire que Molière n'y ait pas songé pour imaginer la stratégie de *Tartuffe*. D'autant que les *Orationes* du P. Cellot, chef-d'œuvre dans leur genre, touchaient à tous les points sensibles de la Querelle du théâtre, et en révélaient, *nolentes volentes,* l'extrême complexité, perçue par un jésuite intelligent et sensible à la position difficile de la Société, dans cette affaire comme dans beaucoup d'autres, dans la France gallicane. Rhéteur lui-même et dramaturge de Collège, le P. Cellot était aussi théologien, à la pointe du combat contre le gallicanisme. L'analyse de son œuvre, et de ses circonstances, peut donc nous aider à pénétrer plus avant dans les arcanes d'une bataille qui est loin de se résumer à l'antithèse romantique entre deux camps, celui des gens d'Eglise obscurantistes, et celui des amis du théâtre et des Lumières.

Quand le P. Cellot fait rééditer en 1641 son recueil d'*Orationes,* qui culminent sur quatre discours intitulés *Actio in histriones,* il est doublement engagé dans la lutte contre Richelieu. Cette réédition proteste indirectement contre la déclaration inspirée par le cardinal en faveur des comédiens. Et au commencement de l'année, il avait publié, avec une dédicace au pape Urbain VIII, un traité monumental intitulé *De Hierarchia et hierarchis*[16], où il prenait la défense de sa Société et des ordres religieux en général contre les attaques de Petrus Aurelius, *alias* Saint-Cyran. A première vue, Richelieu, qui venait d'embastiller Saint-Cyran, aurait dû se réjouir de le voir réfuté. Mais le traité du P. Cellot utilisait des arguments qui heurtaient de front le gallicanisme politique propre au cardinal, et faisaient la part trop belle à l'autorité pontificale, dont le jésuite se réclamait contre les prétentions de l'épiscopat. Aussi, censuré par l'Assemblée du clergé du 12 avril 1641, menacé d'une censure de la Sorbonne que Richelieu voulut bien retarder, le P. Cellot fut contraint de publier le 22 mai une rétractation, et deux ans plus tard, sous la pression française, Urbain VIII fut lui-même contraint de censurer l'ouvrage et de le faire inscrire sur la liste de l'Index, *donec corrigetur*. Là encore, à première vue, les deux ouvrages publiés par le P. Cellot en 1641 n'ont aucun rapport entre eux, et s'inscrivent dans deux séries d'événements parfaitement étanches. Quoi de commun entre la «Querelle des réguliers» qui, depuis les *Vindiciae* de Petrus Aurelius en 1632, faisait rage entre théologiens français et flamands, jésuites et gallicans, et cette «Querelle de la moralité du théâtre» dont l'enjeu semble relativement mineur, et donner lieu à une polémique bien différente? C'est vrai peut-être pour Saint-Cyran, qui n'eût pas condescendu à quereller des histrions, et pour les historiens modernes, enfermés dans leurs spécialités respectives. Ce n'est pas vrai pour le P. Cellot, à la fois avocat des réguliers et procureur des comédiens : en grand jésuite futur Provincial de l'Assistance de Paris, il combat sur plusieurs fronts à la fois, mais toujours au nom des intérêts de son Ordre, engagé sur le terrain théologique aussi bien que sur celui de la culture profane. Commençons par le *De Hierarchia*. Quel en est l'enjeu? Rien de moins que la stratégie de l'Eglise romaine vis-à-vis de la société moderne et laïque telle que l'a faite la Renaissance. Le P. Cellot doit défendre la légitimité de son Ordre et de ses méthodes contre la thèse de Petrus Aurelius, qui voit, avec Bérulle,

16. *De Hierarchia et hierarchis libri IX, in quibus pulcherrima dispositione omnes Hierarchii gradus et ordines, Episcopalis principatus, clericalis dignitas, Religiosa sanctitas, secundum Patrum doctrinam, Decreta Conciliorum, Ecclesiae ritu omnes, sine justa cujusquam offensione explicantur, Urbano VIII, Hierarcharum principi, a Patre L.C., S.J. Theologo*, Rouen, Jacques Boullenger, 1641 (approbation nov. 1633, autorisation du Provincial, déc. 1638, licence d'imprimer 4 février 1638). Cet ouvrage est à rapprocher de celui que le P. Louis DE CRESSOLLES, *Mystagogus de sacrorum homi num disciplina, opus varium*, dédié au cardinal de Bérulle, et publié à Paris chez Sébastien Cramoisy en 1629. Voir notre article «Le Corps éloquent», où la théorie du P. DE CRESSOLLES dans les *Vacationes* (1620) est éclairée par sa doctrine du sacerdoce telle qu'elle est développée dans le *Mystagogus*. Nous sommes amené plus loin à rapprocher les deux auteurs jésuites, dont l'anthropologie et l'ecclésiologie, d'une cohérence et d'une profondeur admirables, se déploient parallèlement. Le P. de Cressolles est plus irénique, le P. Cellot, qui aime à se qualifier de «parisien», plus polémiste.

dans les évêques la force de l'Eglise, son axe de résistance et son principe d'action, et qui reproche aux ordres religieux, surtout aux jésuites, qui prétendent agir sur mandat exclusivement pontifical, de n'être au fond que des communautés de «laïcs ayant prononcé des vœux», *privés* de l'autorité apostolique et du pouvoir juridictionnel dont seuls disposent les évêques. En minant l'autorité épiscopale, les jésuites affectent l'architecture de l'Eglise, dépositaire de la vérité divine face au laïcat, et lui substituent un «ensemble flou» qui, tout en prétendant gagner la société laïque, est gagné par elle. A cette analyse, le P. Cellot oppose une autre ecclésiologie : la force de l'Eglise repose sans doute sur la juridiction des évêques, mais tout aussi bien sur l'ordre et la mission confiée par le pape aux religieux, dont le pouvoir de contagion sur les laïcs est seul à savoir maintenir et rattacher ceux-ci dans l'édifice de l'Eglise. A l'arrière-plan de ce débat, s'opposent deux types de sacerdoce, et deux conceptions de la parole : chez Saint-Cyran, disciple de Bérulle, l'évêque, héritier des apôtres, des Pères, des Conciles, investi d'une majesté divine, édicte la parole de vérité et l'impose au respect des laïcs; chez le P. Cellot, le religieux, et surtout le jésuite, relais de la suprême autorité apostolique, celle du pape, est à même de faire entendre aux laïcs la vérité de l'Eglise sous des formes moins impérieuses, mais mieux adaptées à la culture qu'ils se dont donnée depuis la Renaissance. A chacun son rôle : celui des jésuites, montrant la voie aux autres familles religieuses, est une «mission» à l'intérieur de la société laïque, et le but de cette mission est d'extraire des «poisons» que cette société a secrétés les «antidotes» et les «remèdes» qui la guérissent de ses erreurs et la restaurent dans l'universalité catholique. Ce sont les jésuites, et non les seuls évêques selon Saint-Cyran et Bérulle, qui continuent l'éloquence des Pères, et poursuivent l'œuvre de saint Jean Chrysostome contre Julien l'Apostat. Ces «lettres humaines», cet art de persuader, cette psychagogie et cette pédagogie rhétoriques que Saint-Cyran leur tient à crime sont justement les seules réponses modernes au défi moderne de la Renaissance, reprenant en les adaptant aux circonstances nouvelles la stratégie oratoire des premiers siècles chrétiens contre le paganisme. Saint-Cyran accusait les jésuites de jouer l'avenir de la foi sur des méthodes dont ils se croient les maîtres, mais où les laïcs sont plus forts qu'eux, parce que ce sont des méthodes laïques et profanes, biaisant avec la vérité. A quoi le P. Cellot répond : «Ce sont eux [les jésuites] qui, retournant contre l'adversaire ses propres armes, ont ôté aux âmes des catholiques cette stupeur quasi barbare où elles gisaient, et leur ont communiqué le zèle pour les lettres qui, auparavant, leur restaient ignorées, pour éviter qu'elles ne l'admirent comme un mystère chez les autres, et qu'elles persistent comme par le passé à les négliger et à passer pour méprisables et dépourvues de savoir : et ainsi les arts de l'ennemi devaient être empêchés de nuire à l'aide de ces mêmes Lettres qui étaient brandies contre l'Eglise[17].» Et le P. Cellot de réfuter l'accusation de Petrus Aurelius selon laquelle les prédicateurs jésuites, au lieu de faire entendre la parole de Dieu en chaire dans toute sa majesté sacrée (comme peuvent le faire les évêques), y apportent, tout frais émoulus de leurs écoles de rhétorique, la vanité profane d'un art de persuader. Le théâtre, même dans ce *De Hierarchia* où l'Eglise est comparée tour à tour à un Temple, à une Cité, à une Armée, n'est donc pas si loin de la pensée du P. Cellot, ni de celle des théologiens qu'il combat. Le théâtre est là – dès lors qu'il est question de la meilleure voie pour «tenir» les laïcs – parmi tous ces «poisons» qu'ils ont secrétés, avec les Lettres humaines, avec la rhétorique : faut-il mépriser superbement ces poisons, leur opposer la seule majesté du sacerdoce, ou bien se livrer à une subtile chimie médicinale et homéopathique? Le problème du style de l'éloquence sacrée touche de très près ici à celui du théâtre, poison en soi, mais dont les jésuites font grand usage en qualité de contrepoison ecclésiastique administré aux laïcs. A la distance infranchissable que Petrus Aurelius veut dresser à nouveau entre le sacré de la théologie et le profane de la culture laïque, le P. Cellot veut substituer, non sans grandeur d'âme, un champ de bataille plus dangereux, plus ambigu, plus ingénieux, où la foi, moins frileuse, reprendrait à son compte, pas à pas, les inventions des laïcs et les inféoderait à son empire reconquis. En somme une stratégie «centriste» contre une stratégie de «droite». Mais, nous allons le voir, le P. Cellot est le premier à savoir les périls que comporte le choix politique de sa Société. Face à Petrus Aurelius, il ne cède rien ni de la légitimité théologique, ni de l'efficacité historique de ce choix. Mais dans son *Actio in histriones,* face aux représentants les plus dangereux de la culture laïque, les comédiens, il se débat avec la difficulté que Petrus Aurelius lui impute à crime : à vouloir combattre avec les mêmes armes l'ennemi laïc, on s'installe dans une situation *mimétique* vertigineuse, non pas du point de vue des combattants eux-mêmes, qui, comme dans la *Méditation des deux étendards,* savent au fond d'eux-mêmes sous quelle bannière ils

---

17. *De Hierarchia,* ouv. cit., p. 737. L'ouvrage du P. Cellot anticipe à bien des égards sur les thèses du P. Congar sur la place des laïcs dans l'Eglise. Il reproche à Saint-Cyran et à ses amis gallicans de réduire les laïcs à un rang si vil et si abject qu'ils sont en tant que tels hors de la hiérarchie ecclésiastique. Prendre au sérieux la culture des laïcs et la «convertir», avec ceux-ci, à la foi catholique, cela suppose donc un dialogue avec eux, et une place pour eux dans l'universalité ecclésiale. C'est là un aspect de la «générosité» jésuite qui mériterait d'être mieux mis en lumière, mais que la «légende noire», obstacle épistémologique pour les historiens encore aujourd'hui, continue d'obscurcir. Sur le débat Saint-Cyran-Cellot, on se reportera à Jean ORCIBAL, *Les Origines du jansénisme, Jean Duvergier de Hauranne, abbé de Saint-Cyran et son temps,* Paris-Louvain, 1947, t. II, p. 334 sq.

s'affrontent, mais du point de vue des spectateurs du combat, qui, neutres ou partisans, peuvent croire ou feindre de croire que les champions de Dieu sont aussi profanes, ou même plus profanes que les champions de Satan. Une *ressemblance* guette, qui peut jouer en faveur de l'adversaire laïc. On peut donc comprendre la réédition des *Orationes* contre les comédiens aussi bien comme une protestation à l'adresse de Richelieu, évêque, cardinal, et cependant avocat du théâtre profane, que comme un chapitre ajouté au *De Hierarchia et hierarchis,* son complément apologétique : les jésuites sont les meilleurs adversaires du théâtre profane et des comédiens, non seulement parce qu'ils leur opposent eux aussi, et plus éloquemment que personne, la doctrine de l'Eglise qui les condamne, mais parce qu'ils font eux-mêmes un théâtre chrétien, contrepoison exactement calculé pour combattre les effets de l'autre. Le P. Cellot était d'autant plus autorisé à rendre public une seconde fois ces discours d'ennemi intelligent et habile du théâtre, qu'il comptait parmi les plus grands dramaturges néo-latins de son temps. Publiées en 1630[18] – honneur déjà exceptionnel –, ses tragédies avaient été choisies pour figurer dans le recueil international de *Selectae Tragoediae* publié en 1634 par les jésuites d'Anvers[19], au côté d'œuvres des italiens Stefonio et Donati, du flamand Malapert, du français Denis Petau. Cette collection de chefs-d'œuvre était sans doute destinée à offrir des textes et des modèles aux régents de Collège chargés d'écrire et de faire représenter des tragédies latines. Elle n'était pas seulement à usage interne : maîtres de la poésie néo-latine européenne, les jésuites tenaient aussi à apparaître comme les meilleurs poètes du théâtre chrétien. Cela supposait que le réseau de leurs Collèges portât très haut, au-dessus de la multiplicité des langues vulgaires, l'universalité du latin humaniste, et maintînt cette langue savante au rang de clef de la haute culture, imposant ses règles, ses modèles, son inspiration dévotionnelle aux littératures laïques et nationales. On a là un autre exemple de cette stratégie «persuasive» adoptée par les jésuites, et qui tendait à investir, de l'intérieur comme de l'extérieur, par des «contrepoisons» qu'elle lui empruntait, l'univers de la culture profane. Le

---

18. *Ludovici Cellotii S.J. Opera poetica,* Paris, Cramoisy, 1630, dédiées à Henri de Schomberg.

19. *Selectae PP. Societatis Jesu Tragoediae,* Entwerpiae, 1634, 2 vol., in-16°. Trois tragédies du P. CELLOT, dont le *Sanctus Adrianus Martyr* (dont H. CHARDON, dans sa *Vie de Rotrou,* Paris, 1884, p. 174-175, a montré qu'il était la source de la pièce intérieure du *Saint-Genest* de Rotrou, ce qui fait de cette pièce une autre réplique aux *Orationes* du même P. CELLOT dirigée contre les comédiens) y figurent; les *Opera poetica* comportent quatre pièces, dont une tragi-comédie, *Reviviscentes.* La dédicace du *Sanctus Adrianus* à Henri de Schomberg révèle à quel point le P. Cellot considère même la scène de Collège (en l'occurrence celle du collège de Clermont) comme une concession, et tient le texte lu de sa pièce comme d'un profit spirituel plus humble et plus pur : *Adit ad te tuus olim Adrianus,* écrit-il, *alio sane habitu, quam pro regia in scena tuis auspiciis spectatus est... Nunc, deposita persona, derelictus ab oculorum lenociniis, ab aurium blandamentis, nudus, infirmus, ut a parente prodit...*

moment culminant de cette offensive coïncide justement avec les années 1623-1644 : ce sont les dates du pontificat d'Urbain VIII; c'est aussi la période la plus «productive» du P. Cellot.

Les quatre *Orationes* qui composent l'*Actio in histriones* sont donc un pamphlet visant à convaincre le lecteur qu'il faut exterminer le théâtre profane et interdire aux comédiens d'exercer leur profession. Mais au lieu d'adopter, comme les autres théologiens qui avant lui avaient travaillé à cette fin, la forme du traité qui, *more scolastico,* énonce la doctrine de l'Eglise sur cette question, le P. Cellot a pris un parti plus élégant, plus littéraire, sinon plus loyal envers les accusés. Il a organisé un procès fictif, un tournoi d'éloquence, où prennent tour à tour la parole un avocat de la défense, et trois procureurs de l'accusation. Cette mise en scène vivante, plaisante même pour le lecteur, n'a rien de réconfortant au fond pour les accusés. Ce procès, cette *disputatio in utramque partem,* sont évidemment truqués. Et on a ici un bon exemple de la rhétorique jésuite : elle «colore», en empruntant ses «couleurs» à la rhétorique humaniste, ce qu'a d'abrupt le droit canonique relatif aux *saltatores :* mais c'est un adoucissement de surface, qui voile la dureté toute sacerdotale du propos et n'accorde qu'en apparence le droit de se défendre aux accusés. On a dans cette *Actio in histriones* un bon exemple de ce qui a irrité les adversaires des jésuites, tant laïcs que dévots : une volonté de puissance sacerdotale qui, au lieu de se présenter à découvert, adopte les apparences de la persuasion «humaine» pour l'emporter. Les laïcs pouvaient y déceler la secrète arrogance des «agents de Dieu dans le monde», et les chrétiens «platoniciens-augustiniens» une forme de séduction déshonorante pour Dieu, et qui n'inspire ni respect ni émotion sincère. A cet égard, l'*Actio in histriones* mériterait à double titre l'intérêt des commentateurs des *Lettres à un provincial* de Pascal : elles tombent sous la critique que fait celui-ci de la «rhétorique» dévote des jésuites; mais aussi, parce que la méthode de Pascal croit pouvoir retourner contre les jésuites leur propre tactique pour s'adresser au même public laïc, ses *Lettres* ne sont pas sans analogie avec cette *Actio :* comme le P. Cellot, Pascal scinde en plusieurs tronçons, répartit en plusieurs voix, la rigueur logique d'un réquisitoire dont il veut dissimuler les arêtes proprement théologiques; comme le P. Cellot, il a recours, pour éviter d'emblée le sérieux direct, à la figure de pensée piquante qu'est l'ironie, la *dissimulatio;* et comme le P. Cellot encore, il ne laisse apparaître la véhémence pathétique (autre voile de l'argumentation) qu'en second lieu, quand il a conquis, en les amusant d'abord, la confiance de ses lecteurs. On peut discuter le talent respectif des deux auteurs, à vingt-cinq ans de distance, et dans des langues différentes. Force est de constater que, pour traiter de «vérités» chrétiennes avec un public laïc, Pascal est amené à se servir des mêmes techniques que ce jésuite. L'éclat littéraire des *Provinciales* est à lui seul un hommage implicite rendu aux adversaires de Port-Royal : il est impossible désormais, même aux chrétiens les plus sévères, de faire comme si les laïcs, et l'humanisme laïc, n'avaient pas lieu.

Dans les *Orationes,* série de discours judiciaires prononcés dans un prétoire fictif, devant des juges fictifs, la complicité ironique que le P. Cellot veut d'abord créer avec ses lecteurs est obtenue par le choix du pseudonyme attribué au premier orateur (comédien plaidant pour ses camarades) : *Panurgus.* Emprunté à Rabelais, ce nom suffit (depuis la *Doctrine curieuse* du P. Garasse, en 1622) à évoquer la «secte des athées et libertins» dont l'auteur du *Pantagruel* est le maître à penser. Il invite le lecteur à reconnaître, sous tous les propos que lui prêtera le P. Cellot, des sophismes dangereux d'un avocat du Diable. Respectueux cependant de la vraisemblance, le P. Cellot met dans la bouche de son personnage des arguments qui ressemblent à ceux que les apologistes du théâtre, de Cecchini à Andreini, ont déjà développés, en France et en Italie, en sa faveur. Mais cette ressemblance est grossie jusqu'à la caricature, et la caricature est poussée de telle sorte que le lecteur ait sous les yeux les arrière-pensées inavouées et inavouables que les avocats véritables du théâtre savent dissimuler.

Ceux-ci ont défendu la thèse selon laquelle la comédie «réformée» et les comédiens qui la servent peuvent concourir sur la scène à l'édification morale et même religieuse des spectateurs [20]. Mais dans la *mimésis* ironique à laquelle le P. Cellot se livre sous le nom de Panurgus, celui-ci va jusqu'à soutenir que les comédiens en scène «prêchent l'honnêteté de la vie chrétienne plus efficacement que les orateurs sacrés en chaire» *(majore cum efficientia quam sacrae conciones vitae honestatem persuadent).* Jamais aucun avocat du théâtre n'avait eu l'audace d'attaquer de front un des *officia* les plus «divins» du clergé, ni de poser le théâtre en rival de l'Eglise. C'eût été le meilleur moyen de faire contre les comédiens l'unanimité chrétienne. C'est justement celle-ci que veut reconstituer le P. Cellot en faisant expliciter par un comédien cette «arrière-pensée», et en lui prêtant une ardeur véhémente à la développer :

> Que peuvent prétendre de plus efficace, de plus saint, de plus adapté à la vie humaine ces Catons dans leurs chaires ? Ils peuvent bien exhorter à la vertu : c'est nous qui y conduisons. Ils peuvent bien évoquer les récompenses des honnêtes gens, les tourments des méchants, et les

---

20. Ferdinando TAVIANI, ouvr. cit., *passim,* et du même auteur, l'édition de Niccolo Barbieri, *La Supplica, discorso famigliare a quelli che trattano de'comici,* Venise, 1634, à Milan, Il Polifilo, 1971. Voir, sur les prédécesseurs de Barbieri, de Cecchini à Andreini, notre article cité de la *R.H.L.F..*

proposer à la méditation pour cette vie et pour la vie éternelle : c'est nous
qui les donnons à voir en les exposant sur la scène ; ils font l'éloge des
saints, ils disent que le Ciel les a reçus : nous montrons les marches qu'ils
ont gravies dans leur ascension ; ils font savoir l'urgence de songer à la
mort qui nous guette, nous la faisons sentir. La seule différence entre eux
et nous, c'est que, avec le même dessein de ramener les hommes dans le
droit chemin, eux le font dans les églises, nous dans les salles de théâtre,
eux le font parmi d'autres offices religieux, nous dans le temps de loisir,
eux par le sérieux, nous par le jeu[21].

Ce que suggère ici le P. Cellot, de cette façon ingénieusement
indirecte, c'est ce que les comédiens, et les théologiens, dans le
débat qui avait commencé à Milan, s'étaient bien gardé de mettre
en évidence, les premiers par une prudence élémentaire, les seconds
par horreur de s'avouer à eux-mêmes un fait si déplaisant pour
l'autorité sacerdotale. Désormais, le clergé trouve dans les comédiens, et surtout les comédiens « modérés » et en voie de devenir
respectables, des rivaux professionnels, des orateurs laïcs disputant
aux orateurs sacrés le même public chrétien avec les mêmes
techniques, tirés du même arsenal rhétorique, et avec une séduction
qui leur est propre, dont le clergé ne peut se servir. Ils font rire et ils
font aimer l'amour charnel. Une telle idée, même placée dans la
bouche d'un comédien, ne pouvait venir à l'esprit que d'un jésuite,
et sous sa plume. Pour un Saint-Cyran, pour un Bérulle, même
sous cette forme indirecte, elle est impie. Quel rapport entre le *mos
theologicus,* qui dit la vérité de Dieu et de l'Eglise, et la mimique des
saltimbanques, au dernier rang des laïcs ? Mais pour un jésuite, qui
prend au sérieux le défi du Forum oratoire ouvert par l'humanisme, et donc le défi du théâtre profane, il y a là un péril réel qu'il
ne suffit pas de dédaigner pour le faire disparaître. Il est bien vrai
qu'une fois mis à jour, un tel péril est coûteux pour ceux qui le
révèlent, et qui passent pour ses auteurs. C'est le rôle de bouc
émissaire que jouèrent les jésuites dans l'Eglise romaine post-triden-
tine, et le prix qu'ils avaient à payer pour leur lucidité n'était
encore, au temps du P. Cellot, qu'une modeste provision. Déjà
Saint-Cyran s'employait à les rendre responsables du fait créé par la
Renaissance humaniste : l'abîme que les « premiers siècles » de
l'Eglise avaient réussi à creuser entre la parole théologique et la
parole profane, à plus forte raison avec la parole histrionique, était
en train d'être comblé, et sur le terrain nouveau qui s'était établi,
l'espace public laïc, et le débat rhétorique qui lui convient,
mettaient à égalité l'autorité des orateurs, qu'ils fussent d'Eglise ou
du « monde ». Engagés au cœur de ce combat douteux, les jésuites

---

21. *Orationes,* éd. Cologne, 1707, avec un frontispice où Louis Cellot désigne un portrait de
Louis XIV, soutenu par Minerve et un ange, p. 300-301.

pouvaient passer pour en avoir eu l'initiative, alors qu'ils se contentaient d'en avoir saisi la nature et l'enjeu, et de s'y être engagés sans crainte pour y faire gagner Dieu et l'Eglise. Et plus le P. Cellot cherche à faire entendre la pensée cachée de son comédien Panurgus, plus il fait comprendre la sienne propre, plus il révèle à quel point l'Eglise est désormais exposée, face à des adversaires qui ont l'oreille du public chrétien. La situation fictive qu'il a choisie pour exposer la «question des comédiens», un procès, est en elle-même assez révélatrice de sa conception de la bataille pour la foi : celle-ci doit maintenant passer par le faire croire, ici judiciaire, ailleurs épidictique ou délibératif, pour l'emporter sur le Forum. Elle doit courir le risque de lutter à armes égales. Et ce n'est pas la seule autorité apostolique et juridictionnelle des «hiérarques» qui l'en dispensera.

Pour comprendre la pensée du P. Cellot, il faut se souvenir que la «Querelle de la moralité du théâtre» avait commencé à Milan, par la bataille menée par saint Charles pour délivrer son diocèse des comédiens. Mais il faut aussi rappeler que, dans le même temps, saint Charles avait déployé d'immenses efforts, par sa prédication personnelle en chaire, et par les traités de rhétorique ecclésiastique qu'il avait fait rédiger à l'usage des séminaristes, pour doter la hiérarchie sacerdotale d'instruments de persuasion à la hauteur de sa tâche pastorale. Ces deux aspects de son apostolat étaient insépa- rables : il fallait à la fois écarter les sophistes-histrions, et faire coïncider l'espace public laïc avec l'autorité sacrale et morale de l'Eglise. Saint Charles avait voulu que la rhétorique ecclésiastique respectât des normes de gravité et de pathétique qui l'établît très au-dessus de la rhétorique profane et évitât toute confusion avec celle-ci. Et il faut bien constater qu'un jésuite comme le P. Cellot n'est pas moins fidèle à saint Charles que les Saint-Cyran et les Bérulle qui se réclamaient si exclusivement de lui. Sauf que ces austères apologistes de l'épiscopat préfèrent nier tout recours à la rhétorique, et se réclamer d'une parole de pure autorité. Alors que les jésuites et le P. Cellot, non contents de s'affirmer rhétoriciens, sont même prêts à ouvrir la gamme des styles licites à l'éloquence ecclésiastique, et à poursuivre les ennemis de l'Eglise partout, même dans l'ironie, dont le P. Cellot donne ici un bon exemple, même dans la satire, dont le P. Garasse avait osé se servir à la grande indignation des puristes gallicans. On pourrait dire que, dans ce débat entre clercs autour de l'héritage borroméen, les jésuites sont décidés à faire *plus* de rhétorique, et de la meilleure, que les ennemis de l'Eglise, alors que saint Charles voulait en faire moins, et Saint-Cyran s'en passer complètement. Mais ni saint Charles, ni Saint-Cyran, ni plus tard Bossuet ni Pascal, qui cherchaient dans un sublime chrétien une échappatoire à la rhétorique profane, n'ont pu échapper à la rhétorique dont le sublime est justement l'un des chapitres les plus caractéristiques. En définitive, ce qui les sépare des jésuites, c'est une nuance littéraire, c'est une question de style et de goût oratoires. Mais cette nuance elle-même suppose deux analyses différentes du sacerdoce : l'une veut l'arracher au Forum pour qu'il ne s'y compromette pas et le foudroie d'en haut, l'autre n'hésite pas à le jeter dans le Forum pour y faire triompher une foi sans crainte ni nostalgie, face à face avec la diversité et la réalité des périls. Et sous couleur de faire parler un comédien, le P. Cellot plaide pour l'audace et la science persuasive des siens lorsqu'il fait décrire à Panurgus ce qui se passe quand le public laïc, exposé à la persuasion histrionique, ne trouve pas en face d'elle une éloquence plus attrayante encore :

> Vous avez vu quelquefois, Juges, s'écrie Panurgus, tel ou tel de ces prédicateurs trembler de froid dans leur chaire, devant un troupeau clairsemé de vieilles dévotes, un groupe de fidèles ensommeillés, une poignée de mendiants, tous ravis de se trouver à l'église pour oublier qu'à la maison, il n'y a rien à manger. Ou encore vous en avez vu d'autres, protégés par une réputation plus brillante, se lancer dans des discours plus véhéments, se frapper la tête, donner du poing sur leur pupitre, s'exclamer, se lamenter, suer des pieds à la tête, enfin recourir à tous les artifices de l'intimidation tragique pour secouer leur auditoire indifférent : en vain. Qui est sorti meilleur d'une prédication de ce genre[22] ?

Ce morceau de bravoure sacrilège, que le P. Cellot prête à un comédien qui oserait s'ériger en critique de l'*actio rhetorica* des sermonnaires, il l'emprunte lui-même, en le résumant, non pas à un vrai comédien, qui n'eût jamais couru le risque d'un tel blasphème, mais au grand traité jésuite d'*actio rhetorica,* les *Vacationes Autumnales* du P. Louis de Cressolles (1620). Dans cet ouvrage, le savant rhéteur jésuite s'était employé à établir des normes «nobles» du geste, des expressions du visage et de la voix pour les orateurs sacrés et les magistrats du Parlement, et n'avait pas manqué, en bon grammairien de la «communication non-verbale», d'opposer aux bons modèles les solécismes et barbarismes dont se rendent coupables les prédicateurs «gothiques», passant outre aux préceptes de Quintilien et à la *Rhétorique à Herennius.* C'était là évidemment une critique «dramatique» de clerc éclairé par l'humanisme, adressée à des clercs maladroits, une polémique entre professionnels de la parole divine, et dont l'intention profonde était de rétablir la distance entre la «gravité», modernisée par le recours à la rhétorique, du geste ecclésiastique, et l'éloquence des ignorants. En mettant dans la bouche d'un comédien les critiques que le P. de

---

22. *Ibid.,* p. 301.

Cressolles adressait aux clercs qui prêchent en mauvais comédiens, le P. Cellot veut faire apparaître l'audace intolérable de cet histrion qui ose s'ériger en censeur des ministres de Dieu. Ce qui était licite sous la plume d'un jésuite devient odieux dans la bouche d'un saltimbanque. Mais cette permutation des masques oratoires est elle-même assez audacieuse et invite le lecteur à poser une question que le P. Cellot préfère garder pour lui-même : dès lors que les comédiens se rendent maîtres de la «noblesse» du geste telle que l'enseignent Quintilien et le P. de Cressolles, et c'est ce qui est en train de se passer dans les années 30 du XVIIᵉ siècle en France, qu'est-ce qui sépare l'homme de théâtre du prédicateur éloquent? La contiguïté des deux univers oratoires est d'autant plus troublante que les méthodes pédagogiques jésuites, leur théologie morale, et même leur conception propre de l'éloquence sacrée, telle qu'elle s'énonce entre autres chez un Cressolles, rejettent la «sévérité», la «dureté» trop revêches, chères à saint Charles ou à Bérulle, pour recommander la «douceur», certes en garde contre toute «mollesse», mais plus contagieuse et persuasive que la rigueur abrupte. Cette esthétique oratoire refusait de séparer le *docere* du *delectare,* l'*utile* du *dulce,* le «sérieux» de «l'agréable», et recommandait d'atténuer les aspérités choquantes même dans les mouvements de véhémence. Le P. Cellot se conforme à cette doctrine lorsqu'il donne la forme d'un jeu judiciaire à son sermon en quatre points contre les comédiens. L'art de persuader jésuite est un «chemin de velours» qui ressemble à s'y méprendre à cette persuasion dramatique que le Panurgus du P. Cellot célèbre avec enthousiasme, en l'opposant à l'«âpreté» d'orateurs sacrés qui rebutent leur public :

> Au théâtre, s'écrie Panurgus, qui s'aperçoit que le temps passe? qui ne voit pas arriver à regret le dénouement de la pièce, que l'on attendait cependant impatiemment? Les corps s'éloignent de la salle, mais l'esprit reste arrêté sur la scène, et ce qui en subsiste, la joie délicieuse du spectacle, on la savoure encore par le souvenir. Voilà, Juges, qui est traiter humblement les hommes, voilà ce qui s'appelle enseigner la vertu, non par la crainte que l'on inspire en revêtant un habit noir et sévère, mais en la faisant désirer pour sa propre douceur! Vous voulez, Juges, pourfendre et assassiner les criminels et les méchants à la pointe de leurs propres crimes? Poussez-les à aller voir des tragédies[23].

Un tel texte prend le lecteur non prévenu dans un hallucinant jeu de miroirs. Le «comédien criminel» que le P. Cellot veut faire parler en criminel est tellement persuasif que sa *persona* fictive ne se distingue plus de la personne de l'auteur jésuite qui le fait parler, et qui, croyant le perdre, se dénonce lui-même. Les arguments que

23. *Ibid.,* p. 302.

l'histrion met en œuvre en faveur de son métier sont si proches de ceux de la rhétorique jésuite, de leur pédagogie par la *jocositas,* de leur théologie moliniste, que tout écart tend à disparaître entre le masque doucereux de l'avocat du Diable et le visage caché du sévère interprète du dogme romain. Louis de Montalte a-t-il lu les *Orationes* du P. Cellot? On est tenté de le croire, tant l'ironie des premières *Lettres à un Provincial* retourne celle du jésuite contre lui-même, et démasque le comédien sous le jésuite, le rhétoricien de théâtre sous le théologien de la «dévotion aisée» et de la «grâce suffisante». A ceci près, pour être juste : la comédie à laquelle se livre Pascal, l'ironie au second degré dont il joue en virtuose, la fiction de la «lettre», bref son recours à la rhétorique pour démasquer une autre rhétorique, jouent leur va-tout sur un terrain proprement *littéraire,* et gagnent par là le lecteur : en reprenant aux jésuites, quoique plus habilement, leurs propres armes, Pascal accepte de descendre sur le même terrain qu'eux, et de faire de la vérité théologique l'enjeu d'une rivalité de rhéteurs; quand il s'en aperçoit, à partir de la VIIᵉ lettre, il a beau adopter la gravité de l'indignation et la véhémence de la sincérité de cœur, il est trop tard : ces grondements d'un sublime «sans rhétorique» apparaissent comme un tour de plus de sa rhétorique, et d'autant plus inquiétante que le laïc qui parle n'a aucun titre à adopter ainsi, pour le personnage littéraire qu'il joue, cette attitude d'orateur sacré. Il y a fort à parier que dans *Tartuffe,* Molière renvoie dos à dos le P. Cellot et Pascal, et veut démontrer la supériorité du théâtre sur tous les rhéteurs sacrés qui s'acharnent contre lui. Il y parvient en établissant la scène théâtrale comme le miroir de *bonne foi* d'un monde devenu lui-même tout entier un théâtre où tout le monde cherche à persuader tout le monde, et où l'empire rhétorique n'a pas pour freins le clergé, qui feint d'être supérieur à la rhétorique universelle, mais la sanction du rire comique et l'autorité armée de la force d'un Prince laïc.

La suite du discours prêté à Panurgus court sur le même fil du rasoir. Selon le même procédé de grossissement ironique, le P. Cellot fait développer par son Panurgus un autre argument familier aux apologistes des comédiens : la distinction entre les «histrions» et «saltimbanques» de bas étage qui, pour retenir sans art leur public, violent sur la scène la morale chrétienne, et les acteurs vraiment professionnels pour qui la décence est de règle. Là encore, aucun de ces apologistes n'avait songé à mettre en parallèle ces deux étages de la profession comique avec leur éventuel pendant du côté du clergé. Croyant aggraver un peu plus le nombre des blasphèmes prononcés par Panurgus, le P. Cellot révèle lui-même un peu plus à quel point l'obsède la *ressemblance* moderne entre le monde comique et le monde ecclésiastique, secret qu'il s'agit justement pour lui de travestir en sacrilège dont les comédiens sont seuls coupables :

> N'as-tu donc rien, déclame Panurgus à l'adresse d'un prédicateur imaginaire qu'il tutoie, n'as-tu donc rien qui dans tes doctrines religieuses, dans tes cérémonies ecclésiastiques, dans tes sacrements, qui soit totalement pur et indemne de fraude, de superstition, d'abus, de sacrilège? N'y a-t-il aucun prêtre qui pollue les mystères qui font cependant trembler le Ciel et les anges?

A cette interrogation oratoire qui prête à un comédien le défi de Luther à l'Eglise romaine, Panurgus est censé répondre lui-même, plus prudemment en apparence, qu'il serait absurde d'abattre l'Eglise entière pour quelques abus, et qu'il serait plus sage de se contenter de corriger ou supprimer ceux-ci. Mais cet adoucissement n'en maintient pas moins le parallélisme et la symétrie entre la Réforme de l'Eglise, tridentine ou hérétique, et la Réforme du théâtre qui aurait le choix entre sa suppression inique et sa «modernisation». Dans la mesure où l'«athée» Panurgus prêche pour sa «modération», cela incite tout bon chrétien à souhaiter sa suppression. Mais sur ce fond trouble et douloureux de division irrémédiable de la *Respublica christiana,* l'ascension insolente des comédiens à l'intérieur de la société demeurée orthodoxe est ressentie par le P. Cellot comme un phénomène analogue à la stabilisation, face à l'Eglise romaine, d'Eglises réformées; la «modération» même du théâtre en terre catholique consolide, face à l'autorité menacée du clergé, la puissance des comédiens, véritables «tribuns du peuple laïcs» masqués en humbles et décents serviteurs de la morale chrétienne. Entre le jésuite Ottonelli et le jésuite Cellot, la différence d'analyse est considérable : pour le théoricien italien de la «moderazione cristiana», l'intégration des comédiens dans la norme civile de la société catholique est une victoire du clergé «éclairé» et de son emprise bénigne, mais complète, sur l'ensemble de cette société. Il est clair au contraire que pour le P. Cellot, les concessions et la tolérance de l'Etat laïc vis-à-vis de comédiens qui jouent le jeu de la décence et de la morale moyenne ne font à long terme que renforcer une puissance fondamentalement rivale du clergé, hostile à celui-ci, et travaillant par sa propre éloquence démoniaque à détacher les laïcs, qui n'y sont que trop portés, de l'obéissance et de la foi. Les prémisses cachées de l'ironie du P. Cellot révèlent sa pensée en filigrane de celle qu'il prête à son odieux «personnage». Et la pensée du P. Cellot est celle d'un «politique» de l'Eglise romaine dont les analyses et la stratégie «centristes de droite» s'opposent point par point à celles, très «centristes de gauche», du P. Ottonelli.

L'on s'aventure sur un terrain plus brûlant encore avec l'argument suivant prêté à Panurgus. Cette fois on aborde le dernier rempart qui garantit une hiérarchie «ontologique» entre le clergé humaniste, de type jésuite, et les comédiens «modérés» que la société civile est en train de réhabiliter. Nous avons vu qu'en ce qui regarde l'*actio et pronuntiatio rhetorica,* une très dangereuse ressemblance peut faire des comédiens des interprètes de la parole plus «efficaces» auprès du public chrétien que les prédicateurs formés à la *même* école quintilianiste. Le P. Cellot se retourne donc vers le segment le plus noble de l'*ars rhetorica,* le premier par le rang et par l'importance, celui qui met en œuvre l'*ingenium* humain et fait de l'*homo loquens* l'image et ressemblance du Verbe divin : l'*Inventio.* A supposer que le comédien puisse exceller dans l'ordre de l'*actio,* l'ordre supérieur de l'*inventio* lui échappe totalement : c'est l'ordre supérieur propre au poète, au dramaturge, au prédicateur. Le P. Cellot prête à son Panurgus une conscience aiguë de cette barrière, que les comédiens de l'art italien avaient en effet audacieusement franchie, en publiant d'abord des scenarii, puis, et c'était surtout le cas de Giambattista Andreini, des tragédies, des comédies, des pastorales, des drames sacrés entièrement écrits, en langue vulgaire il est vrai. C'est à leur exemple que Molière réunira en sa personne l'invention du poète et l'action du comédien. On voit donc Panurgus énumérer toutes les raisons qui, à ses yeux, rendent vaine et fictive cette barrière à laquelle le P. Cellot tient par-dessus tout. Et selon sa méthode ordinaire, pour rendre odieuse cette usurpation du pouvoir poétique, il la fait justifier dans des termes offensants pour toute oreille chrétienne. Panurgus fait appel en effet aux origines païennes du théâtre : aux Dionysies athéniennes, affirme-t-il, la palme allait sans distinction à l'auteur de la Trilogie triomphante, et aux acteurs qui en avaient assuré le succès. L'«égalité entre acteurs et auteurs était d'une évidence telle que nul Caton n'a jamais songé alors à établir entre eux une hiérarchie, ni à plus forte raison, à chasser des villes les acteurs indispensables aux concours dramatiques. Bien au contraire, Aristote leur a reconnu une dignité philosophique, et Socrate allait les écouter quand ils interprétaient Euripide. Et voilà qu'aujourd'hui cette union indissociable du dramaturge et du comédien, de la poésie et de ses interprètes, se voit nier l'utilité morale et sociale que la Grèce lui reconnaissait unanimement[24]!»

Grâce à cet artifice, qui fait du comédien moderne l'héritier direct de l'histoire antique, le P. Cellot a fait d'une pierre deux coups. Il rejette les comédiens dans un ordre païen incompatible avec la société chrétienne et il évite de citer la fusion de l'*inventio* et

24. *Ibid.,* p. 305.

de l'*actio,* de la poésie et de son interprétation, chez les grands comédiens modernes. Le recours aux origines attribué à Panurgus garantit au contraire le caractère structurel et permanent de la distinction entre dramaturgie et métier d'acteur. Panurgus, sous la dictée du P. Cellot, «oublie» donc l'argument majeur en faveur de la dignité comique, et se contente de plaider une «égalité» entre les deux «spécialistes» qui se partagent la scène, le poète et l'histrion. Sur ce chemin sans péril pour le P. Cellot, Panurgus peut bien oser citer à l'appui de sa thèse l'exemple du théâtre de Collège jésuite, et y faire voir, comme dans les Dionysies païennes, une synthèse où dramaturges et acteurs sont honorés à égalité : l'essentiel pour le P. Cellot est de lui faire dire que, là aussi, la part des acteurs est l'*ars histrionica,* et non l'*inventio.* Et à partir de là, il a beau jeu de laisser Panurgus s'enfoncer dans une apologie de l'*actio* et le faire parler comme si celle des acteurs de Collège était la même que celle des comédiens du théâtre profane, et pouvait donc être invoquée pour légitimer leur art. Cette identité, lui fait dire le P. Cellot, était déjà une évidence dans la Grèce païenne, où Eschine, de comédien, était tout naturellement devenu orateur, où Démosthène plaçait l'*actio,* que Cicéron nommera «l'éloquence du corps», au tout premier rang de l'art oratoire. Cicéron n'hésita pas à se mettre à l'école des comédiens, et Quintilien, le précepteur par excellence, l'ancêtre direct des modernes précepteurs de Collège, ordonne à ses élèves d'apprendre les techniques de l'*actio* auprès des maîtres en cette spécialité indispensable à l'orateur : les histrions. La Renaissance moderne de l'*ars rhetorica* des Anciens, dont les Collèges jésuites sont les héritiers fidèles, a aujourd'hui pour témoins et pour garants non moins indispensables les acteurs sur la scène des théâtres profanes. Et l'on voudrait, s'indigne Panurgus, que les magistrats fassent disparaître de la société moderne les professeurs d'*actio,* et fassent fermer les théâtres où ils enseignent? Il faudrait bien plutôt les rappeler d'urgence de chez les barbares, s'ils avaient été contraints de s'y exiler[25]!

Les comédiens sont donc cantonnés, par leur apologiste fictif, dans l'ordre du geste, des expressions du visage, de la voix, bref de la persuasion par le corps et s'adressant aux corps. Ils n'ont pas accès à l'*ingenium,* qui regarde Dieu, ni à l'âme dont l'*ingenium* est l'œil vivant. Le P. Cellot croit donc les avoir ainsi, par leur propre bouche, réduits à leur condition de masques vides, mais séducteurs,

---

25. *Ibid.,* p. 306. L'allusion directe aux Collèges jésuites, prêtée par un jésuite à un comédien présenté comme un habile «athée», est d'une audace littéraire rare. On n'imagine pas Pascal prêtant à ses jésuites un portrait dangereusement flatteur des Solitaires! Voici le passage : *Aliud adjungo in eorum Adolescentium gratiam, qui per Collegia, id est Seminaria Rei publicae liberalibus artibus instituuntur? Quas sine histrionia perfici non posse, constans est Rhetorum omnium sententia, et eloquentissimorum virorum usus atque experientia.*

dont Satan fait usage pour pervertir les spectateurs. Et plus le
P. Cellot prête d'enthousiasme à Panurgus, pour célébrer les
pouvoirs dont se pare le comédien pour délecter les sens, plus il
croit *faire voir* le Démon à l'œuvre, plus il révèle sa propre
fascination angoissée devant un Ennemi qui sait si bien persuader,
et son souci de ne pas laisser les interprètes de Dieu moins armés
dans la concurrence : «Quoi de plus admirable, fait-il dire à Panurgus
en paraphrasant Quintilien, que d'être instruit à se métamorphoser
en toutes sortes de formes, et à devenir, au lieu d'un seul homme,
capable de jouer tant de rôles différents et si nombreux, que l'on
puisse passer pour plusieurs personnes à la fois[26]?»

L'*actio* comique multiplie les masques, fidèle en cela à la
multiplicité satanique, et trahissant par là sa finalité d'adversaire de
l'Un, et de ses apôtres unifiés par lui, simplifiés par lui. Et c'est sur
cet aveu involontaire que s'achève la péroraison de Panurgus.
Comment oublier cependant que pour tout un secteur de l'opinion
française gallicane, les jésuites sont les premiers à avoir rompu avec
la simplicité chrétienne, et à avoir rattaché la parole de Dieu à cette
multiplicité histrionique et oratoire qui est le signe par où se
reconnaît la sophistique démoniaque? Boîte de Pandore, la rhétorique humaniste en répandant partout et uniformément l'art de
persuader a créé un théâtre universel où le Démon trouve son
compte et où Dieu a désormais du mal à reconnaître les siens. Pour
le P. Cellot les injures des gallicans adressées aux jésuites sont le prix
à payer pour les serviteurs de Dieu qui osent s'aventurer là où Dieu
est le plus gravement menacé, et lutter à armes égales contre les
séductions que l'humanisme a offertes aux agents de Satan. Le
Multiple au service de l'Un sait, en dépit des soupçons dont il est
accablé par «ceux qui ne savent pas», qu'il affronte au plus fort du
péril le Multiple au service du Multiple. Les deux autres *Orationes*
du P. Cellot vont s'employer à trancher ce nœud gordien, et faire
reconnaître par des signes indubitables la différence d'autorité entre
des combattants qui se ressemblent désormais si périlleusement,
pour la plus grande confusion des ignorants et le plus grand profit
du libertinage.

Le premier procureur introduit par le P. Cellot, Modestinus, va
donc s'attacher à réfuter point par point les arguments par lesquels
Panurgus avait mis sur le même pied de respectabilité le sacerdoce
éloquent et le théâtre profane «réformé» et «modéré» par la
rhétorique humaniste. Le but de ce réquisitoire, comme du suivant,
est de convaincre un parquet de juges fictifs (les lecteurs, mais aussi,
indirectement, les magistrats du Parlement) que les comédiens, loin

---

26. *Ibid.,* p. 313.

d'être réhabilités socialement comme ils le demandent et comme
Richelieu vient de le leur accorder, doivent être bannis de la Cité
chrétienne. Sans s'attacher à l'ordre suivi par un accusé qu'il
méprise, Modestinus commence par se livrer à une histoire critique
du théâtre en Grèce. Il s'agit pour lui de rompre le fil continu que
Panurgus avait cru pouvoir établir entre les Dionysies et le théâtre
des Collèges, et de prouver en revanche que le théâtre profane et les
troupes comiques modernes sont les héritiers directs des stupres de
la scène païenne. Né dans la fange paysanne, le théâtre grec tient de
sa naissance impure une licence obscène et un cynisme insolent
dont les comédies d'Aristophane et même celles de Ménandre
attestent la virulence, qui ne saurait être évoquée, serait-ce à mots
couverts, sans scandaliser le tribunal[27]. Et de même que Panurgus
avait fait silence sur les comédiens-dramaturges modernes qui
eussent ébranlé la hiérarchie entre poètes et comédiens, Modestinus
ne fait aucune mention des tragiques grecs qui gêneraient sa
caractérisation érotique et libertine du théâtre antique.

Celui-ci a reparu tel quel dans le théâtre profane moderne, et
cette fois, non plus comme objet de lecture, mais dans toute la force
première de la représentation, forçant les yeux et les oreilles,
«fenêtres de l'âme», à s'imprégner d'exemples vivants de tous les
vices, et à s'y laisser gagner par le rire, «ce rire qui nous accoutume
à goûter ce que nous devrions détester, et qui imprime en nous des
modèles bravant l'honnêteté, nous délivrant de tout frein, et nous
acclimatant à l'imprudence».

Le rire que font naître les comédiens modernes est bien l'héritier
direct de la fureur dionysiaque et de sa contagion sexuelle, et le
P. Cellot, par la bouche de son Modestinus, préfigurant avec vingt
ans d'avance les analyses des jansénistes Varet et Nicole, et avec un
siècle d'avance celles de Rousseau dans la *Lettre à d'Alembert sur les
spectacles,* stigmatise la mauvaise foi morale des spectateurs de
théâtre, qui stimulent les comédiens à les pervertir davantage :

> Car si l'histrion, fait dire le P. Cellot à Modestinus, s'est trompé d'une
> syllabe, on le siffle, on le conspue; mais s'il persévère dans l'indécence, s'il
> a fait un geste impudique de ses doigts, s'il a pâli à l'aspect d'une
> courtisane, des acclamations lui font un triomphe[28].

L'exigence esthétique du spectateur n'est donc qu'un alibi du
plaisir qu'il y cherche à se sentir libéré du frein moral. Et lorsqu'il a
goûté une fois, encouragé par le rire, la vue du vice dans la fiction
théâtrale, il ne lui reste plus, pour satisfaire le désir qu'il en a pris,

---

27. *Ibid.,* p. 327-328.
28. P. 328.

qu'à passer à l'acte et à se précipiter au lupanar. Cet effet est particulièrement immédiat et violent chez les adolescents, dont l'imagination est encore plus inflammable que celle des adultes. La psychologie du spectateur n'est pas moins sommaire chez le P. Cellot que chez les auteurs de Port-Royal et chez Bossuet, à qui on attribue généralement tout le mérite d'avoir été «freudiens» avant Freud. En fait le jésuite, comme ses successeurs ecclésiastiques, puise aux sources des Pères de l'Eglise, et il a autant qu'eux le sentiment d'avoir à recommencer le combat de Tertullien et d'Augustin contre l'érotisme des mœurs païennes, et contre le miroir grossissant et stimulant que leur offrait le théâtre antique. Pour Modestinus, porte-parole sans masque du P. Cellot, le comédien moderne est, comme le comédien païen, un éveilleur professionnel du désir sexuel, le théâtre profane, comme le théâtre antique, une antichambre du lupanar. Il est donc l'ennemi par excellence du prêtre et du pédagogue chrétien, qui voient dans le désir sexuel la racine du mal, et qui travaillent à le dompter.

Modestinus s'attaque alors à la thèse des comédiens selon laquelle ils ont droit au même respect et au même prestige que les poètes. L'invention dramaturgique doit-elle être traitée comme aussi coupable que l'action histrionique? L'une et l'autre ont eu partie liée, il est vrai, aux origines du théâtre, lors de la naissance impure, en Grèce, de la comédie. Mais des âges moralement plus robustes ont coupé ce lien originel : il est apparu des poètes chrétiens dont l'œuvre est aussi innocente qu'utile aux bonnes mœurs. Mais si ces œuvres, bonnes en elles-mêmes, sont confiées à des comédiens, lorsqu'à leurs mots innocents viennent s'ajouter des gestes, des mimiques, des tons de voix qui n'ont pas été châtiés, dans cette lutte inégale entre le poète et l'histrion, c'est la pudeur du spectateur qui est la victime immanquable [29].

Le dramaturge dévot, s'il n'est pas jésuite comme ses maîtres, en est donc réduit soit à se damner en faisant jouer ses œuvres par des démons, soit à publier du «théâtre dans un fauteuil». C'est à ce dilemme que Corneille répondra en 1636, dans *L'Illusion comique*, en suggérant que le poète-dramaturge est seul à même de «réformer» les comédiens et le théâtre profane.

Cette *refutatio* menée à bien, le P. Cellot procède alors, sous le

---

29. *Ibid.*, p. 330 : *Histrionis recitatio facultate poetica penitus sejuncta est.* Et Modestinus d'accuser les comédiens de *constuprare Minervam*, de *prostituere et foedari Parnassum.* Le P. Cellot touche ici à un point capital du débat littéraire du XVIIe siècle, qui est également traité dans la querelle entre marinistes et anti-marinistes : l'inspiration «vénusienne» et l'inspiration «minervienne» de la poésie, Bacchus et Apollon. Les comédiens, instruments de Vénus, sont du côté de Bacchus et de l'*Adone* de Marino ; les dramaturges jésuites (et leurs disciples) sont du côté de Minerve, d'Apollon, et des *Poemata* du pape poète Urbain VIII. D'un côté l'âme qui se libère du corps, de l'autre le corps qui corrompt l'âme. D'un côté l'*inventio* tournée vers les Idées célestes, de l'autre l'*actio* que la noblesse d'âme ne règle pas, et qui devient séduction érotique.

nom de Philologus et de Gratianus, à une double *confirmatio* par les autorités patristiques et théologiques, et c'est à Gratianus que reviendra enfin, après ce feu d'artifice de citations écrasantes, de conclure dans sa péroraison au bannissement de tous les comédiens [30].

Il est trop clair que le P. Cellot ne croit pas obtenir, par cette *Actio,* si brillante qu'elle soit, un résultat que Charles Borromée, avec toute son autorité épiscopale, n'avait pu imposer complètement. Du moins peut-il espérer avoir persuadé ses lecteurs que, selon le thème d'une autre de ses *Orationes,* seuls les orateurs chrétiens (alias les jésuites) sont justiciables du vieux mot de Caton selon lequel «l'orateur est l'homme de bien qui parle éloquemment». Les aura-t-il persuadés que les orateurs de théâtre sont des démons qui n'ont pas d'adversaires plus efficaces que les jésuites ? En 1705 encore, on rééditait à Cologne les *Orationes* du P. Cellot, mais c'était manifestement à usage interne des Collèges jésuites de l'Allemagne catholique. En France, on peut se demander si la polémique du jésuite contre les comédiens n'aura pas eu des effets imprévus par son auteur. Nous ne reviendrons pas sur les *Provinciales,* qui retournent l'argumentation du P. Cellot contre sa propre Société, selon la tradition inaugurée par Saint-Cyran qui tenait l'humanisme rhétorique des jésuites pour une véritable hérésie menaçant la foi catholique. Mais il arriva aux *Provinciales* ce qui était arrivé aux *Orationes* du P. Cellot : les effets de l'ironie sont incontrôlables, quand l'ironie se met au service de la foi. Le personnage que joue Pascal dans les *Petites Lettres* (logique avec celui qu'il avait joué dans l'Affaire Saint-Ange) témoignait de l'immixtion croissante de l'éloquence laïque dans les questions doctrinales jusque-là traitées entre théologiens : il se mêlait de tourner en dérision des religieux et de les sermonner, et il prenait à témoin, en invoquant leur jugement en dernier ressort, le tribunal des «honnestes gens», qui n'étaient rien d'autre que des laïcs mondains. Dans ses *Mémoires,* le P. Rapin pourra à bon droit faire remarquer combien les «jansénistes», par cet appel aux laïcs, avaient un peu plus compromis la transcendance du dogme et du sacerdoce qu'ils accusaient les jésuites d'avoir humanisés. Les jansénistes avaient leurs «pascalins», laïcs «en mission» dans le «monde» pour soustraire celui-ci à l'influence jésuite et au libertinage. Les jésuites avaient leurs Congrégations mariales qui, plus ou moins liées à la Compagnie du Saint-Sacrement, confiaient aux laïcs des missions de «relais persuasif» tout aussi insidieux.

30. *Ibid.,* p. 350.

Plutôt que de voir dans *Tartuffe* un pamphlet antijésuite, ou même antijanséniste, je voudrais insister pour conclure sur l'hypothèse que j'ai déjà suggérée au cours de mon analyse des *Orationes* du P. Cellot. C'est la revanche d'un comédien-dramaturge, s'appuyant sur le pouvoir royal inquiet de voir ses sujets manœuvrés par des moines et des moniales de toutes robes, contre la rhétorique cléricale et le rôle du bouc émissaire que celle-ci, jésuite ou janséniste, faisait jouer au théâtre profane et aux comédiens. Mais quelle revanche! Même l'archevêque de Paris, avec toute cette autorité apostolique que Petrus Aurelius avait si fort exaltée, dut se résigner en 1669 à voir la pièce librement représentée et imprimée, avec l'approbation du roi. Même l'évêque janséniste d'Aleth, qui avait converti le Prince de Conti et fait de lui un ennemi dangereux de Molière, dut souffrir de voir à Paris, fêté par la Cour, ce que son Rituel condamnait dans son lointain diocèse avec une rigueur digne des premiers siècles de l'Eglise. Et les Nicole, les Varet, qui avaient voulu faire voir dans le dévot Corneille un corrupteur des âmes, devaient assister de loin à un scandale dont Bossuet, plus de vingt ans plus tard, ressentait encore vivement l'affront. On comprend dès lors que des jésuites aussi subtils que le P. Bouhours et le P. Vavasseur[31] aient voulu voir dans *Tartuffe* un coup porté à leurs ennemis dans le camp dévot, et feint d'oublier, en beaux joueurs, les pointes que Molière décoche à la casuistique; celle-ci d'ailleurs n'était pas dans l'Eglise, contrairement à ce que l'on croit communément aujourd'hui, la spécialité exclusive de leur Société. *Tartuffe,* en réalité, donne à Molière l'occasion de placer sa propre autorité morale et littéraire *au-dessus* des factions cléricales rivales, dans le même espace laïc triomphant dont le roi est l'origine, le garant, le point de fuite[32]. La pièce peut se permettre de hausser le débat, et d'honorer par là le théâtre comme la chaire laïque par excellence, car elle porte le débat là où aucun des interlocuteurs ne pouvait le porter : sur le terrain, abordé franchement, de l'art de persuader et de faire *croire*. Molière ose ce que le P. Cellot, dans sa haine des comédiens, n'avait pu imaginer : faire s'interroger les spectateurs sur ce qui fait *foi*. A lui seul, le vocabulaire de la pièce atteste que Molière n'a pas manqué l'occasion d'aller au fond des choses, plus loin peut-être que ne l'a vu et que ne pouvait le voir le roi, qui en politique avisé, s'est

31. Fr. VAVASSEUR, *Multiplex et varia Poesis...*, Paris, 1683, p. 120-121. Epigramme 76 : *Inde minus similant falsae pietatis alumni.* Pour le P. Bouhours, voir MONGRÉDIEN, *Recueil de textes relatifs à Molière,* Paris, C.N.R.S.

32. Il n'est pas question de discuter ici les innombrables études récentes consacrées à *Tartuffe,* un des textes-clefs de la France moderne. Citons, outre les belles éditions de G. Couton, de Gaston Hall, de J.-P. Collinet, les études rassemblées dans les *Mélanges pour Jacques Scherer,* Nizet, de G. Hall, de A. Niderst et de R. Tobin, 1986.

contenté d'utiliser *Tartuffe* pour inspirer le respect à l'agitation cléricale souterraine dans les rangs de ses sujets. *Croire* et *faire croire*, *foi* et *bonne foi*, *se fier* et *se laisser tromper*, *consentir* et *se laisser conduire*, *douter* et *voir pour croire*, *témoignage* et *imposture*, tous ces mots et expressions qui constellent le dialogue attestent assez que l'enjeu de la comédie est la force de la parole, et sa capacité d'agir sur la conviction et sur la volonté d'autrui. L'éloquence du corps y joue sa partie, et la «grimace» de Tartuffe rivalise avec les jeux de scène d'Elmire à l'acte IV pour emporter la conviction d'Orgon. La critique par Mme Pernelle du «ménage» dont Elmire donne l'exemple, celle à laquelle se livrent Dorine et Cléante des gestes et des tons de Tartuffe, tout en plongeant le spectateur dans un vertige de «théâtre sur le théâtre» généralisé, l'ont initié d'emblée à la lutte entre deux rhétoriques qui est à la fois le sujet de la pièce et l'enjeu du débat dans la famille d'Orgon. Celle-ci est un véritable microcosme de la société laïque, où il ne suffit plus, comme le voudrait Mme Pernelle (I, I, 76) de «dire la vérité» pour que chacun y adhère aveuglément et y conforme ses actes. Il faut la faire croire pour qu'on y consente. Et comme la troupe de comédiens de *L'Impromptu,* les membres de cette famille ne s'en laissent pas accroire facilement. Nouveau Panurgus, Molière a sur ce point bien retenu la leçon des jésuites : il partage leur diagnostic du monde moderne, fils de l'humanisme rhétorique, et il est bien éloigné de chercher, avec Port-Royal, à nier ou à condamner l'évidence. Mais il est tout aussi éloigné de l'ironie missionnaire des jésuites et de leur théorie cléricale du «contrepoison». Homme de théâtre, il porte sur la scène à la fois l'apologie du théâtre et d'une société qui se reconnaît dans l'art des comédiens, et dans la haine même qu'on leur porte :

> Ces visites, ces bals, ces conversations
> Sont du malin esprit toutes inventions (150-151).

La vie mondaine d'Elmire et des enfants d'Orgon est du même ordre que le théâtre qui la représente, leur sort est lié. Et la liberté d'«être du monde» est revendiquée par tous les personnages sympathiques de la comédie, chacun selon son tempérament, avec autant de zèle que les comédiens peuvent le faire d'«être du théâtre». Et cette liberté de Dorine, de Damis, d'Elmire et de Cléante est avant tout celle de laïcs épris de bonheur, et peu disposés à la sacrifier sur l'autel de la «vérité» selon Orgon ou Mme Pernelle. Tous sont prévenus contre la foi sur parole, tous se veulent libres de douter. Seuls Orgon et sa mère représentent dans cette famille moderne le type médiéval du laïc, soumis aveuglément à une autorité transcendante. Faute de la rencontrer telle qu'elle fut, ils ont adopté d'enthousiasme, et même suscité, un faux-semblant qui en tient lieu. Il est difficile de mieux laisser entendre que la «hiérarchie» à l'antique dont rêvait Saint-Cyran, et qui rendait au sacerdoce son empire absolu sur les laïcs, n'est plus possible que sous cette forme imaginaire et forcée. Il faut désormais des hybrides de clerc et de laïcs, jouant à la fois de l'ombre d'un grand fantôme (la *potestas* sacerdotale) et des techniques modernes de persuasion, pour réussir encore à «noyauter» les familles et tenter d'y restaurer l'ancienne «terreur». La peinture porte aussi cruellement contre les laïcs œuvrant selon l'esprit de Port-Royal que contre les membres de la Compagnie du Saint-Sacrement d'inspiration jésuitique. Le mythe cyranien et bérullien de l'évêque-apôtre pour lequel «dire, c'est faire», parce qu'il parle d'autorité, n'a par ailleurs aucune chance dans cette famille moderne, même si les membres les plus dévots ne se résignent pourtant pas à s'en passer. De là ce personnage de Tartuffe, fruit de leur nostalgie autant que de sa rouerie propre : il résume, en la caricaturant pour que l'effet soit plus lisible pour les spectateurs, cet «espionnage» que le clergé, dépouillé d'autorité sacrale indiscutable, est réduit à exercer, par laïcs cléricaux interposés, s'il veut encore exercer un empire sur une société laïque qui ne s'en laisse plus conter. Envahie, la famille d'Orgon va se comporter en «corps» menacé et investi de l'intérieur, et s'employer à expulser loin d'elle cet intrus insinuant et insatiable. L'emprise conquise par Tartuffe sur le *Pater familias,* Orgon, et sur sa mère dévote, est cependant un obstacle difficile à surmonter. Dès les premiers actes, on voit à l'œuvre la terreur exercée par Tartuffe, et à la faveur des maladresses du jeune Damis, ses progrès sont foudroyants. Il est à même de reconstituer à modeste échelle la domination médiévale de l'Eglise sur un laïcat désarmé : il dépouille une famille de son patrimoine, il traite ses femmes en proies, il tient Orgon par la grimace cléricale, en attendant de le tenir à sa merci par le chantage. Cet espion clérical, cet hypocrite de vertu chrétienne, est un spectre surgi d'un autre temps, un vampire. Sans la bonne humeur et l'humour populaires de Dorine, la comédie tournerait aisément au *gothic drama.* Tartuffe n'a pu parvenir à ses fins qu'en usurpant à son profit l'idée elle-même archaïque que se fait Orgon de sa *potestas paternalis :* ce vestige d'un autre âge, quasi sacerdotal, l'autorise à exercer sur les siens une tyrannie d'autant plus odieuse qu'elle est dictée par Tartuffe qui joue sur l'amour-propre d'Orgon et fait taire le bon naturel de celui-ci. La famille est ainsi empêchée de régler ses propres affaires en «république» joignant des volontés libres, et délibérant entre ses membres le sort de chacun et son bien commun. Elle ne peut plus être le «Sénat» avisant Orgon. Pour briser cette alliance archaïque entre une *potestas sacerdotalis* usurpée par un laïc sans mandat, et une *potestas paternalis* despotique, l'instinct vital du corps familial le guide vers deux recours : le théâtre, la fiction comique, que va mettre en jeu Elmire pour désabuser Orgon ; c'est l'arme intelligente des faibles, et elle ne suffira pas à détruire l'empire de Tartuffe. L'autre recours, le plus décisif, c'est la Justice du roi, détentrice de cette parole éclairée et tranchante que Saint-Cyran attendait des évêques pour sauver l'Eglise, mais qui, chez Molière, est là pour sauver la société laïque de ses corrupteurs.

Le recours à la *mimésis* comique fait d'Elmire une des plus séduisantes créations féminines de Molière, une Muse du Théâtre, une Allégorie du génie comique, et même un tenant-lieu de Molière lui-même (Elmire-Elomire), dans une pièce dont il est à la fois l'auteur et l'acteur. Entre elle et Tartuffe, c'est à qui imposera sa vérité à Orgon. Qui est, de lui ou d'elle, l'imposteur ?

> Et c'est trop condamner ma bouche d'imposture (1350).

Or c'est elle qui est à sa place naturelle d'épouse dans les conseils d'Orgon, et Tartuffe, entre autres usurpations, l'en a entièrement spoliée. Pour «faire lever le masque à cette âme hypocrite», elle va donc mettre en œuvre l'ironie théâtrale, placer Orgon dans la situation de spectateur, et prendre elle-même le double office de dramaturge et d'actrice pour faire voir la «rhétorique» de Tartuffe (1001) à qui n'a voulu y reconnaître jusqu'ici que langage sacré inspiré du Ciel. Ainsi, tandis que Tartuffe peut se vanter d'avoir mis Orgon au point de «tout voir sans rien croire« (1526), Elmire par la vertu vérifiante du théâtre sur le théâtre, va l'obliger à voir et à entendre pour croire ce qu'il se refusait à croire jusque-là : l'homme prédateur sous le saint homme, le sophiste sous l'oracle de divine vérité. Le désabusement d'Orgon témoigne du pouvoir dont dispose la comédie : «du faux avec le vrai faire la différence» (354). Le théâtre de bonne foi démasque le théâtre de la mauvaise foi. La mondaine-comédienne prend au piège l'hypocrite dévot. Le jeu théâtral qui s'avoue pour tel et qui, dans cette franchise, trouve et sert la vérité, l'emporte sur le théâtre «dans la vie», qui se dissimule comme théâtre et trouve un alibi dans la gravité transcendante du Ciel.

Mais ce succès tout à la gloire de la *mimésis* comique (*Illusion comique* en miniature) arrive trop tard. La fortune d'Orgon, son honneur, sa liberté sont entre les mains du rapace Tartuffe. La Muse du Théâtre a pu «convertir» Orgon à la vérité, elle ne peut annuler le mal que son aveuglement antérieur a déjà commis. On a donc touché, avec Elmire, les limites de la persuasion dramatique, et de la parole privée : Orgon est déniaisé, l'unité de la famille est refaite, mais Tartuffe a gagné, Orgon est ruiné et contraint à la fuite. Dans la sphère publique, seule l'intervention de la puissance publique, apparemment très improbable, peut restaurer les droits de la comédie sur la tragédie bourgeoise (que Molière invente ici, en passant). Loin d'être une pièce rapportée par pure flatterie ou pour obéir à la convention de la «fin heureuse», le Ve Acte de Tartuffe nous révèle à quel point la pensée de Molière dépasse dans cette pièce le seul souci de faire l'apologie du théâtre contre les dévots. Après avoir montré la fertilité du théâtre comme *mimésis* libératrice de la société laïque «privée», de la famille, Molière va en faire l'épiphanie de la puissance royale, émanation de la société laïque et garant public de son bien commun. La polarité sacré-profane, qui régit la pensée dévote, fait place ici à la polarité public-privé, interne à la pensée laïque[33]. Le rôle salvateur qu'Elmire a joué pour soustraire la sphère privée à l'empire du sacré, il revient maintenant au roi de le jouer pour soustraire l'ordre public à la perturbation qu'y introduit Tartuffe. Mais ici, comme dans *L'Impromptu de Versailles*, le roi n'apparaît pas, il reste invisible, hors-théâtre, trop réel pour être mêlé aux fictions de la scène, et il ne se manifeste que par les ordres transmis par un serviteur. Il est «hors jeu», parce que maître du jeu. Pour autant, c'est bien le théâtre qui le révèle ainsi, et qui s'honore en l'honorant : la fin de *Tartuffe* élève la scène comique au rang d'une liturgie laïque où la parole mimétique tend à se confondre avec la parole d'autorité réelle du roi, et en échange reçoit d'elle la majesté souveraine de magistère laïc, rival victorieux du magistère ecclésiastique, *libérant le roi* de son emprise. Quel coup de maître! Et l'envoyé du roi, l'Exempt, comme pour souligner cette alliance de la comédie et de la royauté laïques, recourt à un artifice de théâtre pour délivrer avec plus d'efficacité et d'effet de surprise le message sans réplique du souverain. Avec l'absence grandiose du roi, avec le «suspens» que ménage l'Exempt avant d'énoncer la sentence du juge suprême, le grand Théâtre de l'Etat laïc a fait son entrée sur la scène comique. Et avec lui, un autre langage se fait entendre : «Il veut» (1934), «D'un souverain pouvoir» (1935), «Il brise» (1935), «Et vous pardonne» (1937). Le dramaturge laïc, pour se hausser à la hauteur de la puissance publique, imite le dramaturge dévot de *Cinna* et de *Polyeucte* lorsque celui-ci a fait du théâtre, par la bouche d'un Empereur romain et d'un saint, l'épiphanie du Verbe divin : dans la bouche de l'Exempt, la parole se fait acte, dire c'est faire, ordonner c'est exécuter. La rhétorique persuasive fait place à la rhétorique pragmatique, les comédiens et les rhéteurs font place à l'Acteur qui les protège et qui les départage, en disant le droit.

---

33. Je renvoie ici aux analyses de Jürgen HABERMAS, *L'Espace public*, Paris, Payot, 1978, (1re éd. allemande, 1962), en particulier à l'introduction, p. 13-37.

Et en ce sens, le dénouement si souvent méconnu de *Tartuffe* suppose, dans la pensée de Molière, mais au seul bénéfice de la société et de l'Etat laïcs, de leur théâtre, le même souci qui hantait Saint-Cyran au service de l'Eglise. Pour Petrus Aurelius, la persuasion profane n'est pas à sa place dans l'ordre religieux, dont elle serait la désacralisation et la ruine. Pour Molière, la persuasion est l'enjeu de la vie privée, et le ressort de la comédie qui représente celle-ci à elle-même; mais lorsque la persuasion elle-même est menacée dans son libre jeu par la terreur religieuse, elle révèle ses limites, et le relais doit être pris par une autorité publique indiscutée qui soit capable de répondre à la terreur par la foudre de sa parole royale. Ce qu'est l'évêque dans l'ecclésiologie cyranienne et bérullienne, le roi l'est dans la politique de Molière : l'autorité juridictionnelle qui sait et qui peut se faire obéir. Cette modestie apparente du comédien-dramaturge devant son roi cache la certitude que le roi est son double dans la sphère transcendantale de l'Etat, et qu'une fois le sacré et sa terreur tenus en respect par leurs pouvoirs conjugués, ils sont indispensables l'un à l'autre. Cette pensée, qui eût fait horreur à Saint-Cyran, n'est pas moins que la sienne, dans son ordre propre, d'esprit essentiellement gallican.

Le roi et le comédien ont partie liée dans la mesure où ils sont tous deux, chacun dans son ordre, des représentants publics de la société laïque et de son bien commun *privé*. Et dans le texte de *Tartuffe*, sur la scène de *Tartuffe*, le roi, tout protégé qu'il est par son absence, mais en vertu même de cet artifice de théâtre, n'est pas plus que Molière le représentant d'un ordre transcendant et sacré. C'est même là, s'il voyait assez clair, qu'il pourrait apprendre que, pour relever encore de cet ordre religieux, son personnage royal doit désormais recourir au talent de Molière, à celui de Colbert, de Le Brun, de Lully et de leurs Académies. Il est fort probable en revanche que Molière voyait plus clair que son roi. A célébrer, par sa représentation fictive sur la scène, avec une exagération qui n'exclut pas l'ironie secrète, la justice infaillible et toute-puissante de Louis, le comédien-dramaturge contribue notablement à y faire croire, et il le sait. Il sait donc aussi que cette parole royale n'est tout à fait infaillible et irrésistible que par la vertu de la sienne propre, au moins autant que la sienne propre doit à la parole royale d'avoir pu se faire entendre et défier victorieusement l'éloquence sacrée de l'Eglise gallicane. En la personne de Molière, homme public, l'homme de lettres est encore, en 1669, tenu à un échange de bons et loyaux offices avec son roi. Il n'en sera pas toujours de même. Et cela, chacun à sa manière, selon sa méthode propre, Saint-Cyran et le P. Cellot, le gallican et l'ultra-montain, l'avaient redouté et combattu de longue main.

L'Eglise, le théâtre et le rire au XVIIe siècle

CHARLES MAZOUER

Magistro, amico, Christi discipulo

Si les enjeux et les époques de la querelle du théâtre au XVIIe siècle en France ont été bien analysés par la critique[1], on s'est trop peu préoccupé de la controverse touchant spécifiquement le théâtre comique. Selon l'acception du mot «comédie» alors, les différents Traités de la comédie envisageaient toutes les sortes de pièces de théâtre et s'attachaient souvent davantage – parfois exclusivement – à la tragédie; la part relativement modeste faite à la comédie, au sens moderne, dans la querelle explique sans doute que cet aspect soit resté quelque peu dans l'ombre.

Nous voudrions tenter de l'éclairer, en présentant les principaux arguments échangés dans la polémique. Mais avant de donner la parole aux adversaires puis aux partisans d'un théâtre du rire, il nous faut proposer quelques observations générales propres à situer la polémique dans son contexte significatif.

Un premier paradoxe permet de relativiser la portée de la polémique sur la vie théâtrale du temps : l'Eglise ne cessa, par des voix officielles, de condamner le théâtre et le théâtre comique, tandis que les spectateurs affluaient dans les théâtres et riaient de bon cœur à la diversité des pièces comiques qui leur étaient

---

1. A. LEFRANC, «La Vie et les œuvres de Molière», *Revue des cours et conférences,* 27 décembre 1906, n° 7, p. 289-308; 7 mars 1907, n° 16, p. 769-788; 14 mars 1907, n° 18, p. 1-17; 28 mars 1907, n° 20, p. 111-128; et 11 avril 1907, n° 22, p. 193-210. L. BOURQUIN, «La Controverse sur la comédie au XVIIIe siècle et *La Lettre à d'Alembert sur les spectacles*», *R.H.L.F.,* 1919, p. 43-86. Ch. URBAIN et E. LEVESQUE, *L'Eglise et le théâtre* (avec le texte des *Maximes et réflexions sur la comédie* de Bossuet), Paris, Grasset, 1930. J. DUBU, «L'Eglise et le théâtre en France au XVIIe siècle», *Les amis de saint François,* juillet-décembre 1960, I, n°s 3-4, p. 84-99; et «L'Eglise catholique et la condamnation du théâtre en France au XVIIe siècle», *Quaderni francesi,* 1970, n° 1, p. 319-349. M. FUMAROLI, «La Querelle de la moralité du théâtre avant Nicole et Bossuet», *R.H.L.F.,* 1970, n°s 5-6, p. 1007-1030. G. MONGRÉDIEN, «La Querelle du théâtre à la fin du règne de Louis XIV», *R.H.T.,* 1978-2, p. 103-129.

proposées. La Bruyère, avec son habituelle acuité, souligna bien le décalage entre les condamnations officielles et le plaisir que les chrétiens du royaume continuaient de prendre grâce à des comédiens excommuniés[2]. Une analyse plus fine montrerait les interférences du pouvoir politique, celui des cardinaux, celui du jeune roi, puis celui du roi vieillissant, dans la querelle et les atténuations ou les renforts qu'il apporta dans la pratique au rigorisme ecclésiastique. Les faits sont là : avec ou sans la permission de l'Eglise, on rit librement à la comédie, d'un «ris universel», voire d'un «ris immodéré» et d'un «ris excessif» – c'est encore La Bruyère qui le fait observer[3]. Un théâtre brillant, pleinement assuré de son public et de son succès, fort de son assise dans la société, paraît donc curieusement sur la défensive face aux théologiens et aux moralistes, dont l'influence réelle n'entrava guère le développement des genres comiques.

D'autre part, l'Eglise condamne en s'appuyant sur des arguments multiséculaires, mis au point par les Pères[4], et constamment repris dans la tradition. Le titre complet du livre publié par le prince de Conti, en 1666, est le suivant : *Traité de la comédie et des spectacles, selon la tradition de l'Eglise tirée des conciles et des saints Pères*; et plus de pages y sont consacrées aux textes des conciles et des Pères qu'aux développements personnels de Conti. A sa minutieuse *Défense du traité de monseigneur le prince de Conti,* tout alourdie de textes de la tradition, qu'il tint prête depuis 1668, Voisin a ajouté une anthologie de passages contre le théâtre écrits depuis le XIVe siècle. Quant à l'abbé J.-B. Thiers, il présente son *Traité des jeux et des divertissements* de 1686 comme une somme, sous un format maniable, de tout ce que la tradition catholique a pu écrire sur les jeux et les divertissements; le public ne sera pas fâché, affirme-t-il dans sa préface, «d'avoir, dans un seul volume portatif et d'une grandeur médiocre, tout ce qui concerne cette matière». Seuls les plus grands – un Nicole, un Bossuet –, également nourris de la tradition, échappent à cette tentation du florilège.

Mais surgit un nouveau paradoxe : ces moralistes condamnent le théâtre comique de leur temps en reprenant des arguments utilisés contre un théâtre singulièrement différent; quel rapport entre les divertissements comiques que jugèrent Tertullien, saint Jean Chrysostome ou saint Augustin, pour s'en tenir aux Pères le plus souvent allégués, et ceux que pouvaient voir les contemporains

---

2. Voir *De quelques usages,* 21.

3. *Des ouvrages de l'esprit,* 50.

4. Sur la position des Pères de l'Eglise, voir : J.-B. ÉRIAU, *Pourquoi les Pères de l'Eglise ont condamné le théâtre de leur temps?,* Paris-Angers, 1914; W. WEISMANN, *Kirche and Schauspiele,* Augustinus-Verlag Würzburg, 1972; Chr. SCHNUSENBERG, *Das Verhältnis von Kirche und Theater,* Bern-Frankfurt am Main-Las Vegas, 1981.

de Louis XIII et de Louis XIV ? Au demeurant, à lire les adversaires du théâtre, on s'interroge sur leur connaissance du théâtre vivant de leur temps. Si leur influence réelle fut si faible, c'est aussi parce que ressasser les mêmes arguments anciens contre le théâtre et le rire ne suffisait pas et les mettait en porte à faux par rapport à la réalité comique sur laquelle ils n'avaient pas vraiment prise. A cet égard, la manière si aiguë dont P. Nicole comprit et combattit la tragédie de Pierre Corneille fait figure d'exception. Aucun moraliste ne put honorer Molière d'une analyse équivalente.

Encore le nom ou le titre de comédien de Molière sont-ils cités dans ces traités ; bien d'autres dramaturges comiques sont purement et simplement oubliés dans le déroulement de la controverse.

Celle-ci naît vraiment en France et en français[5] avec le renouveau du théâtre des années 1630, orchestré par Richelieu et soutenu par la plume de fidèles comme Scudéry ou d'Aubignac. 1639 s'avère une date intéressante, puisque, tandis que Corneille met dans la bouche de l'Alcandre de son *Illusion comique* un éloge du théâtre présent, Scudéry répond vraisemblablement, dans son *Apologie du théâtre,* à l'*Instruction chrétienne, touchant les spectacles publics* du ministre réformé André Rivet. Le théâtre d'inspiration farcesque des trente premières années du siècle est complètement passé sous silence par les uns et par les autres.

La querelle se ralluma dans les années 1665-1669, sous l'impulsion du janséniste P. Nicole[6] et du converti rigoriste Conti ; Racine[7] et Molière[8] seront amenés à répondre à l'un et à l'autre. Ne pensons pas non plus trouver un reflet correct des comédies du temps dans ces écrits ! On attaque et défend la comédie en général, parfois celle des trente dernières années comme un tout, ou bien l'auteur de *L'Ecole des femmes* et du *Tartuffe.* La comédie à l'espagnole, la comédie burlesque d'un Scarron, en tant que forme spécifique, pas plus que les petites comédies, dont on constate le regain à partir de 1660, n'entrent dans le champ de la polémique.

Les attaques se poursuivent en sourdine contre la comédie, encouragées par le repliement dévot du roi. L'éclat viendra en 1694, avec l'argumentation précise d'un théologien catholique, le P. Caffaro, en faveur du théâtre et de la comédie ; la réplique de Bossuet jaillit aussitôt, mais la grande voix de l'évêque de Meaux

5. Nous n'oublions pas que le célèbre comédien italien Giambattista ANDREINI publia sa défense du théâtre et de la comédie, *Lo Specchio...,* à Paris, en 1625.

6. G. COUTON, dans son édition du *Traité de la comédie* (Paris, les Belles Lettres, 1961), a établi que le livre, dont l'idée est ancienne, a été imprimé pour la première fois en 1667.

7. *Lettre à l'auteur des* Hérésies imaginaires *et des deux* Visionnaires, début 1666, et *Lettre aux deux apologistes,* 10 mai 1666.

8. Préface de *Tartuffe,* 1669.

ne renouvellera pas les raisons de la condamnation du théâtre[9]. Le
P. Caffaro défend une comédie moralisatrice comme celle du
médiocre Boursault, Bossuet s'en prend au seul Molière; mais tous
passent sous silence le théâtre de fantaisie bouffonne des Italiens, qui
est aussi un théâtre de mœurs, ou les premières comédies de
Dancourt, d'un cynisme aussi drôle que parfaitement immoral.

Sauf exception, donc, n'attendons pas que les arguments
échangés aux différentes phases de la controverse éclairent beaucoup notre théâtre comique du XVIIᵉ siècle! L'Eglise, en rupture par
rapport à la vie théâtrale du siècle, impose de surcroît un angle
d'approche dont sont prisonniers ses adversaires, d'ailleurs réduits à
la défensive. En revanche, même à travers les insuffisances que
relève l'historien moderne du théâtre, la querelle en dit plus long
sur les mentalités et sur les conceptions philosophiques et religieuses
de ceux qui s'affrontèrent à ce moment du passé.

Aux yeux de ses adversaires, le théâtre comique présente déjà les
dangers communs à toutes les formes de théâtre : il excite les
passions que la vie chrétienne s'efforce de combattre.

Et l'on souligne le pouvoir pernicieux de la représentation,
infiniment plus nocive que la lecture. Le théâtre se reçoit par les
sens, «les chatouille et leur agrée, et par eux émeut aussi ensuite les
facultés internes et se glisse dans l'âme», dit A. Rivet[10]; et Conti
souligne «l'empire naturel[11]» d'un divertissement qui représente,
qui rend présents de manière vive, animée, une action et des
personnages. L'incarnation théâtrale agit sur l'imagination, la
mémoire, la volonté des spectateurs qui ne peuvent s'en défendre.

Par là, le théâtre insinue et éveille mieux les passions qu'il
représente. Or, les passions sont en nous la marque de la concupiscence, du vieil homme, de cette corruption à laquelle le Christ est
venu nous arracher par son sacrifice. C'est ainsi que Nicole peut
lancer contre Desmarets sa fameuse accusation : «Un faiseur de
roman et un poète de théâtre est un empoisonneur public, non des
corps mais des âmes des fidèles[12]...» Son *Traité de la comédie* précise
l'attaque : parce qu'il représente les passions de l'amour, de la
jalousie, de la vengeance, de l'ambition, de l'orgueil, le théâtre
pousse l'âme dans «la pente de la nature» (chap. III), de notre cœur
souillé par le péché d'origine, alors qu'il convient de l'arracher au

9. Les lettres du P. CAFFARO, de BOSSUET et de BOURSAULT sont publiées avec les *Maximes et réflexions sur la comédie*, dans Ch. URBAIN et E. LEVESQUE, *L'Eglise et le théâtre*, 1930.

10. *Instruction chrétienne, touchant les spectacles publics...*, La Haye, 1639, p. 12.

11. Armand DE BOURBON, prince de Conti, *Traité de la comédie et des spectacles...*, éd. K. Voll-möler, Heilbronn, 1881, p. 14.

12. *Les Visionnaires ou Seconde partie des lettres sur l'hérésie imaginaire*, lettre 11, décembre 1665.

monde et de l'entraîner à la pénitence et à l'amour exclusif de Dieu.
Vers la même époque, Conti souligne également l'incompatibilité
entre le théâtre et le christianisme : «Dans le même temps que la
comédie nous propose des héros livrés à leurs passions, la religion
nous propose Jésus–Christ souffrant pour nous délivrer de nos
passions [13].» A la fin du siècle, Bossuet, avec un rigorisme qui n'a
rien à envier à celui des jansénistes, reprend la même argumentation. Montrées au vif par des acteurs vivants, les passions sont
excitées chez les spectateurs, qui devraient au contraire noyer
celles-ci dans les larmes et la pénitence; «la représentation des
passions agréables porte naturellement au péché, puisqu'elle flatte et
nourrit de dessein prémédité la concupiscence, qui en est le
principe [14].»

Si les spectacles en général sont l'œuvre du démon [15], la comédie
ne laisse pas d'être l'objet de griefs particuliers.

On s'en prend d'abord à son immoralité. Quand A. Rivet
proscrit la lecture même d'Aristophane, dont la liberté et les
turpitudes sont stigmatisées, de Plaute, à cause de ses paroles
déshonnêtes, on croit entendre les Pères de l'Eglise tonner contre
l'obscénité de la comédie. Mais il dénonce assez justement l'immoralité de la comédie latine, avec ses vieillards avares, ses jeunes gens
amoureux, paillards, prodigues et perdus, ses jeunes filles corrom-
pues par l'argent ou par la ruse, ses maquereaux et putains, ses
valets trompeurs... Sans doute, à l'époque où il écrit, les grossièretés
de la farce et les imitations de la comédie latine par les dramaturges
de la Renaissance sont-elles assez loin. Mais, même dans ces
comédies parfaitement décentes que de jeunes écrivains comme
Corneille destinent aux honnêtes gens, il est encore question
d'amour, de désir et de convoitise, de jalousie, de tromperies aussi
pour parvenir à ses fins. La thématique comique reste immorale.

C'est aussi ce que pense Conti. Les comédies jouées depuis une
trentaine d'années en France (Conti écrit en 1666) sont exemptes des
vices scandaleux des comédies antiques; mais, outre le danger de la
représentation des passions, leur honnêteté et leur pureté sont loin
d'être avérées. Conti trouve des témoignages de cela dans le théâtre
de son ancien protégé Molière, à propos de deux comédies qui
furent attaquées par plus d'un à cette époque : L'Ecole des femmes
propose des exemples d'impureté, et Dom Juan est plutôt une école
d'athéisme. Et aux défenseurs de la comédie qui font valoir qu'elle
rectifie par la risée les passions mauvaises et corrige les mœurs, il est

---

13. *Traité de la comédie*, éd. cit., p. 22.
14. BOSSUET au P. Caffaro, lettre du 9 mai 1694, éd. cit., p. 127.
15. Selon le mot de l'oratorien SOANNEN, dans un sermon prononcé devant le roi en 1686
(*Sermons sur différents sujets...*, Lyon, 1747, t. I, p. 42–84).

rétorqué qu'un Molière s'attaque à des défauts sans importance, mais encourage des habitudes beaucoup plus coupables. Dans ses *Maximes et réflexions sur la comédie*, Bossuet raille la prétendue morale du théâtre de Molière, «qui n'attaque que le ridicule du monde, en lui laissant cependant toute sa corruption[16]». Quant au P. Pierre Lebrun, qui répond également au P. Caffaro[17], il reprend à son compte l'affirmation selon laquelle Molière corrige peut-être les marquis, les précieuses, les prudes ou les nobles vaniteux, mais sans faire beaucoup de mal à la galanterie criminelle ou à la fourberie, puisqu'il rend ridicules et vaincus les parents qui s'opposent aux engagements amoureux de leurs enfants. En un mot, cette comédie moderne qui prétend réformer les mœurs montre, explicitement ou implicitement, le triomphe des mauvaises actions.

La comédie prétend aussi divertir et faire rire; cette double visée n'est pas admise par les moralistes rigoristes.

Contre le divertissement, les formulations les plus nettes viennent de P. Nicole et du milieu janséniste, à qui l'esprit de pénitence de l'Evangile interdit de prendre du plaisir au divertissement du théâtre. Appelé à la sainteté par le baptême, c'est-à-dire ayant renoncé au monde et au péché, ayant embrassé la croix du Christ, le chrétien doit abandonner les divertissements profanes, vains et dangereux; pécheur obligé «à la pénitence, aux larmes et à la fuite des plaisirs», il s'interdira «de prendre part à ces folles joies des enfants du siècle[18]». Persuadé par la foi que ce monde est instable et vide, comment pourrait-il s'attacher au théâtre, qui n'en est qu'un reflet? «Car si toutes les choses temporelles ne sont que des figures et des ombres, en quel rang doit-on mettre les comédies qui ne sont que les ombres des ombres[19]»... Radicalisme vraiment pascalien contre toute détente et tout plaisir pris au théâtre, que Nicole illustre ailleurs[20] de cette sentence de saint Augustin: «Les larmes des pénitents sont plus agréables que la joie des théâtres.» Si, comme le rappelle ce fade compilateur qu'est l'abbé Thiers, le divertissement est nécessaire à l'homme depuis que la faute originelle l'a condamné au travail, tous les divertissements ne sont pas licites, et l'Eglise condamne le divertissement du théâtre[21].

---

16. Ch. V. Dans sa lettre du 9 mai 1694 au P. Caffaro, Bossuet s'en prenait déjà à Molière, rigoureux censeur «des grands canons, et des mines et des expressions de nos précieuses», mais qui étale «dans le plus grand jour les avantages d'une infâme tolérance dans les maris, et sollicite les femmes à des honteuses vengeances contre leurs jaloux» (URBAIN et LEVESQUE, *L'Eglise et le théâtre*, p. 128).

17. *Discours sur la comédie*, Paris, 1694 (le premier discours est une réponse au P. Caffaro).

18. *Traité de la comédie*, ch. X.

19. *Ibid.* L'édition originale ajoutait: «et les figures des figures».

20. Dans un commentaire de l'épître du 3e dimanche de l'Avent (au 9e vol. des *Essais de morale*, éd. de 1751, p. 59).

21. *Traité des jeux et des divertissements*, 1686, ch. I et XXV.

A lire les moralistes austères du temps, on s'aperçoit que l'Eglise, le plus souvent, est entraînée alors, du même mouvement, à condamner le rire. Il serait intéressant de situer la position du christianisme vis-à-vis du rire dans la tradition et dans l'histoire; ainsi, par rapport au XVIe siècle, la méditation du XVIIe siècle sur le rire est passablement rétrécie et durcie. Mais là n'est point notre objet. D'autre part, une réflexion sur le rire de la comédie, qui expose des personnages à la risée, à la sanction sociale du ridicule, devrait s'intéresser à la raillerie, sur laquelle les auteurs chrétiens restent partagés. Certains lui mesurent la place, sensibles à l'orgueil, à l'agressivité, au manque de charité qu'elle révèle; d'autres, comme Pascal dans ses *Provinciales*[22], justifient la raillerie quand elle est mise au service de la vérité, pour confondre et moquer la folie et l'égarement des impies.

A propos de Molière et de ses bouffonneries et plaisanteries de théâtre, Bossuet rappelle cette malédiction évangélique[23] : «Malheur à vous qui riez maintenant! Car vous connaîtrez le deuil et les larmes.» Rire est incompatible avec le sérieux de la vie humaine et chrétienne. Le Christ de Bossuet, comme celui de Nicole[24], n'a jamais ri; le Sauveur a pris nos larmes et nos tristesses, justes peines du péché, et non pas nos rires et nos joies, qui sont illusoires et signes du péché. Comment le chrétien pourrait-il rire? Bossuet se livre à une revue des Pères grecs et latins, pour montrer que la tradition chrétienne n'accepte guère l'eutrapélie, l'enjouement modéré d'Aristote. Au mieux frivolité, au pire ris dissolu, excessif et convulsif qui bouleverse l'âme[25], le rire est de toute façon condamnable. Les Pères ont réprouvé «les éclats de rire qui font oublier et la présence de Dieu et le compte qu'il faut lui rendre de ses moindres actions et de ses moindres paroles, et enfin tout le sérieux de la vie chrétienne[26].» Probablement en accord avec un Rancé qui voulait que la vie des moines fût un «gémissement continuel», une «sainte tristesse», Bossuet estime que le rire, modéré ou dissolu, détruit l'esprit de prière et de pénitence; la plaisanterie est «indigne de la gravité des mœurs chrétiennes[27]». Aux chrétiens

22. Il s'en explique dans la 11e lettre, en s'appuyant sur un texte d'Arnauld (voir R. DUCHÊNE, *L'Imposture littéraire dans les* Provinciales *de Pascal*, 1985, 2e éd., p. 209 sq.).

23. Située juste après les Béatitudes, en Luc 6, 25.

24. Voir ses «Pensées morales sur les mystères de Jésus-Christ» (13e vol. des *Essais de morale*, éd. de 1751, p. 364) : Jésus-Christ «a toujours eu sa croix devant les yeux [...]. Aussi l'on remarque qu'il n'a jamais ri. Rien n'égala jamais le sérieux de sa vie; et il est clair que le plaisir, l'amusement et rien de ce qui peut divertir l'esprit n'y a eu aucune part».

25. Il cite (ch. XXXIII des *Maximes*) saint Basile, qui parle de «ces grands éclats et de ces secousses du corps». L'abbé Thiers, en son ch. XXIV, rappelle également la tradition de la condamnation de ces ris déréglés, dissolus, démesurés.

26. Ch. XII. Contre-feu contre la sourde menace du rire rabelaisien dévastateur?

27. Ch. XXIV.

qui devront rendre compte de leurs paroles oiseuses et de leurs plaisanteries au jour du Jugement, il convient plutôt, selon saint Jérôme, de pleurer que de rire.

Dans ces conditions, on se demande comment la théologie chrétienne pouvait laisser un espace au théâtre du rire...

En fait, au sein de l'Eglise, des laïcs et même des clercs ont défendu la comédie.

Tous s'appuient pour cela sur saint Thomas qui, dans la *Somme théologique* (2ª 2ᵃᵉ, quaestio 168, art. 2-4), formule, à propos du jeu, la nécessité de récréations et de divertissements et, en suivant Aristote, recommande un enjouement modéré qui soit également éloigné des extrêmes. Il n'est absolument pas question du théâtre dans ce passage si souvent allégué; mais tout un courant y pouvait trouver la justification ultime du divertissement théâtral, et même du divertissement théâtral par le rire — utilisant alors Thomas d'Aquin contre Jean Chrysostome. Relâchement de la tension de l'âme, délassement des occupations sérieuses, divertissement et récréation : le théâtre du rire répond parfaitement à ces nécessités, d'autant qu'il est devenu honnête. C'est ce que proclame le P. Caffaro [28] : «Qu'y a-t-il de plus propre et de plus particulier à la comédie, qui ne consiste qu'en des paroles et des actions risibles et ingénieuses qui font plaisir et qui délassent l'esprit?»

Vae vobis, qui ridetis nunc! proclamaient les uns; *homo animal ridens,* se souviennent les autres. Sans doute le théâtre n'est-il pas chose sainte, propre à faire mourir le vieil homme, admet Racine dans sa réponse aux partisans de Nicole; mais on ne peut «pleurer à toute heure [29]». Seuls les mélancoliques — ceux à qui s'en prenait déjà le P. Le Moyne dans sa *Dévotion aisée* de 1652 — refusent l'innocent divertissement de la comédie. Or le rire est nécessaire à l'équilibre moral et spirituel. L'Ancien Testament marque la nécessité du rire et de la gaieté, et souligne les vertus proprement thérapeutiques du rire [30]; et la tradition chrétienne n'a cessé de mettre en garde contre les dangers de la mélancolie. Saint Philippe Néri — il est vrai que celui que Bremond appelle le «patron des

---

28. *Lettre d'un théologien illustre...,* 1694 (dans URBAIN et LEVESQUE, *op. cit.,* p. 73). Vingt-cinq ans plus tôt, le libertin Molière écrivait déjà ceci : «J'avoue qu'il y a des lieux qu'il vaut mieux fréquenter que le théâtre; et, si l'on veut blâmer toutes les choses qui ne regardent pas directement Dieu et notre salut, il est certain que la comédie doit en être, et je ne trouve point mauvais qu'elle soit condamnée avec le reste. Mais, supposé, comme il est vrai, que les exercices de la piété souffrent des intervalles et que les hommes ont besoin de divertissement, je soutiens qu'on ne leur en peut trouver un qui soit plus innocent que la comédie.» (Préface de *Tartuffe*).

29. *Lettre aux deux apologistes,* 10 mai 1666 (t. IV des G.E.F., p. 339).

30. Voir, par ex. : *Proverbes* 17, 22; *Qohéleth* 3, 4; *Le Livre du Siracide* 30, 21-23.

humoristes» est un saint du XVIe siècle! – n'affirme-t-il pas que l'esprit joyeux acquiert plus facilement la perfection chrétienne que l'esprit mélancolique[31]? Il y a là les fondements d'une argumentation en faveur du théâtre comique, qui, exploitée par les Italiens, n'a pratiquement pas été utilisée en France.

Chez nous, les défenseurs de la comédie, attirés sur le terrain de leurs adversaires, s'efforcent surtout d'affirmer la valeur morale du théâtre comique. Ils conviennent de la puissance de la représentation, dont l'influence sur les spectateurs n'est pas sans créer une responsabilité au poète. Ils admettent aussi que le théâtre roule sur des intrigues qui mettent en jeu des passions. Pour un Molière (Préface du *Tartuffe*), les passions ne sont pas toujours condamnables, et il est peut-être préférable «de travailler à rectifier et adoucir les passions des hommes, que de vouloir les retrancher entièrement»; mais Molière n'est pas un théologien autorisé! Le P. Caffaro l'est davantage; pour lui, le théâtre peut «par hasard exciter les passions», mais ni plus ni moins que les actions et les paroles que nous rencontrons à chaque pas dans le monde. Ou il faut fuir dans les déserts, ou il faut accepter ce risque de voir excitées des passions condamnables, dans la vie comme au théâtre.

La défense est insuffisante. En fait, depuis Scudéry et Corneille, les apologistes du théâtre mettent en valeur l'utilité morale et sociale du théâtre; s'il présente aussi le spectacle du mal et des méchants, le théâtre fait triompher le bien et donne par là une leçon utile pour la vie en société. Les classiques reprendront à l'envi cette doctrine. Racine, Molière, La Bruyère répondent à Nicole que la raillerie, la risée jouent un rôle nécessaire en sanctionnant défauts et vices. Faut-il citer les passages si connus de la Préface de *Tartuffe* sur le rôle de la comédie pour combattre les vices qu'on ne supporte pas de voir exposés à la raillerie? Invitons seulement à relire la fameuse *Lettre sur la comédie de l'Imposteur* de 1667, que Molière dut au moins approuver; elle développe une intéressante et précieuse théorie du ridicule, selon laquelle la Providence a attaché le ridicule à tout ce qui marque, dans les comportements, défaut de raison, de convenance, de bienséance. Ce qui donne à la comédie une fonction proprement morale et sociale, que des jésuites comme le P. Vavasseur ou le P. Bouhours ne manquèrent pas de mettre au crédit de l'œuvre de Molière. Dans ses *Caractères*, La Bruyère affirme que la comédie atteint la vérité et que le rire, pourvu qu'il reste décent et se veuille instructif, est utile[32]. A la fin du siècle,

---

31. *Lo spirito allegro acquista piu facilmente la perfezione cristiana che non lo spirito malinconico* (cité par E.-R. CURTIUS, dans l'Excursus IV de *La Littérature européenne et le Moyen Age latin,* consacré au plaisant et au sérieux dans la littérature médiévale).
32. *Des ouvrages de l'esprit,* 50, 52, 53.

Boursault et le P. Caffaro, en répétant que la comédie instruit en divertissant et donne des leçons utiles, se contentent de broder sur le même thème de la comédie qui *castigat ridendo mores*.

Observons au passage le cours étroit que suit le rire au siècle classique. Destiné à souligner les écarts[33] par rapport à la norme sociale et morale, le rire se met au service de la satire; il est utilitaire. Pour reprendre la distinction de Baudelaire, le rire du XVIIe siècle serait limité au *comique significatif*, normatif, moralisateur, de police sociale, comme dit Thibaudet; alors que le XVIe siècle avait connu le *comique absolu,* en particulier chez Rabelais, dont le rire carnavalesque rabaisse les valeurs admises et marque le triomphe de l'homme sur la nature[34]. A trop insister sur les vertus morales de la comédie, ses défenseurs risquaient de la cantonner dans la raillerie utilitaire et mesquine − l'*irrisio* que condamne Spinoza −, au détriment du rire qui est «pure joie» − ce *risus,* signe de la joie qui accroît notre perfection et nous fait participer à la nature divine, selon le même philosophe[35].

Le plus grand dramaturge comique du siècle s'est-il vraiment limité au rire de normalisation et de moralisation sociales? On en doute. Gérard Defaux a montré une évolution dans la pensée comique de Molière[36], qui partagea d'abord l'idée admise selon laquelle la comédie parvient à corriger les défauts, puis qui, après le *Tartuffe*, désespérant de corriger vraiment les hommes, illustra une nouvelle sagesse faite de lucidité et de scepticisme ironique : il faut rire et s'accommoder de l'universelle folie des hommes. La comédie dénonce assurément les absurdités humaines, mais elle nous apprend à être indulgents pour les folies que nous risquons nous aussi de commettre[37]; elle rend supportable le monde et dénoue la mélancolie. Plus qu'un censeur[38], le dramaturge comique est un contemplateur, qui considère le monde comme un vaste théâtre et qui, à la différence de la plupart des autres moralistes classiques, y voit un spectacle plaisant[39]. Plutôt que de

33. L. Van DELFT, *Le Moraliste classique. Essai de définition et de typologie,* Genève, Droz, 1982.

34. D. BRUNET, «Petite contribution à une histoire... du rire à l'âge classique», dans *34/44,* automne 1982, n° 10-11, p. 57-72.

35. *Ethique,* IV, 45, schol.

36. *Molière ou les métamorphoses du comique : de la comédie morale au triomphe de la folie,* Lexington, Kentucky, 1980.

37. W.-D. HOWARTH, «La notion de catharsis comique dans la comédie française classique», *R.S.H.,* 1973, p. 521-539.

38. Le romancier Charles SOREL marquait déjà son scepticisme quant à l'aspect moralisateur du rire, en 1626, dans l'*Avertissement d'importance aux lecteurs* de son *Francion.* Et il écrivait : «Fasse qui voudra l'Héraclite du siècle; pour moi j'aime mieux en être le Démocrite et je veux que les plus importantes affaires de la terre ne me servent plus que de farces. Puisque le ris n'est propre qu'à l'homme entre tous les animaux...» (texte cité par J. JEHASSE, «Critique et raillerie», in *L'Automne de la Renaissance (1589-1630),* Paris, Vrin, p. 83-99).

39. L. Van DELFT, *Le Moraliste classique...,* op. cit.

suivre Héraclite, Molière, La Fontaine, La Bruyère, Saint-Evremond se font les disciples de Démocrite. Cette sagesse comique
dépasse largement la dénonciation des disconvenances sociales!

A ce point, on s'attendrait à une double critique chrétienne du
théâtre du rire, au nom de la charité. D'une part le rire de satire a
partie liée avec l'orgueil et le mépris d'autrui. Comme le dit
Hobbes dans *Human Nature*[40], le rieur a le sentiment soudain de sa
propre excellence et envisage le moqué sans indulgence. D'autre
part, se contenter de contempler la folie de ses semblables et de s'en
faire un spectacle comique ne témoigne pas d'un amour particulier
pour le prochain. Ces idées furent développées, en particulier à
propos de la raillerie, mais sans être intégrées au débat sur le
théâtre; il est vrai que la querelle de la moralité du théâtre présente
trop souvent un aspect étriqué et répétitif! Quoi qu'il en soit, c'est
Fénelon qui, dans un texte pédagogique écrit à l'époque de la
polémique entre le P. Caffaro et Bossuet, ses *Dialogues des morts
composés pour l'éducation d'un prince,* met en cause la sagesse de ceux
qui suivent Démocrite. Le dialogue XIV oppose Démocrite et
Héraclite; et il donne la préférence à ce dernier, non en ce qu'il
pleure des fous que nous sommes, mais parce qu'il aime les
hommes. «Cette amitié me remplit de compassion pour leurs
égarements», affirme Héraclite; et il conclut à l'adresse de Démocrite : «[...] Vous n'aimez rien, et le mal d'autrui vous réjouit. C'est
n'aimer ni les hommes, ni la vertu qu'ils abandonnent» (*Œuvres*, éd.
de la Pléiade, I, p. 321). En effet, rire de maniaques et de fous
inguérissables, est-ce bien les aimer?

On fera remarquer que le véritable humour est chrétien, qu'il
fait passer, comme l'a génialement montré Kierkegaard, du stade
éthique au stade véritablement religieux, relativisant le sérieux, la
morale, toutes nos fragiles finitudes, quand paraît à l'horizon la
transcendance divine. Et, après tout, le dramaturge comique ne
relativise-t-il pas lui aussi l'homme, simple marionnette ridicule,
nous indiquant la direction du véritable humour? Mais à la
philosophie comique de Molière il manque la foi, l'ouverture sur la
transcendance, qui relativise, déstabilise sans doute, mais appelle à
l'Amour qui transforme. Aussi fort et drôle qu'il puisse être,
l'univers de Molière montre plutôt la misère de l'homme sans
Dieu, et le regard du créateur sur son univers n'est pas celui que
porte le Dieu des chrétiens sur le monde[41].

---

40. Mais on trouve des idées et des formules semblables en France, p. ex. chez Marin CUREAU DE
LA CHAMBRE (*Les Charactères des passions*, 1648), ou dans la *Lettre sur la comédie de l'Imposteur*, 1667.

41. L'avis de SAINTE-BEUVE, au livre III de *Port-Royal*, est un peu différent. Il affirme que Molière
reste étranger à «l'ordre de la grâce»; mais il ajoute : «raillant l'humanité comme il fait, il a l'amour
de l'humanité, ce qui est peut-être une inconséquence...» (éd. de la Pléiade, t. II, p. 259).

Comme on regrette que les chrétiens de l'époque n'aient pas
amené sur ce terrain le débat touchant le théâtre comique!

Au total, on s'aperçoit que la controverse spécifique sur le
théâtre comique se dégage avec peine de la controverse générale sur
le théâtre au XVIIe siècle. La question de la légitimité du divertissement, celle de l'influence de la représentation théâtrale sur les
passions sont communes à la tragédie et à la comédie; et si l'on met
à part les reproches contre la liberté indécente et l'obscénité, le
débat sur la conformité de la morale des pièces avec l'éthique
chrétienne concerne autant les deux genres. Les réticences des
moralistes rigoristes et de l'Eglise à l'égard de la comédie restent
largement des réticences à l'égard de toute forme de théâtre.

Le problème singulier du rire ne pouvait être évité ni par les
adversaires ni par les défenseurs de la comédie. Que les uns,
pourtant appuyés sur une tradition qui exalte la joie chrétienne,
marquent une méfiance si absolue à l'égard du rire, et que les autres
aient tendance à ne voir en lui qu'une arme pour la normalisation
sociale, cela indique l'étroitesse de la pensée du siècle classique sur le
rire. Et l'on appellerait de ses vœux, consacrées à la joie et au rire,
des études d'ensemble comparables à celles de Jean Delumeau sur la
peur, le péché et le pessimisme, dans la longue durée.

La pensée chrétienne moderne, en tout cas, a dépassé cette vieille
querelle du théâtre, admettant parfaitement l'incarnation théâtrale
dans sa visée artistique significative, et que le dramaturge doive
nous faire rire pour nous permettre de mieux comprendre le
monde. Un des plus grands théologiens de ce siècle, Hans Urs von
Balthasar, n'a-t-il pas consacré ses dernières forces à chercher «si les
catégories dramatiques peuvent servir à l'intelligence de la Révélation[42]», et à édifier une théologie à l'aide de ces catégories?

42. *La Dramatique divine. I. Prolégomènes,* Paris–Namur, P. Lethielleux–Culture et Vérité, 1984,
p. 76. Cette somme a commencé de paraître en allemand, sous le titre *Theodramatik,* en 1973; les cinq
volumes prévus de la traduction française voient le jour depuis 1984.

Amour et religion :
Chateaubriand et le théâtre classique

ARLETTE MICHEL

La place occupée par le théâtre français du XVIIe siècle dans le *Génie du Christianisme* est modeste : on peut s'en étonner. Analyste des passions et des «mystères du cœur», Chateaubriand est en effet un écrivain des violences de la douleur; son sens intime de la grandeur lui fait aimer l'héroïsme et l'élévation; sa foi comme son imagination le conduisent à lier pathétique et sublime. Telles sont quelques-unes des «harmonies» que le lecteur décèle entre le théâtre de Corneille, de Racine et l'idéal littéraire de l'auteur du *Génie*.

Nous essaierons de suggérer la fécondité des commentaires de Chateaubriand sur *Phèdre* et *Polyeucte* dans le cadre de sa *Poétique du Christianisme*. Les deux chapitres qui leur sont consacrés ne définissent pas seulement des modèles esthétiques et poétiques; ils animent une méditation d'ensemble sur le rapport des passions et du mal; ils développent une véritable théologie de l'amour qui trouve son achèvement dans un idéal d'enthousiasme mystique.

Levons d'abord une objection : l'essentiel de la *Poétique du Christianisme* est constitué par une apologie du poème épique, au détriment, semble-t-il, du poème dramatique. C'est en effet en recourant aux modèles fournis par Dante mais surtout par le Tasse et Milton que Chateaubriand affirme (parfois peut-être contre son cœur) l'excellence des «effets du christianisme dans la poésie» : de tels effets sont à ses yeux supérieurs à ceux, sublimes néanmoins, produits par le paganisme gréco-latin, par l'auguste ingénuité d'Homère, la douceur et l'inquiétude virgiliennes. Cette prédilection pour l'épopée se marque dans la disposition des cinq livres de la *Poétique* chrétienne : le premier et le quatrième sont entièrement consacrés au poème épique; les deuxième, troisième et cinquième le sont pour une large part dans la mesure où, alors même qu'il évalue les beautés des poèmes dramatiques, notre critique le fait par référence à des modèles dont la plupart sont épiques. Les beautés de

Phèdre jaillissent en surimpression sur le livre IV de l'*Énéide* et le souvenir de Didon; *Andromaque* et *Iphigénie,* avant d'appartenir à Racine, portent les marques conjuguées d'Homère, de Virgile et des tragiques grecs.

Le genre épique apparaît en effet à Chateaubriand comme le plus complet : il possède toutes les vertus du théâtre, l'action, le pathétique, le sublime, au point que «le drame» est «tout entier dans l'épopée»; il possède de surcroît des beautés propres – le merveilleux, la description, l'épisode. Il est à la fois humaniste et métaphysique : l'épopée n'a d'autre sujet que le dialogue de l'homme avec le sacré, aussi tient-il «un juste milieu entre les choses divines et les choses humaines» [1]. Puisque l'épopée est ainsi «le plus divin de tous les arts», elle est nécessairement le meilleur porte-parole du christianisme [2].

Que reste-t-il alors au théâtre? La réponse de Chateaubriand doit nous rassurer : «La plus belle moitié de la poésie, la moitié dramatique» [3]. Si l'épopée est belle des beautés tragiques, la réciproque est vraie, à quelques réserves près! Le livre II de la *Poétique* consacré à montrer la supériorité de l'inspiration chrétienne dans la création des «caractères» culmine dans le double éloge de l'épopée et de la tragédie : des chevaliers dans la *Jérusalem délivrée,* du prêtre dans *Athalie.* Quant au livre III occupé par l'étude des passions, il est encadré par les chapitres consacrés à *Phèdre* et à *Polyeucte.* Si *Athalie* est «l'œuvre le plus parfait du génie inspiré par le christianisme», dans *Polyeucte,*

> Corneille, qui se connaissait si bien en sublime, a senti que l'amour pour la religion pouvait s'élever au dernier degré d'enthousiasme, puisque le chrétien aime Dieu comme la souveraine beauté, et le Ciel comme sa patrie [4].

Evoquons ces beautés.

Nous nous attacherons d'abord aux commentaires sur la *Phèdre* de Racine, au chapitre 3 du livre III de la *Poétique.* Chateaubriand propose au lecteur un double commentaire : la figure païenne de Phèdre est comparée à celle d'une autre héroïne mythologique, la virgilienne Didon. De l'une à l'autre une différence fondamentale :

---

1. *Génie du Christianisme,* Bibl. de la Pléiade, 2ᵉ partie, livre I, ch. 1, p. 628; ch. 2, p. 629.
2. *Ibid.,* livre II, ch. 1, p. 649. L'intérêt très vif de notre auteur pour l'épopée est un trait personnel et en même temps un caractère d'époque : Saint-Martin, Fabre d'Olivet et Ballanche mettent en place une théorie du langage poétique comme langue du sacré et ressourcement aux origines qui trouve son expression privilégiée dans l'épopée.
3. *Ibid.,* livre II, ch. 1, p. 648.
4. Livre III, ch. 8, p. 713.

Racine, comme il le fait aussi pour Andromaque et Iphigénie, compose en chrétien ses images antiques [5]; de là un étrange surcroît de beauté qui rivalise victorieusement avec le sublime païen. C'est ce point qu'il importe maintenant d'élucider.

Chateaubriand, près de trente ans avant l'auteur de la *Préface* de *Cromwell,* affirme que le christianisme inaugure un progrès dans l'art occidental car il apporte des révélations neuves sur l'homme et son rapport au sacré. Se situant dans une tradition platonicienne transmise par saint Augustin, Chateaubriand reconnaît l'excellence du christianisme à deux traits : sans doute étend-il les domaines de la vérité mais surtout il est la seule doctrine capable de faire aimer la vérité : la vérité du christianisme est en effet la Beauté même – la «beauté de Dieu» [6], ce Beau dont Platon disait qu'il est splendeur du Vrai. Le *Génie* est précisément consacré à fixer les caractères de la beauté divine, sensible au cœur, transmise par la mémoire collective et séculaire du peuple chrétien. Elle combine, dans la plus haute élévation, la grandeur, la douceur et le mystère [7] : le sublime chrétien est à la fois «magnifique» et «humble», éclatant et voilé, sommet de gloire et comble d'abaissement puisqu'il s'incarne dans le Christ. Objet de contemplation pour la conscience du mystique, elle appelle l'héroïque conquête du martyr; source d'angoisse et d'impuissant désir pour l'âme qui se croit séparée de Dieu, elle n'est alors perçue que désespérément, en termes d'absence et de néant.

Les conséquences de cette prise de position théologique et apologétique sur la poétique et la pensée critique de Chateaubriand sont de première importance : nous le constatons dans le livre III de la *Poétique* consacré à l'analyse des passions telle que le génie chrétien l'a renouvelée. *Phèdre* d'abord : à travers l'expérience du péché paraissent les tortures de l'âme réduite aux solipsismes de la passion : elle ne perçoit plus le sacré que dans l'horreur et l'impuissance. A l'autre extrême de l'expérience religieuse, *Polyeucte* et la passion de la beauté divine. Entre ces deux pôles de déréliction et d'extase héroïque s'inscrit, pour notre auteur, en tous ses degrés et dans toutes ses nuances, l'expérience des passions. Précisons maintenant en quoi elle est singulière et, pour le faire, remontons une fois encore de la poétique à la théologie qu'elle implique.

Le surcroît de lumières introduit par le christianisme éclaire sans

5. Livre II, ch. 6 : *Andromaque* (voir p. 664 : «Nous chercherons dans les sentiments d'une mère *païenne,* peinte par un auteur *moderne,* les traits *chrétiens* que cet auteur a pu répandre dans son tableau, sans s'en apercevoir lui-même»); ch. 8 : *Iphigénie;* ch. 10 : *Athalie.*

6. 3ᵉ partie, livre I, ch. 1, p. 787 sq. : «Le *beau* est un et existe absolument».

7. 1ʳᵉ partie, livre I, ch. 2, p. 472 : «Il n'est rien de beau, de doux, de grand dans la vie, que les choses mystérieuses». Ces caractères définissent en plénitude la beauté de Dieu telle qu'elle transparaît dans la création ou éclate à travers le Christ (voir 4ᵉ partie, livre III, ch. 1, le portrait du Christ).

les dissiper les obscurités, les «mystères du cœur»[8]. Sans doute la conscience chrétienne découvre-t-elle dans le moi, comme la conscience antique, la nature avec son innocence et ses inquiétudes, sa tendresse et ses violences : Chateaubriand place peu de poètes au-dessus d'Homère et de Virgile qui eut de si puissantes intuitions de l'obscurité qui constitue l'essence de l'humain[9]. Mais les «mystères du cœur» ont, dans la perspective chrétienne de notre auteur, une signification plus précise. Platon savait que l'homme est un être mixte : une âme liée à un corps; le christianisme, «en dévoilant le véritable Dieu, [...] dévoile le véritable homme», c'est-à-dire une créature «moitié esprit, moitié argile» : il sort des mains de Dieu «mêlé» à Dieu, mêlé de Dieu[10]. Sans le savoir l'homme est investi par le divin : le Dieu de saint Augustin, intime et secret, informe sa nature. C'est pourquoi Chateaubriand appelle la nature de l'homme relevée par la grâce, la «nature évangélique», nature «plus belle» car elle est «corrigée» par le Christ[11]. De ce fait, la conscience chrétienne participe aux mérites de l'incarnation; elle reçoit en particulier le pouvoir de pardonner et, ce qui est peut-être plus difficile encore, de se pardonner à elle-même : c'est la «conscience évangélique, pleine de pitié et de douceur, et à laquelle Jésus-Christ avait accordé le droit de faire grâce» que n'a pas la conscience «première et purement naturelle»[12].

On comprend dès lors le malheur absolu de Phèdre :

> Le cri le plus énergique que la passion ait jamais fait entendre est peut-être celui-ci :
> > Hélas! du crime affreux dont la honte me suit,
> > Jamais mon triste cœur n'a recueilli le fruit.
> Il y a là-dedans un mélange des sens et de l'âme, de désespoir et de fureur amoureuse, qui passe toute expression. Cette femme, qui se *consolerait d'une éternité de souffrance,* si elle avait joui d'*un instant de bonheur,* cette femme n'est pas dans le *caractère antique;* c'est la *chrétienne réprouvée,* c'est la pécheresse tombée vivante entre les mains de Dieu : son mot est le mot du damné[13].

On s'étonne parfois du caractère janséniste d'une telle interprétation. La Phèdre de Chateaubriand est, comme Andromaque et Iphigénie à propos de qui le critique en fait la remarque, une âme païenne imaginée par le «génie du christianisme» : sans rien enlever à Phèdre des grandeurs sauvages de la passion dans son état de nature, il révèle en elle l'expérience de la déréliction absolue – qui

---

8. Livre II, ch. 1, p. 648.
9. Livre II, ch. 10, p. 676 sq. : Virgile comparé à Racine.
10. Livre II, ch. 1, p. 648 et ch. 3, p. 658.
11. Livre II, ch. 6, p. 666.
12. 1re partie, livre VI, ch. 2, p. 607.
13. 2e partie, livre III, ch. 3, p. 694.

atteste sa plus intime et tragique grandeur : elle s'est placée sans le savoir sous la «grande ombre» de «l'esprit des ténèbres»[14] et, trop tard, en perçoit l'horreur. Chateaubriand montre en Phèdre des intuitions désespérantes parce qu'incomplètes de l'absolu qui est son unique référence et qu'elle a profané. Elle ne peut ni ne veut se pardonner et réclame une expiation qui, pour elle, sera sans espérance. Elle ne pressent plus l'absolu que dans l'expérience négative de la destruction. On pense à Baudelaire, à Barbey d'Aurevilly.

Avec Phèdre, Chateaubriand montre la passion de l'amour dans ce qu'elle a d'exclusif, c'est-à-dire de profanatoire. L'amour ne se divise pas : dans l'univers moral et spirituel de notre auteur, l'amour de la terre avec ses désirs de bonheur comme ses volontés d'anéantissement, est perçu comme antinomique de l'amour de Dieu. C'est bien pourquoi, au regard de Chateaubriand, le christianisme est susceptible d'accentuer la force dramatique et le pathétique, donc le sublime de la tragédie[15]. Son «génie» inspire les combats intérieurs, il est lié aux mélancolies du désir, aux tristesses de l'insatisfaction, non parce qu'il est, par nature, languissant et élégiaque, mais au contraire énergique et impatient d'absolu.

C'est cette impatience d'absolu que, dans le livre III de sa *Poétique,* Chateaubriand illustre en évoquant des personnages qui ne figurent point dans des poèmes dramatiques, Julie de Wolmar, la Clémentine de Richardson, Héloïse et Abélard en particulier ou, au livre II, les chevaliers de la *Jérusalem délivrée*. Ils apparaissent entre le commentaire de *Phèdre* et le commentaire de *Polyeucte* : ils ne sont pas indifférents à notre propos dans la mesure où, surmontant les folies et le néant où Phèdre s'abîme, ils montrent comment la passion peut être convertie. Chacun d'eux a pu transcender, sublimer ses désirs, chacun a choisi contre Éros – insatiable et décevant – Agapè, l'amour qui est d'un autre ordre. Dans le monde spirituel de Chateaubriand où le ciel et la terre sont rivaux, l'âme et le corps ennemis, ce choix héroïque est toujours tragique, quelles qu'en soient la forme et l'inspiration : héroïsme pétrarquien et cornélien chez Julie de Wolmar, chevaleresque chez les héros du Tasse ou dans les *Aventures du dernier Abencérage,* mystique chez Héloïse et Abélard – et aussi dans *Les Martyrs,* dans le *Polyeucte* de Corneille.

Avant d'abandonner *Phèdre* pour *Polyeucte,* encore une observa-

---

14. Livre I, ch. 3, p. 658, à propos d'Adam et Eve dans le *Paradise lost* : «Pour rendre le tableau parfait, Milton a eu l'art d'y placer l'esprit des ténèbres comme une grande ombre».

15. Livre III, ch. 1, p. 686 : Le christianisme augmente «le jeu des passions», d'où la supériorité, pour Chateaubriand, de Phèdre sur Didon. Voir aussi ch. 8, p. 708 : «Il ne s'agit à présent que d'effets dramatiques. Or, le christianisme, considéré lui-même comme passion, fournit des trésors immenses au poète».

tion. Phèdre s'est perdue pour avoir cherché l'absolu dans les illusions du désir. Chateaubriand, de *René* à l'achèvement des *Mémoires* et à la *Vie de Rancé,* ne cesse d'exprimer la violence subtile qu'exerce sur lui la tentation de l'imaginaire. Certes il déclare hautement et en toute fidélité à Platon :

> La passion dominante de l'homme sera toujours la vérité [...]. Nous ne chérissons pas le mensonge, bien que nous y tombions sans cesse[16].

Mais, il le sait, la conscience chrétienne peut préférer les idoles que façonne pour elle l'imagination qui, si elle est la faculté de l'idéal, est aussi la faculté de l'illusion et des vanités. C'est bien pourquoi il se plaît à citer longuement, au livre III de sa *Poétique,* la lettre testamentaire de Julie :

> Le pays des chimères est en ce monde le seul digne d'être habité : et tel est le néant des choses humaines que, hors l'Être existant par lui-même, il n'y a rien de beau que ce qui n'est pas[17].

Et maintenant, *Polyeucte.* Nous sommes à l'extrême opposé de l'expérience spirituelle et de l'histoire sainte des passions. Pour Polyeucte le choix exclusif de Dieu réalise en plénitude la conversion de l'âme à la «souveraine beauté».

De même que le commentaire de *Phèdre* était mis en perspective par rapport à l'*Énéide* et à la figure de Didon, ici *Polyeucte* est introduit par une citation de l'*Imitation de Jésus-Christ*[18]. Faut-il nous en étonner? Naturellement il n'y a pas progression dans l'ordre spirituel entre l'*Imitation* et *Polyeucte,* comme c'était le cas entre Didon et Phèdre. Ce que veut nous faire entendre Chateaubriand, c'est que le choix de l'absolu relève toujours d'une expérience qui est d'ordre mystique. L'extase de l'amour anime aussi bien l'adoration contemplative et secrète que l'enthousiasme héroïque du chevalier de Dieu, du martyr :

> L'amour de Dieu est généreux; il pousse les âmes à de grandes actions, et les excite à désirer ce qu'il y a de plus parfait. L'amour tend toujours en haut, et il ne souffre point d'être retenu par les choses basses[19].

---

16. Livre III, ch. 8, p. 713 sq.

17. Livre III, ch. 4, p. 694. Cette emprise de l'imagination explique que le contrepoint de *Polyeucte* (ch. 8) soit le chapitre consacré à l'analyse du «vague des passions» (ch. 9).

18. L'*Imitation de Jésus-Christ* est un des livres majeurs de la piété romantique : Chateaubriand contribua à en établir l'autorité.

19. Livre III, ch. 8, p. 709.

Chateaubriand, quant à lui, identifie volontiers le sublime chrétien à l'héroïsme combattant : il rêve d'un monde où l'action serait sœur du rêve ; de là son admiration fascinée pour le martyre à travers toute son œuvre, qu'il s'agisse du Père Aubry dans l'épopée américaine, d'Eudore et Cymodocée dans l'épopée chrétienne que son auteur a, précisément, intitulée *Les Martyrs*. On se souvient du mot sublime d'Eudore devant ses juges : «Je suis chrétien», repris par Cymodocée à l'instant de la mort : «Je le suis». Ces deux professions répètent évidemment la profession de Polyeucte commentée et citée dans le *Génie* [20].

L'expérience extrême du martyre montre que, pour Chateaubriand, le fondement de la religion chrétienne est «une sorte de passion» : par-delà l'amour-passion, il y a l'amour, une folie sublime et absolue – qui seule peut mystérieusement vaincre nos folies mêlées de néant : «pour subsister, il faut qu'elle les dévore». Le désir de la beauté absolue ne peut qu'être absolu et dévastateur : le christianisme n'est pas une morale étayée de tièdes effusions :

> La beauté que le chrétien adore n'est pas une beauté périssable : c'est cette éternelle beauté pour qui les disciples de Platon se hâtaient de quitter la terre [21].

Cette beauté ne se montre pourtant que voilée aux désirs du chrétien. Nous y reconnaissons, écrit Chateaubriand, le souvenir de «nos primitives amours». Les saints sont ceux qui, mettant «toute leur vie aux pieds de Dieu [...] parvenaient à contempler la lumière primitive». Le modèle absolu de l'amour est mystique : le christianisme y trouve son fondement et son horizon idéal :

> La religion chrétienne, en nous rouvrant, par les mérites du Fils de l'Homme, les routes éclatantes que la mort avait couvertes de ses ombres, nous a rappelés à nos primitives amours. Héritier des bénédictions de Jacob, le chrétien brûle d'entrer dans cette Sion céleste vers qui montent ses soupirs [22].

Les commentaires de Chateaubriand sur *Phèdre* et *Polyeucte* constituent, dans la *Poétique du Christianisme*, deux textes célèbres. Nous avons essayé, pour notre part, de montrer leur fécondité en

---

20. *Ibid.*, p. 713.

21. *Ibid.*, p. 708. Chateaubriand poursuit : «Pour arriver à la jouissance de cette beauté suprême, les chrétiens prennent une autre route que les philosophes d'Athènes : ils restent dans ce monde afin de multiplier les sacrifices, et de se rendre plus dignes, par une longue purification, de l'objet de leurs désirs».

22. *Ibid.*, p. 714.

suggérant par quels liens profonds et complexes ils se rattachent au grand projet d'ensemble du *Génie du Christianisme*.

Chateaubriand paraît sacrifier un peu la tragédie à sa passion pour l'épopée; elles représentent en fait à ses yeux deux formes de récit dramatique et poétique fondées dans le même dessein : fixer le dialogue de l'homme avec Dieu à travers l'épreuve des passions. La tragédie classique occupe ici une position privilégiée et manifeste de singulières beautés. Corneille et Racine sont bien plus que des moralistes : l'analyse des passions s'inscrit chez eux dans une histoire sainte de l'âme. Aussi le sublime, la grandeur sont-ils leur caractère distinctif : grandeur d'abîme et d'effroi pour l'âme qui ne perçoit Dieu que dans l'absence et la grande ombre du mal; enthousiasme extatique de l'âme dont l'énergie spirituelle a su conquérir les approches de l'absolu. Entre *Polyeucte* et *Phèdre* se joue toute l'aventure de la conscience chrétienne, dans un univers abrupt où la terre et le ciel semblent exclusifs l'un de l'autre, où, entre ciel et terre, les mirages de l'imaginaire exercent leur fascination.

A travers la critique et la poétique s'exprime, dans les deux textes qui nous ont retenus, une théologie de l'amour qui inspirera l'héroïsme chevaleresque d'Aben Hamet, le dernier Abencérage, l'héroïsme mystique du martyr Eudore, mais aussi les incertitudes de René, les chimères tenaces de l'auteur des *Mémoires* et la conversion aride de Rancé.

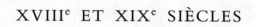

XVIIIᵉ ET XIXᵉ SIÈCLES

La Princesse de Carizme *de Le Sage*
L'adaptation d'un conte persan
au théâtre de la Foire

ROGER GUICHEMERRE

On sait le succès de la traduction des *Mille et Une Nuits* d'Antoine Galland, publiée de 1704 à 1717, ainsi que de la version des *Mille et Un Jours* par F. Pétis de la Croix, dont les cinq volumes paraissent en 1710-1712. Ces contes arabes et persans comblaient chez leurs lecteurs le goût du merveilleux qu'on avait pu constater avec la vogue des contes de fées, dans les dernières années du siècle précédent. Ils les séduisaient aussi par leur exotisme et le dépaysement qu'ils apportaient. Leur succès est attesté non seulement par leurs nombreuses éditions ou par les traductions, anglaises et allemandes notamment, qui en furent faites, mais aussi par les parodies des dramaturges; Le Sage, en particulier, s'inspire des *Mille et Un Jours* dans sept de ses comédies destinées au théâtre de la Foire[1]. *La Princesse de Carizme,* qu'il tire de l'histoire du Roi sans chagrin[2], est l'une des plus intéressantes.

Le conte persan narre l'arrivée du prince d'Astracan, Hormoz, qui voyage incognito avec son gouverneur Husseyn, dans la ville de Carizme. Les voyageurs sont étonnés de voir de hautes tours, d'où proviennent des rires, des chansons d'amour, des plaintes langoureuses. On leur apprend qu'on a enfermé dans ces tours des gens devenus fous pour avoir regardé la fille du sultan. Malgré les avertissements qu'on lui donne, le prince veut absolument voir la princesse Rezia. Comme le roi l'a fait enfermer pour éviter les désagréments que provoquait sa beauté, le prince soudoie le jardinier du palais qui, après quelque hésitation, accepte de le faire

---

1. Outre *La Princesse de Carizme* (1718), *Arlequin, roi de Sérendib* (1713), d'après un épisode de l'histoire de Seyf-el-Mulouk; *Arlequin Mahomet* (1713), d'après l'histoire de Malek et Schirine; *Arlequin Hulla* (1716), d'après Couloufe et Dilara; *Les Pèlerins de La Mecque* (1726), d'après Atalmuk et Zélica; *Le Jeune Vieillard* (1722), d'après Adis et Dahy; *La Princesse de la Chine* (1729), d'après Calaf et Tourandocte.

2. Jours CXX-CXLV, p. 294-331 de l'édition P. Sebag, Paris, Ch. Bourgois., 1980.

passer pour son aide : il l'affuble seulement d'une vessie de porc, qui lui donne l'apparence d'un teigneux et ôtera ainsi tout soupçon.

Le nouveau jardinier, ainsi introduit dans le sérail, chante et joue du luth pour se délasser. Le vizir, qui l'a entendu, le fait jouer et danser devant le sultan, charmé des talents du teigneux. La princesse, à son tour, veut le voir, et le jeune homme lui chante des vers d'amour, joue de divers instruments et danse, suscitant l'admiration générale. Mais la vessie tombe, et le pseudo-jardinier est démasqué. Courroux de la princesse et du sultan, qui ordonne de le mettre à mort. Heureusement pour lui, on apprend que le royaume est attaqué : le vizir rassemble les troupes, fait prier les imans et libère les prisonniers, ce qui sauve le prince de la mort.

Revenu à Astracan, le prince, devenu roi par la mort de son père, ne peut oublier la belle Rezia. Il fait opportunément la connaissance du grand savant Avicenne qui, grâce à ses dons de magicien, fait transporter la princesse à Astracan. Mais le sultan de Carizme, furieux, marche avec son armée sur la ville. Heureusement Avicenne, en suscitant une querelle entre les envahisseurs, provoque la défaite du sultan, qui finit par accepter Hormoz pour gendre. Le conte pourrait s'achever là, mais on apprend ensuite qu'Avicenne, devenu amoureux de la princesse et repoussé par elle, se venge par un nouveau tour de magie : Rezia s'évanouit dès que son mari s'approche d'elle, «charme funeste» qui afflige Hormoz, heureux encore qu'on ne la lui ait pas enlevée.

Cette histoire romanesque, avec ses péripéties et les possibilités spectaculaires qu'elle offrait, pouvait séduire un dramaturge. Dans sa comédie, Le Sage suit d'abord assez fidèlement le conte. Le prince arrive à Carizme, accompagné d'Arlequin, s'étonne devant ces tours d'où partent des éclats de rire ou des chansons folâtres, apprend du concierge qu'on y a enfermé des fous :

> Tous ont perdu le jugement
> Pour avoir vu notre princesse
> Qu'on ne peut voir impunément (I, 3).

Paraissent justement quelques-unes des victimes de la beauté de la princesse Zélica[3]. Le prince veut absolument la voir, malgré les mises en garde. La nouvelle, annoncée par le héraut, que la princesse ne sortira plus du sérail, ne fait qu'augmenter la curiosité du prince, qui cherche un moyen pour y entrer (Acte I).

A l'acte suivant, on voit le prince faire des présents au bostangi, qui accepte de l'introduire dans les jardins du sérail, non pas comme

---

3. Ce nom est celui de l'héroïne d'un autre conte, Atalmuk et Zélica, dont Le Sage s'est inspiré dans ses *Pèlerins de La Mecque*.

dans le conte, en le déguisant en jardinier, mais en le travestissant, ainsi qu'Arlequin, en fille «de l'opéra du Congo». Ce déguisement amène évidemment quelques scènes bouffonnes de l'invention de Le Sage. Après quoi le prince travesti paraît devant la princesse Zélica : il chante devant elle des couplets amoureux; mais son trouble le trahit et la princesse, en colère, s'enfuit (Acte II).

L'acte III, qui amène le dénouement, diffère notablement du conte persan. Si, comme dans le conte, le sultan, furieux, veut d'abord mettre à mort les étrangers, il s'apaise dès qu'il apprend la qualité du prince. Il envoie chercher un savant brahmane − succédané de l'Avicenne du conte −, qui fait marier les jeunes gens par le grand-prêtre, ce qui guérit le prince de sa folie, au milieu de l'allégresse générale.

Outre ce dénouement de comédie − une reconnaissance, suivie d'un mariage −, Le Sage qui, au début du moins, suit souvent textuellement son modèle[4], a apporté beaucoup de scènes et de situations originales, beaucoup d'humour et de comique aussi, qui changent complètement la tonalité du conte et font de La Princesse de Carizme une comédie fort divertissante, à la fois spectaculaire et burlesque.

Certaines scènes comiques lui ont été suggérées par le conte. Les fous enfermés dans les tours célébraient les charmes de la princesse par des métaphores outrées et des louanges hyperboliques : «O toi dont la beauté prête au soleil la lumière qu'il répand [...]», chantait l'un d'eux (p. 296); et l'un des fous de Le Sage s'écrie lui aussi :

> C'est des beaux yeux de ma nymphe adorable
> Que le soleil emprunte sa clarté (I, 2).

Mais Le Sage ajoute à ces éloges dithyrambiques des couplets d'un

---

4. Au commencement du conte, le prince dit à son confident : «Je souhaiterais qu'on me crût un simple particulier. Je voudrais entrer dans les plus obscures conditions, entendre parler le peuple et le voir agir» (p. 295). De même, le prince de la pièce voyage «comme un homme ordinaire» : ainsi, déclare-t-il, «j'entends parler le peuple, je le vois agir, j'apprends à connaître les hommes» (I, 1). Devant l'étonnement d'Hormoz en présence des gens enfermés dans les tours, le Carizmien explique «[qu']ils ont perdu l'esprit pour avoir vu la fille de notre sultan» (p. 297). Le concierge de Le Sage informe aussi le prince que :
> Tous ont perdu le jugement
> Pour avoir vu notre princesse (I, 3).
Dans le conte, le prince prie le jardinier de le «laisser entrer dans les jardins du sérail et de [lui] donner les moyens de voir une fois seulement la princesse»; mais il s'attire un refus du jardinier : «Vous exposez votre vie et la mienne» (p. 300). Dans La Princesse de Carizme (II, 1), le prince fait sa demande dans les mêmes termes : «Vous n'avez qu'à m'introduire :
> Dans les jardins secrètement.
> Je ne veux la voir qu'un moment.
Et le bostangi refuse de la même façon : «Diantre! il y va de ma vie». On voit que dans ces quelques scènes le texte de Le Sage suit de près son modèle.

tout autre ton, qui créent des dissonances burlesques. Un fou
vient-il de chanter extatiquement sa princesse, qu'un autre entonne
un refrain populaire :

> Que faites-vous, Marguerite?
> Ratissez-vous des navets?

Après les hyperboles galantes que nous avons citées, le premier fou
chante un couplet gaillard :

> Nous étions trois dans un logis [...]
> Aimant tous trois la chambrière,
> Sens-dessus-dessous,
> Sens-devant-derrière [...] (I, 2).

Et alors que le conte dit seulement que «plusieurs gardes du sultan
conduisaient deux jeunes hommes vers les tours» (p. 297), Le Sage
nous présente en une parade bouffonne quelques-unes des victimes
de la beauté de la princesse : un vieillard très vert, qui chante et qui
danse «le traquenard»; puis une jeune fille affligée du changement
de son amant, dont Arlequin contrefait les plaintes; enfin le jeune
homme qui, devant sa belle éplorée, chante :

> Allons, gai,
> Toujours gai, etc. (I, 4-6).

Deux personnages, qui ne figurent pas dans le conte, contribuent
beaucoup au comique de ces scènes. C'est d'abord Arlequin
— substitué au gouverneur du conte —, qui égaie la pièce par sa
couardise : lorsque le concierge explique que le héraut annonce la
venue de la princesse en disant : «Cachez-vous... La voici! Gare!
gare!», il croit qu'elle va effectivement paraître et détale (I, 6); de
même, alors qu'il faisait le brave devant le bostangi — «Ce n'est pas
nous qu'on surprend» (I, 3) —, il s'enfuit à l'arrivée de la princesse :
«Voici les dragons qui viennent [...] Sauve qui peut.» (II, 8); et il se
cache derrière le prince lorsqu'elle paraît (II, 10). Ailleurs, dans des
scènes muettes, il exécute ses lazzi traditionnels, imitant le jeune fou
qui veut attraper une mouche (I, 6), ou bien cherchant un pou dans
la barbe du grand-prêtre et l'écrasant à terre (III, 9). Il est surtout
cocasse dans les scènes de l'acte II où, travesti plaisamment en
femme, il est en butte aux assiduités du grand vizir, dont il a bien
du mal à se défendre :

> LE VIZIR.   — Il vous conviendrait, la belle,
>   D'avoir un vizir pour amant.
> ARLEQUIN. — Oh! non, vraiment [bis].

LE VIZIR. — Je vous serai toujours fidèle.
ARLEQUIN. — Je ne veux point d'engagement.
LE VIZIR. — *(la pressant)* : Allons, ma houri, sans façon.
ARLEQUIN. — *(en fille embarrassée)* : Arrêtez-vous donc, petit badin. Oh!
dame, tenez : je n'aime point ces manières-là.

C'est aussi la suivante Dilara[5], dont Le Sage fait une soubrette de comédie assez piquante. On l'entend se plaindre du retard de son amant, le bostangi (II, 3) :

> Tu viens au rendez-vous
> D'un air qui sent l'époux.

Et, comme l'autre lui donne un brillant que le prince lui a remis pour elle, elle se moque de sa complaisance :

> Vous êtes un joli garçon
> De rendre de pareils services!

Puis elle l'accable de reproches, sans le laisser parler, pour lui reprocher ensuite de ne pas s'expliquer :

DILARA. — Quoi donc! porter soi-même
A la beauté qu'on aime
Les présents d'un rival!
LE BOSTANGI. — Je vous dis...
DILARA. — Point d'excuse.
LE BOSTANGI. — Que je vous désabuse...
DILARA. — C'est être un animal.
LE BOSTANGI. — Souffrez que je m'explique...
DILARA. — Voyez sa rhétorique!

La fine mouche, accusée par le sultan d'avoir présenté à la princesse un homme travesti, nie d'abord avec aplomb (III, 2) :

> Je n'ai point présenté
> D'homme, je vous assure.
> Voulez-vous que j'en jure?

Puis, quand le sultan tire son sabre, elle promet de tout avouer, en posant ses conditions («Me pardonnerez-vous, si je dis tout?»), et elle lui conte l'aventure, non sans l'avoir conjuré de rengainer ce fer qui lui fait peur.

---

5. C'est le nom de l'héroïne d'un autre conte, *Couloufe et Dilara*, également imité par Le Sage dans *Arlequin Hulla*.

Le prince lui-même – à la différence du conte – devient plaisant lorsqu'il se trouble et se met à bafouiller devant la princesse (II, 11), puis, complètement égaré, s'adresse galamment à Arlequin qu'il prend pour Zélica :

> Si vos beaux yeux méditaient ma défaite,
> Vous me voyez à leur pouvoir soumis,
> Beauté parfaite! (II, 13).

A l'acte III, sa folie continue et, après des propos sans suite sur des airs contrastés,

> — Amour, rend Zélica sensible à ma tendresse...
> — Ha, ha, ha, ha!
> — Ah! Philis, je vous vis, je vous aime;
>   Si je vous ai, je vous aimerai tant.

c'est au sultan, qu'il prend à son tour pour la princesse, qu'il adresse ses déclarations :

> — Oui, vos beaux yeux doux et brillants
>   M'ont mis dans l'esclavage...

avant de délirer à nouveau :

> Tout le long de la rivière,
>   Laire, lon-lan-la,
> Tout le long de la rivière,
>   Ah! qu'il fait bon là! (III, 4).

Certaines scènes spectaculaires, enfin, qu'on est réduit à imaginer, rehaussées par la musique et le pittoresque des costumes – le vieillard dansant et entraînant les autres (I, 4), le chœur et les danses joyeuses des Carizmiennes (I, 10), les pas exécutés par les esclaves de la princesse (II, 11), la cérémonie des noces, suivie du vaudeville final –, devaient ajouter vie et mouvement à la comédie.

De plus, l'humour et la fantaisie apparaissent constamment dans les propos et les chansons des personnages. Si la satire demeure assez rare, en comparaison à d'autres pièces de la Foire, on peut en relever quelques exemples : des allusions ironiques à la vertu des actrices de l'Opéra :

> — Monsieur le bostangi, dit le vizir, émoustillé par le travesti d'Arlequin,
>   voilà une brunette qui me paraît avoir de la pudeur.
> — Aussi est-ce une fille d'opéra, répond l'autre (II, 6);

une pointe en passant contre les médecins : lorsque Dilara annonce l'arrivée d'un docteur, «Dites plutôt un assassin», s'écrie Arlequin ; ou encore des plaisanteries sur la complaisance de certains maris : Dilara déclare ainsi à son amant qui lui présente un diamant de la part du jeune étranger :

[...] des plus commodes maris,
Vous possédez la complaisance.
Ah ! mariez-vous à Paris :
Vous êtes né pour vivre en France.

Le Sage recourt parfois à la fantaisie verbale et aux jeux sur les mots : fatrasie et propos décousus du prince, troublé par la beauté de Zélica (II, 11 ; III, 4) ; mauvais calembour d'Arlequin sur le mot brachmane (III, 7) ; repartie plus spirituelle du même, lorsqu'il tente de convaincre le bostangi de les introduire dans le sérail (II, 1) :

LE BOSTANGI. – Il y va de ma vie de faire entrer un homme dans les jardins du sérail. Voilà le *hic*.
ARLEQUIN. – Eh bien, nous nous déguiserons en femmes. Ce sera le *haec*.

Un peu d'humour aussi : quand, devant le vieillard ragaillardi par la vue de la princesse, le prince s'écrie : «Mais cet homme-là n'est pas si fou», Arlequin réplique (I, 4) :

– Non, vraiment, il n'en a qu'un petit grain. Il faut qu'il n'ait vu la princesse que de profil !

Plaisanterie reprise un peu plus loin (I, 6), à propos du jeune homme qui déraisonne complètement. «Celui-là en a une dose un peu forte», constate le prince ; et Arlequin de conclure :

– Il aura vu la princesse en face, assurément !

Mais le comique de *La Princesse de Carizme* vient surtout des effets de dissonance, résultant de la juxtaposition de termes appartenant à des niveaux de langage différents ou de l'emploi de mots ou d'expressions déplacés ou surprenants dans le contexte : termes familiers dans les propos de Dilara («croquer le marmot», «en avoir dans l'aile») ; citation de Virgile par Arlequin, tout à fait inattendue (*conticuere omnes*, I, 4) ; du même, un *aiuto* qui rappelle ses origines italiennes (II, 13), ou une allusion piquante à Molière : lorsque le trouble du prince a trahi son sexe et que la princesse s'est enfuie, son valet s'écrie (II, 12) :

– Vous l'avez voulu, George Dandin, vous l'avez voulu.

Le rôle d'Arlequin abonde en reparties familières, qui contrastent plaisamment avec les propos des autres personnages. Le concierge vient-il de louer la beauté de la princesse, Arlequin s'écrie : «Quelle commère, justes dieux!» (I, 3). Le prince affirmant qu'il ne craint pas de regarder la princesse :

> J'ai vu cent beautés charmantes
> Sans m'en laisser enflammer,

Arlequin renchérit, dans un registre plus vulgaire :

> Cent dondons appétissantes
> M'ont prié de les aimer (I, 3).

Lorsque le vizir complimente celui qu'il prend pour «une fille si gentille» pour sa «grâce», le valet s'esclaffe (II, 6) :

> Quelle face!
> Il a l'air d'un franc butor;

et l'opiniâtreté du prince à voir Zélica lui attire cette réplique : «Il vise aux tours» (II, 9).

Surtout une forme de dissonance burlesque plus originale vient de l'emploi de chansons gaillardes ou de couplets joyeux au milieu de dialogues sérieux, voire dans des moments pathétiques. Ainsi le vieillard que la vue de la princesse a rendu fou et que le concierge va enfermer, fait une cabriole en chantant (I, 4) :

> Quoique barbon, je sais plaire...
> Je vaux encor,
> Tourlourirette,
> Je vaux encor
> Mon pesant d'or.

Les plaintes de la jeune fille délaissée s'achèvent en vers de mirliton (I, 5) :

> Je nourrirai sans cesse
> La douleur qui me presse :
> Mon amant a
> Vu la princesse,
> Mon amant a
> Vu Zélica.

Les lamentations d'Arlequin sur le sort du prince se terminent sur un refrain joyeux (III, 3) :

Du grand roi de Perse
Le fils sera donc pendu!
Lanturlu, lanturlu, lanturlu.

Et un autre refrain bien connu enlève toute gravité aux déclarations
amoureuses du vizir (II, 6) :

LE VIZIR. — Vous serez mon plus cher tendron.
ARLEQUIN. — La faridondaine,
La faridondon.
LE VIZIR. — Et je serai votre mari.
ARLEQUIN. — Biribi,
A la façon de barbari,
Mon ami.

Le conte persan recueilli par Pétis de la Croix ne manquait pas
d'humour. Mais la comédie que Le Sage en a tirée, avec son
exotisme de pacotille, ses personnages comiques (Arlequin, Dilara)
ou pittoresques (la parade des fous), ses scènes piquantes (les
reproches de Dilara à son amant) ou carrément bouffonnes (les
galanteries du vizir; les lazzi du valet), ses dissonances cocasses,
l'allégresse enfin des couplets légers et des ariettes, est un petit
chef-d'œuvre burlesque, dont les qualités scéniques n'apparaissent
qu'imparfaitement à la lecture et auquel une représentation donne-
rait tout son éclat.

L'affaire Quesnel à la manière de Racine (1720)
« Ah! Que vois-je, Seigneur?... »

YVES COIRAULT

Le temps était passé, le temps n'était pas encore venu du «jansénisme du silence[1]». Qui mit jamais plus d'acharnement à dénoncer «toute la canaille moliniste» que Charles-Joachim Colbert, évêque de Montpellier[2], ami de Soanen, de M. de Tourouvre, évêque de Rodez, et de Jacques Joseph, abbé Du Guet, tous amis, sinon familiers du duc de Saint-Simon? Mais, «pour sa vade», le petit duc, expert en matière de prétentions, passera comme chat sur braises, dans ses *Mémoires,* sur l'ensorcellement de la Constitution *Unigenitus* et les «horreurs», à faire dresser les cheveux à la tête, commises par ces fanatiques fripons de Constitutionnaires[3]. A d'autres de salir leurs plumes dans la guerre ecclésiastique et civile des pamphlets!

Rappelant les époques troublées de la Ligue et de la Fronde, celle de la Régence de Philippe d'Orléans vit particulièrement fleurir ces contrefaçons, hâtivement accommodées aux nouvelles du jour, où l'économie des moyens passait pour le comble de l'art, et que l'on désignait par le vocable un peu flou, ambigu, tout à tous de *parodie*[4] : «pensers nouveaux» sur vers anciens, ou, selon une technique d'un plus commun usage, mots et signifiés incongrus sur

1. Michel VOVELLE, «Entre baroque et jansénisme [...]», dans *La Régence,* A. Colin, 1970, p. 219. Dans le même ouvrage collectif, on lira avec profit la communication d'E. Appolis (p. 238-245) intitulée : «Un prélat philo-janséniste sous la Régence, Honoré de Quiqueran de Beaujeu [...]».

2. Occupant son siège épiscopal depuis 1698, il s'exprimait en ces termes dans une lettre du 1er juin 1722 à Sartre, prieur de Sorbonne, citée dans la thèse de l'abbé Valentin DURAND, *Le Jansénisme du XVIIIe siècle et Joachim Colbert, évêque de Montpellier (1696-1738),* Toulouse, E. Privat, 1907, p. 90. Malgré certaine partialité, non moins explicable qu'évidente, l'ouvrage, par sa documentation de première main, offrait une base suffisamment solide pour la présente étude, où il s'agissait, non de renouveler un paysage historique global, mais d'évoquer la pratique du théâtre à des fins polémiques dans les premières années du règne de Louis XV.

3. Voir p. ex. *Mémoires* de SAINT-SIMON, Bibl. de la Pléiade, 1983-1988, t. V, p. 306; t. VI, p. 76; t. VII, p. 528; t. VIII, p. 451-611.

4. Voir «Pastiche et parodie», *Cahiers de l'association intern. des études françaises,* 1960, n° 12.

musique d'opéra; mais toujours, au prix d'un bricolage plus ou moins habile, bizarres chimères d'un mimétisme à métamorphoses, délices et malices d'un double registre, jeu de l'anachronique et de l'actualité. Le dessein des poètes mineurs ainsi engagés (ou gagés?) était bien moins de taquiner l'auteur de l'œuvre exploitée et travestie, que de confondre, surtout quand l'auteur pastiché avait accédé aux temples sereins du Sublime, un parti d'adversaires redoutables, l'hydre d'une cabale disposant de l'énorme appareil des puissances temporelle et spirituelle. D'un théâtre l'autre...

La politique et le genre dramatique n'avaient-ils pas d'ailleurs partie liée depuis nombre de lustres, voire de siècles[5]? On avait compris, de longue date, que le théâtre pouvait être une chaire; et, comme naturellement réversible, la tragédie fournissait extrêmement à la satire, pour peu que l'on fût maître passé en substitutions de mots, en «cuirs» faits exprès, en distorsions, en dissonances. Dans la conjoncture, Jean Racine était d'autant plus sollicité que ce fils de Port-Royal n'avait pas manqué, lors de la querelle des *Visionnaires,* d'imiter la fausse ingénuité d'un «provincial» dont les saints mystères tournaient la tête à ne pouvoir se tenir en repos dans sa chambre. Nul doute que, là-haut, Racine n'acceptât de prêter la main et sa voix prophétique aux marchands d'apocryphes de quesnelienne odeur et aux martyrs de la vérité :

«Seigneur, en ma faveur montrez votre crédit[6]!»

Résumons d'abord les faits! Serrant les rangs autour du cardinal de Noailles et soutenus par de très gros bataillons – docteurs de Sorbonne, conseillers du parlement de Paris, curés respirant le richérisme sans trop le savoir –, quelques prélats n'ont pas daigné recevoir la bulle *Unigenitus,* pour la raison qu'elle était en contradiction avec les principes tridentins. Colbert et Soanen, évêque de Senez, ont même refusé de signer le «Corps de doctrine» sorti des ateliers de l'archevêché de Paris. En mars 1717, avec la bénédiction de la Sorbonne, quatre évêques, ceux de Montpellier et de Senez, Pierre de Langle, évêque de Boulogne, et Pierre de La Broue, évêque de Mirepoix, interjettent appel de la Bulle pontificale au «jugement de l'Eglise universelle», et sont approuvés dès avril par l'archevêque de Paris. La polémique se déchaîne : libelles contre «Messieurs les ultramontains», publication d'un «Recueil

---

5. On se contentera d'évoquer les études de G. Couton, R. Pintard et M. Prigent sur le théâtre cornélien, pour ne rien dire du théâtre de la Renaissance.

6. «Parodie sur les dernières scènes de la tragédie d'Ester, par M^r. Racine, où l'on trouve le parallèle de M^r. d'Aguesseau, chancelier de France, avec Aman, favori d'Assuérus»; Chansonnier de Clairambault; B.N., ms. F. fr. 12697, p. 25. Le chancelier venait d'être relégué (28 janvier 1718) dans sa terre de Fresnes.

de diverses difficultés» soulevées par les théologiens de France ;
protestations de Clément XI contre l'«exécrable obstination» de
Monsieur de Paris. Pourtant, des gallicans modérés, que n'inquiète
pas moins le zèle des quesneliens intraitables que celui des *zelanti,*
cherchent un accommodement qui, ménageant l'autorité du pape,
rende inutile la convocation d'un Concile. Le 7 novembre 1717,
une déclaration royale, c'est-à-dire du Régent, ordonne le silence
des deux partis antagonistes, dans l'attente d'explications romaines
de la bulle.

C'est précisément à cette époque que, si l'on devait se fier à la
datation (octobre 1717) proposée par les collectionneurs de chansons et d'écrits satiriques, commencerait à circuler une parodie
anonyme de la scène 5 de l'acte V de *Mithridate,* conservée en
copies dans le Chansonnier de Clairambault, Recueil 14 (1715-
1717), ainsi que dans celui de Maurepas[7], et probablement aussi
dans d'autres fonds[8]. En réalité, le texte même semble clairement
indiquer une composition plus tardive, de peu postérieure à la mort
de Pierre de La Broue, survenue le 20 septembre 1720.

Il convient donc de résumer aussi les principaux événements de
ces trois années 1717-1720 de querelles religieuses. En septembre
1718, peu après la condamnation de l'appel des quatre évêques par
le tribunal de l'Inquisition (8 mars), sont fulminées à Rome les
lettres *Pastoralis officii,* exigeant *debitam et omnimodam oboedientiam* et
excommuniant les obstinés. Publiant alors son appel (demeuré
secret depuis avril 1717), le cardinal de Noailles ose protester contre
les lettres pontificales et, assisté du docteur Nicolas Petitpied,
poursuit d'anciens débats avec son confrère le cardinal de Bissy
et Jean-Joseph Languet de Gergy, évêque de Soissons. Après
une seconde déclaration royale enjoignant le silence (1719), est
annoncée en mars 1720 la soumission imprévue de l'archevêque de
Paris acceptant, par repentir ou pusillanimité, une explication de la
bulle en treize articles[9]. Le 10 septembre est renouvelé l'appel des
quatre évêques – l'appel de monsieur de Mirepoix étant formulé
presque *in articulo mortis* – : ce quarteron de chefs des «réappelants»
oppose au Pape et aux partisans de l'accommodement un *non*

---

7. B.N., ms. F. fr. 12696, p. 296 AB ; 12629, p. 141-143. La copie de Maurepas semble être une
transcription, non sans confusions ni variantes, du même original (ou copie ?) utilisé par Clairambault.

8. L'abbé DURAND (voir n. 2) reproduit quelques vers d'une autre version, plus fautive, mais
mieux datée (1720), publiée dans une édition de 1738 (lire 1728) des *Aventures de Pomponius,* œuvre de
Labadie et Prévost, parue d'abord en 1724 et par la suite gonflée de textes adventices dans des
«recueils composites» ; voir J. SGARD, *Œuvres* de l'abbé Prévost, Presses Univ. de Grenoble,
1977-1986, t. VII, p. 13-15.

9. Celle-ci fut entérinée par déclaration du 4 août, enregistrée le 4 décembre 1720. Le 11 octobre
1728, le prélat publia un mandement d'acceptation pure et simple de la Constitution ; il mourut le
4 mai 1729.

possumus. La mort de l'évêque La Broue fait de Monsieur de Montpellier, haut seigneur du château de La Vérune, le «coryphée du quesnellisme» et des «amis de la vérité[10]». Il est assisté par les abbés Jacques d'Asfeld, Jean-Jacques Boileau, René Pucelle, Guillaume Menguy, plus lointainement par l'abbé Du Guet, et, dans son diocèse même, par Jean-Baptiste-Etienne Sabbatier, prieur curé de Saussan[11], et en parfaite cadence et harmonie avec Soanen, Langle, Caylus, évêque d'Auxerre, Tourouvre, Quiqueran de Beaujeu, évêque de Castres, et quelques autres, qui ne cesseront de tracasser les ministres de Louis XV, Fleury en premier, comme ceux des papes Innocent XIII et Benoît XIII, jusque par-delà le fameux «brigandage d'Embrun» et l'affaire des convulsionnaires : le successeur du cardinal de Noailles, M. de Vintimille, multipliera les mandements contre les miracles de Saint-Médard et n'hésitera pas, selon les termes de Monsieur de Montpellier, à faire «la guerre à Dieu[12]». Après Vintimille viendra un certain Christophe de Beaumont.

Ces temps-là ne sont pas encore. Revenons au mois d'octobre 1720 et à notre parodie de *Mithridate.* Il semble qu'elle ait été précédée par une autre de la même scène, et d'assez semblable farine, dirigée contre le Régent, le duc de Bourbon et John Law, et que l'on peut dater de juillet ou d'août 1720[13] («Oui, les seuls héritiers de la vertu gauloise – Exilés de Paris, vont inonder Pontoise»), encore que l'antériorité de celle-ci par rapport à notre parodie quesnelienne ne soit pas absolument incontestable. A chacun sa Minerve (et n'est pas Archiloque qui veut...). De cette étrange pièce, injustement attribuée à l'aimable libertin Jacques Vergier[14], pourtant incapable d'amertume, la facture apparaît, comme la conception, moins que médiocre. En revanche, la satire... théologico-politique exécutée sur le même canevas n'est pas

---

10. V. DURAND, *op. cit.,* p. 69 et 109.

11. Près de Pignan, à une quinzaine de kilomètres à l'ouest de Montpellier.

12. V. DURAND, *op. cit.,* p. 321 sq.; outre les études d'Augustin Gazier, J.-E. Thomas, J. Carreyre, J. Delumeau, etc., on signalera E. PRÉCLIN, *Les Jansénistes du XVIIIe siècle* [...], Paris, 1928, p. 72 sq.

13. B.N., ms. F. fr. 12697, p. 347-349 : «Parodie de la dernière de *Mithridate* : le Régent, supposé mourant d'une blessure reçue dans une sédition, M. le Duc et Law». La copie suit celles du *Philotanus* de l'abbé DE GRÉCOURT, et des *Philippiques* de LA GRANGE-CHANCEL. Par déclaration du 21 juillet 1720, le parlement de Paris a été transféré à Pontoise.

14. *Ibid.,* p. 482 : «On a dit Vergier auteur de la parodie de *Mithridate*». Mais Jean-Baptiste Rousseau s'inscrivait en faux contre cette attribution, les parodies de Vergier étant «presque toutes sur des airs d'opéras». L'«Anacréon français» aurait, selon Brossette, été assassiné à Paris, le 16 août 1720, par des compagnons de Cartouche : «On sait qu'on en rejeta la cause sur une parodie satirique de la dernière scène de *Mithridate, ouvrage,* comme dit Brossette, *assez médiocre, et dont le coupable excès fait tout le mérite.* Comme elle avait paru quelques jours avant le meurtre de Vergier, sa réputation pour les parodies lui fit attribuer cette pièce, et l'on bâtit sur cette idée le calomnieux roman de sa mort». (*Œuvres de Vergier,* à Lausanne, chez Briaconnet, 1752, 2 vol., Bibl. de la Sorbonne, LF p. 234, in-12, t. I, p. VI-X; ses *Œuvres diverses* furent répandues dans le public, à partir de 1726, en plusieurs éditions et, dès 1731, avec des «Suppléments» comprenant d'autres parodies).

tout à fait méprisable, esthétiquement parlant. Au moins brille-
t-elle par une qualité à laquelle il a déjà été fait allusion :
l'amalgame ne comporte qu'un minimum d'éléments étrangers,
matériel verbal suffisant pour la dérive des significations en un
«contexte» d'actualité. Il faut d'ailleurs reconnaître que les analogies
entre le fond de la tragédie racinienne, ayant, selon les mots de
Raymond Picard, «la beauté émouvante des causes perdues[15]», et
le drame des consciences errantes de 1720 étaient assez immédiatement sensibles, ou moins artificiellement suggérées que dans le
laborieux pastiche sorti de la plume de quelque légiste aux champs,
tout préoccupé de la finance et de ses pompes. Et l'auteur de la
parodie d'un meilleur carat n'abusait pas tellement du «droit que
donne la poésie» : l'essentiel n'était-il pas d'illustrer une «haine
violente[16]», et plus noble encore selon le parodiste, contre les
Romains? contre Monsieur de Rome?

Il n'y a pas lieu de reproduire un tel texte en son intégralité, ni de
le comparer mot pour mot à l'original son modèle. On se bornera
à en offrir un aperçu, non sans formuler des réserves sur la fidélité
de la copie de Clairambault... et de celle de Maurepas[17] : «La scène
est à Mazère, dans le cabinet [théologique biffé] de M. l'évêque de
Mirepoix, mourant dans un fauteuil, appuyé sur un Saint-
Augustin, et sous ses pieds Escobar, Molina et quelques auteurs
jésuites, un Quesnel et la Constitution sur sa table, tenant à la main
dont il appuie sa tête une poignée de manuscrits, et dans l'éloigne-
ment, sur un pupitre, un Jansénius ouvert».

SCÈNE

MM. les évêques de Mirepoix et de Montpellier et M. Sabbatier.

SABBATIER. – Ha! que vois-je, Seigneur, et quel sort est le vôtre!
MIREPOIX. – Cessez et retenez vos larmes l'un et l'autre...

Ayant fixé sur son chevalet l'admirable texte racinien, l'auteur
n'avait, en vérité, que peu de changements à y apporter pour
l'adapter à de nouvelles et très nouvelles références. Une fois admis
le principe de la mascarade, dont l'impertinence était de règle
(Monime-Sabbatier troquant d'ailleurs, en cours de scène, selon la
copie de Maurepas, son masque avec Xipharès-Montpellier), il

---

15. R. PICARD, notice sur *Mithridate,* dans RACINE, *Œuvres complètes,* Bibl. de la Pléiade, t. I,
p. 599.
16. *Ibid.,* p. 601, préface de *Mithridate.* Et R. Picard de préciser, p. 598 : «Toute la pièce respire
l'héroïsme et la guerre».
17. Et sur celle des *Aventures de Pomponius,* telle qu'elle est reproduite dans l'ouvrage cité de
V. Durand : «La scène est à Mazamet...» Il faut évidemment lire : *Mazères* (près de Pamiers et de
Mirepoix).

suffisait de quelques légères substitutions pour modifier à souhait le sens et la portée du discours :

> MIREPOIX.   – [...] J'ai vengé les chrétiens autant que je l'ai pu.
> [...]
> Et j'ose me flatter qu'entre les noms fameux
> Qu'un zèle de cabale a signalé[s] contre eux,
> Nul ne leur a plus fait acheter la victoire
> Ni du grand Vatican mieux attaqué la gloire.
> Le Ciel n'a pas voulu qu'achevant mon dessein,
> Un Concile me vît expirer dans son sein,
> Mais au moins quelque joie en mourant me console :
> J'entends les cris plaintifs d'Ignatiens que j'immole,
> Sur leurs écrits trompeurs j'appesantis ma main,
> Et je laisse Quesnel formidable au Romain.
> A mon fils de Croissy je dois cette victoire,
> Son courage soutient mon honneur et ma gloire.
> Que ne puis-je payer ce service important
> De tout ce que mon zèle eut de plus éclatant?
> Mais vous porterez loin mon zèle[18] et ma couronne,
> Chers écrits immortels; souffrez que je vous donne,
> Et les titres d'honneur que j'exigeais de vous,
> A ce fils si chéri je les résigne tous.
> SABBATIER.   – Vivez, Seigneur, vivez...

Au vu de l'échantillon, le lecteur imaginera sans peine l'esprit, sinon exactement la forme de la scène : ici, un «Le Tellier vaincu»; là, les «Loyolas» (ou «Loyolats»!), «de leur honte irrités», les «Ignatiens sans chaire» et «Les Meaux impunis» (ailleurs transposés en «Bissy glorieux»), les «Rohans triomphants». Citons encore, pressé par le souffleur :

> MIREPOIX.   – Dans cet embrassement plus consolant que triste,
> Venez et recevez l'âme d'un Janséniste.
> SABBATIER.   – Il expire.
> MONTPELLIER. –   Unissons, Sabbatier, nos douleurs,
> Et chez les Bérulliens cherchons-lui des vengeurs!

A cette parodie, qui dut courir tout Paris, et pas seulement sous le manteau, il est permis, remontant la durée, d'en préférer une autre, mettant en scène, avec le même Joachim Colbert, le cardinal de Noailles encore ému de son accommodement ou de son apostasie de mars 1720. Mais aussi fort morgué, ayant jusqu'à la lie toute honte bue. Monsieur de Paris est ici présenté comme un autre

---

18. Il n'est pas impossible que, dans ce vers ou le précédent, le copiste ait mal transcrit un mot tel que *nom*, de l'original ou de la copie en tenant lieu.

Agamemnon, prêt à tout sacrifier sur l'autel d'un faux dogme qui fait cruellement cascader les vertus.

Moins étroitement scolaire, allons jusqu'à dire : marquée au coin d'un certain talent (aux dépens du génie racinien), cette œuvrette rend peut-être mieux compte du climat de l'époque, de l'âpreté d'un combat lourd de menaces encore lointaines pour la monarchie des lys. Le vent de l'Histoire commence à s'élever, et notre cardinal, las des persécutions, n'ignore plus le souverain empire d'une compagnie que Saint-Simon qualifiera de «benoîte et sacro-sainte [19]». Ayant déjà renié la secte et sacrifié la vérité dans son cœur, cette pâle rinçure de roi des rois, qui ose traiter de haut en bas le bouillant Achille montpelliérain, cédera aux fureurs ultramon-taines et deviendra ridiculement «Monseigneur Cahin-caha». Don-nons de cet autre texte des extraits et une idée :

> Parodie [20] sur la scène 6 du 4ᵉ acte d'Iphigénie.
> M. le cardinal de Noailles, et M. de Montpellier :
>
> MONTPELLIER. – Un bruit assez étrange est venu jusqu'à moi,
> Seigneur ; je l'ai jugé trop peu digne de foi.
> On dit, et sans horreur je ne puis le redire,
> Que la Bulle aujourd'hui de votre aveu respire ;
> Que vous-même, étouffant tout mouvement divin,
> L'allez malgré l'appel signer de votre main.
> On dit que par Du Bois, à la Cour rappelée,
> Elle voit à ses pieds sa rivale immolée,
> Et d'explications abusant les prélats,
> Vous signez ce qu'elle est, et ce qu'elle n'est pas.
> [...]
> LE CARDINAL. – Prélat, je ne rends point compte de mes desseins.
> L'Eglise ignore encor mes projets incertains.
> [...]
> Eh! qui vous a chargé du soin de mon Eglise?
> Ne puis-je la forcer à me rester soumise?
> Ne suis-je plus son père, êtes-vous son pasteur?
> MONTPELLIER. – Non, non, vous devenez un traître ravisseur...

Ainsi se déploie la colère du héros très chrétien, tandis que l'on croit voir, ombres assez chinoises, avec le Régent, «le Conseil tout entier, / Dreuillet [21], Rohan, Couet [...]»

Mais le «grand Colbert», cet «entier et opiniâtre évêque de

19. Lettre de Saint-Simon à Valincour, septembre 1726, dont ne sont connues que quelques lignes : «[...] Le royaume est une place assiégée par la Compagnie des Indes, qui, avec la Compagnie benoîte et sacro-sainte, y feront [sic] périr les âmes et les corps [...]».
20. B.N., ms. F. fr. 12697, p. 391.
21. On lit Dreville, le copiste ayant sans doute mal déchiffré le nom de Druillet ou Dreuillet (André), depuis 1707 évêque de Bayonne, celui même que rencontra Saint-Simon en 1721, sur le chemin de Loyola. Le Conseil désigne le conseil de conscience. L'abbé Court était grand vicaire de l'archevêque de Paris.

Montpellier[22]», refuse avec superbe, tant il est indigné, de céder au temps ni aux hommes :

MONTPELLIER. – Je ne connais Clermont[23], Bayonne ni Paris.
Anathème à la Bulle, on ne m'a qu'à ce prix.
LE CARDINAL. – Fuyez, retirez-vous dans votre Montpellier!
[...]
Fuyez[24], je ne crains point votre impuissant courroux,
Et je romps tous les nœuds qui m'attachent à vous.
MONTPELLIER. – Rendez grâce au seul nom qui retient ma colère.
De Noailles encor je respecte le frère[25].
Peut-être sans ce nom, le plus mol des prélats
Sentirait ce que peut la valeur de mon bras.
[...]
J'ai la religion et mon être à défendre...

Sans totale rupture avec un burlesque tempéré (en ce combat des chefs, la sympathie pour la Cause interdit un comique, si l'on ose dire, soutenu, et ne faisant exception de personne), la sxcène propulse l'imagination du lecteur vers les abruptes cimes de la ferveur janséniste, ou quesnelienne. Outré d'une sainte fureur et transporté hors de son «être», l'évêque fournit un bel exemple d'une *magnitudo animi* non incompatible, aux yeux de ses partisans, avec la vertu chrétienne de l'humilité. Par haine de l'erreur, il est méritoire et glorieux de détester la soumission. Dans ces jeux et ces joutes d'intellectuels de tout bord, dont certains rêvent d'un pieux héroïsme, passent, Racine aidant, les frémissements d'une «tristesse majestueuse» et les éclairs du sacré.

Laissant à des esprits plus éclairés le soin de décider s'il y eut ou non une théologie «Régence[26]», on s'interrogera sur les procédés agonistiques qui furent le plus en honneur dans cet âge de combustion et de convulsions. Nul doute que la parodie, dont l'efficacité, fût-elle précaire, n'était plus à démontrer[27], n'ait alors

22. SAINTE-BEUVE, *Port-Royal*, Bibl. de la Pléiade, t. III, p. 532 et 536.
23. Jean-Baptiste Massillon, oratorien, en 1717 évêque de Clermont, devait conserver longtemps des relations d'amitié avec l'évêque appelant, et réappelant.
24. Dans la copie, on lit *Sujet*, qui ne nous semble pas satisfaisant.
25. S'il n'y a pas confusion sur la personne (l'auteur pouvait songer au neveu du prélat, Adrien Maurice, duc de Noailles, conseiller de la Régence), il doit s'agir de Jean-Baptiste, depuis 1695 évêque de Châlons, frère du cardinal et lui-même opposé à la Constitution, et qui devait mourir le 17 septembre de cette même année 1720. Il n'est pas absolument exclu que, lors de la rédaction de la parodie, cet évêque soit déjà mort.
26. J. DEPRUN, «[...] La lettre de Thrasybule à Leucippe», *La Régence*, déjà cité, p. 153 : «Y a-t-il eu un style Régence en métaphysique?».
27. Les parodies sont nombreuses dans le Chansonnier : de l'*Inès de Castro* de LA MOTTE (B.N., F. fr. 12699, p. 85-98); de l'opéra d'*Alceste* de Quinault et Lully (contre la comtesse de Quintin : 12692, p. 17-20); des premières tragédies d'Arouet-Voltaire, etc.

connu une notable fortune, paradoxale quand on songe à la gravité du débat. Si l'infaillibilité du pape était, pour de longues années encore, en question, il s'agissait aussi, pour chacune des âmes chrétiennes, de son salut, de son «être» surnaturel. Pascal n'avait pas tout à fait prévu cette façon carnavalesque de tourner en dérision les «choses saintes», ou les contempteurs des choses saintes; ni l'auteur d'*Athalie,* quoiqu'il n'ignorât pas la chicane, cette pratique de l'intertextualité surfilée, une exploitation si impertinente de son théâtre : elle ferait songer à un «figurisme» tout formel − le substantif[28] était presque à la mode dans les milieux de résistance spirituelle, autant dire «malintentionnés» −, si des retouches plus que sauvages ne soulignaient burlesquement les applications : ça chante et siffle «à côté»...

Sur le Racine mort, les appelants n'ont pas vraiment pullulé. Des champions du jansénisme épiscopal, les «chers écrits» ne furent pas, tant s'en faut, «immortels». Mais ces ennemis à feu et à sang des «Loyolats» surent quelquefois plaisanter, sans excessive lourdeur, malgré l'effroi que leur communiquait le spectacle d'entreprises, à les en croire, scandaleusement impies.

Querelles de théologiens bravant toute censure, joyeusetés d'assez noirs et gothiques visionnaires[29]... Leur défi n'était pas seulement celui de la moquerie. Du moins, ces vaillants chantres d'un inutile combat, soldats perdus de la Poésie, ne péchaient pas, à l'égard de Racine, par irrévérence. Manipulant un bric-à-brac de prothèses, à l'intérieur de fragments de poèmes dramatiques, rafistolés et replâtrés, laminés et contaminés, ils travaillaient à leur manière pour la Grâce. Tantôt hissés sur leurs échasses, tantôt chaussant l'antique cothurne, ces épigones de Jean Racine enviaient et tentaient de capter sa force tragique, plutôt qu'ils ne la refoulaient et (pour reprendre une malice d'un pasticheur de notre siècle) n'aspiraient à sa pompe.

---

28. Le vocable désignait une exégèse allégorique permettant de discerner dans l'Ancien Testament des annonces de conflits théologiques tout modernes.

29. Cf. G. CAPONNA, «What do I see? Un paradigma nel romanzo gotico»; *Spicilegio moderno,* 1978, n° 10, p. 96-114.

Le comique dans Le Méchant de Gresset

SYLVAIN MENANT

Gresset a su, mieux que la plupart des écrivains du XVIIIe siècle, faire rire ses contemporains. Ses succès à la scène ne sont pas négligeables, mais c'est un poème en quatre chants, *Ververt,* qui a assuré sa célébrité et la réussite de sa carrière. Universellement appréciée, cette œuvre a continué d'être lue, apprise et récitée au XIXe siècle; elle apparaît si bien comme le chef-d'œuvre de Gresset que l'on ne peut éviter d'en rapprocher ses autres productions, sans doute moins personnelles ou moins pleinement réussies, pour comprendre le dessein et l'originalité, parfois cachées, qui les caractérisent. C'est le cas d'une comédie, la seule que Gresset ait écrite : *Le Méchant,* jouée à la Comédie-Française en 1747, et rééditée de nos jours par M. Jacques Truchet dans son *Théâtre du XVIIIe siècle* de la Bibliothèque de la Pléiade [1], avec une notice très dense qui attire l'attention sur la valeur de la pièce. Gresset n'innove guère en apparence. Comme dans tant d'autres comédies des XVIIe et XVIIIe siècles, le cadre est une maison de campagne; les dialogues opposent maîtres et serviteurs, personnages sensés et personnages originaux; l'oncle bourru, la suivante à franc-parler, le jeune homme étourdi et la jeune fille naïve et sage sortent de cent comédies, et y retourneront; le sujet central qu'annonce le titre, lui-même, se rattache à cette tradition de la comédie de caractère dont Molière a dégagé les plus brillantes possibilités. Un homme du monde moqueur et cynique, Cléon, introduit dans un château à la campagne, s'amuse à y semer la mésentente. Il cherche à empêcher le mariage de la nièce du châtelain, Chloé, avec un jeune voisin, ami d'enfance, Valère; et dans ce but brouille Valère avec le châtelain. Grâce à des domestiques pleins de bon sens et d'activité,

1. T. I, p. 1203.

ses entreprises sont percées à jour et il est chassé. Au moins dans les apparences, Gresset s'est réfugié dans une certaine banalité, soutenue par les vraisemblances habituelles de la comédie. Ainsi, Cléon, le méchant, cherche à s'enrichir en épousant lui-même Chloé, ou bien sa mère. Structure carrée et psychologie sans subtilité.

Rien d'étonnant dans ce conformisme : Gresset n'est pas un dramaturge très expérimenté. Avant *Le Méchant*, il n'a guère fait que des essais, et dans des directions diverses : comme tous les poètes de son temps, il a écrit une tragédie (*Edouard III*, 1740), puis il a exploré la voie du drame (avec *Sidney*, 1745). La comédie correspondait mieux à sa réputation gaie et à la touche légère qu'il avait montrée dans *Ververt* : il était naturel qu'il y vînt et que, pour éviter les risques, il reprît des recettes éprouvées. Dans le comique qu'il a su en tirer, peut-on cependant retrouver quelque chose de l'esprit de *Ververt,* reconnaître l'originalité de Gresset ?

On ne peut éviter quelques réflexions préliminaires sur la différence des genres. *Ververt,* comme les satires de Boileau, présente un récit continu où la présence du poète ne cesse d'être soulignée, par des ralentissements et accélérations de la narration, par des réflexions et remarques, par des jugements explicites sur les protagonistes. Le poème reprend les grâces du *sermo* horatien, tant admiré et imité dans la littérature classique et post-classique, comme synthèse de la tradition latine et de l'honnêteté mondaine. Le rire saisit par moments le lecteur (ou l'auditeur, puisque la poésie de ce temps est faite d'abord pour être lue ou récitée à haute voix) ; mais il naît d'une connivence avec le poète, d'une identité de jugement et d'interprétation, bien plus que des situations, des mots, de l'évocation des gestes. La position du spectateur (pour qui, avant tout, la comédie est écrite) est bien différente : il peut juger par lui-même de situations et d'attitudes qui lui sont présentées avec une apparence d'objectivité sur la scène. Le comique naît alors des faits plutôt que des commentaires : c'est l'illusion, en tout cas, qui saisit le spectateur. La recomposition personnelle de la réalité, au contraire, s'exprime dans le «badinage» du récit en vers (c'est le mot que Gresset emploie lui-même pour désigner sa manière), «badinage» qui permet «d'embellir quelques sornettes / Du poétique coloris[2]» : les conditions qu'impose le théâtre excluent en principe cette ressource. Il convient sans doute de distinguer, dans l'œuvre de Gresset, ce qui relève du comique (laissé au jugement du

---

2. «La Chartreuse», *Œuvres complètes de Gresset,* Paris, Didot, 1833, 2 vol., t. I, p. 53. C'est à cette édition que renverront toutes les références, sauf pour *Le Méchant,* cité dans l'édition J. Truchet de la Bibl. de la Pléiade.

public) et ce qui relève de la plaisanterie (explicitement élaboré par le poète lui-même).

Ce serait une erreur, d'un autre côté, que de juger la comédie de Gresset selon le seul critère du comique (pris au sens moderne de ce qui déclenche le rire). A bien des égards, *Le Méchant* correspond à une conception de la comédie plus ambitieuse, d'une interprétation de la tradition moliéresque où l'analyse psychologique, morale, sociale, philosophique prend une valeur intrinsèque et donne des mérites à la pièce même si le spectateur n'y rit pas. La comédie rejoint alors dans ses fins l'épître ou la satire, et excelle dans la fidélité de la peinture qu'elle offre des «mœurs du temps» et de l'homme éternel. Cette dernière ambition est clairement indiquée dans *Le Méchant* au cours d'un véritable débat qu'organise Gresset sur la bonté ou la méchanceté foncière de la nature humaine : à l'acte IV, un ami du maître de maison, Ariste, cherche à détourner le jeune Valère de l'amitié dangereuse qui le lie au méchant, Cléon. Valère finit par se réfugier dans le conformisme :

> Tout le monde est méchant, et je serais partout
> Ou dupe, ou ridicule, avec un autre goût[3].

C'est de «l'esprit de son siècle[4]» qu'il parle. Mais Ariste s'attache à démontrer que ce siècle ne fait pas exception,

> Que l'homme n'est point fait pour la méchanceté[5].

La preuve en est la réaction des spectateurs au théâtre :

> Quand on peint quelque trait de candeur, de bonté
> Où brille en tout son jour la tendre humanité,
> Tous les cœurs sont remplis d'une volupté pure,
> Et c'est là qu'on entend le cri de la nature[6].

Quelques années avant les retentissants discours de Rousseau, Gresset prend parti, et s'appuie – paradoxalement – sur les effets du théâtre, que Rousseau bannira, pour affirmer la bonté foncière de la nature humaine. Naturellement, la question philosophique n'est guère traitée en profondeur. L'argumentation ne dépasse pas le niveau de la classe de rhétorique, et la discussion tourne court : le jeune homme réplique aussitôt : «Vous me persuadez[7]». Si insuffisant qu'il soit, le débat est pourtant trop long : la scène 4 de

3. V. 1859-1860.
4. V. 1858.
5. V. 1868.
6. V. 1869-1873.
7. V. 1875.

l'acte IV, riche de bonnes formules et même de traits d'esprits («Ce triomphe honteux de la méchanceté[8]» [...]), manque de toute force comique. Molière avait pourtant montré, au début du *Misanthrope* par exemple, comment le débat moral pouvait mettre plaisamment en relief les contradictions et les exagérations d'un caractère. La grande scène philosophique du *Méchant* n'est pas sans liens avec l'ensemble de la pièce : elle justifie l'évolution dramatique, qui voit tous les personnages se rallier au point de vue des «bonnes gens» et renoncer à leurs liens avec le méchant Cléon ; elle explique dans une certaine mesure l'opiniâtreté de Cléon lui-même, que rien ne convertit, parce qu'il est tout entier perverti par la mauvaise société d'où il ne s'est échappé que pour un moment, une société parisienne qui s'ennuie. La scène est utile, mais elle n'est pas comique.

On peut s'interroger aussi sur le comique des caractères. La jeune fille à marier, Chloé, est surtout touchante : elle apparaît tourmentée par le désir de plaire à sa mère :

> Je veux la contenter [...] et tout ce que je fais
> De son aversion augmente les effets !
> Je suis bien malheureuse[9] !

Ce désir risque de la conduire au couvent, qui ne la tente guère. La mère, Florise, peut faire rire par son retournement. Après avoir honteusement pactisé avec Cléon (acte II, scène 3), elle s'emporte violemment contre lui (acte V, scène 4) dès lors que, cachée dans un cabinet, elle a entendu le Méchant se moquer d'elle (acte IV, scène 9) :

> Ridicule, odieuse [...]
> L'air commun, qu'elle croit avoir noble pourtant[10][...]

Elle révèle ainsi une vanité sans limites, bien décelée d'ailleurs par Cléon. Cette méchante par mode revient à de bons sentiments dès lors qu'elle échappe à la séduction de Cléon. Elle sert de faire-valoir à ce méchant autrement redoutable qu'elle, autrement lancé dans la société, intelligent et trompeur, doué d'un remarquable esprit d'observation qui lui permet de pénétrer les faiblesses de son entourage. Entre ce méchant doué et l'apprentie méchante, un contraste amusant est ainsi créé, qui donne du relief au héros de la pièce. Le caractère de ce héros est d'ailleurs construit, de façon

8. V. 1803.
9. V. 386-389.
10. V. 2058-2059.

classique, sur une contradiction interne : Cléon est un homme des plus dissimulés, qui ment sans effort à tous, invente des calomnies, flatte sans scrupule. Tout son plan pour empêcher le mariage de la charmante Chloé avec le jeune Valère repose sur la tromperie. Mais de temps à autre il dit brutalement sa pensée, par exemple, on l'a vu, sur le compte de Florise. Il jouit successivement de tromper habilement et de laisser jaillir sa vérité. Ailleurs, Cléon souligne le prix qu'il attache à la dissimulation, en reprochant à Valère, son disciple, un reste de sincérité :

> Une vieille franchise à ses talents s'oppose;
> Sans cela l'on pourrait en faire quelque chose [11].

Mais quelques vers plus haut, il a proclamé sans ambages son amoralisme et son orgueil :

> Tout ce qui vit n'est fait que pour nous réjouir
> Et se moquer du monde est tout l'art d'en jouir.
> Ma foi, quand je parcours tout ce qui le compose,
> Je ne trouve que nous qui valions quelque chose [12].

Il y a là une certaine naïveté imprudente − entraînée par la loi du théâtre, qui veut que même les pensées les plus secrètes apparaissent dans le dialogue, seul moyen d'information du public. Le public rit de la contradiction entre prudence et impudence, ou bien de la connivence entre artistes et spectateurs que suppose un tel aveu.

La complexité du caractère de Cléon constitue dans la pièce une exception. Les autres personnages, quand ils sont comiques, le sont grâce aux procédés de la caricature. Ainsi Valère, qui imite avec exagération les façons de parler de la société mondaine et reprend en les simplifiant les thèmes cyniques de son maître Cléon; ainsi Florise, la mère de Chloé, qui étale avec une ardeur ridicule son désir de suivre la mode et de supplanter sa fille. Ce ridicule n'est pas conscient, et c'est là ce qui distingue les comparses et Cléon. Cléon assume sa méchanceté, il en connaît les risques et les accepte, il n'est jamais pris au dépourvu. Même lorsqu'il fait rire un instant dans le rôle du trompeur trompé, puisqu'il est habilement amené par Lisette à dévoiler ses batteries devant Florise cachée, il échappe vite au ridicule et se montre inaccessible aux coups :

> [...] ou si je suis trahi,
> J'en suis tout consolé : je me suis réjoui [13].

11. V. 853-854.
12. V. 827-830.
13. V. 2369-2370.

De même, quand Géronte le chasse de chez lui, il lui suffit de déplacer ses fins pour se retrouver en posture favorable. L'intrigue a échoué, mais l'enquête est réussie :

> Avec ce que j'ai vu je suis en fonds, je crois,
> Pour prendre ma revanche[14].

Le moment fort de la comédie vient d'ailleurs, avant cette sortie, de se produire : Cléon qui faisait à genoux une cour hypocrite à Florise, la voyant détrompée, s'est brusquement levé, «éclatant de rire» précise la didascalie. Avec ce rire, la vérité éclate, et les rires des spectateurs, sans doute, expriment leur soulagement.

Chemin faisant, Gresset tire ainsi du canevas et des caractères des effets comiques divers. Il oppose finement, dans la scène 6 de l'acte I, le point de vue de Chloé et celui de sa suivante. La maîtresse ne pense guère à l'amour ni au plaisir, et n'a pour projet que de satisfaire sa mère; Lisette affirme avec vigueur des évidences simples qui vont toutes à sa satisfaction personnelle :

> Je ne suis point d'humeur d'aller périr d'ennui,
> Frontin veut m'épouser, et j'ai du goût pour lui[15].

Dans ce dernier vers du premier acte, un autre contraste amusant est mis en valeur. Lisette loue la pureté de Chloé,

> Hélas! on ne fait plus de cœurs comme le sien[16]!

alors que les spectateurs ont découvert la noirceur de Cléon – le plus noir des cœurs que l'on fait aujourd'hui.

Sur un autre plan, Gresset ne se refuse pas les répliques à double sens, comme cette allusion à la situation précaire des hommes de lettres :

> Car enfin bien des gens, à ce que j'entends dire,
> Ont été quelquefois pendus pour trop écrire[17].

Lisette, qui dit ces vers, n'est pas Figaro : elle ne vise que des lettres contrefaites, dont Cléon est l'initiateur sans scrupules.

Ce rapide inventaire des sources du comique dans *Le Méchant*

---

14. Acte V, sc. 9, v. 2378-2379.
15. V. 407-408.
16. V. 436.
17. V. 2147.

laisse en fait l'essentiel de côté : car au-delà des ressources de la comédie de son temps, qu'il a su exploiter avec un certain bonheur, Gresset a retrouvé dans sa comédie l'intuition sur laquelle repose le meilleur de son œuvre. Elle s'exprime, dans *Le Méchant,* par ce qu'on pourrait appeler le comique d'intrusion. Il faut, pour en saisir l'importance et la signification, revenir aux poèmes de Gresset, écrits avec une spontanéité sans doute plus grande, et en tout cas écrits plus tôt dans la carrière de l'écrivain, à un moment où il affirmait son originalité sans chercher encore à marcher dans les voies de la consécration littéraire.

On se souvient du sujet de *Ververt.* Un perroquet est choyé par les sœurs d'un couvent de visitandines à Nevers ; il adopte leur langage et leur ton. Au cours d'un voyage vers Nantes, où sa célébrité l'a fait inviter par un autre couvent, il apprend jurons et blasphèmes sur le bateau qui le transporte. Scandale à Nantes, scandale à Nevers où il est aussitôt renvoyé. Au sortir de la pénitence qui lui est infligée, il meurt d'indigestion. Sans outrances anticléricales, le poème présente une image spirituelle des communautés religieuses, des travers et des petites faiblesses qu'elles favorisent ; il fait sourire par de légères caricatures, comme celle de ces vieilles religieuses,

> Les vieilles mères, au marcher symétrique [18].

Mais la force comique du poème tient à la situation même qu'il organise, présente et explicite : un monde pénètre en intrus dans un autre monde, qui ne saurait lui proposer (ou lui opposer) un accueil adapté. Ce comique d'intrusion naît de la surprise – non vraiment celle du lecteur qui comprend et prévoit, mais celle des personnages. Gresset dans un premier temps insiste sur l'assimilation du perroquet dans la communauté religieuse : surprenante en elle-même, mais présentée comme naturelle et définitive.

> Ververt était un perroquet dévot,
> Une belle âme innocemment guidée ;
> Jamais du mal il n'avait eu l'idée
> Ne disait onc un immodeste mot [19].

Perverti par son voyage, par la découverte du monde grossier des soldats et des mariniers, Ververt rentre chez les visitandines (celles de Nantes d'abord, de Nevers ensuite) comme un étranger, un

---

18. *Ververt*, chant III, éd. cit., t. I, p. 15.
19. *Ibid.,* chant II, p. 6.

sauvage. C'est le moment de ce retour qui constitue le sommet du conte, et en même temps crée le comique le plus fort.

> [...] Bouffi de rage, écumant de colère,
> Il entonna tous les horribles mots
> Qu'il avait su rapporter des bateaux,
> Jurant, sacrant, d'une voix dissolue[20].

Un autre texte, en vers et en prose mêlés celui-ci, donne le récit humoristique du voyage de Gresset vers La Flèche, où il était envoyé en exil par le Compagnie de Jésus après le bruit qu'avait fait *Ververt*. Le poète suggère des relations raffinées, celles d'un homme de lettres parisien lancé dans la meilleure société avec une lectrice du même monde, Mme du Perche, à qui le «voyage» est adressé. Le texte est riche en allusions littéraires, adopte par moment un «ton virgilien[21]» ou la forme de la ballade et s'arrête au bord du «style d'élégie». Or, sur cet horizon harmonieux, dans le climat, recréé par les grâces du style, prose et vers, d'une société supérieure chère à un «mort au monde qui ne vit plus que dans les lettres de ses amis», voici que surgissent des êtres grotesques, comme ces notables d'un bourg que traverse le voyageur, qui écorchent les noms et transforment les événements contemporains de façon caricaturale, par exemple ceux de Pologne :

> Les uns disaient que le roi Tanifras
> Jamais des Poronois ne deviendrait le maître[22] [...]

Le comique, ici, naît surtout de l'intrusion d'un monde barbare dans l'univers intérieur du voyageur mélancolique.

Dans les meilleurs moments de la comédie du *Méchant,* Gresset procède d'une manière analogue.

D'abord, il joue sur le langage des personnages dans le dialogue. Dans l'ensemble, tous s'expriment de façon assez conventionnelle, maîtres et serviteurs, dans une langue policée, dont la versification souligne le caractère littéraire : car la convention est celle du théâtre, non de la conversation quotidienne. Dans ce tissu homogène, une intervention fait tache : celle de l'oncle à héritage, Géronte, dont le château sert de cadre à la comédie. Devant Valère qu'il a connu enfant :

---

20. Chant IV, p. 17.
21. *Ibid.,* t. II, p. 220.
22. T. II, p. 219.

> Comme le voilà grand [...] Ma foi cela nous chasse.
>   [...] Parbleu, je l'ai vu là,
> Je m'en souviens toujours, pas plus haut que cela[23].

Le comique naît ici de l'intrusion des banalités de la vie réelle dans la convention et le langage de la comédie traditionnelle (comme dans de célèbres passages du *Bourgeois gentilhomme*). Le contraste n'est d'ailleurs pas sans signification morale et psychologique : Géronte est, de tous les personnages du groupe des maîtres, le seul dont le bon sens ne vacille pas devant les prestiges de la méchanceté à la mode.

Mais c'est le rôle du Méchant lui-même qui ménage les plus beaux effets du comique d'intrusion. Cléon, le méchant, fait tache dans le milieu que présente la comédie, où il ne surgit qu'au second acte. Dans le paisible château de Géronte, on cherche la paix et la bonne entente ; le mariage prévu entre Chloé et Valère a d'ailleurs pour justification d'éteindre un procès de voisinage par la fusion des deux patrimoines. Les liens de parenté jouent un rôle essentiel, et correspondent à des liens affectifs très forts : Chloé est une fille modèle et Géronte un oncle plein de bienveillance. Cléon, lui, annonce ouvertement des intentions habituellement secrètes,

> Si par hasard aussi je me vois marié,
> Je ne m'ennuierai point pour ma chère moitié[24]

et il exprime, avant Gide, sa haine des familles :

> La parenté m'excède, et ces liens, ces chaînes
> De gens dont on partage ou les torts ou les peines,
> Tout cela préjugés, misères du vieux temps[25] [...].

Dans ce monde des familles où se déroule habituellement la comédie, Cléon fait brusquement entrer un vent mauvais d'individualisme égoïste. Au milieu des propos polis que prodiguent les autres personnages, il profère tranquillement des jugements injurieux que Florise, aveuglée par le snobisme, accepte sans sourciller :

> Vous avez de l'esprit, et votre fille est sotte.
> Vous avez par surcroît un frère qui radote[26].

---

23. *Le Méchant*, éd. cit., acte II, sc. 7.
24. V. 531-532.
25. V. 649-652.
26. V. 653-654.

Cléon réussit un coup du même genre, quand il prononce l'oraison funèbre de son amie Araminte :

> Elle mourut, je fus enchanté de sa mort[27].

Il ne suscite pas le rire alors seulement par l'esprit de système dont il fait preuve, en poussant l'égoïsme à son terme; il crée l'effet comique surtout par la surprise que crée son attitude au milieu de tant de bonnes gens.

Son disciple Valère sait lui aussi se présenter en intrus dans le climat du château. De Chloé, il déclare, devant Géronte si fidèlement provincial :

> Elle avait de beaux yeux pour des yeux de province[28].

Quelques vers plus loin, il se conduit d'une façon toute contraire à celle qu'on attend d'un visiteur à qui l'on fait les honneurs d'un domaine; et de plus, c'est à un propriétaire très entiché de son œuvre qu'il parle :

> Avouez, la maison est maussade, odieuse;
> Je trouve tout ici d'une vieillesse affreuse[29].

Il annonce enfin ce que jamais n'avoue un guetteur d'héritage :

> Un jour, je l'abattrai[30] [...].

Sur le plan de la cohérence logique et dramatique, tous ces propos s'expliquent : Cléon reflète les valeurs des salons parisiens où il vit, Valère cherche à rompre les projets de mariage entre Chloé et lui-même en exaspérant l'oncle de la jeune fille. L'effet d'incongruité n'en est pas moins comique.

Dans *Le Méchant* comme dans *Ververt* ou dans le *Voyage à La Flèche,* le comique de Gresset repose sans doute sur une intuition que des expériences diverses confirment. Gresset est attiré par des mondes clos, sereins, équilibrés; même s'il sourit des raideurs et des naïvetés qu'ils protègent, il est sensible à leur valeur morale et, au fond, c'est dans leurs limites qu'il conçoit le bonheur. Ververt est

---

27. V. 2048.
28. V. 1414.
29. V. 1449-1450.
30. V. 1462.

heureux chez les visitandines, comme le poète au milieu de ses amis avant l'exil, comme Chloé entre les charmilles de son oncle. Gresset, qui ironise ici et là sur l'étroitesse de vues des pères jésuites chez qui il a passé sa jeunesse, insiste sur l'admiration qu'il conserve pour eux, et conclut ses *Adieux aux jésuites* en vantant l'attrait de leurs collèges.

> Oui, même en la brisant j'ai regretté ma chaîne [...]
> Je dois tous mes regrets aux sages que je quitte, [...]
> J'en perds avec douleur l'entretien vertueux, [...]
> Prodigue de leurs jours, tendres, parfaits amis[31].

Ici comme ailleurs, il exprime

> Ce goût d'un bonheur innocent[32]

qui le caractérise. Dans sa comédie, il a brossé une fois encore le décor de cet idéal paisible. C'est alors qu'intervient le méchant venu d'ailleurs, porteur d'un esprit corrosif, prêt à subvertir l'ordre et les perspectives heureuses, menace sur l'innocence. La surprise pourrait être angoissante; chez Gresset, elle est source de comique. Car au fond, il ne croit pas au sérieux de cette intrusion et des dangers qu'elle comporte. Ni les blasphèmes de Ververt, ni la sottise des villageois du Maine, ni les intrigues et le cynisme du Méchant ne peuvent réellement, durablement nuire aux lumineuses institutions de la religion et de la société d'ordres, couvent, salon, famille, châteaux à la campagne. Le cœur de l'homme reste fait pour le bien, pour la vertu, pour le bonheur. L'intrusion de la brutalité, de la laideur dans cet univers harmonieux n'est qu'une mauvaise surprise, qu'impose la loi du genre littéraire. La confiance de Gresset fonde l'effet comique de cette intrusion. Une telle confiance donne à son œuvre son charme. Elle marque sans doute les limites de sa vérité et de sa profondeur.

31. Ed. cit., t. II, p. 224.
32. Epître V, au Père Bougeant, éd. cit., t. I, p. 91.

Marivaux, ou « la petite merveille »
Notes sur une satire littéraire

ROLAND MORTIER

L'histoire littéraire a relégué aux oubliettes le nom d'un écrivain qui connut la célébrité dans le dernier tiers du XVIIIe siècle et dont une œuvre au moins fut un des grands succès de librairie de l'époque. Né à Lyon en 1741, Jean-Baptiste-Claude Izouard, après un bref passage chez les Oratoriens, avait préféré s'engager dans la carrière des lettres et adopter le nom plus prestigieux de Delisle de Sales. C'est sous cette identité qu'il sera connu et il l'illustrera en publiant, l'année 1770, les six volumes de sa *Philosophie de la nature, ou traité de morale pour le genre humain, tiré de la philosophie et fondé sur la nature.* Ouvrage étrange, décousu, alternant le dialogue, le discours scientifique, les anecdotes, les épanchements philosophiques et moraux, d'authentiques passages lyriques et la pire rhétorique, cette *Philosophie de la nature* connut plusieurs remaniements[1] et valut à son auteur les foudres du pouvoir, en même temps qu'une popularité passagère[2].

---

1. Le livre connut sept éditions : la 2e en 1774 (Amsterdam, 6 vol.), la 3e, parue en 1778 avec la date de 1777 (Londres, 6 vol., avec de belles gravures) avait bénéficié de l'intervention d'Helvétius ; la 4e est une contrefaçon imprimée à Liège par Plomteux ; la 5e, comportant 7 volumes, rétablit les passages amputés dans les éditions antérieures, mais supprime les échanges de correspondance ; elle est datée de 1789 ; une 6e édition parut à Neuchâtel, sans les gravures et sur un papier médiocre, toujours en 7 volumes ; la 7e, qui se veut « la seule conforme au manuscrit original », parut après la Révolution, en 1804, chez Gide, à Paris, et comporte 10 volumes, chacun orné d'un frontispice. Ces gravures eurent un grand succès à l'époque et certaines sont encore reproduites de nos jours. La notice du libraire lyonnais Courvoisier, dans l'édition de 1804, les attribue sans précision « aux meilleurs artistes » du temps.

2. Bien que la philosophie générale – assez vague et très sentimentale – de ce vaste pot-pourri soit d'inspiration rousseauiste et déiste, l'ouvrage fut poursuivi par l'autorité. L'auteur fut enfermé à la prison du Châtelet en mars 1777 par décision judiciaire. Il fit appel et obtint son élargissement en mai 1777. Durant son séjour en prison, il fut la vedette du tout-Paris et son livre connut une vogue considérable. Après la Révolution, Delisle de Sales fit son mea culpa et publia en 1802 un *Mémoire en faveur de Dieu.* Détail curieux : il est le premier écrivain notoire que Chateaubriand ait rencontré. Celui-ci l'évoque dans les *Mémoires d'Outre-Tombe* comme un vieillard gâteux. Sur son œuvre et sur sa pensée, voir l'ouvrage très documenté de P. MALANDAIN, « Delisle de Sales philosophe de la nature », Oxford, *S.V.E.C.,* 1982, n°s 203-204.

Les bibliographes et les biographes lui attribuent une curieuse
satire littéraire, parue sans nom d'auteur ni d'éditeur en 1765,
intitulée :

La Bardinade/ou/Les Nôces/de/La Stupidité/Poëme divisé en dix chants.
Tantae molis erat Bardorum [en rouge] condere gentem.
MDCCLXV.   Aeneid Lib. I

Elle constituerait donc le début littéraire du jeune Delisle de
Sales. L'auteur a voulu donner un équivalent français de la célèbre
Dunciad de Pope[3]. Le grand poète anglais y fustigeait cruellement
les poètes médiocres de son temps et dénonçait le triomphe des sots
(«dunces» en anglais) sous une forme mi-satirique, mi-allégorique.
Dunce a été transporté ici en latin et donne *bardus* (lourdaud,
stupide, sot), mot assez rare, mais attesté chez Plaute, Cicéron et
Perse, puis chez Tertullien.
   La structure étrange de l'œuvre, la culture littéraire qu'elle
suppose et le choix de ses victimes sont très compatibles avec
l'attribution à Delisle de Sales, sans qu'on puisse en apporter des
preuves décisives. M. Malandain accepte cette attribution dans la
Bibliographie critique de son livre (t. II, p. 561-562).
   Comme son modèle anglais, Delisle affirme d'emblée son
intention de dénoncer le triomphe de la bêtise :

> Je viens prouver que ce siècle est stupide... aussi stupide que le siècle où
> nous ne savions ni lire, ni écrire, excepté quelques Dervis qui lisaient
> Albert le Grand et qui écrivaient sur les Catégories d'Aristote; aussi
> stupide que le siècle où nous mangions du gland et où nous parlions
> hébreu [?] (*Préface*, p. IX).

Ce projet n'est pas nouveau, et Delisle le reconnaît volontiers. Le
premier à le concevoir fut l'Anglais Wycherley[4], qui composa sur
ce thème un poème en quatre chants, mais s'y montra plus
philosophe que poète. L'idée fut reprise par Pope, que Delisle dit
admirer beaucoup, mais dont il déplore les images grossières, les
idées absurdes et le ton violent dans certains épisodes, comme celui
de Cloacine et des ordures déversées. Le bon goût français s'insurge
contre de telles indécences. Aussi la *Dunciad* a-t-elle eu peu de

---

3. Publiée en 1728, remaniée en 1729, puis en 1743, traduite en français en 1744. Centrée sur la
littérature anglaise, elle n'eut pas en France autant d'écho que l'*Essai sur l'homme*, l'*Essai sur la Critique*
ou l'héroïde d'*Héloïse et Abélard*. Elle fut imitée en 1764 par PALISSOT DE MONTENOY, sous le titre *La
Dunciade, ou la guerre des sots*, poème satirique en trois chants. Palissot les allongea plus tard jusqu'à
dix chants et y joignit l'œuvre originale de Pope en appendice.
   4. Connu surtout pour ses comédies. VOLTAIRE avait adapté *The Plain Dealer* sous le titre *La
Prude, ou la gardeuse de cassette*. La satire visée par Delisle est peut-être *The Idleness of Business* (1705).

succès en France. C'est d'ailleurs, à son avis, une œuvre sans avenir, pour la bonne raison, que «tout auteur qui écrit pour son siècle écrit rarement pour la postérité».

Ceci dit, notre auteur dément formellement avoir imité la satire anglaise et il revendique le mérite de son originalité. Si le plan de *La Bardinade* n'a presque nul rapport avec celui de la *Dunciad,* c'est bien parce qu'il en ignorait «jusqu'au nom» au moment de rédiger son poème.

Il explicite ensuite le caractère ironique de son propos : il a voulu opposer le *bon goût* au *goût moderne,* et il a laissé, par dérision, la victoire au second, conciliant ainsi le propos comique et le propos sérieux.

D'emblée, Delisle a conçu sa satire comme un poème en dix chants, dont le sujet serait d'un ridicule parfait : le représentant du «goût moderne» épousant une femme-auteur!

Quand la satire de Pope lui tomba entre les mains, il se contenta d'apporter de légères modifications[5] à la sienne. «J'admirai son poëme... mais je ne brûlai pas le mien».

Lui-même se veut bon Français, bon chrétien, et satirique sans méchanceté : «Je n'ai nommé nul auteur vivant, si ce n'est pour le louer». Il entend bien souligner ce qui le différencie des satiriques professionnels, «qui se nourrissent de fiel et de feuilles, et qui ne disposent de leur plume vénale qu'en faveur des auteurs qui leur ressemblent» (p. XXX). Aussi est-il choqué par le ton de la *Dunciade* de Palissot, qu'il vient de lire, et dont l'intention est diamétralement opposée à la sienne, puisque Palissot s'en prend à «des personnalités très respectables dans la littérature telles que M[rs]. Duclos, Marmontel, Diderot, etc.» (p. XXXI).

Le théâtre occupe une place importante dans *La Bardinade.* Elle s'ouvre, en effet, sur *La Soirée de l'opéra,* titre du Ier chant. Barda, c'est-à-dire la Sottise, se rend au spectacle, accompagnée d'une vingtaine de petits marquis «qui par bel air s'ennuyaient sur ses traces». On y joue *Amadis de Grèce,* opéra de La Motte, que notre auteur juge d'une extravagance ridicule et d'un merveilleux excessif, lié à l'abus des machines :

> Avec transport la troupe à ce spectacle
> Voit entasser miracle sur miracle
> Pour exposer un mortel au trépas;
> Ici des feux s'allument sous ses pas,
> Là le tonnerre oubliant sa victime
> Sans renverser ce héros magnanime

---

5. Entre autres : l'auteur qui brûle ses propres livres; le sommeil du dernier chant; l'idée de faire de la Stupidité l'héroïne de l'œuvre et de lui donner Dunskou pour mari.

> A ses côtés éclate avec fracas;
> On voit ensuite un palais mis en cendre,
> Mille ruisseaux serpenter en méandre,
> L'enfer monter et l'Olympe descendre
> Pour figurer entr'eux des entrechats;
> Un roi qui meurt en chantant en béquarre,
> La Mort dansant avec le mont Atlas;
> Une ombre enfin qui quitte le Ténare,
> Moins pour conclure un hymen trop bizarre
> Que pour tirer La Motte d'embarras.

Mais Houdar de La Motte n'est pas seul en cause. Delisle laisse percer ses intentions lorsque, à la fin du chant, il fait tomber Madame Barda en syncope après avoir entendu Crassus évoquer un écrit «plus froid que Marivaux». C'est bien de toute une école et d'une esthétique qu'il s'agit. La suite le confirmera.

Le chant II nous conduit dans *Le Sallon* du palais de Barda,

> un palais de structure gothique
> et d'ornements sans dessein surchargé.

On y voit en miniature, au plafond, «Tite et Trajan dans le goût de Calot», et plusieurs sculptures représentant les «héros de la maison». Les cibles de la satire sont les mauvais poètes, et en particulier Mme Deshoulières, dont «l'idylle du ruisseau est une leçon d'athéisme». Dans le domaine de la critique, les têtes de Turc sont les mêmes que celles de Voltaire : Frelon (= Fréron), plagiaire et dénonciateur, et Messer Gryphos (probablement Desfontaines) qui s'écrie :

> Rien n'échappait à ma dent sanguinaire,
> Elle attaquait un auteur somnifère
> Et puis mordait Dalembert et Piron...

Le chant III, intitulé *Le Poète de fortune,* nous présente Dunskou, le futur époux de Barda, travaillant dans son grenier à un article pour l'*Année littéraire* de Fréron. Ce journaliste famélique a décidé de se faire brûler avec ses écrits, mais il est sauvé par le financier Crassus (La Poplinière), qui lui offre 4 000 écus de rente et une résidence à l'hôtel de la finance.

Le chant IV *(Les Rêves)* est celui de l'initiation de Dunskou aux mystères de Barda dans le parc des rêves et dans «l'antre de Morphée», cette grotte où le visiteur tombe rapidement endormi. La recette est simple : on lui fait lire les pièces de La Motte, «poète-philosophe au style *moiré*», les vers de Dufresny, les romans du prolixe M. (Mouhy?). En passant, le satirique attaque «le grand Mandeville», qu'on voudrait substituer à Platon, alors que sa *Fable des Abeilles* n'est écrite que «pour prouver que la vertu est une invention des coquins».

Pour réussir en poésie, Dunskou n'aura qu'à suivre les conseils de Barda, qui dénoncent, sans le dire explicitement, l'esthétique frénétique des «âmes sensibles» et la manière de Baculard d'Arnaud :

> L'enthousiasme avec la frénésie
> De tout auteur doivent régler l'essor ;
> Si tu veux plaire, écris de fantaisie,
> *Rêve, imagine et tu deviens génie ;*
> Peins la nature, et tu n'es qu'un butor...

Et déjà Barda rêve à la littérature de demain :

> Il vient enfin, *ce siècle de délire*
> Qui dans l'Europe étendra notre empire.
> La France dort ; des milliers de sots
> Vont dans son sein rétablir le chaos.

Le chant V s'intitule *La Vision.* Le demi-dieu Phantase y prend les traits du jésuite Hardouin[6] pour apprendre à Dunskou les origines de Barda et ses premiers exploits.

Dans le chant VI *(Le Pic de Ténériffe),* le faux Hardouin suscite une vision où Dunskou se retrouve sur le pic de Teyde, d'où il contemple l'ensemble du monde civilisé. Spectacle affligeant : la Grèce est soumise «à l'Ottoman et à l'Alcoran» ; elle «n'offre que des ruines magnifiques où on la cherche sans la trouver». A Rome, le Capitole est desservi par des Récollets[7] et le peuple va prier à la Rotonde (l'ancien Panthéon) : ce sont là des notations très voltairiennes ! De même que l'éloge du XVIIe siècle, qui a étouffé le triomphe de Barda. Celle-ci cherche maintenant sa revanche, dans les cafés, dans les journaux et dans les «bureaux littéraires».

Le chant VII *(Les Métamorphoses)* élargit singulièrement le propos, jusqu'à devenir une déploration sur le déclin de la culture. L'Islam est vivement pris à partie. En Chine, l'empereur Chi-ho-Amti fait brûler les livres de la magnifique bibliothèque créée par Confucius. Le calife Omar a voué la bibliothèque d'Alexandrie aux flammes. Le roi de Suède Osten a établi son chien en qualité de gouverneur de la Norvège.

Pourtant, Delisle ne se laisse pas aller au pessimisme culturel. Il

---

6. Le Père Hardouin prétendait que la plupart des ouvrages latins avaient été fabriqués par des moines du XIIIe siècle, ce qui ruinait leur autorité. Il traitait aussi les cartésiens d'athées.

7. On sait que c'est de ce choc qu'est sorti le grand livre de Gibbon sur le déclin de l'empire romain.

critique les thèses de Rousseau, ce «fameux misanthrope» qui pense
paradoxalement que «pour être vertueux, il faut marcher à quatre
pattes» et que le vrai sage habite chez les Missilimakimaks.
Heureusement, il est des rois-philosophes qui maintiennent l'esprit
des lumières : Stanislas Leczinski, Frédéric II «roi philosophe et
auteur immortel», Marie-Thérèse, «une Zénobie assise encore au
trône des Césars», et surtout Catherine II, qui vient d'inviter
d'Alembert à se charger de l'éducation de son fils :

> Une héroïne au fond de la Russie
> Aux d'Alemberts demande des leçons.

Barda, furieuse, contre-attaque en prenant les traits de Saumaise.
Elle change «Pope en lourdaud, et Voltaire en pied-plat».

Le chant VIII *(Le Chasteau de la Finance)* décrit un festin dont le
prix d'excellence est accordé au plus stupide. La bibliothèque ne
contient que des œuvres sans valeur et son catalogue est celui de la
médiocrité littéraire. Il est trop long pour être reproduit, mais on y
relève *Amilec, Angola,* les *Lettres de Fanny Butlerd* (de Mᵐᵉ Riccoboni) et plusieurs titres de Crébillon *(L'Ecumoire,* etc.).

Le chant IX raconte *L'Incendie du temple du goût.* Il est, pour notre
auteur, l'occasion de dénombrer les figures les plus hautes de la
littérature ancienne et moderne. Hérodote, Cicéron, Démosthène,
et de Thou; Fléchier, Bossuet, Sénèque, Pline, Julien, Erasme sont
cités dans le désordre. La Motte sera sauvé pour ses fables et pour
son *Inès de Castro,* Fontenelle pour son *Histoire des Oracles,* sa
Pluralité des mondes et son *Histoire de l'Académie.* Montesquieu, La
Fontaine («auteur sans croire l'être, toujours charmant dans son
style inégal»), Boileau («poète exact, fin moqueur, bon plaisant»)* et
Jean-Baptiste Rousseau figurent au même palmarès. Au théâtre, la
préférence de l'auteur va vers Eschyle et, parmi les modernes, vers
Crébillon. Il déteste Shakespeare : «*Hamlet* et *César* nous ont
toujours paru des chefs-d'œuvre d'absurdité». Comme Voltaire, il
adore Quinault :

> Et ce Quinault, noirci par la satyre
> Pour avoir joint le cothurne à la lyre,
> Malgré Boileau marche avant ses censeurs.

Dans la comédie, Molière est le plus grand. Il surpasse Aristophane, Térence et Regnard :

> Au-dessus d'eux l'auteur du *Misanthrope*
> Peint nos travers avec naïveté :
> L'esprit humain que son art développe
> De ses portraits reconnaît l'équité;

Il imita les grands maîtres d'Europe
Et ne saurait lui-même être imité.

Dans le domaine de l'épopée, la palme revient à Voltaire :

Depuis longtemps le dernier trône est vide :
On le destine au chantre de Henri,
Du Dieu du goût éternel favori...
O toi, génie élégant et rapide
Que mes aïeux ont vu dans ton printemps
Leur tenir lieu d'Homère et d'Euripide,
Et que je vois dans l'hiver de tes ans
Créer encore et *Tancrède* et *Candide,*
Sois le Nestor des grands hommes vivants...

Le chant X, *Le Sommeil,* est le dernier et le plus féroce. On y
assiste à l'apothéose des stupides qui ont mis le feu au Temple du
Goût, puis au sommeil des époux, suivi de celui de la nature
entière.

On s'étonnera de voir Delisle de Sales tourner en dérision le
Commentaire sur l'Apocalypse de Bossuet, qui n'a pu être écrit que
par un génie de la stupidité qui aurait «pris sa figure et usurpé sa
personnalité». On ne sera pas surpris, en revanche, du sort fait au
théâtre de Fontenelle :

Messer Gildon, l'Euripide du jour,
Dormait ailleurs, appuyé sur Macate [8]
Drame construit dans le goût de la cour,
Quoique sifflé par un peuple sarmate.

Mais l'animosité du satirique culmine lorsqu'il vient à parler de
Marivaux. Perdant toute réserve, il le dénonce comme le corrupteur du goût français, comme le prophète de l'amphigouri, comme
l'ennemi irréductible de la simplicité et du naturel. La sortie contre
Marivaux est le passage le plus long et le plus violent de cette satire
où l'ironie se voulait le plus souvent indirecte, et généralement
modérée quand il s'agissait de personnalités et non de modes ou de
courants.

L'attaque contre Marivaux mérite donc d'être reproduite intégralement. Elle fait suite à la critique du *Macate* de Fontenelle et
souligne clairement le lien entre les deux.

Un Dieu rêveur, *à l'air fade, au ton faux,*
En *minaudant* vient lui dire à l'oreille :

---

8. Le texte donne en note : «*Macate,* mauvaise comédie de M. de Fontenelle, qu'il eut la faiblesse
de composer, et la faiblesse encore plus grande de faire imprimer».

De l'Hélicon tu vois en moi l'abeille;
Du *bel esprit* comme *des goûts nouveaux*
Je tins longtemps les Etats généraux;
Dans mon café je frondais les Corneilles,
Et le théâtre enrichi de mes veilles
Ne vit en moi que *de jolis défauts;*
Je composai *des romans peu moraux;*
Auteurs, beau sexe, artisans de journaux,
Tous m'ont nommé la petite merveille...
Aussi je suis Carlet de Marivaux[9].

Et le discours se poursuit sur le même mode sarcastique, à l'intention d'un jeune disciple :

Depuis vingt ans tu marches sur mes traces,
Et je descends du Parnasse français,
Trop satisfait puisque tu m'y remplaces :
Veux-tu jouir du plus brillant succès,
Et que Paris te nomme en ses accès
L'auteur du temps et *le peintre des grâces?*
Profite un jour de mes heureux secrets :
Pour réussir dans le genre tragique,
Choisis d'abord un sujet fantastique,
Fais un recueil de pointes de sonnet,
De *vers galants,* de *fadeurs de ballet,*
De *mots nouveaux* et *de traits sur les femmes*[10].
Joins-y surtout grand nombre d'épigrammes,
De sentiments passés à l'alambic,
D'incidents faux et *de coups de théâtre;*
Et sûr alors que Paris t'idôlatre,
Offre hardiment ton ouvrage au public.
Désires-tu les faveurs de Thalie?
N'écoute point ce bourgeois sans génie
Qui, captivé sous *l'ancien préjugé,*
S'il ne rit pas dans une comédie,
Maudit l'auteur, bâille et prend son congé.
Que ton pinceau *n'attaque point le vice;*
C'est en voyant des portraits de caprice
Que le Français veut être corrigé;
De l'épopée emprunte les maximes,
Que tes discours s'en trouvent diaprés;

---

9. Le texte renvoie ici à une note importante, qui éclaire le sens général de cette attaque frontale : «Les La Motte, les Fontenelle, les Saint-Mard, etc., *en fait de style affecté,* baissent humblement le pavillon devant Marivaux; aucun de ses romans ne va au cœur, et *toutes ses comédies sont délicatement inintelligibles;* cependant la plupart de ses pièces réussissaient aux premières représentations, parce qu'*il est bien plus aisé d'admirer les choses qu'on n'entend pas,* que celles qu'on entend». Rappelons que La Motte était mort en 1731, Rémond de Saint-Mard en 1757, Fontenelle la même année, et Marivaux en 1763 (deux ans avant l'édition de *La Bardinade*).

10. Une note d'auteur commente en ces termes : «Depuis quelque temps, nos poètes tragiques affectent de *semer leurs pièces de traits satiriques contre les femmes...* Ils pourront se justifier en disant qu'on reprochait la même manie à Euripide. Ainsi, malgré les assertions des Boileau, des Rousseau, etc., *il est démontré que les modernes se rapprochent des anciens... du moins en imitant leurs défauts*».

Nos spectateurs devenus magnanimes
Veulent y voir des sentiments sublimes
Dans de beaux vers richement encadrés.
Surtout, veux-tu maîtriser la censure?
Ne suis jamais la voix de la nature,
Ne pense point ce que pense chacun;
Que tes projets descendent de la lune;
Avant d'user d'une phrase commune,
J'aimerais mieux perdre le sens commun,
Ne peins jamais, mon fils, mais imagine;
Tu réussis s'il faut qu'on te devine...
Je voudrais même, en citoyen zélé,
Que sur la scène un sphinx fût appelé;
Il fixerait, en juge despotique,
Le rang qu'occupe un auteur dramatique;
Et tel auteur s'y verrait couronné,
Non en faveur des sentiments sublimes
Qu'il fait entendre au parterre étonné,
Ni pour avoir imité dans ses rimes
L'auteur de Phèdre, aujourd'hui suranné,
Mais pour avoir *proposé plus d'énigmes.*
Le sot dormant [Gildon], par un léger souris,
Semble applaudir *au projet romanesque;*
Alors Carlet du triomphe d'un fils
Fait commencer l'étalage burlesque :
Trois demi-dieux, en acteurs travestis,
Portent Gildon dans un salon grotesque,
Représentant la scène de Paris;
L'orchestre joue une triste chaconne,
Et sur le front du nouveau favori
Marivaux place, en guise de couronne,
Un vieil laurier par le soleil flétri;
Dans sa main droite une actrice bouffonne
Met une épée au tranchant émoussé
Dont se servait dans le siècle passé
Quelque César des bords de la Garonne,
Et dans sa gauche un sifflet renversé.
A ce Phénix, dont Phébus est jaloux,
Cent étourneaux tombent à genoux...

De tous les auteurs du XVIIIe siècle, Marivaux est le plus cruellement malmené dans cette satire. Rien n'est épargné dans toute son œuvre : affectation, bel esprit, mièvrerie, volonté d'originalité presque méprisante, subtilités psychologiques, néologismes, obscurité frisant l'hermétisme, autant de péchés que l'auteur de *La Bardinade* tient pour rédhibitoires. S'ajoute encore que ses romans sont immoraux et ses comédies sans vertu comique. Mais le plus grave n'est sans doute pas là : le péché impardonnable de Marivaux tient à l'exemple qu'il donne et aux préceptes qu'il est supposé édicter.

Mauvais maître, ennemi du naturel et de la transparence,

Marivaux est aussi un maître dépassé, qui ne distribue que de vieux lauriers flétris. Celui qu'on nommait «la petite merveille» ne pourrait donc faire illusion qu'au pays des fous et des sots, ou dans la grotte de Morphée.

La dureté de la charge ne s'expliquerait pas si Marivaux avait été vraiment relégué au rang des excentriques oubliés. En réalité, sa vogue persiste et elle dérange ceux qui mènent campagne contre la «nouvelle préciosité». La hargne d'un Delisle de Sales fait mieux comprendre la portée de la fameuse boutade de Voltaire sur le peseur d'œufs dans des balances en toile d'araignée. A la «nouvelle préciosité» des «modernes» s'oppose un retour en force à une esthétique classique du bon goût. Voltaire mène le combat, mais il a des alliés de moindre envergure, capables de recourir aux grands moyens. C'est sans doute dans ce contexte plus large qu'il faut relire *La Bardinade*.

Vigny et la comédie

MADELEINE AMBRIÈRE

«J'aime peu la comédie, qui tient toujours plus ou moins de la charge et de la bouffonnerie.» Ainsi parlait Vigny en 1834 *(Journal d'un poète)*, et l'on ne saurait douter de la sincérité de l'aveu, explicité dans ses motivations profondes par cet autre propos (1838) : «Je sais apprécier la charge de la comédie, mais elle me répugne parce que, dans tous les arts, elle enlaidit et appauvrit l'espèce humaine, et, comme homme, elle m'humilie.»

Visiblement, ni le tempérament ni les goûts esthétiques ne portaient vers la comédie l'auteur des *Destinées* et de *Chatterton*. Comment expliquer alors la présence dans ses carnets, agendas et Mémoires, à toutes les époques de sa vie, de projets de comédie, de mots ou de vers de comédie? Cette persistance d'une tentation comique mérite sans doute un regard attentif, même si les germes ne fructifièrent jamais.

En 1847, évoquant ses jeunes années, Vigny mentionne, en même temps que son appétit de lecture, son précoce désir d'écriture : «Je m'essayais à écrire des comédies, des fragments de roman, des récits de tragédies» *(Journal d'un poète)*. Le sort réservé à ces tentatives projette un éclairage intéressant sur le problème de l'inspiration du futur dramaturge, qui avoue avoir déchiré sur-le-champ tout ce qu'il écrivait, ne pouvant, dit-il, supporter «la ressemblance avec les classiques». En somme, incertain sur le genre et incertain sur la forme, l'écrivain en herbe en quête de son identité littéraire n'était sûr que d'une chose, son refus du modèle classique. Cette attitude qui traduit un rêve confus mais vivace de rénovation du théâtre n'est toutefois pas particulière à Vigny et s'inscrit, il faut le rappeler, dans le contexte historique des années 1820, celui des «enfants du siècle», jeunesse impatiente de modernité, de création, de renouvellement des genres.

C'est Hugo, on le sait, qui de manière fracassante ouvrit en 1827, avec sa Préface de *Cromwell,* la voie à la tragédie moderne, c'est-à-dire au drame romantique. Cette théorie d'un théâtre en liberté, placé sous les auspices d'Homère, de la Bible et de Shakespeare, prônant le mélange des genres et la recherche de l'art total, enchanta les jeunes imaginations. Vigny, militant ardent du Romantisme[1], participa activement à ce choix de la scène pour tribune, afin de faire triompher les idées nouvelles, et il exposa lui aussi sa théorie de la tragédie moderne. Avant de créer des œuvres originales, il avait jugé bon de s'attacher d'abord à donner de Shakespeare des traductions fidèles, non édulcorées comme celles de Ducis. En 1829, après *Henri III et sa cour* de Dumas en février, *Le More de Venise* de Vigny, le 24 octobre, marqua un deuxième jalon dans la conquête de la scène du Théâtre-Français par le drame, qu'allait consacrer, en février 1830, au terme d'une bataille fameuse, la victoire d'*Hernani.* Dans l'édition du *More de Venise* qui parut en janvier 1830 chez Levavasseur et Canel, figurait avant le texte de la pièce la «Lettre à Lord★★★ sur la soirée du 24 octobre 1829 et sur un système dramatique». Mieux que Hugo, Vigny faisait, au nom de la vérité dans l'art (invoquée aussi dans la préface de la quatrième édition de *Cinq-Mars*), le procès de la tragédie classique et de ses artifices, et réclamait, pour rendre l'art à la vie réelle :

> [...] une tragédie moderne produisant : dans sa conception, un tableau large de la vie, au lieu du tableau resserré de la catastrophe d'une intrigue ; dans sa composition, des caractères, non des rôles, des scènes paisibles sans drame, mêlées à des scènes comiques et tragiques ; dans son exécution, un style familier, comique, tragique, et parfois épique.

Mais la comédie dans tout cela ? Vigny ne la délaissait pas, puisque après *Roméo et Juliette* (avec E. Deschamps) puis *Le More de Venise,* il avait choisi de traduire une comédie de Shakespeare, *Le Marchand de Venise.* Présentée dans les premiers mois de 1830 à l'Ambigu-Comique — alors que seuls le Théâtre-Français et l'Odéon étaient autorisés à jouer des pièces en vers —, la comédie se heurta finalement à l'interdiction ministérielle et Vigny, qui l'avait aussi, affirme-t-il, proposée au Théâtre-Français, renonça à la faire jouer. Mais ce qu'il faut retenir de cette entreprise malheureuse, dans la perspective de notre propos, c'est qu'il s'agissait moins d'une traduction que d'une adaptation (assez éloignée de la pièce originale). Vigny, avec cette comédie en trois actes (au lieu de cinq)

---

1. Voir *Correspondance d'Alfred de Vigny,* éd. sous la direction de Madeleine Ambrière, P.U.F., 1816 - juillet 1830, 1989, t. I.

avait fait, dit F. Bassan dans son *Vigny et la Comédie-Française* (1984), «une comédie française presque classique»...

Nullement découragé par ces déboires, Vigny, en 1832[2], continuait à inscrire pêle-mêle des projets de romans, drames, comédies et même tragi-comédies, comme cette mystérieuse *Maria-Sylvia* dont on ne sait presque rien. Dans cette liste figure *Quitte pour la peur,* seule comédie qui vit le jour. Vigny qualifiait cette œuvre à l'allure de proverbe, écrite pour la représentation au bénéfice de Mme Dorval à l'Opéra, le 30 mai 1833, d'«enfantillage», de «bagatelle», de «petite comédie», mais tout en soulignant amèrement que «la multitude» n'avait vu que l'anecdote, sans saisir la «satire philosophique» et la «question sociale[3]».

Il ne renonça pas pour autant à rêver de comédie et à noter dans ses carnets des sujets de «comédies à faire», des «mots de comédie». On évoquera ici un exemple emprunté à un *Carnet* du Voyage en Angleterre de 1838-1839, récemment retrouvé par Jean Sangnier[4].

> *Le Dévot politique*
>
> Comédie à faire.
>
> Le faire passer par les 3 opinions et ayant toujours de bonnes raisons à donner pour être catholique, apostolique et romain. Raisons toujours politiques, jamais de Foi, jamais d'adoration, de méditation, de rêveries pieuses.

A un autre endroit du *Carnet,* Vigny a noté quelques «vers de comédie», tel celui-ci :

> Elle avait l'air honteux d'un perroquet mouillé.

A feuilleter l'ensemble des carnets, agendas et Mémoires connus à ce jour, on discerne en fait deux types de sujets, l'un orienté vers la comédie de caractère, l'autre vers la comédie sociale.

A la première catégorie appartiennent des projets visiblement nés dans le sillage de Molière, La Fontaine ou La Bruyère. On citera, par exemple, en 1841, *Le Misophile* (qui rappelle, note à juste titre, A. Jarry[5], *Le Misanthrope*) :

> L'ennemi de ses amis. Caractère très commun. Charmant avec les étrangers. Trouvant des vices à ses amis et les rabaissant.
> Il arrive qu'un jour tous lui manquent.

2. *Journal d'un poète,* 1er mai 1832.
3. *Ibid.,* 1er mai 1833.
4. Partiellement publié dans la *Revue des deux mondes,* février 1988, avant la publication intégrale dans le Bulletin de l'*Association des amis d'Alfred de Vigny,* 1990.
5. *Œuvres complètes,* Gallimard, la Pléiade, 1986, t. I, p. 1538.

A la même veine sans doute se rattache *L'Ingrat* (juillet 1844) dont n'a subsisté – et sans doute existé – que le titre. Autre projet (janvier 1853) :

> *L'Infidèle par amour*
>
> Une femme voit que son mari n'a pas d'amis et, pour lui faire des amis, elle leur fait des coquetteries qui les rendent amoureux. Ils sont trois ou quatre arrivés au point de s'attendre au rendez-vous décisif.
> Là, elle ne sait comment s'arrêter et s'excuser. Les ruses qu'elle emploie, pour leur déplaire, peuvent remplir une comédie. Ils ont tous trois servi son mari, dont elle est amoureuse très *violemment et profondément.*

Le second type de sujets, inspiré par des «situations», relève plus nettement de la comédie sociale :

> 1841 – Une femme ne peut pas rentrer dans le monde d'où sa passion l'a renvoyée et il n'est pas un asile[6].
> 1845 – Une femme amoureuse d'un salon. Elle aime uniquement le monde et le parfum des compliments et le bruit des conversations réunies.
> 1846 – *Une illusion*
> Un journaliste se figure qu'il est arrivé à une position. Il se gonfle, se grossit, imite tous les bœufs. Il pense à une jeune héritière et dresse toutes ses batteries sur le château; et plus rien!

Parfois Vigny note seulement l'indication d'une scène de comédie :

> 1844 – *Dénouement.*
> Le vieux duc trouble son propre mariage par les dames de la Halle.
> 1846 – La Cheminée, «scène de comédie».
> [Sans date] – Comédie.
>   – *Scène.*
> Plus la conversation est générale, plus elle est imparfaite. Restés deux, ils parlent vrai enfin.

L'un des projets les plus curieux concerne le poète et dramaturge du XVIIIe siècle J.-F. Regnard. Vigny cependant ne cachait pas sa répulsion pour *Le Légataire universel* qui, dit-il, lui «fait mal au cœur comme une médecine» (*Journal d'un poète,* 1838) et lui semble «une pièce révoltante» (*Ibid.,* 1859).

Qu'il se soit intéressé à Regnard pour des raisons de parenté

---

6. Allusion probable à Mme d'Agoult, ainsi que le note A. JARRY, *ibid.,* p. 1541. La possibilité de vérification des textes sur autographes expliques les légères (et rares) variantes par rapport à l'édition de la Pléiade.

semble plausible et même probable. Il était son petit-neveu[7] et possédait d'ailleurs un beau portrait de lui. En outre, un épisode pittoresque de sa vie, sa captivité à Alger après l'arraisonnement par des corsaires du bateau qui le ramenait de Gênes à Marseille, épisode qu'il a lui-même narré de manière très romanesque dans *La Provençale* sans qu'on puisse distinguer clairement la réalité de la fiction, avait déjà inspiré de petites pièces comiques. Le 30 avril 1800, on avait représenté au théâtre des Troubadours un vaudeville en deux actes intitulé *Regnard à Alger,* et, en 1815, Armand Gouffé (avec deux collaborateurs) avait fait jouer au Vaudeville une comédie-vaudeville, *Regnard esclave à Alger.*

De ce bon vivant Vigny semble avoir connu – avec une inévitable part de mystère et de légende – la joyeuse vie, si l'on en croit ce qu'il dit de son grand-oncle dans l'article sur «Mademoiselle Sedaine et la propriété littéraire» qu'il publia dans la *Revue des deux mondes* le 15 janvier 1841 :

> Regnard, ce hardi voyageur, riche, élégant, joyeux, passionné, épris en Italie d'une belle Provençale, prisonnier avec elle à Alger, esclave à Constantinople, rachetant sa maîtresse et non le mari, courant en vain la Pologne et la Laponie pour l'oublier, n'a pas écrit un vers ni une ligne dans toutes ses comédies qui pût rappeler ses aventures et une vie toute *byronienne* comme nous dirions aujourd'hui.

Le qualificatif paraît surprenant à vrai dire, mais, à défaut d'être exact, il permet de saisir le sens des projets de Vigny :

> 1840 – *Regnard à Alger*
> Peindre le poète français ayant en lui un besoin d'action égal au besoin de méditation.

Les projets de 1843-1844 semblent tout aussi éloignés de la réalité historique. L'un montre Regnard (qui n'avait que des sœurs) protecteur très paternel d'un jeune frère qui, victime d'un chagrin d'amour, se fera «prêtre et religieux, frère de la Merci». Dans le dialogue des deux frères, au temps des projets heureux, Regnard offre l'image d'un moraliste, philosophe un peu désabusé, sans doute meurtri par la vie, assez proche de celui qu'évoque un autre projet qui devait le montrer amené à voyager par déception de ne pouvoir faire le bien.

Tout se passe en somme comme si de l'œuvre de Regnard Vigny n'avait voulu retenir que les brèves *Réflexions morales* qui font suite au *Voyage en Suède,* où l'on voit le voyageur retenu par la tempête

---

7. Alexandre CALAME, *Regnard, sa vie et son œuvre,* publication de la Faculté des Lettres d'Alger, P.U.F., 1960, p. 41.

et méditant, du haut de la falaise de Westerwick, face à la mer
Baltique déchaînée, sur son inconstance, l'agitation de sa vie passée,
ses «résolutions sans suite» et ses «entreprises sans succès».

«Tout portrait ressemble plus au peintre qu'au modèle», dit
Oscar Wilde dans *Le Portrait de Dorian Gray*. Dans ce Regnard
byronien, comment ne pas voir se profiler une esquisse d'autoportrait? Et l'on peut faire la même remarque à propos des autres
auteurs de comédies dont parle Vigny. On le voit dédaigner les
bouffonneries du *Médecin malgré lui* et tous ces «dérivés de la farce
italienne», mais saluer dans l'auteur du *Misanthrope* et du *Tartuffe* le
moraliste :

> Le moraliste est ce qui domine dans Molière : les observations, portraits,
> maximes, sont le fond des tirades, trop longues parfois et déplacées selon
> la vérité, mais, à la fin, on s'aperçoit que ces longs passages forment un
> tissu d'idées, un ensemble très compact qui laisse dans la mémoire la
> *moralité*, l'*idée-mère* qu'il a voulu jeter (*Journal d'un poète*, 5 janvier 1831).

Même dans le portrait de Charles-Guillaume Etienne, poète,
journaliste, auteur de vaudevilles et de comédies, dont il devait
faire l'éloge dans son discours de réception à l'Académie
française, Vigny choisit son profil. Délaissant la production
légère – abondante – de son prédécesseur, il réserve ses louanges
pour le «sourire sérieux de sa comédie» (dont *Les Deux Gendres*,
représentés en 1810 sur la scène du Théâtre Français, offrent
l'illustration la plus connue) :

> Comédie de mœurs véritable, où la pensée première, l'action, les
> caractères, tout atteste que l'art élevé devient pour l'auteur un culte
> fervent.

Ainsi voit-on, au miroir de portraits où se reflète le visage de
Vigny, s'esquisser une véritable théorie de la comédie, que viennent encore étayer, dispersées au fil des pages des carnets, quelques
réflexions sur le genre :

> La Comédie est une satire.
> La Tragédie doit être inspirée par l'amour et la terreur, la Comédie
> par la haine et la critique. La tragédie provoque les pleurs et l'attendrisse-
> ment, la comédie le rire amer et ironique [...] (*Journal d'un poète*, 6 mai
> 1832).
> On a fait des satires gaies; je veux faire, soit dans des livres comme
> *Stello*, soit au théâtre, des satires sombres, tristes et mélancoliques. (*Ibid.*,
> 1834).

Œuvre de philosophe, satire de moraliste, dont le rire toujours se
voile d'amertume et d'ironie, telle est donc la comédie dont rêve

Vigny. On se ferait cependant une fausse idée de la réalité si l'on voyait dans cette conception une théorie uniquement personnelle. Sans doute faut-il lire tous ces projets comme les signes d'une recherche que Vigny partagea avec ses contemporains. Quand Théophile Gautier[8], le 1er mai 1848, à l'occasion de la reprise de *Robert Macaire,* rappelle que dans cette œuvre (créée en 1834) «se mouvait comme un germe confus de la comédie future», tandis qu'«en relevant et renouvelant tous les genres littéraires, aucun de nos poètes n'avait touché à la comédie sociale des temps modernes», il permet de saisir le sens de ces tentations comiques qui hantèrent les dramaturges du XIXe siècle, rêvant de réussir pour la comédie ce que Hugo avait essayé pour le drame. Banville d'ailleurs avouera, dans l'Avant-propos de ses *Comédies* (1878), avoir timidement conçu «ce que Hugo, ressuscitant Shakespeare, avait imaginé de faire pour la tragédie, en mélangeant poésie tragique et poésie lyrique».

Dans ce rêve de rénovation du théâtre qui se poursuivra au XIXe siècle jusqu'à Henry Becque, la comédie assurément n'eut pas la meilleure part. C'est encore Théophile Gautier qui, dans le feuilleton déjà cité du 1er mai 1848, affirme que seul Frédérick Lemaître a trouvé «cette comédie du XIXe siècle que tout le monde cherche et que l'on s'obstine à voir où elle n'est pas» (c'est-à-dire dans le théâtre à succès de Scribe).

Vigny, épisodiquement, mais dans la continuité de sa vie, fut un de ceux qui «cherchèrent», et sa conception paraît étonnamment proche de la comédie moderne telle que la définissaient, en l'appelant de leurs vœux, des critiques comme Gautier ou comme Charles Lassailly, l'infortuné auteur des *Roueries de Trialph notre contemporain avant son suicide* (1833), dont Vigny s'était fait le protecteur et qui, au milieu de ses extravagances, écrivit des pages critiques remarquables de pertinence et de lucidité.

C'est bien sûr à propos de *Robert Macaire* que Gautier donne son point de vue sur la comédie moderne. Il salue dans Frédérick Lemaître l'inventeur de cette «étrange et profonde satire où la critique de la société est faite par un brigand» et le créateur pour son Robert Macaire d'«un genre de comique tout à fait shakespearien, gaieté terrible, éclat de rire sinistre, dérision amère, raillerie impitoyable, sarcasme [...]». Rappelant sévèrement, dans un autre feuilleton, en mars 1849, à propos d'une comédie de Clairville et Cordier jouée au Gymnase avec un «succès tout à fait excessif», *Les Grenouilles qui demandent un roi,* que les satires doivent avoir «un point de vue élevé», «une portée philosophique», «un sens moral»,

---

8. Les citations des feuilletons de Gautier sont extraites de son *Histoire de l'art dramatique en France depuis vingt-cinq ans,* Helzel, 1859, t. 5 et 6.

Gautier cite le modèle d'Aristophane, modèle que prône également Lassailly dans sa *Revue critique* (qu'il avait d'abord voulu appeler «Revue aristophanique»).

Dans le troisième numéro de la *Revue* (qui n'en eut que quatre), en mars 1840, Lassailly consacra un long article à la comédie. Constatant lui aussi que «la Comédie est le seul genre qui n'ait pas été fécondé encore par une initiation plus idéale et tout à fait moderne», il annonce néanmoins comme «imminente» l'apparition de la nouvelle comédie en France et proclame le modèle à suivre, la comédie d'Aristophane, le «satirique sublime», l'«intelligent philosophe», le «sagace moraliste» dont l'œuvre, «comme tout poète comique doit y arriver, est l'expression exacte et complète de toute une société».

Molière, dit Lassailly, a su faire la «comédie d'intérêt et de caractère» mais l'autre comédie, qui est celle de l'idée, et qui sera idéale dans l'exécution, a eu pour unique représentant Aristophane. Comment ne pas songer aux ambitions de Vigny en lisant la définition de cette «comédie de l'idée» :

> Ce qui domine, avant tout, dans la composition d'Aristophane, c'est d'avoir toujours traité la pensée d'un sujet dans sa métaphysique la plus ardue, par les combinaisons d'une invention symbolique, et d'avoir à la fois exécuté des plans quelquefois imaginaires, sur les réalités les plus accusées et les plus sensibles à la vue.

Comédie de l'idée, satire élevée, c'est bien ainsi que Vigny rêvait de rénover la comédie.

Alors, pourquoi n'y réussit-il pas? Il lui manquait, dit F. Germain dans son étude sur «Vigny dramaturge» (*Œuvres*, la Pléiade, 1986, t. I), l'art de l'intrigue, et il poussa trop loin ses indéniables qualités de dramaturge. Lui-même en 1830 parlait de son «instinct dramatique», et Auguste Barbier, qui l'a bien connu, note dans ses *Souvenirs* :

> Il faut surtout voir en lui un *dramatique* [...]. Ses romans, ses contes et ses poèmes sont des drames.

On pourrait ajouter que ses lettres aussi, drames ou comédies (telle cette lettre sur l'homéopathie adressée à la vicomtesse du Plessis, le 29 septembre 1862), sont de petits chefs-d'œuvre dramatiques. On a noté l'incertitude de ses projets, ses hésitations entre le roman, le drame, la comédie. C'est qu'au fond ses affinités profondes, son idéal exigeant de vérité dans l'art ne pouvaient le porter que vers le drame, où se côtoient le comique et le tragique. Il connut souvent l'instant comique, fait d'un regard, d'un mot, d'une situation ou même d'un vers, mais l'heure de la comédie, une comédie rêvée hors du modèle classique dont l'emprise sur lui demeure indéniable, ne pouvait sonner pour lui.

Une phrase révélatrice de 1836 doit être rappelée ici :

> Le drame est vrai.
> Le drame n'a été appelé bâtard que parce qu'il n'est ni *comédie* ni *tragédie*. Mais les vivants sont ainsi. Qui rit toujours ou toujours pleure ? (*Journal d'un poète*).

Les Burgraves en 1843, dit-on souvent, marquèrent la mort du drame romantique, tué par ses excès. Il serait plus juste de dire qu'il mourut avec Mme Dorval en 1849. Il continua cependant à vivre dans la pensée de ses plus grands créateurs, comme on va le voir grâce à un curieux document, une lettre inédite de l'acteur Achille Raucourt[9] au ministre de l'Intérieur, en 1850, lettre qui servira d'épilogue à notre réflexion sur Vigny, la comédie et le drame.

A Monsieur le Ministre de l'Intérieur

Monsieur le Ministre,
Depuis bien des années, le Drame est joué sur nos Théâtres. Créé en quelque sorte par Diderot et Beaumarchais, il a été adopté depuis par les écrivains les plus distingués. De nos jours, Frédéric Soulié, Alexandre Dumas, Victor Hugo, Alfred de Vigny, Viennet, Ad. Dumas, Gozlan, Lafont, Balzac, Rosier, etc., presque tous nos auteurs modernes ont reconnu qu'un genre qui réunit le gracieux au sévère, le comique aux passions énergiques et saisissantes, méritait une attention particulière et sérieuse.
Le public avait d'avance ratifié ce jugement, car depuis près de trente ans les plus grands succès ont été obtenus par les pièces écrites d'après le principe de cette école nouvelle, si gracieusement suivie en France par les Scribe, C. Delavigne, Mélesville, Bayard, etc.
Mais si le Drame réunit les qualités de deux genres très distincts, il exige aussi de la part des artistes destinés à le mettre en action des qualités qui participent à la fois de la Comédie et de la Tragédie. Eh bien, Monsieur le Ministre, c'est là ce qui n'a jamais été l'objet d'une étude véritable et spéciale.
C'est sous ce point de vue que je me suis appliqué surtout à considérer l'art d'interpréter nos auteurs modernes, et si par mes longues et studieuses observations, j'ai été assez heureux pour obtenir quelques

---

9. Né à Rennes en 1803, Achille Lartigue dit Raucourt, mourut à Paris le 4 juin 1855, après une carrière en province, notamment à Bordeaux où il eut des succès brillants, puis à Paris à partir de 1837, essentiellement à la Porte-Saint-Martin. Il connaissait Vigny pour lequel il nourrissait une grande admiration. Les registres du Conservatoire n'ont pas conservé trace de ce vœu adressé au ministre de l'Intérieur J. Baroche, remplacé le 24 janvier 1851 par M. Vaisse. Cette lettre se trouve dans les Archives de la Comédie-Française.

succès sur quatre théâtres différents à Paris, je me suis convaincu que les jeunes gens qui débutent aujourd'hui dans la carrière ont besoin d'un guide qui les fasse profiter de son expérience.

Je crois donc, Monsieur le Ministre, que s'il existait au Conservatoire un *Professeur de Déclamation affecté particulièrement au Drame,* notre scène se ressentirait bientôt de cette innovation heureuse.

Quinze ans d'études assidues, en dehors de mes travaux habituels, vous paraîtront peut-être un titre suffisant pour donner à des élèves des leçons pratiques en harmonie avec les exigences d'un genre nouveau.

J'oserai donc, Monsieur le Ministre, réclamer de vos lumières et de votre justice un emploi que je me crois en état de remplir, et dont la création, qui vous serait entièrement due, ajouterait encore à l'estime qu'ont pour vous tous nos hommes de lettres.

Votre équité a sans doute déjà reconnu la nécessité et l'importance de la mesure que je propose ; mais si vous désiriez, Monsieur le Ministre, que j'entrasse dans de plus longs détails à l'égard de cette Théorie pratique appliquée à l'étude *bien sentie* du Drame moral et littéraire, il me serait facile de vous convaincre que sans *la Classe* que je sollicite, et dont l'existence est si vivement désirée par nos auteurs, les six Théâtres de Paris qui sont aujourd'hui les organes du Drame moderne, n'auront pas à l'avenir de sujets proprement dignes d'en être les éloquents interprètes.

Guidé surtout par le désir d'être utile à mon pays, j'accepterai, sans rétribution s'il le faut, la position que j'ai l'honneur de vous demander au Conservatoire, jusqu'à ce qu'une place devenue vacante et que mes services reconnus, il soit possible de me nommer titulaire.

J'ai l'honneur d'être, M. le Ministre, votre très respectueux serviteur.

Raucourt
artiste dramatique
13, rue Neuve-Saint-Jean.

Apostille d'Alfred de Vigny :

Un nombre presque incalculable de *Tragédies* et de *Comédies* remplit le répertoire du Théâtre français. Le Théâtre national n'a pas *quatre Drames* en prose à représenter, tant les auteurs comme le fut *Sedaine* sont rares dans ce genre si difficile à bien faire que *Beaumarchais* nommait : le *Drame sérieux*. Les acteurs éminents sont aussi difficiles à rencontrer dans ces rôles où tout doit être vérité et émotion. Le projet de M. Raucourt de fonder quelque chose de semblable à une *chaire de Drame français* me semble excellent et de nature à attirer de la part du Gouvernement une sérieuse attention, je crois que personne ne peut mieux accomplir cette entreprise que M. *Raucourt* qui l'a conçue.

Alfred de Vigny
Paris, 27 mai 1850.

Apostille de Victor Hugo :

Je m'associe avec empressement aux observations si justes, si vraies, si irréfutables de M. de Vigny, et à sa conclusion.

Victor Hugo

Apostille d'Alexandre Dumas :

En créant la place de professeur de Drame au Conservatoire, Monsieur le Ministre rendra un immense service aux jeunes gens qui se vouent à l'exploitation de ce qu'on appelle l'école moderne et qui, à part la place qu'ils peuvent occuper au Théâtre Français ou à l'Odéon où de temps en temps encore le Drame réclame son tour, n'ont d'autre carrière ouverte que les Théâtres de Boulevard.

D'ailleurs un genre qui compte parmi ses créateurs en Angleterre Shakespeare, en Espagne Lope de Vega et Calderon, en Allemagne Goethe et Schiller, et en France Victor Hugo et Alfred de Vigny, a parfaitement le droit de réclamer avec insistance ses Lettres de naturalisation en France.

Alex. Dumas
5 janvier 1851.

Signature :

George Sand

Ainsi se trouvèrent réunies une ultime fois les signatures de Hugo, Dumas et Vigny, rêvant non plus d'éduquer les foules par le drame, mais de le voir enseigné dans une classe du Conservatoire d'art dramatique... Décidément il faut toujours parler du classicisme des Romantiques[10].

---

10. Pierre MOREAU, *Le Classicisme des romantiques*, Plon, 1932.

Tabula gratulatoria

AKAGI Shozo, professeur honoraire à l'Université d'Osaka, Japon.
AMONOO Reginald Fraser, professeur au département de langues modernes de l'Université du Ghana.
ANTOINE Gérald, professeur émérite à l'Université de Paris III.
AUSTIN Llyod James, professeur honoraire à l'Université de Cambridge, Grande-Bretagne.

BAILBÉ Jacques, professeur à l'Université de Paris-Sorbonne.
BAILBÉ Joseph-Marc, professeur à l'Université de Rouen.
BALMAS, professeur, Istituto di Lingua e Letteratura francese, Milan, Italie.
BANCQUART Marie-Claire, professeur à la Sorbonne.
BARBER William Henry, professeur émérite à l'Université de Londres, Grande-Bretagne.
BAUSTERT Raymond, professeur au Centre universitaire de Luxembourg.
BEAUDIN Jean-Dominique, assistant à l'Université de Paris IV.
BEM Jeanne, professeur à l'Université de Haute-Alsace.
BÉNICHOU Paul, Paris.
BERTAUD Madeleine, professeur à l'Université de Strasbourg.
BERTIÈRE Simone, maître de conférences à l'Université de Bordeaux III.
BESSÈDE Robert, professeur à l'Université Paul-Valéry - Montpellier III.
BETHERY Marianne, professeur agrégée, lycée Montaigne, Paris.
Bibliothèque Albert-Marie Schmidt de l'Université de Lille III.
Bibliothèque Boole de l'Université College Cork, Irlande.
Bibliothèque du département de littérature française de l'UFR de sciences de l'homme à l'Université de Caen.
Bibliothèque de la Faculté des lettres, sciences du langage et arts de l'Université Lumière - Lyon II.
Bibliothèque Honnold, the Claremont Colleges, Etats-Unis.
Bibliothèque interuniversitaire de Clermont-Ferrand, section lettres.
Bibliothèque interuniversitaire de Montpellier, section lettres.
Bibliothèque interuniversitaire de Nancy, section lettres.
Bibliothèque interuniversitaire de Toulouse, section lettres.
Bibliothèque municipale de Nancy.
Bibliothèque de la Sorbonne.
Bibliothèque de l'UFR littérature française de l'Université de Paris IV.
Bibliothèque universitaire d'Avignon, section lettres.
Bibliothèque universitaire de Brest, section droit, lettres, sciences.
Bibliothèque de l'Université d'Aberdeen, Ecosse.
Bibliothèque de l'Université d'Amiens, section lettres-droit.
Bibliothèque de l'Université de Caen, section droit-lettres.
Bibliothèque de l'Université de Calgary, Canada.
Bibliothèque de l'Université Exeter, département des acquisitions, Grande-Bretagne.
Bibliothèque de l'Université de Floride, USA.
Bibliothèque de l'Université de Haute-Alsace.
Bibliothèque de l'Université de Paris-Nord, section droit, lettres.
Bibliothèque de l'Université de Savoie, section lettres.
Bibliothèque de l'Université Victoria, Toronto, Canada.
BLÜHER Karl Alfred, professeur, Romanisches Seminar der Universität Kiel, RFA.

BLUM Claude, professeur à la Sorbonne.
BOMPAIRE-EVESQUE Claire, maître de conférences à l'Université de Paris IV.
BONFILS Catherine, maître de conférences à la Sorbonne.
BORDES Hélène, professeur à la Faculté des lettres et sciences humaines de Limoges.
BOUYSSE Patrice, professeur de lettres classiques au lycée français de Londres, Grande-Bretagne.
BRAY Bernard, professeur à l'Université de la Sarre, Sarrebruck, RFA.
BRUNEL Jean, professeur de littérature française de la Renaissance.
BRUNEL Pierre, professeur à l'Université de Paris IV.

CARAMASCHI Enzo, Florence, Italie.
CASTEX Pierre-Georges, membre de l'Institut de France.
CHANTALAT Claude et Chantal, maîtres de conférences à l'Université de Paris IV.
CHOMARAT Jacques, professeur émérite à l'Université de Paris IV - Sorbonne.
CHUPEAU Jacques, maître de conférences à l'Université de Tours.
CLERICI NERINA, professeur à l'Université de Gênes, Italie.
COLLINET Jean-Pierre, professeur à l'Université de Bourgogne.
CONESA Gabriel, maître de conférences à l'Université de Paris-Sorbonne.
COULET Henri, professeur émérite à l'Université de Provence.
CUCHE François-Xavier, professeur à l'Université de Strasbourg.

DAGEN Jean, professeur à l'Université de Paris-Sorbonne.
DALLA VALLE Daniela, professeur à l'Université de Turin, Italie.
DEBARD Michèle, agrégée de grammaire, professeur de lycée.
DEMERSON Guy et Geneviève, professeurs émérites de l'Université Blaise-Pascal.
Département de français de la Faculté des lettres de l'Université de Brest.
Département de science littéraire et philologie de l'Université de Turin, Italie.
DESCRAINS Josette, professeur honoraire.
DESPRAIRIES Lucien Monsieur et Madame, Paris.
DESPRAIRIES Pierre Monsieur et Madame, président honoraire de l'Institut Français du Pétrole.
Dipartimento Scienze Letterarie e Filolociche, Università di Torino, Italie.
DOSMOND Simone, maître de conférences à l'Université Michel-de-Montaigne, Bordeaux III.
DOUILLET Jackie, Hénin-Beaumont.
DUCHÈNE Roger, professeur émérite à l'Université de Provence.

Ecole normale supérieure, bibliothèque de Jourdan.
Ecole normale supérieure, bibliothèque des lettres.

FAIRLIE Alison A. B., professeur émérite de l'Université de Cambridge, Grande-Bretagne.
FONTAINE Marie-Madeleine, maître de conférences.
FORESTIER Georges, professeur à la Sorbonne Nouvelle.
FORESTIER Louis, professeur à l'Université de Paris-Sorbonne.
FORTASSIER Pierre, professeur honoraire de première supérieure au lycée Louis-le-Grand.
FOULON Charles, professeur émérite à l'Université de Rennes II.
FUROIS Lucienne, professeur détaché à l'Université de Trieste, Italie.

GAULMIER Jean, professeur émérite à l'Université de Paris IV.
GÉRARD Mireille, chargée de recherches au CNRS.
GETHNER Perry, professeur de français à l'Université de l'Etat d'Oklahoma, USA.
GIORGI Giorgetto, professeur de littérature française à l'Université de Paris, Italie.
GLATIGNY Michel, professeur émérite à l'Université de Lille III.
GOYET Thérèse, professeur émérite de l'Université Blaise-Pascal.

HENNEQUIN Jacques, professeur à l'Université de Metz.
HEPP Noémi, professeur émérite à l'Université de Strasbourg II.
HUBERT Etienne-Alain, maître de conférences à l'Université de Paris-Sorbonne.
HUCHON Mireille, professeur à l'Université de Paris-Sorbonne.

Institut d'études de la Renaissance et de l'Age classique, MRASH, Saint-Etienne.
ITO Hiroshi, professeur à l'Université Waseda de Tokyo, Japon.

Kɪᴍ Keun–Taik, professeur au département de français de la Faculté des lettres de l'Université Yonsei, Séoul, Corée.
Kɪʀsᴏᴘ Wallace, professeur de littérature française à l'Université Monash, Victoria, Australie.

Lᴀɴᴀᴠᴇ̀ʀᴇ Alain, maître de conférences à l'Université de Paris-Sorbonne.
Lᴀʀᴛʜᴏᴍᴀs Pierre, professeur honoraire à l'Université de Paris IV.
Lᴇ Gᴜɪʟʟᴏᴜ Louis, professeur à l'Université de Brest.
Lᴇɪɴᴇʀ Wolfgang, professeur à Tübingen, ʀғᴀ.
Lᴇ Mᴇʀʀᴇʀ Madeleine, maître de conférences à l'Université de Nantes.
Lᴇsᴛʀɪɴɢᴀɴᴛ Frank, professeur à l'Université de Lille III - Charles-de-Gaulle.
Librairie Jean Touzot, Paris.
Lɪᴄʜᴛʟᴇ́ Michel, maître de conférences de littérature française à l'Université de Paris IV.
Lᴏʙʙᴇs Louis, Hardenberg, Pays-Bas.
Lᴏᴍʙᴀʀᴅ Jean, professeur honoraire à l'Université d'Amiens.
Lᴜʙɪɴ Georges, Boulogne.

Mᴀɴᴜᴇʟ Jean-Baptiste, Paris.
Mᴀʀᴛɪɴᴇᴛ Marie-Madeleine, professeur à l'Université de Paris IV.
Mᴀsʜɪᴍᴏ Hiroko, chargée de cours à l'Université Seinan-Gakuin, Japon.
Mᴀʏ Georges, professeur émérite de l'Université de Yale, ᴜsᴀ.
Mᴇ́ɴᴀʀᴅ Philippe, professeur à la Sorbonne.
Mᴇsɴᴀʀᴅ Jean, professeur émérite de l'Université de Paris IV.
Mɪᴄʜᴇʟ Arlette, professeur à l'Université de Paris IV.
Mɪʀᴀᴍᴏɴ Fɪᴛᴢ-Jᴀᴍᴇs Henri de, ancien conservateur des Archives diplomatiques.
Mᴏɴᴛᴇᴛ Jean-Michel, professeur de lettres modernes.
Mᴏᴜʀᴇᴀᴜ François, professeur à l'Université de Bourgogne.
Mᴏᴜᴛᴏᴛᴇ Daniel, professeur honoraire de l'Université Paul-Valéry.

Nᴀᴋᴀᴍᴜʀᴀ Eiko, professeur de langue et littérature françaises à l'Université Seinan-Gakuin, Japon.
Nᴇᴘᴏᴛᴇ-Dᴇsᴍᴀʀʀᴇs Fanny, maître de conférences à l'Université de Toulouse II.

Oᴇᴛʜᴇɪᴍᴇʀ Erich, directeur du Département ʟᴇᴀ à l'Université de Caen.
Oʀᴍᴇssᴏɴ Jean d', secrétaire général du Conseil international de la Philosophie et des Sciences humaines.

Pᴀɢᴏssᴇ Roger, maître-assistant honoraire.
Pɪʟʟᴏʀɢᴇᴛ René, professeur à l'Université de Lille III et à l'Institut catholique de Paris.
Pɪɴᴛᴀʀᴅ René, professeur honoraire à la Sorbonne.
Pᴏᴍᴇᴀᴜ René de l'Institut de France.
Pᴏᴍᴍɪᴇʀ René, maître de conférences à l'Université de Paris IV.
Pʀᴏsᴄʜᴡɪᴛᴢ Gunnar von, professeur à l'Université, Göteborg, Suède.

Rᴀɪᴍᴏɴᴅ Michel, professeur de littérature française à l'Université de Paris IV.
Rᴀᴍʙᴀᴜᴅ Vital, assistant à l'Université de Paris-Sorbonne.
Rᴀɴᴄᴏᴜᴇᴜʀ René, conservateur en chef honoraire à la Bibliothèque nationale.
Rᴇʏ-Fʟᴀᴜᴅ Bernadette, maître de conférences à l'Université d'Avignon.
Rɪᴢᴢᴀ Cecilia, professeur à l'Université de Gênes, Italie.
Rᴏʙɪᴄʜᴇᴢ Jacques, professeur honoraire à la Sorbonne.
Romanisches Seminar de l'Université de Cologne, ʀғᴀ.
Romanisches Seminar de l'Université de Münster, ʀғᴀ.

Sᴀɴᴛᴀ-Cʀᴏᴄᴇ Joseph, professeur de lettres, Paris.
Sᴄʜᴏᴇʟʟ Konrad, professeur de faculté, Kassel, ʀғᴀ.
Sᴇʟʟɪᴇʀ Philippe, professeur à l'Université de Paris-Sorbonne.
Séminaire de littérature française de l'Université de Berne, Suisse.
Sʜɪᴏᴋᴀᴡᴀ Tetsuyd, professeur adjoint à l'Université de Tokyo.
Sɪᴍᴏɴ Marcel, Caen.
Sɪx André, proviseur au lycée Molière.
Sᴡᴇᴇᴛsᴇʀ Marie-Odile, professeur à l'Université de l'Illinois, ᴜsᴀ.

TAKATA Isamu, professeur à l'Université Meiji de Tokyo, Japon.
TOBARI Tomoo, professeur à l'Université Chuo de Tokyo, Japon.
TRUCHET Jacques, professeur émérite à l'Université de Paris-Sorbonne.

UFR de linguistique et littératures anciennes, françaises et comparées à l'Université des sciences humaines de Strasbourg.
VERSINI Laurent, professeur à la Sorbonne.
VIDAL Georges, professeur de lettres classiques.
VINCENT Monique, docteur ès lettres.

WAGNER Nicolas, professeur émérite à l'Université de Clermont-Ferrand II - Blaise-Pascal.
WHITAKER Marie-Joséphine, Paris.

YOUSSEF Zobeidah, professeur émérite de l'Université de Western Ontario, Canada.

ZOTOS Alexandre, maître de conférences à l'Université de Saint-Etienne.

Imprimé en France
Imprimerie des Presses Universitaires de France
73, avenue Rondard, 41100 Vendôme
Février 1992 — N° 37 457